白夜行《びゃくやこう》

東野圭吾

集英社

白夜行

カバーフォト——瀬戸正人　ブックデザイン——鈴木成一デザイン室

第一章

1

　近鉄布施《ふせ》駅を出て、線路脇を西に向かって歩きだした。十月だというのにひどく蒸し暑い。そのくせ地面は乾いていて、トラックが勢いよく通り過ぎると、その拍子に砂埃が目に入りそうになった。顔をしかめ目元をこすった。

　笹垣潤三《ささがきじゅんぞう》の足取りは、決して軽いとはいえなかった。本来ならば今日は非番のはずだった。久しぶりに、のんびり読書でもしようと思っていた。今日のために、松本清張の新作を読まないでいたのだ。

　右側に公園が見えてきた。三角ベースの野球なら、同時に二つの試合ができそうな広さだ。ジャングルジム、ブランコ、滑り台といった定番の遊戯設備もある。このあたりの公園の中では一番大きい。真澄《ますみ》公園というのが正式名称である。

　その公園の向こうに七階建てのビルが建っている。一見したところでは、何の変哲もない建物だ。だがその中が殆どがらんどうの状態であることを笹垣は知っている。府警本部に配属される前まで、彼はこの付近を管轄する西布施警察署にいた。

　ビルの前には早くも野次馬が群がっていた。彼等に囲まれるように、パトカーが数台止まっているのが見えた。

　笹垣は真っ直ぐビルには向かわず、公園の手前の道を右に曲がった。角から五軒目に、いか焼き、と書いた看板を出した店がある。間口が一間ほどの小さな店だ。通りに面するようにいか焼きの台が置かれ、その向こうで五十歳前後と思われる太った女が新聞を読んでいた。店の奥では駄菓子を売っているようだが、子供の姿はない。

「おばちゃん、一枚焼いて」笹垣は声をかけた。

　中年女はあわてて新聞を閉じた。「ああ、はいはい」

　女は立ち上がり、椅子に新聞を置いた。笹垣はピースをくわえ、マッチで火をつけてから、その新聞を眺めた。『厚生省、市場の魚介類水銀濃度検査の結果を発表』という見出しが見えた。横に小さく、『魚を大量に食べても許容量下回る』とある。

　三月に熊本水俣病の判決がいい渡され、新潟水俣病、四日市大気汚染、イタイイタイ病と合わせた四大公害裁判が結審した。いずれも原告患者側の勝訴だった。これらにより公害に対する国民の関心は強くなった。特に、水銀やＰＣＢによって、日頃食べる魚が汚染されているのではないかという不安が、全国的に広がっている。

　烏賊《いか》は大丈夫かいな、と笹垣は新聞を見ながら思った。いか焼き用の鉄板は、二枚の鉄板を蝶番《ちょうつがい》で繋いだような格好をしている。その間に小麦粉と卵をからめた烏賊をプレスするように挟み、熱するのである。烏賊の焼ける匂いが食欲を刺激した。

　十分に熱を加えた後、彼女は鉄板を開いた。丸く平たいいか焼きが片方の鉄板にはりついている。そこに薄くソースを塗り、半分に折った。それを茶色の紙で包み、はい、と笹垣のほうに差し出した。

　いか焼き四十円、と書かれた札を見て、笹垣は金を出した。おおきに、と女は愛想よくいった。そして新聞を手にすると、また椅子に座った。

　笹垣が店を離れかけた時、一人の中年女性が店の前で足を止め、こんにちは、といか焼き屋の女に挨拶した。近所の主婦らしい。買い物籠を提げていた。

「あそこ何か、えらい騒ぎになってるねえ。何かあったんやろか」主婦らしき女性はビルのほうを指した。

「あったみたいですよ。さっきからパトカーがたくさん来てますわ。子供が怪我でもしたんやないですか」いか焼き屋の女はいった。

「子供？」笹垣は振り返った。「なんでビルに子供がおるんですか」

「あのビル、子供の遊び場になってるんです。そのうちにきっと怪我するわと思てたんですけど、とうとう本当に怪我人が出たんと違いますか」

「へえ、あんな建物の中で何をして遊ぶんやろ」

「さあねえ、知りませんわ。とにかく、あれは早よ何とかせなあかんと思てましてん。危ないですもんねえ」

　笹垣はいか焼きを食べ終えると、ビルに向かって歩きだした。いか焼き屋の女主人が後ろから見ていたら、暇な中年男が野次馬根性を出したように見えることだろう。

　ビルの前では制服を着た警官たちがロープを張って野次馬たちを遮っていた。そのロープを笹垣はくぐった。警官の一人が威嚇《いかく》するような目を向けてきたので、彼は自分の胸のあたりを指した。ここに手帳が入っている、という意味だった。それを解したらしく、制服警官は目礼した。

　ビルには一応玄関らしきものがあった。本来の設計では、大きなガラスドアが付けられるはずだったのかもしれない。しかし現況は、ベニヤ板や角材などで塞がれているだけだった。そのベニヤ板の一部が外され、中に入れるようになっていた。

見張りに立っている警官に挨拶して、笹垣はビルの中に足を踏み入れた。思った通り、中は暗かった。カビと埃の臭いが混ざった空気が漂っている。目が慣れるまで、彼はそのまま立っていた。どこからか話し声が聞こえる。

しばらくすると、周囲がぼんやりと見えてきた。自分の立っている場所がエレベータホールになるべき場所だったということを笹垣は知った。右側にエレベータの扉が二つ並んでいたからだ。その前には建築資材や電気部品などが積まれている。

正面は壁だ。だが出入口用の四角い穴が開いている。穴の向こうは暗くてよく見えないが、駐車場になる予定だったのかもしれない。

左側には部屋があった。いかにもその場しのぎという感じの、合板製の粗末なドアがついている。チョークで『立入禁止』と乱暴に書きなぐってあった。おそらく工事関係者が書いたものだろう。

そのドアが開き、二人の男が出てきた。どちらも笹垣がよく知っている人間だ。同じ班にいる刑事たちだった。彼等のほうも、笹垣を見て足を止めた。

「おう、御苦労さん。せっかくの休みやのに、ついとらんな」一方が声をかけてきた。彼は笹垣よりも二つ年上だった。もう一人の若い刑事は捜査一課に配属されてから、まだ一年にならない。

「朝からいやな予感がしとりましたんや。こんな勘は当たらんでもええのに」そういってから笹垣は声を落とした。「おっさんの機嫌はどうです？」

相手は顔をしかめ、手を振った。若手刑事は隣で苦笑している。

「そうですか。ちょっとはのんびりしたい、いうてた矢先やもんなあ。今は中で何をしてます？」

「松野先生がお着きになったところや」

「あ、なるほど」

「ほな、俺らはちょっと回って来るから」

「ああ、よろしく」二人が出ていくのを見送った。おそらく聞き込みを命じられたのだろう。

笹垣は手袋をはめると、ゆっくりとドアを開けた。室内は十五畳ほどの広さがあった。窓ガラスから入る太陽光のおかげで、エレベータホールほどには暗くない。

窓と反対側の壁際に、捜査員たちが集まっていた。知らない顔が混じっているが、たぶん所轄の西布施警察署の者だろう。あとは見飽きた顔ばかりだ。中でも最も付き合いの深い男が、最初に笹垣のほうを見た。班長の中塚だった。髪を五分刈りにし、レンズの上半分が薄い紫の金縁眼鏡をかけている。眉間の皺は、笑っている時でも消えない。

　中塚は「御苦労さん」とも「遅かったな」ともいわず、こっちへ来いというように顎を小さく動かした。笹垣は近づいていった。

　この部屋には殆ど家具らしきものがなかったが、黒い合成皮革の長椅子が一つ、壁際に置かれていた。詰めれば大人三人が座れそうな大きさだ。

　死体はその上に横たわっていた。男の死体だった。

　近畿医科大の松野秀臣《ひでおみ》教授が、その死体を調べている最中だった。松野教授は大阪府監察医を務めて二十年以上になる。

　首を伸ばし、笹垣は死体を眺めた。

　死体の年齢は四十代半ばから五十歳過ぎに見えた。身長は百七十センチ足らずというところ。身体《からだ》つきは、その身長にしては少し太めという感じだった。茶色の上着を着ているが、ネクタイは締めていない。衣類はいずれも高級品に見えた。ただし、胸に直径十センチほどの赤黒い血痕があった。ほかにもいくつか傷があるようだが、いずれも夥《おびただ》しいというほどの出血は見られなかった。

　笹垣が見たかぎりでは、誰かと争った様子はない。着衣は乱れていないし、オールバックに固めた髪も、殆ど崩れていなかった。

　小柄な松野教授が立ち上がり、捜査員たちのほうを向いた。

「他殺だね。間違いない」教授は断定的にいった。「刺傷が五箇所。胸に二箇所、肩に三箇所。致命傷となったのは、たぶん左胸下部の刺傷だと思われます。胸骨より数センチ左です。肋骨の間を通過した凶器が、一気に心臓に達したと考えられます」

「即死ですか」中塚が訊いた。

「一分以内で死んだんじゃないかな。冠状動脈からの出血が心臓を圧迫して、心タンポナーデを起こしたと思うからね」

「犯人への返り血はありそうですか」

「いや、たぶんさほどのものではないと思う」

「凶器は？」

　教授は下唇を突き出し、一度小さく首を捻ってから口を開いた。

「細くて鋭利な刃物だね。一般の果物ナイフより、もう少し細いかもしれない。とにかく、包丁や登山ナイフの類ではないね」

　この会話から、凶器がまだ見つかっていないらしいことを笹垣は知った。

「死亡推定時刻は？」この質問は笹垣が投げかけた。

「死後硬直は全身に及んでいるし、死斑の転位も全く認められない。角膜の濁りも強い。十七時間から、あるいは丸一日近く経っているかもしれないな。後は解剖で、どこまで絞れるかだね」

笹垣は自分の時計を見た。午後二時四十分だった。単純に逆算すると、被害者は昨日の午後三時頃から夜十時の間に殺されたということになる。

「そしたら、すぐに解剖に回しましょか」

中塚の意見に、「それがいいだろうね」と松野教授は賛成した。

そこへ若い古賀《こが》刑事が入ってきた。「被害者の奥さんが到着しました」

「ようやく来たか。ほな、先に確認してもらおか。お連れしてくれ」

中塚の指示に古賀は頷き、部屋を出ていった。

笹垣はそばにいた後輩の刑事に小声で訊いた。「被害者の身元、わかってるんか?」

後輩は小さく頷いた。

「運転免許証と名刺を持ってました。この近くの質屋の親父です」

「質屋?　とられたものは?」

「わかりません。とりあえず財布は見つからんそうです」

物音がして、再び古賀が入ってきた。どうぞこちらへ、と後ろに向かっていっている。刑事たちは死体から二、三歩下がった。

古賀の背後から女が現れた。最初に笹垣の目に飛び込んできたのは、鮮やかなオレンジ色だった。女はオレンジと黒のチェック柄のワンピースを着ていたのだ。しかも踵《かかと》の高さが十センチ近くありそうなハイヒールを履いていた。また、見事にセットされた長い髪は、たった今美容院から帰ってきたかのようだった。

濃い化粧によって強調された大きな目が、壁際の長椅子に向けられた。彼女は両手を口元に持っていき、しゃっくりするような声を発した。そのまま何秒間か身体の動きを停止させた。こういう場合に余計な言葉を発するメリットが何もないことを知っている捜査員たちは、黙ってじっと成りゆきを見ていた。

やがて彼女はゆっくりと死体に近づき始めた。長椅子の手前で足を止め、横たわっている男の顔を見下ろした。彼女の下顎が細かく震えているのが笹垣にもわかった。

「御主人ですか」中塚が尋ねた。

彼女は答えず、両手で自分の頰を包んだ。その手を徐々にずらし、顔を覆った。崩れるように膝を折り、床にしゃがみこんだ。芝居じみている、と笹垣は感じた。

号泣する声が、彼女の手の中から聞こえた。

2

キリハラヨウスケ——桐原洋介というのが被害者の名前だった。質屋『きりはら』の主人である。店舗兼自宅は、現場から約一キロのところにあるという話だった。

妻の弥生子《やえこ》によって身元が確認されると、死体は早速運び出されることになった。鑑識課員たちが担架にのせるのを笹垣も手伝った。その時、あるものが彼の目を引いた。

「被害者、飯を食うた後やったんかな」彼は呟いた。

えっ、とそばにいた古賀刑事が訊き直した。

「これや」といって笹垣が指したのは、被害者が締めているベルトだった。「見てみい、ベルトを締める穴が、ふだんより二つもずれてるやろ」

「あっ、ほんまですね」

桐原洋介が締めていたのは、バレンチノの茶色のベルトだった。いつも使っているのが端から五番目の穴だということは、ベルト表面についたバックルの跡と、その穴だけが細長く広がっていることから明らかだった。ところが現在死体が使っていたのは、端から三番目の穴だったのである。

この部分を写真に撮っておいてくれと、笹垣は近くにいた若い鑑識課員にいった。

死体が運び出されると、現場検証に加わっていた捜査員たちも、次々に聞き込みに出ていった。残っているのは、鑑識課員のほかは笹垣と中塚だけになった。

中塚は部屋の中央に立ち、改めて室内を見回していた。左手を腰に、右手を頬に当てるのは、彼が立ったまま考え事をする時の癖だった。

「笹やん」と中塚はいった。「どう思う？　どういう犯人やと思う」

「全くわかりませんな」笹垣も、さっと視線を巡らせた。「わかるのは、顔見知りやということぐらいですわ」

着衣や頭髪の状態に乱れがないこと、格闘の痕跡がないこと、正面から刺されていることなどが、その根拠だった。

中塚は頷く。異論はないという表情だった。

「問題は、被害者と犯人がここで何をしてたのか、ということやな」班長はいった。

笹垣はもう一度、部屋の中を一つ一つ目で点検していった。ビル建築中、この部屋は仮の事務所として使われていたらしい。死体が横たわっていた黒い長椅子も、その時に使われていたものだ。ほかにはスチール机が一つとパイプ椅子が二つ、それから折り畳み式の会議机が一つ、壁に寄せて放置してあった。いずれも錆《さび》が浮き出ており、粉をふりかけたように埃が積もっていた。ここの建設がストップしたのは二年半も前だった。

笹垣の視線が、黒い長椅子の真横にある壁の一点で止まった。ダクトの四角い穴が天井のすぐ下にある。本来は金網をかぶせるのだろうが、もちろん今はそんなものはついていない。

このダクトがなければ、死体の発見はもっと遅れたかもしれなかった。というのは、死体の発見者は、このダクトから室内に入ったからだ。

西布施警察署の捜査員の話によると、死体を見つけたのは近所の小学三年生だった。今日は土曜日なので学校は午前中だけである。午後から少年は同級生と五人で、このビルで遊んでいた。といっても、この中でドッジボールや鬼ごっこをするわけではない。彼等はビルの中を通っているダクトに入り、迷路ごっこをしていたのだ。たしかに、複雑に曲がりくねったダクトの中を四つん這いになって進むというのは、男の子にとっては冒険心をくすぐられるゲームかもしれなかった。

どういうルールで遊んでいたのかはさだかでないが、五人の中の一人だけが途中で別のルートを進んでしまったらしい。少年は仲間とはぐれ、焦ってダクトの中を這い回った。やがて到達したところが、この部屋だった。少年は最初、この長椅子で寝ている男が死んでいるとは思わなかったそうだ。だからダクトから出る時、飛び降りた拍子に男が目を覚ますのではないかと心配したという。ところが男は全く動かなかった。少年は怪訝《けげん》に思い、おそるおそる男に近づいてみた。胸の血痕に気づいたのは、その直後だった。

少年が自宅に帰り、母親に教えたのが午後一時前だ。だが、その母親が息子の話を本気にするまでに二十分ほどを要した。西布施警察署に通報があったのは、記録によれば午後一時三十三分となっている。

「質屋……か」中塚がぽつりといった。「質屋の親父に、こんな場所で人と会わなあかんような用事があるやろか」

「人に見られたくない相手、見られたらまずい相手と会ってた、ということですかな」

「それにしても、わざわざこんな場所を選ばんでもええやろ。人に見られんと密談のできる場所やったら、なんぼでもある。それに人目を気にするのやったら、もっと自宅から遠い場所を選ぶんと違うか」

「そうですな」笹垣は頷き、顎をこする。無精髭の感触が掌にあたる。急いで出てきたので、剃ってくる暇がなかった。

「それにしても、派手な嫁さんやったな」中塚が違う話題に入った。桐原洋介の妻、弥生子のことだ。「三十過ぎ、というところやろな。被害者の年齢は五十二歳か。ちょっと離れすぎてる感じはする」

「あれ、素人やおませんな」笹垣が小声で応じる。

うん、と中塚も二重顎を引いた。

「女というのは恐ろしいな。現場が家から目と鼻の先やっちゅうのに、一応化粧してきよったもんなあ。そのくせ亭主の死体を見た時の泣きっぷりは、かなりのもんやった」

「化粧と一緒で、ちょっと泣き方が派手すぎる、ですか」

「わしはそこまではいうてへんで」中塚はにやりと笑ってから、またすぐに真顔に戻った。「嫁さんからの話は、そろそろ聞き終わった頃やろ。笹やん、悪いけど、家まで送ってくれるか」

「わかりました」笹垣は頭を一つ下げ、ドアに向かった。

ビルの外に出ると野次馬たちの数はかなり減っていた。そのかわりに新聞記者たちの姿が目に付くようになっていた。テレビ局の人間も来ているようだ。

笹垣は止まっているパトカーに目を走らせた。手前から二番目のパトカーの後部座席に桐原弥生子の姿があった。彼女の隣に小林刑事が、助手席に古賀刑事が乗り込んでいた。笹垣は近づいていき、後部座席の窓ガラスを叩いた。小林がドアを開けて出てきた。

「どんな具合や」と笹垣は訊いた。

「一通り訊き終わったところです。まあはっきりいうて、まだちょっと気が動転してる状態ですわ」口元を掌で隠して小林はいった。

「所持品の確認はさせたか」

「させました。やっぱり財布がなくなってるみたいです。ほかにはライターです」

「ライター？」

「ダンヒルの高級品やそうです」

「ふうん。で、亭主はいつから行方不明やったんや」

「昨日の二時か三時頃に家を出たというてます。行き先はいわへんかったらしいです。今朝になっても帰ってけえへんかったので、ずっと心配してたそうです。もうちょっとしたら警察に届けようと思うてた矢先に、死体が見つかったという連絡が入ったみたいですな」

「亭主は誰かから呼び出されたんか」

「それがわからんそうです。家を出る前に電話があったかどうかも覚えてないというてます」

「亭主が出ていく時の様子は？」

「特に何も変わったところはなかったというてます」

笹垣は人差し指の先で頬を掻いた。手がかりになりそうな話は全くない。

「その調子では、犯人の心当たりもないんやろな」

　ええ、と小林は顔をしかめて頷いた。

「このビルのことで何か知ってることはないかどうか、訊いてみたか」

「訊いてみました。ここにこういうビルがあることは前から知ってたけども、どういう建物かは全然知らんかったそうです。入ったのも今日が初めてで、旦那がこのビルのことを話すのも聞いたことないというてます」

　笹垣は思わず苦笑いをした。「ないないづくしやな」

「すんません」

「おまえが謝ることないがな」笹垣は手の甲で後輩の胸を叩いた。「奥さんは俺が送っていくわ。古賀に運転させるけど、かめへんな」

「ああ、どうぞ」

　笹垣は車に乗り込み、桐原家に向かうよう古賀に命じた。

「ちょっと遠回りして行こ。被害者の家が近くにあることを、まだマスコミの連中に感づかれとうない」

　わかりました、と古賀は答えた。

　笹垣は隣の弥生子のほうに身体を向け、改めて自己紹介した。弥生子は小さく頷いただけだった。刑事の名前をわざわざ覚える気はないようだった。

「お宅のほうは、今は誰もいてはれへんのですか」

「いえ、店の者が番をしてくれています。息子も学校から帰ってますし」俯いたまま彼女は答えた。

「息子さんがいらっしゃるんですか。おいくつですか」

「五年生になりました」

　ということは十歳か十一歳か、と笹垣は頭の中で計算し、改めて弥生子の顔を見た。化粧でごまかしているが、肌は荒れているし、小皺も目立ってきている。それぐらいの子供がいても不思議ではなかった。

「昨日、御主人は何もいわずにお出かけになったそうですね。そういうことは、よくあるんですか」

「時々あります。そのまま飲みに行くことも多かったんです。それで、昨日もその調子やろうと思て、あまり気にしてなかったんですけど」

「朝帰りされることもあったんですか」

「ごくたまに」

「そんな時でも電話はないんですか」

「めったにしてくれませんでした。遅くなる時には電話してくれと何遍か頼んだんですけど、わかったわかったていうだけでした。それで私も、ちょっと慣れっこになってたんです。けど、まさか殺されてるやなんて……」

　弥生子は口元を手で押さえた。

　笹垣たちを乗せた車は適当に走り回った後、大江三丁目の表示が出た電柱のそばに停止した。細い道路の両側に棟割り住宅が並んでいる。

「あそこです」古賀がフロントガラス越しに前方を指差した。二十メートルほど先に、『質きりはら』の看板が見えた。マスコミもまだ被害者の身元は摑んでいないらしく、店の前に人影はない。

「俺は奥さんを送っていくから、先に戻っといてくれ」

笹垣は古賀に命じた。

『質きりはら』のシャッターは、笹垣の顔の高さあたりまで下りていた。弥生子に続いて、笹垣もその下をくぐった。シャッターの向こうに、商品の陳列ケースと入り口があった。入り口のドアには曇りガラスが入っており、ここにも金色の毛筆体で『きりはら』と縦書きしてあった。

　弥生子はドアを開け、中に入った。笹垣も後に続いた。

「あっ、お帰りなさい」正面のカウンターにいる男が声をかけてきた。年齢は四十歳前後というところか。身体は細く、顎は尖っている。黒々とした髪は、ぴっちりと七・三に分けられていた。

　弥生子はふうっとため息をつき、客用のものと思われる椅子に腰掛けた。

「どうでした」男は彼女の顔と笹垣を交互に見ながら訊いた。

　弥生子は頰に手を当てていった。「あの人やったわ」

「何と……」男は顔を曇らせた。眉間に影の線が出来た。

「やっぱり、その、殺されてたわけですか」

　彼女は首を小さく縦に振った。うん、と答えた。

「そんなあほな。なんでそんなことに」男は口元に手をやった。考えをまとめるように視線を斜め下に向け、瞬きを繰り返した。

「大阪府警の笹垣といいます。このたびはお気の毒なことでした」警察手帳を見せ、彼は自己紹介した。「おたくさんは、こちらの？」

「マツウラといいます。ここで働いている者です」男は引き出しを開け、名刺を出してきた。

　笹垣は一礼してその名刺を受け取った。その時、男が右の小指にプラチナの指輪をはめているのが目に入った。男のくせに気障《きざ》な奴や、と笹垣は思った。

　松浦勇《いさむ》、というのが男の名前だった。『質店きりはら店長』という肩書きが付いていた。

「この店では長いんですか」笹垣は訊いた。

「ええと、もう五年になります」

　五年では長いとはいえないなと思った。その前はどこで働いていたのか、どういう経緯でここで働くようになったのか、笹垣としては尋ねたいところだった。だが今日のところは我慢することにした。ここへはこれから何度も足を運ぶことになる。

「桐原さんは昨日の昼間にお出かけになったそうです

ね」

「はい。たしか二時半頃やったと思います」

「用件については、全くお話しされなかったわけですか」

「そうなんです。うちの社長はワンマンなところがありまして、私らにも仕事のことで相談してくれることは稀でした」

「お出かけになる時、何かいつもと違うところはありませんでしたか。服装の感じが違うとか、見慣れん荷物を持ってたとか」

「さあ、気づきませんでした」松浦は首を傾《かし》げ、その首の後ろを左手でこすった。「ただ、時間を気にしてるみたいな感じはしました」

「ははあ、時間を」

「腕時計を何遍も見てたような気がするんです。気のせいかもしれませんけど」

笹垣はさりげなく店内を見回した。松浦の背後は、ぴったりと襖が閉じられていた。その向こうはたぶん座敷だろう。カウンターの左側に沓《くつ》脱ぎがあり、そこから家に上がれるようになっている。上がってすぐ左側に扉がついているが、物置にしては妙な位置だった。

「昨日は何時ぐらいまで店を開けておられました？」

「ええと」松浦は壁にかけられた丸い時計を見た。「ふつうは六時が閉店なんです。けど、昨日はなんだかんだで、七時近くまで開けてました」

「店に出ておられたのは松浦さんお一人でしたか」

「はい、社長のいない時は大抵そうです」

「店を閉めた後は？」

「すぐに帰りました」

「お宅はどちらですか」

「寺田町です」

「寺田町？　車か何かで通うてはるんですか」

「いいえ、電車を使《つこ》うてます」

電車だと乗り換え時間を含めても、寺田町まで約三十分というところだ。七時過ぎにここを出たとすれば、遅くとも八時には家に着いていなければならない。

「松浦さん、御家族は？」

「おりません。六年前に離婚しまして、今は一人でアパート暮らしです」

「すると昨夜も、帰宅されてからはずっと一人ですか」

「まあそうです」

つまりはアリバイなしか、と笹垣は確認する。ただし顔には出さない。

「奥さんはふだん、店のほうにはお出にならないんですか」笹垣は、椅子に座って手で額を押さえている弥生子に訊いた。

「私は店のことはさっぱりわかりませんから」彼女は細い声で答えた。

「昨日は外出されましたか」

「いいえ。一日中、家におりました」

「一歩も出なかったんですか。買い物にも？」

ええ、と彼女は頷いた。その後、いかにもだるそうに立ち上がった。

「あのう、すみませんけど、ちょっと休ませてもらってもいいですか。何か、座っているのもしんどいんです」

「ああ、すみません。どうぞお休みになってください」

弥生子は頼りない足取りで靴を脱ぐと、左側の扉の把手《とって》に手をかけた。扉を開くと、その向こうに階段が見えた。なるほど、と笹垣は納得した。

彼女が階段を上がっていく足音が、再び閉じられた扉の向こうから聞こえた。その音が消えてから、笹垣は松浦のすぐ前まで近寄っていった。

「桐原さんがまだ家に帰ってないということは、今朝お聞きになったんですか」

「そうです。おかしいなあと奥さんと二人で心配していたんです。そうしたら警察から連絡があって……」

「びっくりしはったでしょうな」

「当たり前ですがな」と松浦はいった。「なんや、まだ信じられへん気分ですわ。あの社長が殺されたやなんて、何かの間違いやないかと思います」

「心当たりは全然ないわけですな」

「そんなもんありません」

「けど、こういう商売をしてはると、いろいろな客が来るでしょう。金のことでこちらの御主人ともめてた人間とかおりませんでしたか」

「そら、中には変な客もおります。こっちは金を貸しただけやのに、逆恨みを買うようなこともないわけではないです。しかしねえ、いくらなんでも社長を殺すやなんて……」松浦は笹垣の顔を見返して、かぶりを振った。

「それはちょっと考えられません」

「まあお宅も客商売やから、どんな客のことも悪くはいわれへんでしょう。けど、それでは我々としても捜査のやりようがないんです。最近の客の名簿か何かを見せてもらえると助かるんですけどね」

「名簿ですか」松浦は弱ったように顔をしかめた。

「当然あるわけでしょう。ないと、誰に金を貸したかわからんようになるし、質草の管理もできんはずですからねえ」

「そら、ありますけど」

「すみません、ちょっと貸してください」笹垣は顔の前で手刀を切った。「本部のほうに持ち帰って、複写させてもろうたら、すぐにお返ししますから。もちろん、第三者には絶対見られんよう、細心の注意を払います」

「私の一存ではちょっと……」

「そしたらここで待ってますよって、奥さんに許可をとってきていただけませんか」

「はあ」松浦は顔をしかめたまましばらく考えていたが、結局頷いた。「わかりました。そしたらお貸ししますけど、扱いには十分注意してくださいよ」

「ありがとうございます。奥さんのほうにはお断りしておかんでもいいですか」

「まあよろしいわ。後でいうときます。よう考えたら、社長はもうおれへんのやった」

松浦は椅子を九〇度回転させ、すぐ横のキャビネットの扉を開けた。分厚いファイルが何冊か立てて入れてあるのが見えた。

笹垣がさらに身を乗り出しかけた時だった。階段の扉が、すうっと静かに開くのが目の端に入った。彼はそちらを見た。同時に、どきりとした。

扉の向こうに少年が立っていた。十歳前後の少年だった。トレーナーにジーンズという出で立ちで、身体は細かった。

笹垣がどきりとしたのは、少年が階段を下りる音が聞こえなかったからではなかった。少年と目が合った瞬間、その目の奥に潜む暗さに、なぜか衝撃を受けたのだ。

「息子さん？」と笹垣は訊いた。

少年は答えない。代わりに松浦が振り返っていった。

「ああ、そうです」

少年は相変わらず何もいわず、運動靴を履き始めた。顔には全く表情がない。

「リョウちゃん、どこへ行くんや。今日は家におったほうがええで」

松浦が声をかけたが、少年は無視して出ていった。

「かわいそうに。相当ショックやったんでしょうなあ」

笹垣はいった。

「それもあるでしょうけど、あの子はちょっと変わったところがあるんです」

「どういうふうに？」

「それはまあ、口ではうまいこといわれへんけど」松浦はキャビネットから一冊のファイルを出してきて、笹垣の前に置いた。「これが最近の客の名簿です」

「ちょっと失礼」笹垣は受け取り、頁をめくり始めた。男女の名前がずらりと並んでいた。それを見ながら彼は、少年の暗い目を思い出していた。

3

死体発見翌日の午後、解剖所見が西布施警察署に設置された捜査本部に届いた。それにより被害者の死因及び死亡推定時刻は、松野教授の見解と大差ないことが確認された。

　ただ、胃袋の内容物に関する記述を見て、笹垣は首を傾げた。

　蕎麦、葱、ニシンの未消化物が残留。食後約二時間から二時間半が経過、とあったのだ。

「これがほんまやとすると、あのベルトの件はどう考えたらええんでしょう」腕組みをして座っている中塚を見下ろして、笹垣は訊いた。

「ベルト？」

「ベルトの穴が二つ緩んでたことです。そんなことをするのは、ふつう飯を食うた後でしょう。二時間も経ってたんやったら、戻しておくもんと違いますか」

「忘れてたんやろ。ようあることや」

「ところが被害者のズボンを調べてみたら、本人の体格に比べて、結構ウエストのサイズが大きめなんです。ベルトの穴を二つも緩めたら、ズボンがずり下がって歩きにくかったはずです」

　ふうん、と中塚は曖昧に頷いた。眉を寄せ、会議机の上に置かれた解剖所見を見つめた。「そしたら笹やんは、なんでベルトの穴がずれとったと思う？」

　笹垣は周りに目を配ってから、中塚のほうに顔を近づけた。

「被害者があの現場に行ってから、ズボンのベルトを緩める用事があったということですわ。それで今度締める時に、二つずれてしもうたというわけです。締めたのが本人か犯人かはわかりませんけど」

「なんや、ベルトを緩める用事て？」中塚が上目遣いに笹垣を見た。

「そんなもん、決まってますがな。ベルトを緩めて、ズボンを下ろしたんですわ」笹垣はにやりと笑って見せた。

　中塚は椅子にもたれた。パイプのきしむ音がした。

「ええ大人が、わざわざあんな汚《きたの》うて埃っぽい場所で乳繰り合《お》うたりするかい」

「それはまあ、ちょっと不自然ですけど」

　笹垣が言葉を濁すと、中塚は蝿を払うように手を振った。

「面白そうな話やけど、勘を働かす前に、まずは材料を揃えようやないか。被害者の足取り、追っかけてくれ。まずは蕎麦屋やな」

　責任者の中塚にこういわれては反論できない。わかりましたと頭を一つ下げ、笹垣はその場を離れた。

　桐原洋介が入った蕎麦屋が見つかったのは、それから間もなくのことだった。弥生子によれば、彼は布施駅前商店街にある『嵯峨野屋』を贔屓《ひいき》にしていたらしいのだ。

早速捜査員が『嵯峨野屋』に行って確認してみたところ、たしかに金曜日の午後四時頃、桐原が来たという証言を得られた。

　桐原は『嵯峨野屋』でニシン蕎麦を食べている。消化状態から逆算して、死亡推定時刻は金曜日の午後六時から七時の間であろうと推測された。アリバイを調べる際には、これに少し幅を持たせた午後五時から八時までの間を重視することになった。

　ところで松浦勇や弥生子の話では、桐原が自宅を出たのは二時半頃だ。『嵯峨野屋』に入るまでの一時間あまり、彼はどこへ行っていたのか。自宅から『嵯峨野屋』までだと、いくらゆっくりと歩いても十分程度しか要しない。

　これについての答えは月曜日に得られた。西布施警察署にかかってきた一本の電話が、この疑問を解決してくれたのだ。電話をかけてきたのは、三協銀行布施支店の女性行員だった。先週金曜日の閉店前に桐原洋介が来た、というのが電話の内容だった。

　すぐに笹垣と古賀が同支店に向かった。近鉄布施駅南口の、道を挟んだ向かい側にその支店はあった。

　電話をかけてきたのは、窓口担当の若い女性行員だった。愛嬌のある丸い顔に、ショートカットの髪形がよく似合っていた。衝立《ついたて》で仕切られた応接スペースで、笹垣たちは彼女と向き合って座った。

「昨日新聞で名前を見て、あの桐原さんやないかなと、ずっと気になってたんです。それで今朝名前をもう一回確認した後、上司に相談して、思い切って電話してみたんです」背筋をぴんと伸ばし、彼女はいった。

「桐原さんは何時頃いらっしゃいましたか」笹垣が訊いた。

「三時ちょっと前でした」

「用件は何でした？」

　すると女性行員は少し躊躇《ちゅうちょ》した。客の秘密をどこまで話していいものか、判断しにくかったのかもしれない。しかし結局彼女は口を開いた。

「定期預金を解約して、その分を引き出されました」

「金額は？」

　彼女はまたためらった。唇を舐め、遠くにいる上司のほうをちらりと見てから小声でいった。「百万円ちょうどです」

　ほう、と笹垣は唇をすぼめた。ふだん持ち歩く金額ではない。

「何に使うとか、そういうことは桐原さんはお話しにならなかったですか」

「ええ。そんなことは何もおっしゃってません」

「その百万円を、桐原さんはどこにしまわれました」

「さあ……。当行の袋に入れておられたことは、何となく覚えているんですけど」彼女は困ったように首を傾げた。

「桐原さんがそんなふうに突然定期預金を解約して、百万単位の金を引き出すということは、これまでにも何度かあったんですか」

「私の知っているかぎりでは、初めてです。私は去年の末頃から、桐原さんの定期預金のお世話をさせていただいているんですけど」

「金を引き出す時の桐原さんの様子はどうでした。残念そうでしたか、それとも楽しそうでしたか」

さあ、と彼女はまた首を傾げた。「さほど残念そうには見えませんでした。この分はまた近いうちに預金するから、というようなことをおっしゃってました」

「近いうちに……ねえ」

これらの内容を捜査本部に報告した後、笹垣と古賀は『きりはら』に向かった。桐原洋介が引き出した金について何か心当たりがないかどうかを、弥生子や松浦に確かめるためだった。ところが家の近くまで行ったところで二人は足を止めた。『きりはら』の前に喪服を着た人々が集まっていた。

「そうか、今日は葬式やったか」

「うっかりしてましたね。そういえば、今朝、そんな話を聞きました」

笹垣は古賀と共に、少し離れたところから様子を窺った。ちょうど出棺が始まるところのようだった。家の前まで霊柩車が移動してきた。

店のドアは開放されていた。そこからまず、桐原弥生子が現れた。前に笹垣が会った時よりも顔色は悪く、身体も小さくなったように見えた。だが一方で、妖艶さは増しているように感じられた。喪服の持つ不思議な魅力のせいかもしれなかった。

弥生子は明らかに着物を着慣れていた。歩き方さえ、自分が魅力的に見えるよう計算されているようだった。悲嘆にくれる美しく若き未亡人を演じているとすれば完璧だ、と笹垣は少しひねくれた感想を抱いた。彼女がかつてキタ新地でホステスをしていたということは、すでに調査済みだ。

彼女の後ろから、遺影を入れた額を抱えて、桐原洋介の息子が出てきた。亮司《りょうじ》という名前は、すでに笹垣の頭に入っている。まだ言葉を交わしたことはなかった。

桐原亮司は今日もまた無表情だった。暗く沈んだ瞳には、感情らしきものが何も浮かんでいなかった。そんな作りもののような目を、前を行く母親の足元あたりに向けていた。

夜になってから、笹垣と古賀は再び『きりはら』に出向いた。前に来た時と同様、シャッターは半分開いていた。だが内側のドアは鍵がかかっていて開かなかった。ドアのすぐ横に押しボタンがあったので、笹垣はそれを押した。中でブザーの鳴っているのが聞こえた。

「どこかに出かけてるんですかね」古賀が訊いた。

「出かけたのやったら、シャッターを下ろしていくやろ」

やがて鍵の外れる音がした。ドアが二十センチほど開いて、隙間から松浦が顔を覗かせた。

「あっ、刑事さん」松浦は少し驚いた顔をした。

「ちょっとお尋ねしたいことがありましてね。今、よろしいですか」

「ええと……どうかな。奥さんに訊いてきますから、少し待っててください」松浦はそういうとドアを閉めた。

笹垣は古賀と顔を見合わせた。古賀は首を傾げた。

再びドアが開いた。「いいそうです。どうぞ」

失礼します、といって笹垣は店内に入った。線香の匂いがこもっている。

「お葬式は問題なく終わりましたか」笹垣は訊いてみた。この男が棺を担いでいたのを覚えている。

「ええ、なんとか。ちょっと疲れましたけど」松浦はそういって髪をなでつけた。喪服のままだが、ネクタイはつけていなかった。シャツの第一と第二ボタンが外れている。

カウンターの後ろの襖が開き、弥生子が出てきた。彼女は喪服から、紺色のワンピースに着替えていた。アップにしていた髪も、下ろしてあった。

「お疲れのところ申し訳ありません」笹垣は頭を下げた。

いえ、と彼女は小さく首を振った。「何かわかったんでしょうか」

「いろいろと情報を集めてるところです。それで、一つ気になることが出てきましたので、それについてお尋ねしに来たわけですが」笹垣は彼女が出てきた襖を指した。「その前に線香をあげさせていただけませんか。仏さんに一言、御挨拶しておきたいんですわ」

弥生子は一瞬不意をつかれたような顔をした。彼女はまず松浦のほうに視線を向け、それから笹垣に目を戻した。

「ええ、あの、構いませんけど」

「すみません。そしたら、ちょっとお邪魔します」

笹垣はカウンターの横の沓脱ぎで靴を脱いだ。上がり框《かまち》をまたぐ時、そばの扉に目が向いた。階段を隠している扉だ。その把手のそばに、掛け金錠が下ろしてあった。これでは階段側から開けられない。

「変なこと訊きますけど、この錠は何のためのものですか」

「ああ、それは」と弥生子が答えた。「夜中に泥棒が二階から入ってくるのを防ぐためのものです」

「二階から？」

「このあたりは家が密集してるから、泥棒が二階から入ってくるおそれが結構あるんです。実際、近所の時計屋さんも、そんなふうにして入られました。それで、もしそういうことになったとしても下には来られないように、主人がその錠を取り付けたんです」

「泥棒に下に来られたらまずいわけですか」

「金庫が下にありますから」松浦が後ろから答えた。「お客さんからの預かりものも、全部下で保管してますし」

「すると、夜は上には誰もおられないわけですか」

「そうです。息子も一階で寝させてます」

「なるほど」笹垣は顎をこすりながら頷いた。「錠が付いてる理由はわかりましたけど、今はなぜ掛けてあるんですか。昼間、掛けることもあるんですか」

「ああ、それは」弥生子は笹垣の横に来て、その錠を外した。「癖になっているので、つい掛けてしまっただけです」

「ははあ、そうですか」

つまり上には誰もいないということかなと笹垣は思った。


襖を開けると六畳の和室があった。その奥にさらに部屋があるようだが、やはり襖で仕切られて見えなかった。夫婦が寝室にしていた部屋だろうと笹垣は想像した。弥生子の話では、亮司も一緒に寝るらしい。ならば夫婦生活はどうしていたのかと気になった。

仏壇は西の壁に寄せて置いてあった。傍らの小さな額には、桐原洋介が背広姿で微笑んでいる写真が入っていた。少し若い時の写真らしかった。笹垣は線香をあげ、十秒ほど手を合わせて瞑目した。

弥生子が湯飲みに茶を入れて運んできた。笹垣は正座したまま一礼し、茶碗に手を伸ばした。古賀も同じようにした。

その後何か事件について思い出したことはないか、と笹垣は弥生子に尋ねてみた。彼女は即座に首を横に振った。店で椅子に座っている松浦も、何もいわなかった。

笹垣はおもむろに、桐原洋介が百万円を銀行から引き出していたことを話した。これには弥生子も松浦も、驚いた顔をした。

「百万円やなんて、そんな話、主人から何も聞いてませんし」

「私も心当たりはありませんなあ」松浦もいった。「社長はワンマンでしたけど、仕事でそれほどの大金を扱うとなると、一言ぐらいは私にも相談があるはずですけど」

「御主人は何か金のかかる道楽はしておられませんでしたか。たとえば博打とか」

「あの人は賭事は一切しませんでした。趣味らしいものも、特になかったと思います」

「商売だけが趣味みたいなお人でしたわ」松浦が横からいった。

「そうすると、ええと」笹垣は少し迷ってから訊いた。「あっちのほうはどうでした」

「あっちのほう？」弥生子が眉を寄せた。

「つまりその、女性関係ですけど」

ああ、と彼女は頷いた。特に神経を刺激されたようには見えなかった。

「外に女がおったとは思えません。あの人は、そういうことのできる人やなかったんです」断定的にいった。

「御主人を信用してはるわけですな」

「信用というか……」弥生子は語尾を濁し、そのまま俯いた。

その後いくつか質問してから、笹垣たちは腰を上げた。収穫があったとはとてもいえなかった。

靴を履く時、沓脱ぎの端に少し汚れた運動靴が置いてあるのが目に留まった。亮司のものらしい。彼は二階にいるのだ。

掛け金錠のついた扉を見て、少年は上で何をしているのだろうと笹垣は思った。

4

捜査が進むにつれて、桐原洋介の足取りが徐々に明らかになってきた。

金曜日の昼間二時半頃に自宅を出た彼は、まず三協銀行布施支店で現金百万円を引き出し、近くの『嵯峨野屋』でニシン蕎麦を食べた。店を出たのが四時過ぎだ。

問題はその後だった。店員の証言は、桐原洋介は駅とは逆の方向に歩いていったような気がする、ということだった。もしそれが事実ならば、桐原は電車には乗っていない可能性が高い。布施駅に向かったのは、あくまでも現金を下ろすためだった、ということになる。

捜査陣は、布施駅周辺と現場付近を中心に聞き込みを続けた。その結果、意外な場所で桐原洋介の足跡が見つかった。

まず彼は、布施駅前商店街にある『ハーモニー』というケーキ屋に立ち寄っていた。このケーキ屋はチェーン店である。彼はそこで、「フルーツがたくさん載ったプリンはないか」と店員に訊いている。おそらく、プリン・アラモードのことであろうと思われた。この『ハーモニー』の名物が、それだったのである。

ところが生憎《あいにく》この時、プリン・アラモードは売り切れていた。桐原洋介と思われる客は、どこかに同じものを買える店はないかと店員に尋ねた。

女子店員は、バス通りにも『ハーモニー』の支店が一軒あるから、そっちに行ってみてはどうかといった。そして地図を出して、その場所を教えた。

その時客は、教わった店の位置を確認して、こう漏らしたという。

「なんや、こんなところにも同じ店があったんか。それやったら、これから行くところと目と鼻の先や。へえ、もっと早よ訊いといたらよかった」

女子店員が彼に教えた店の位置は、大江西六丁目というところだった。早速その店に捜査員が行って確認したところ、やはり金曜日の夕方、桐原洋介らしき人物が立ち寄っていることが判明した。彼はプリン・アラモードを四つ買った。ただし、そこからどこへ行ったかまではわからない。

男に会うためにプリンを四つも買っていくとは思えなかった。桐原が行った先には女がいたのだろうというのが、捜査員たちの一致した考えだった。

やがて一人の女の名前が浮かんできた。西本文代《ふみよ》という女だった。『きりはら』の名簿に名前が載っており、彼女は大江西七丁目に住んでいた。

笹垣と古賀が西本文代に会いに行くことになった。

トタン板やありあわせの木材を適当に組み合わせたような家がびっしりと、しかも乱雑に建ち並んでいる中に、吉田ハイツという名のアパートはあった。煤《すす》けたような灰色の外壁には、ところどころどす黒い染みがある。蛇が這うようにセメントを塗ってある部分は、ひび割れのひどいところだろう。

西本文代の部屋は一〇三号室だ。隣の建物との間隔がないので、一階には殆ど日が当たっていなかった。薄暗くじめじめとした通路に、錆びた自転車が止めてある。

それぞれのドアの前に置かれた洗濯機をよけながら、笹垣は部屋を探した。手前から三番目のドアに、西本とマジックで書いた紙が貼られていた。笹垣はそのドアをノックした。

はい、という声が聞こえた。女の子の声だった。しかしドアは開かなかった。代わりに内側から問いかけてきた。「どちら様ですか」

どうやら子供が留守番をしているらしい。

「おかあさんはいてはれへんのかな」笹垣はドア越しに尋ねた。

これに対する答えはなく、再び、「どちら様でしょうか」と訊いてきた。笹垣は古賀を見て苦笑した。相手が知らない人間の場合、決してドアを開けてはいけないと教育されているのだろう。無論、悪いことではない。

　笹垣はドアの向こうにいる少女に聞こえるように、しかし隣近所にはなるべく響かぬよう声を調節していった。

「警察の者です。おかあさんに、ちょっと訊きたいことがあってね」

　少女は沈黙した。戸惑っているのだろうと笹垣は解釈した。声から推測すると、小学生か中学生だろう。警察と聞けば緊張して当然の年頃だ。

　鍵の外れる音がしてドアが開いた。しかしドアチェーンはかけられたままだった。十センチほどの隙間の向こうに、目の大きな少女の顔があった。陶器のように肌理《きめ》の細かい、白い頬をしていた。

「母はまだ帰ってません」毅然とした、という表現がふさわしい口調で少女はいった。

「買い物？」

「いえ、仕事です」

「いつもは何時頃にお帰り？」笹垣は腕時計を見た。五時を少し回っていた。

「もうそろそろ帰ってくると思いますけど」

「そう。そしたら、ここでちょっと待ってるわ」

　笹垣がいうと、彼女は小さく頷いてドアを閉めた。笹垣は上着の内ポケットに手を入れ、煙草を取り出した。

「しっかりした子やな」小声で古賀にいった。

「そうですね」と古賀は答えた。「それに――」

　若手刑事が何かいいかけた時、再びドアが開いた。今度はチェーンがかかっていなかった。

「あれ、見せてもらえます？」少女が訊いてきた。

「あれ？」

「手帳です」

「ああ」笹垣は彼女の目的を理解した。思わず頬が緩む。

「はい、どうぞ」警察手帳を取り出し、写真の貼ってある身分証明の頁を広げた。

　彼女は写真と笹垣の顔を見比べた後、「どうぞ上がってください」といってドアをさらに大きく開けた。笹垣は少し驚いた。

「いや、おっちゃんらはここでええよ」

　すると彼女はかぶりを振った。

「そんなところで待ってられたら、近所の人から変に思われますから」

　笹垣はまた古賀と顔を見合わせた。苦笑したいところだったが我慢した。

　失礼します、といいながら笹垣は部屋に上がった。外観から予想したとおり、家族で住むには狭い間取りだった。入ってすぐのところが四畳半ほどの板の間で、小さな流し台がついている。奥は和室で、広さはせいぜい六畳というところだろう。

　板の間には粗末なテーブルと椅子が置かれていた。少女に勧められ、二人はそこに座った。椅子は二つしかなかった。少女は母親と二人暮らしらしい。テーブルにはピンクと白のチェック柄のカバーがかけられていた。ビニール製で、端に煙草の焦げ跡がついていた。

　少女は和室で、押入にもたれるようにして座り、本を読み始めた。背表紙にラベルが貼ってある。図書館で借りたものらしい。

「何を読んでるの？」と古賀が話しかけた。

　少女は黙って本の表紙を見せた。古賀は顔を近づけてそれを見て、へえ、と感心したような声を出した。「すごいものを読んでるんやなあ」

「何や？」と笹垣は古賀に訊いた。

「『風と共に去りぬ』です」

　へええ、と今度は笹垣が驚く番だった。

「あれは映画で見たけどな」

「僕も見ました。いい映画です。けど、原作を読もうと思たことはないなあ」

「最近は俺も本を読まんようになったわ」

「僕もです。『あしたのジョー』が終わってしもたから、マンガもめったに読まんようになりました」

「そうか。とうとうジョーも終わったか」

「終わりました。この五月に。『巨人の星』とジョーが終わったら、もう読むものがありません」

「よかったやないか。ええ大人がマンガを読んどる姿は、格好のええもんやない」

「それはまあそうですけど」

　笹垣たちが話している間も、少女は顔を上げることなく、本を読み続けていた。馬鹿な大人がくだらない無駄話で時間を潰しているとでも思っているのかもしれない。

　同様のことを古賀も感じたのか、以後は無口になった。手持ち無沙汰そうにテーブルを指先でこつこつとつついた。しかし、不快そうに顔を上げた少女の視線を受け、それも止めざるをえなくなった。

　笹垣はさりげなく家の中を見回した。必要最小限の家具や生活必需品があるだけで、贅沢品と呼べそうなものは一切ない。勉強机も本棚もない。辛うじて窓際にテレビが置いてあったが、室内アンテナを立てる方式のひどい旧型だった。たぶん白黒だろうと彼は想像した。スイッチを入れても、画面が出るまでにずいぶんと待たされるに違いない。そして映った映像には、見苦しい横縞が何本も入っていることだろう。

　物が少ないだけではない。女の子が住んでいるというのに、明るく華やいだ雰囲気がまるでなかった。部屋全体が暗く感じられるのは、天井の蛍光灯が古くなってい

「この家に来たことは？」

すると雪穂は首を傾げ、「あるみたいです」と答えた。

「雪穂ちゃんがいる時に来たことはないの？」

「あったかもしれません。でも、覚えてません」

「何しに来たんやろ」

「知りません」

　ここでこの娘を詰問するのは、あまり得策ではないかもしれないと笹垣は思った。これから何度も質問する機会があるような気がした。

　笹垣は再び室内を眺めた。特に目的があったわけではなかった。ところが冷蔵庫の横のゴミ箱を見た時、思わず目を見開いていた。あふれるほどに入ったゴミの一番上に、『ハーモニー』のマークが入った包み紙が載っていた。

　笹垣は雪穂を見た。すると彼女と目が合った。彼女はすぐに目をそらし、また本を読む姿勢に戻った。

　彼女も同じものを見ていたのだと笹垣は直感した。

　それから少しして、不意に少女が顔を上げた。本を閉じ、玄関のほうを見た。

　笹垣は耳をすませた。サンダルをひきずって歩くような足音が聞こえた。古賀も気づいたらしく、小さく口を開いた。

　足音はさらに近づき、この部屋の前で止まった。かちるせいだけではなさそうだった。

　笹垣のすぐそばに、段ボール箱が二つ積まれていた。彼は指先で蓋を開け、中を覗いてみた。ゴムで出来たカエルの玩具《おもちゃ》がぎっしりと入っていた。空気を送ってやると、ぴょんと跳ねる仕掛けだ。祭りの時などに夜店で売っている。西本文代の内職らしい。

「お嬢さん、お名前は？」笹垣は少女に訊いた。いつもなら、お嬢ちゃん、と呼びかけるところだったが、彼女に対してはふさわしくないような気がした。

　彼女は本に目を落としたまま答えた。「西本ユキホです」

「ユキホちゃん。ええと、どういう字を書くのかな」

「降る雪に、稲穂の穂です」

「ははあ、それで雪穂ちゃんか。ええ名前やな」古賀に同意を求めた。

　そうですね、と古賀も頷く。少女は無反応だ。

「雪穂ちゃん、質屋の『きりはら』という店、知ってるか」笹垣は訊いてみた。

　雪穂はすぐには答えなかった。唇を舐めてから、小さく頷いた。「母が時々行きます」

「うん。そうらしいね。あの店のおっちゃんと会《お》うたことはあるか」

「あります」

ゃかちゃと金属音がする。鍵を取り出しているらしい。

雪穂がドアのところまで出ていった。「鍵、開いてるよ」

「なんで鍵をかけとけへんの。危ないやないの」そういう声と共にドアが開いた。水色のブラウスを着た女が入ってきた。年齢は三十代半ばか。髪を後ろで束ねていた。

西本文代はすぐに笹垣たちに気づいた。虚をつかれたような顔をし、娘と見知らぬ男たちを交互に見た。

「警察の人やて」少女がいった。

「警察の……」文代の顔に怯えの色が浮かんだ。

「大阪府警の笹垣といいます。こっちは古賀です」笹垣は立ち上がって挨拶した。古賀もそれに倣った。

文代は明らかに動揺していた。顔は青ざめ、自分が何をすべきか思いつかない様子だった。紙袋を持ったまま、ドアも閉めずに立ち尽くしていた。

「ある事件のことで捜査をしてましてね、西本さんにお尋ねしたいことがあるので、お邪魔したというわけです。留守中に上がり込んで、すみません」

「ある事件て……」

「質屋のおじさんのことみたい」雪穂が横からいった。

文代は一瞬息をのんだようだ。この二人の様子から、彼女たちがすでに桐原洋介の死について知っていること、その死について母子で何らかの会話を交わしていることを笹垣は確信した。

古賀が立ち上がり、「どうぞおかけになってください」と文代に椅子を勧めた。文代は動揺の色を全く消せぬまま、笹垣の向かい側に座った。

顔立ちの整った女だなと笹垣はまず思った。目尻が少し緩みかけているが、きちんと化粧すれば、間違いなく美人の部類に入るだろう。しかも冷たい感じの美人だ。雪穂は明らかに母親似といえた。

中年以上の男なら、夢中になる者も少なくないだろうと笹垣は想像した。桐原洋介は五十二歳。下心を持っても不思議ではない。

「失礼ですけど、御主人は？」

「七年前に亡くなりました。工事現場で働いてたんですけど、事故で……」

「そうですか。それはお気の毒なことでしたなあ。今、お仕事はどちらのほうで？」

「今里《いまざと》のうどん屋で働いてます」

『菊や』という店だと彼女はいった。月曜から土曜の午前十一時から午後四時までが勤務時間だという。

「その店のうどん、おいしいですか」相手の気持ちを和ませるためだろう、古賀が笑顔で訊いた。だが文代は固い表情で、さあ、と一回首を捻っただけだった。

「ええと、桐原洋介さんがお亡くなりになられたことは御存じですね」笹垣は本題に入ることにした。

「はい」と彼女は小声で答えた。「びっくりしました」

　雪穂が母親の後ろを回り、六畳間に入った。そして先程までと同じように、押入にもたれて座った。その動きを目で追った後、笹垣は文代に視線を戻した。

「桐原さんは何らかの事件に巻き込まれた可能性が高いんですわ。それで、先週金曜日の昼間に自宅を出てからの足取りを調べているんですけど、こちらのお宅に寄ったのではないかという話が出てきましてね」

「いえ、あの、うちには……」

　いい淀む文代の言葉を遮って、「質屋のおじさん、来はったんでしょ」と横から雪穂がいった。「『ハーモニー』のプリン、持ってきたのはあのおじさんと違うの？」

　文代の狼狽《ろうばい》が笹垣には手に取るようにわかった。彼女は唇を細かく動かした後、ようやく声を発した。

「あ、そうです。金曜日に桐原さん、いらっしゃいました」

「何時頃ですか」

「あれはたしか……」文代は笹垣の右横を見た。そこにはツードアタイプの冷蔵庫が置いてあり、上に小さな時計が載っていた。「五時ちょっと前……やったと思います。私が家に帰って、すぐでしたから」

「桐原さんは何の用でいらっしゃったんですか」

「特に何の用ということもなかったと思います。近くまで来たから寄った、というようなことをおっしゃってました。桐原さんは、うちが母子家庭で経済的に苦労していることをよく御存じで、時々立ち寄っては、いろいろと相談に乗ってくれはったんです」

「近くまで来たから？　それはおかしいですな」笹垣はゴミ箱に入っている『ハーモニー』の包装紙を指した。「それは桐原さんが持ってきたものでしょう？　桐原さんは最初、それを布施の駅前商店街で買おうとしたんです。つまり布施駅の近くにいた時点で、こちらに来るつもりやったわけです。ここは布施からはずいぶんと離れてますよねえ。最初からこちらのお宅に来るつもりやった、と考えたほうが自然やと思うんですけど」

「そんなこといわれても、桐原さんがそうおっしゃったんやから仕方ないやないですか。近くまで来たから、ついでに寄ったって……」文代はうつむいたままでいった。

「わかりました。そしたら、それはそうしておきましょ。桐原さんは、何時頃までこちらにおられました？」

「六時……ちょっと前にお帰りになったと思います」

「六時前。間違いないですか」

「たぶん間違いないです」

「すると桐原さんがここにいてはったのは、約一時間ということになりますね。どんな話をされましたか」

「どんなて……ただの世間話です」

「世間話にもいろいろとあるでしょ。天気の話とか、金の話とか」

「はあ、あの、戦争の話を……」

「戦争？　太平洋戦争の？」

桐原洋介は第二次大戦で出征している。その話かと思った。だが文代は首を振った。

「外国の戦争の話です。それでまた石油が値上がりするやろうというようなことを、桐原さんはおっしゃってました」

「ああ、中東戦争か」今月初めに始まった第四次中東戦争のことらしい。

「これでまた日本の経済はがたがたになる。それどころか石油製品が値上がりして、しまいには手に入らんようになるかもしれん。これからはどれだけ他人より金と力を持ってるかという世の中になる――そんなことを話してはりました」

「ほう」

目を伏せながら語る文代の顔を見ながら、このあたりは本当のことを話しているのかもしれないなと笹垣は思った。問題は、なぜ桐原がそんなことをわざわざいったかだ。

自分には金と力がある、だから自分に従ったほうが身のためだぞ、そういう暗示が含まれていたのではないかと彼は想像した。『きりはら』の記録によれば、西本文代が金を返して質草を出したことは一度もない。そういう貧窮した状態につけ込もうとしたことは大いに考えられる。

笹垣は雪穂をちらりと見た。「その時、お嬢さんはどちらに？」

「ああ、この子は図書館に……そうやったね？」彼女は雪穂に確認した。

うん、と雪穂は返事した。

「なるほど、その時にその本を借りてきたわけや。図書館にはよく行くのかな？」

「週に一、二回」と彼女は答えた。直接雪穂に尋ねた。

「学校の帰りに寄るわけ？」

「はい」

「行く日は決めてるの？　たとえば月曜と金曜とか。火曜と金曜とか」

「別に決めてません」

「そしたらおかあさんとしては心配やないですか。お嬢さんの帰りが遅なっても、図書館に行ってるかどうかわからんから」

「はあ、でも、いつも六時過ぎには帰ってきますから」

文代はいった。

「金曜日もその頃には帰った？」再び雪穂に訊く。

少女は黙って、こくりと頷いた。

「桐原さんが帰られた後、奥さんはずっと家におられたわけですか」

「いえ、あの、買い物に出かけました。『まるかね屋』まで」

スーパー『まるかね屋』は、ここから徒歩で数分のところにある。

「スーパーでは知っている人に会いましたか」

文代は少し考えてから、「キノシタさんの奥さんに会いました」と答えた。「雪穂の同級生のおかあさんです」

「その方の連絡先はわかりますか」

「わかると思いますけど」

文代は電話機のそばに置いてあった住所録を取り、テーブルの上で開いた。木下、と書かれたところを指し、

「この人です」といった。

古賀がそれを手帳に書き写すのを見ながら笹垣は質問を続けた。「買い物に出る時、もうお嬢さんは帰っておられましたか」

「いえ、この子はまだ帰ってませんでした」

「奥さんは買い物からお帰りになったのは何時頃ですか」

「七時半をちょっと過ぎてたんやないかと思います」

「その時にはお嬢さんは」

「ええ。もう帰ってました」

「その後は外出されてませんね」

「はい」文代は頷いた。

笹垣は古賀のほうを見た。ほかに質問はないか、と目で尋ねた。ありません、と答える代わりに古賀は小さく頷いた。

「どうも長々とお邪魔しました。また何かお尋ねすることがあるかもしれませんけど、その時はよろしくお願いします」笹垣は腰を上げた。

二人の刑事は部屋を出た。彼等を見送るために文代はドアの外まで出た。雪穂がそばにいなかったので、笹垣はもう一つ質問しておきたくなった。

「奥さん、これはちょっと失礼な質問かもしれませんけど、気を悪くせんと聞いてもらえますか」

「何ですか」忽《たちま》ち文代の顔に不安の色が出た。

「桐原さんから食事に誘われたとか、外で会ってくれといわれたとか、そういうことはなかったですか」

笹垣の言葉に文代は目を見張った。それから強く首を振った。

「そんなこと、いっぺんもありません」

「そうですか。いや、桐原さんが、なんでお宅に対して

親身になったのかと思うてね」

「だからそれは同情してくれはったんやと思います。あの、刑事さん、桐原さんが亡くなったことで、私が疑われているんでしょうか」

「いやいや、そんなことはないです。単なる確認です」

笹垣は礼をいって、その場から立ち去った。道を曲がり、アパートが見えなくなってから、「臭うな」と古賀にいった。臭いますね、と若手刑事も同意した。

「金曜日に桐原が来たかと訊いた時、最初文代は来てないと答えそうな気配やった。ところが雪穂が横からプリンのことをいうたので、仕方なく本当のことをしゃべったという感じやった。雪穂にしても、ほんまは桐原が来たことを隠したかったんやないやろか。けど、俺がプリンの包装紙に気づいたから、嘘をつくのはかえってまずいと考えたんと違うかな」

「あの子やったら、その程度の機転はききそうですね」

「文代がうどん屋の仕事を終えて家に帰るのが、いつも大体五時頃。で、その頃に桐原が来た。一方雪穂はちょうどその頃図書館に行っていて、桐原が帰った後で帰宅する。何や、タイミングがよすぎるがな」

「文代は桐原の愛人ですかね。で、母親が男の相手をしている間、娘は外で時間を潰す」

「そうかもしれんな。ただ、愛人やったら、何某《なにがし》かの手当を受け取ってるやろ。玩具作りの内職までする必要はないという気がする」

「桐原がくどいてた最中やったのかもしれません」

「それは考えられる」

二人の刑事は西布施警察署にある捜査本部へと急いだ。

「衝動的な殺しかもしれませんな」中塚への報告を終えた後、笹垣はいった。「桐原は銀行から下ろしてきたばっかりの百万円を文代に見せたんと違いますか」

「で、それが欲しいばっかりに殺した、か。しかし家で殺したら、現場のビルまで死体を運ぶのは無理やで」中塚がいう。

「せやから、何か理由をつけて、あのビルで待ち合わせをしたということですやろな。まさか二人で一緒に歩いて行ったとは思えませんから」

「死体の傷は女の力でも十分可能というのが鑑識の見解やったな」

「しかも相手が文代とあれば、桐原も油断してたでしょう」

「文代のアリバイを確認するのが先決やな」中塚は慎重な口振りでいった。

この時点では笹垣の中では、文代の心証は極めて黒に近かった。おどおどした態度にも、不審なものを感じていた。桐原洋介の死亡推定時刻は先週金曜日の午後五時から八時の間と見られている。文代にはチャンスがあった。

だが捜査の結果、全く予想外の情報が捜査陣たちにもたらされることになった。西本文代には、ほぼ完璧といえるアリバイが存在したのである。

5

スーパー『まるかね屋』の正面には小さな公園がある。ブランコと滑り台と砂場があるだけで、ボール遊びが出来るほどのスペースはない。母親が買い物のついでに幼い子供を遊ばせるのには適度な広さといってよかった。

その公園は主婦たちが井戸端会議をする場所でもあった。自分の子供を知り合いに預けて、その間に買い物をすることもできる。『まるかね屋』を利用する主婦たちの中には、このメリットを買っている者も少なくないようだった。

桐原洋介が殺された日の午後六時半頃、近くに住む木下弓枝《ゆみえ》は、スーパーの売場内で西本文代と出会った。文代は買い物を終えたらしく、レジへ向かうところだった。木下弓枝は店に入ったばかりで、まだ籠には何も入れていなかった。二言三言交わし、二人は一旦別れた。

木下弓枝が買い物を終えて店を出たのは七時を過ぎてからだった。彼女は公園のそばに止めてあった自転車に乗って帰宅しようとした。だが自転車にまたがった時、ブランコに座っている文代の姿が目に入った。文代は何か考え事をしている様子で、ぼんやりとブランコを揺らしていたという。

それは西本文代に間違いなかったかという刑事の質問に対し、絶対に間違いないと木下弓枝は断言した。

この証言を裏づけるように、ブランコに乗った文代を見た人間がほかにも見つかった。スーパーの表で屋台を出している、たこ焼き屋の親父である。彼はスーパーが閉店になる八時近くまでブランコに揺られている主婦を、奇異な思いで眺めていたという。たこ焼き屋が覚えていたその主婦の年格好は、文代のものと考えて間違いなさそうだった。

一方、桐原洋介の足取りに関する新たな情報も得られていた。金曜日の六時過ぎ、彼が一人で歩いているのを、薬局の店主が見ていたのだ。店主によれば、声をかけようと思ったが、桐原が急いでいる様子だったので、かけないでおいたということだった。目撃された場所は、西本文代の住む吉田ハイツと、死体が発見されたビルの、ちょうど中間あたりだ。

桐原の死亡推定時刻は五時から八時である。だからブランコに揺られた文代がその後すぐに現場に直行すれば、犯行は不可能ではない。しかしやはりその可能性は低いのではないかというのが捜査員たちの大方の考えだった。そもそも死亡推定時刻を八時まで広げること自体に無理があるのだ。未消化物からの死亡時刻の推定は、元来極めて正確である。時には分単位まで割り出すこともできる。現実には犯行は、六時から七時の間に行われた可能性が高かった。

またもう一つ、遅くとも犯行時刻は七時半より後ではないと推定できる根拠があった。それは現場の暗さである。死体の見つかった部屋に照明はない。昼間ならともかく、夜になると完全に真っ暗になってしまう。ただし、向かい側の建物に照明が入っている間は、その光がほんのりと室内を照らしてくれるので、目が慣れれば相手の顔を判別できる程度には明るい。その向かい側の建物の照明が消えたのが、七時半だったのだ。文代が懐中電灯を用意していれば物理的には犯行可能だが、桐原の心理を考えた場合、そのような不自然な状況で、彼が全く無警戒だったとは考えにくい。

非常に疑わしいとは思いつつも、少なくとも文代自身が手を下した可能性は低いといわざるをえなかった。

西本文代に対する容疑が薄らぐ中、別の捜査員たちが新たな情報を入手してきた。質屋の『きりはら』に関することだった。名簿にしたがって最近の利用客を当たっていたところ、桐原洋介が殺された日の夕方に『きりはら』に行ったという人物が見つかったのだ。

その人物は、大江よりも数キロ南にある、巽《たつみ》という町に住んでいる女性だった。独り暮らしのこの中年女性は、一昨年夫を病気で亡くして以来、しばしば『きりはら』を訪れていた。自宅から遠い店を選んだのは、質屋に出入りするところを知り合いに見られたくなかったかららしい。問題の金曜日は、夫とペアで買った時計を持って、午後五時半頃『きりはら』に行った。

ところがその女性の話によれば、店は開いていたが、ドアには鍵がかかっていた。呼び出し用のブザーを押してみたが、何の応答もない。仕方なく彼女は店を離れ、近くの市場で夕飯のおかずを買った。そしてその帰り、再び『きりはら』に寄ってみた。六時半頃のことだ。

しかしこの時もドアには鍵がかかっていた。彼女はブザーは鳴らさず、諦めて帰宅した。ペアの時計は、三日後に別の質屋で現金化した。彼女は新聞をとっておらず、捜査員の訪問を受けるまで、桐原洋介が殺されたことも知らなかった。

これらの情報から、当然捜査陣の疑いの目は桐原弥生子と松浦勇に向けられることになった。彼等は、あの日は七時頃まで営業していたと供述しているのである。

笹垣と古賀、さらに二人の刑事が『きりはら』に出向彼等の姿が消えてから、笹垣はカウンターに近づいた。

「松浦さんにもお訊きしたいことがあるんですわ」

「何でしょう」松浦は愛想笑いをしながらも身構えた。

「事件のあった日のことです。こちらで調べたところ、お宅の話と矛盾したことが出てきたんですわ」笹垣は、わざとゆっくりとしゃべった。

「矛盾？」松浦の愛想笑いが少し強張ったように見えた。

笹垣は巽に住む女性客の証言について話した。それを聞くうちに、松浦の薄笑いはすっかり消えた。

「どういうことですかな。おたくは七時まで店を開けてたというてはる。ところが五時半から六時半までドアに鍵がかかってたというてる人がいる。これはどう考えてもおかしいんと違いますか」笹垣は相手の目を睨みながらいった。

松浦のほうは、その視線を避けた。黒目を天井に向ける。

「ええと、あの時は」腕組みをしてそういってから、ぽんと両手を叩いた。「そうか、あの時か。思い出しました。金庫に入ってたんです」

「金庫？」

「奥にある金庫です。前にもいうたと思いますけど、お客さんから預かっている品物の中でも、特に貴重なものを入れておくところです。後で見てもろうたらわかりまいた。

店番をしていた松浦は目を丸くした。「一体何事ですか」

「奥さんはいらっしゃいますか」笹垣が訊いた。

「ええ、いてはりますけど」

「ちょっと呼んでいただけますか」

松浦は怪訝そうな顔をして、後ろの襖を少し開けた。

「刑事さんが見えてますけど」

物音がして、さらに大きく襖が開いた。白いニットにジーンズという出で立ちの弥生子が現れた。眉をひそめて刑事たちを見下ろした。「何か？」

「少しだけお時間をいただけますか。お尋ねしたいことがありまして」と笹垣はいった。

「いいですけど……何ですか」

「我々と一緒に来ていただきたいんです」同行してきた刑事の一人がいった。「すぐそこの喫茶店までです。そんなにお時間はとらせませんから」

弥生子は少し不満そうな表情をしたが、はい、と答えてサンダルを履いた。心細そうに松浦のほうをちらりと見たのを、笹垣はしっかりと目撃した。

笹垣と古賀を残し、二人の刑事は弥生子を連れて出ていった。

すけど、鍵のかかる頑丈な倉庫みたいなものです。確認したいことがあって、中に入ってたんですわ。あの中におったら、ブザーの音が聞こえへんこともあるんです」

「そういう時は誰も店番をせえへんのですか」

「いつもは社長がおりますけど、あの時は一人やったから、入り口に鍵をかけておいたんです」

「その時奥さんや息子さんは？」

「二人とも居間にいてはりました」

「そしたら二人には玄関のブザーが聞こえたんと違いますか」

「ああ、それは」松浦は口を半開きにして、数秒間黙ってから続けた。「奥の部屋でテレビを見てはったから、その音で聞こえへんかったのかもしれません」

笹垣は頬骨の出た松浦の顔を眺めてから古賀にいった。

「ブザーを鳴らしてみてくれ」

はい、と答えて古賀は一旦ドアの外に出た。すぐに、ブザーの音が頭上で響いた。少し耳障りともいえる音だった。

「かなり大きな音ですな」と笹垣はいった。「いくら熱心にテレビを見てたとしても、聞こえへんということはなかったと思いますけどねえ」

松浦は顔を歪めた。だがそうしながら苦笑を浮かべた。

「奥さんは、商売には一切ノータッチという姿勢なんです。客が来てても、ろくに挨拶せえへんこともあります。リョウちゃんも、店番なんかはしたことありませんし。その時もブザーの音は聞こえてたかもしれませんけど、無視したのと違いますか」

「ふうん、無視ねえ」

あの弥生子という女にしても、亮司という少年にしても、たしかに店の商売を手伝いそうな感じには見えない。

「あの、刑事さん。私が疑われてるんでしょうか。私が社長を殺したというふうに……」

「いやいや」笹垣は手を振った。「矛盾点が見つかったら、どんなに些細なことでも調べるというのが、捜査の基本なんですわ。そのへんのところを理解していただけますと助かります」

「そうですか。まあ、こっちはいくら疑われても別に構いませんけど」黄ばんだ歯を見せながら、嫌味ったらしく松浦はいった。

「疑ってるというわけではないんですけどね、やっぱり一応、はっきりしたものがあると助かるんですわ。それで、あの日の六時から七時頃、間違いなくこの店にいたという証拠みたいなものはありませんか」

「六時から七時……奥さんやリョウちゃんが証人、というのはあかんのですか」

「証人の場合は、完全な部外者というのが理想なんですわ」

「まるで私らが共犯みたいな言い方ですな」松浦が目を剝いていった。

「刑事はあらゆる可能性を考えなあきませんから」笹垣は軽く受ける。

「あほらしい。社長を殺して、何を得することがありますんや。社長は外でいろいろとふいてましたけど、この家には大した財産はおまへんで」

　笹垣は答えず、ただ薄く笑って応じた。松浦が怒って、口数を増やすのも悪くないと思った。しかし松浦はそれ以上無駄口は吐かなかった。

「六時から七時ですか。電話で話をしたというのはあかんのですか」

「電話？　どなたと？」

「組合の人です。来月の寄り合いのことで打ち合わせをしました」

「それは松浦さんのほうからかけたんですか」

「ええと、いえ、あれはあっちからかかってきました」

「何時頃ですか」

「最初は六時頃です。その後三十分ぐらいして、もう一回かかってきました」

「二回かかってきたんですか」

「そうです」

　笹垣は頭の中で時間軸を整理した。松浦の話が本当ならば、六時と六時半頃のアリバイがあるということになる。その上で、犯行が可能かどうかを考えた。

　難しいだろうな、というのが彼が下した結論だった。

　笹垣は電話をかけてきたという組合の人間の氏名と連絡先を尋ねた。松浦は名刺入れを出してきて、それを調べた。

　その時だった。例の階段の扉が動いた。少し開いた隙間から、少年の顔が見えた。

　笹垣が目を合わせると、亮司はすぐに扉を閉めた。階段を駆け上がる足音が聞こえた。

「息子さん、いらっしゃるんですね」

「えっ？　ああ、さっき学校から帰ってきました」

「ちょっと上がらせてもらってもええですか」笹垣は階段を指した。

「二階にですか」

「ええ」

「さあ……別にかめへんと思いますけど」

　笹垣は古賀に、「電話をかけてきた人の連絡先をメモしたら、金庫を見せてもらってくれ」と命じ、靴を脱ぎ始めた。

　扉を開け、階段を見上げた。薄暗く、壁土のような臭いがこもっている。木の階段の表面は長年靴下でこすられて、黒光りしていた。壁に手をつき、笹垣は慎重に上がっていった。

階段を上がりきると、狭い廊下を挟んで二つの部屋が向き合っていた。一方には襖が、もう一方には障子が入っていた。突き当たりに扉があるが、たぶん物入れか便所だろう。

「亮司君。警察の者やけど、ちょっと話を聞かせてくれへんかなあ」笹垣は廊下に立って声をかけた。

しばらく返事がなかった。笹垣がもう一度声を出そうと息を吸い込んだ時、かたん、と物音がした。襖の向こうからだった。

笹垣は襖を開いた。亮司は机に向かって座っていた。背中しか見えない。

「ちょっとええかな」

笹垣は部屋に足を踏み入れた。六畳の和室だった。向きは南西のようで、窓からたっぷりと日が入ってくる。

「僕、何も知らんから」背中を向けたまま、亮司はいった。

「いや、知らんのやったら知らんでええんや。参考までに訊くだけやから。ここに座ってもええかな」畳の上に座布団が一つ置いてあったので、それを指して笹垣は訊いた。

亮司はちらりと振り向き、どうぞ、と答えた。

笹垣はあぐらをかき、椅子に座っている少年を見上げた。「お父さんのこと、お気の毒やったな」

亮司はこれには答えない。背中を向けたままだ。

笹垣は室内を見回した。比較的奇麗に片づいた部屋だ。小学生の部屋としては、少し地味な感じさえする。山口百恵や桜田淳子のポスターは貼られていない。スーパーカーの模型も飾られていない。本棚にマンガはなく、代わりに百科事典や、『自動車のしくみ』、『テレビのしくみ』といった子供向けの科学本が並んでいる。

目についたのは壁にかけられた額だった。そこには帆船の形に切り取られた白い紙が入れてあった。細いロープの一本一本まで、じつに細かく丁寧に表現されている。笹垣は演芸場などで見た紙切りの芸を思い出した。しかしあれよりもはるかに精緻な作品だった。「すごいな、それ。君が作ったんか」

亮司は額をちらりと見て、首を小さく縦に動かした。

へえ、と笹垣は驚きの声を上げた。正直な反応だった。「器用なものやな。これやったら商品になるで」

「訊きたいことって何ですか」亮司は尋ねてきた。見知らぬ中年男と雑談をする気はないようだった。

それならば、と笹垣は座り直した。

「あの日はずっと家におったんかな」

「あの日？」

「お父さんが亡くなった日や」

「ああ……そうです。家にいました」

「六時から七時頃は何をしてた？」

「六時から七時？」

「うん。忘れたか？」

首を一度捻ってから少年は答えた。「下でテレビを見てました」

「一人で？」

「おかあちゃんと」

ふうん、と笹垣は頷いた。少年の声におどおどしたところはない。

「すまんけど、こっちを向いてしゃべってくれへんか」

亮司は吐息をつき、椅子をゆっくり回転させた。さぞかし反抗的な目をしているのだろうと笹垣は想像した。だが刑事を見下ろす少年の目に、そういった光は含まれていなかった。無機的とさえいえる目をしていた。何かを観察する科学者のようでもあった。俺のことを観察しているのか、と笹垣は感じた。

「テレビでは、どんな番組をやってた？」軽い口調を心がけて笹垣は尋ねた。

亮司は番組名をいった。少年向けの連続テレビドラマだ。

笹垣は一応、その時に放送された内容を訊いてみた。亮司は少し黙ってから口を開いた。彼の説明は、見事に整理されていてわかりやすかった。その番組を見ていなくても、ほぼ内容を理解できた。

「テレビは何時頃まで見てた？」

「七時半頃かな」

「その後は？」

「おかあちゃんと一緒に晩御飯を食べた」

「そうか。お父ちゃんが帰ってけえへんから、心配したやろな」

うん、と亮司は小さく答えた。そしてため息をつき、窓のほうに目を向けた。つられて笹垣も外を見た。夕空が赤かった。

「邪魔したな。勉強、しっかりがんばりや」笹垣は立ち上がり、彼の肩を叩いた。

笹垣と古賀は捜査本部に戻り、弥生子の事情聴取を行った刑事たちと、話の内容を突き合わせてみた。その結果、弥生子と松浦の供述に、大きな矛盾点は見つからなかった。松浦がいったように、女性客が来た時、奥の間で亮司と一緒にテレビを見ていたと弥生子は主張しているらしい。ブザーの音は聞いたかもしれないがよく覚えていない、接客は自分の仕事ではないから気に留めたことはない、というのが彼女の言い分だ。自分がテレビを見ている間、松浦が何をしていたかもよく知らないといっている。またテレビ番組の内容について弥生子が刑事に語ったことも、亮司の話とほぼ一致していた。

　弥生子と松浦だけならば口裏を合わせることは難しくない。だがそこに息子の亮司が絡んでくるとなると話は別だった。彼等のいっていることは嘘ではないのではないか、という空気が、捜査本部内でも濃くなった。

　そのことは間もなく証明されることになった。松浦がいっていた電話が、たしかにあの日の六時と六時半頃、『きりはら』にかけられていたことが確認された。電話をかけたという質屋の組合の委員は、自分が話した相手はたしかに松浦だったと証言した。

　捜査は再び振り出しに戻った。『きりはら』の馴染み客を中心に、地道な聞き込みが続けられた。時間だけが着実に流れていった。プロ野球では読売巨人軍がセ・リーグで九連覇を達成し、江崎玲於奈《れおな》がエサキダイオードの発明でノーベル物理学賞を受賞することが決定していた。そして中東戦争の影響で、対日原油価格が高騰しつつあった。何かの起こる予感が、日本中を支配していた。

　捜査陣の中に焦りが出始めた頃、また一つ、新たな情報が捜査本部にもたらされた。それは西本文代の周辺を調べていた刑事たちによって探り出された。

6

『菊や』は入り口に白木の格子戸が入った小奇麗なうどん屋だった。紺色の暖簾《のれん》がかかっており、店名が白抜き文字で書かれている。わりと繁盛しているらしく、昼前から客が入り始め、午後一時を過ぎても、客足の途絶える気配がなかった。

　一時半になって、店から少し離れたところに白のライトバンが止まった。ボディの横に『アゲハ商事』とゴシック体でペイントされている。

　運転席から一人の男が降りてきた。灰色のジャンパーを羽織った、ずんぐりした体形の男だった。年齢は四十前後に見える。ジャンパーの下はワイシャツにネクタイという格好だった。男はやや急ぎ足で、『菊や』に入っていった。

「正確なもんやな。ほんまに一時半ちょうどに現れたで」腕時計を見ながら笹垣は感心していった。『菊や』の向かい側にある喫茶店の中である。ガラス越しに外を眺めることができる。

「ついでにいうたら、中で食べてるのは天麩羅《てんぷら》うどんですわ」こういったのは笹垣の斜め向かいに座っている金村刑事だった。笑うと、前歯の一本が欠けているのがよくわかる。

「天麩羅うどん？　ほんまか」

「賭けてもええです。何遍か、一緒に店に入って目撃しました。寺崎が注文するのは、いつも天麩羅うどんです」

「ふうん。よう飽きんこっちゃな」笹垣は『菊や』に目を戻す。うどんの話をしたせいで、空腹を覚えていた。

西本文代のアリバイは確認されていたが、彼女への疑いが完全に晴れたわけではなかった。桐原洋介が最後に会ったのが彼女だということが、捜査員たちの心に引っかかっていた。

彼女が桐原殺しに絡んでいたとすると、まず考えられるのは共犯者の存在である。未亡人の文代には若い情夫がいるのではないか――その推理に基づいて捜査を続けていた刑事たちの網にかかったのが寺崎忠夫であった。

寺崎は化粧品や美容器具、シャンプー、洗剤などの卸売りで生計を立てていた。小売店に卸すだけでなく、客から直接注文も受け、自ら配達するということもしている。『アゲハ商事』という社名を掲げてはいるが、ほかに従業員はいなかった。

刑事たちが寺崎に目をつけたきっかけは、西本文代の住む吉田ハイツ周辺で聞いた話だった。白いライトバンに乗ってきた男が文代の部屋に入るのを、近所の主婦が何度か目撃していた。ライトバンにはどこかの会社名が入っていたようだが、そこまではよく見ていないと主婦はいった。

刑事たちは吉田ハイツの近くで張り込みを続けた。だが問題のライトバンは一向に現れなかった。やがて、全く別のところでそれらしい車が見つかった。文代が働く『菊や』へ毎日のように昼飯を食べに来る男が、白いライトバンに乗っていた。

『アゲハ商事』という社名から、すぐに男の身元は判明した。

「あっ、出てきました」古賀がいった。『菊や』から寺崎が出てくるのが見えた。

だが寺崎はすぐには車に戻らず、店の前で佇んでいる。これもまた、金村刑事たちの報告通りだった。

程なく、今度は店から文代が出てきた。白い上っ張りを着ている。

寺崎と少し言葉を交わした後、文代は店に入った。寺崎は車に向かって歩きだした。どちらも、さほど人目を気にしているようには見えない。

「よし、行こか」吸っていたピースの火を灰皿の中でもみ消し、笹垣は腰を上げた。

寺崎が車のドアを開けたところで、古賀が声をかけた。寺崎は驚いたように目を丸くした。その後、笹垣や金村のほうも見て、表情を固くした。

　少し話を聞きたいという要求に、寺崎は素直に従った。どこかの店に入ったほうがいいかと訊いてみると、車の中がいいと彼はいった。それで小さなライトバンに四人で乗り込んだ。運転席に寺崎、助手席に笹垣、後部席に古賀と金村という配置だ。

　大江の質屋が殺された事件を知っているかと笹垣はまず訊いた。寺崎は前を向いたまま頷いた。

「新聞とかニュースで見ました。けど、あの事件と私と、どういう関係があるんですか」

「殺された桐原さんが最後に立ち寄ったのが、西本文代さんのお宅なんです。西本さんのことは、もちろん御存じですね」

　寺崎が唾を飲み込むのがわかった。どう答えるべきか思案している。

「西本さん……というと、そこのうどん屋で働いてる女の人でしょ。ええ、一応知ってますけど」

「その西本さんが事件に関係しているんやないかと我々は見ているんです」

「西本さんが？　あほらしい」寺崎は口元だけで笑って見せた。

「ほう、あほらしいですか」

「ええ。あの人がそんな事件に関係してるわけがない」

「一応知っている、という程度のわりには、西本さんのことを庇《かば》いはりますね」

「別に庇うわけやないけど」

「吉田ハイツのそばで、白のライトバンがしばしば目撃されとるんです。それに乗っている男性もね。西本さんの部屋に、しょっちゅう出入りしてるらしい。寺崎さん、それはあなたですね」

　笹垣の言葉に、寺崎は明らかな狼狽を見せた。だが唇を舐めると、彼はいった。「仕事で伺ってるだけです」

「仕事？」

「化粧品とか洗剤で、頼まれたものを届けてるだけです。それだけのことです」

「寺崎さん、嘘はやめましょう。そんなこと、調べたらすぐにわかります。目撃者の話では、相当頻繁に彼女の部屋に行ってるそうやないですか。化粧品や洗剤を、そんなに届ける必要がどこにありますねん」

　寺崎は腕組みをし、瞼を閉じた。どうすべきか考えているのだろう。

「ねえ寺崎さん。ここで嘘をつくと、ずっと嘘をつかなあかんことになりますよ。我々はあなたのことを徹底的に見張り続けます。いつかあなたが西本文代さんに会うのを待つわけです。それに対してあなたはどうします？　あの人とはもう一生会わんようにしますか？　それはでけへんのやないですか。本当のことをいうてください。西本さんとは特別な関係にあるんでしょう？」

それでも寺崎はしばらく黙り続けていた。笹垣はそれ以上は何もいわず、彼の出方を見ることにした。

寺崎が吐息をつき、目を開けた。

「別にかめへんのと違いますか。私は独身やし、あの人も旦那さんが亡くなってるのやから」

「男女の関係にあると解釈していいんですな」

「真面目に付き合《お》うてます」寺崎の声が少し尖った。

「いつ頃からですか」

「そんなことまで話さんとあかんのですか」

「すみません。参考までに」笹垣は愛想笑いをして見せた。

「半年ほど前からです」ふてくされた顔で寺崎は答えた。

「きっかけは？」

「別にどうってことありません。店で顔を合わせるうちに親しなっただけです」

「西本さんからは、どの程度桐原さんのことをお聞きになってますか」

「よく行く質屋の社長やということだけです」

「西本さんの部屋に時々来るということはお聞きになってませんか」

「何回か来たということは聞きました」

「それを聞いた時、どんなふうに思いました」

笹垣の質問に、寺崎は不愉快そうに眉を寄せた。「どういう意味ですか」

「桐原さんに何か下心があるというふうには思いませんでしたか」

「そんなこと考えても意味ないでしょう。第一、文代さんが相手にするわけがない」

「しかし、西本さんはいろいろと桐原さんの世話になってたみたいですよ。金銭的な援助も受けてたかもしれません。となると、強引に迫られた時、なかなか拒絶しにくいんやないかと思うんですが」

「そんな話、私は聞いたことがありません。おたくは一体何がいいたいんですか」

「ごくありきたりな想像を働かせてるわけです。付き合ってる女性の家に、頻繁に出入りしている男がいる。女性としては、世話になっている手前、軽くあしらえない。やがて男は増長して関係を迫ってくる。そうした状況を知ったら、恋人としてはかなり頭にくるんやないかと」

「それで私がかっとなって殺したというんですか。あほなことをいわんといてください。それほど単細胞やありません」寺崎の声が大きくなり、狭い車内で響いた。

「これは単なる想像です。お気に障ったのなら謝ります。ところで、今月十二日金曜日の午後六時から七時頃、どこにいてはりましたか」

「アリバイというやつですか」寺崎は目をつり上がらせた。

「まあそうです」笹垣は笑いかけた。人気刑事ドラマの影響で、アリバイという言葉は一般的になってしまった。

寺崎は小さな手帳を取り出し、予定表の欄を開いた。

「十二日の夕方は豊中《とよなか》のほうです。お客さんに品物を届ける用事があったものですから」

「何時頃ですか」

「向こうの家に着いたのが六時ちょうどぐらいやったと思います」

それが本当ならアリバイがあることになる。これもはずれか、と笹垣は思った。

「で、荷物を渡したわけですか」

「いや、それが、ちょっと行き違いがありまして」ここで突然寺崎の歯切れが悪くなった。「先方はお留守だったんです。それで、名刺を玄関ドアに差して帰ってきました」

「相手の人はあなたが来ることを知らなかったわけですか」

「私としては連絡したつもりだったんです。十二日に伺いますと電話でいったんです。でも、うまく伝わらなかったみたいです」

「すると、結局あなたは誰とも会わずに帰ってきたと、そういうことですね」

「そうですけど、名刺を置いてきました」

笹垣は頷いた。頷きながら、そんなものは何とでもできると考えていた。

寺崎が訪ねたという家の住所や連絡先を聞き、笹垣は彼を解放することにした。

捜査本部で報告すると、例によって中塚が笹垣の印象を尋ねてきた。

「五分五分です」笹垣は正直な気持ちを述べた。「アリバイはないし、動機はある。西本文代と組んだら、犯行はスムーズに行えたと思います。ただ一つ気になるのは、もし連中が犯人とすると、その後の行動が軽率すぎるということです。ほとぼりが冷めるまで、なるべく接触せんようにしようと考えるのがふつうです。ところがこれまでと同じように、寺崎は昼になると文代の働いている店にうどんを食いに行っている。これは解せません」

中塚は黙って部下の話を聞いていた。への字に閉じられた唇は、その意見の妥当性を認めている証拠でもあった。

寺崎について、徹底的な調査がなされた。彼は平野区のマンションで一人で暮らしている。結婚歴があるが、五年前に協議離婚していた。

取引先での評判は極めていい。動きが速く、無理をきいてくれる。おまけに商品価格が安い。小売店の経営者としてはありがたい存在のようだ。無論、だからといって殺人を犯さないとはいえない。むしろ、ぎりぎりの商売をしているので、いつも自転車操業のようだという情報のほうに捜査陣は注目した。

「文代にしつこく迫る桐原に殺意を抱いたというのもあると思いますけど、その時桐原が持っていた百万円という金に目がくらんだ可能性もあるんやないでしょうか」

寺崎の商売の状況を調べた刑事は、捜査会議でこう発言した。これには多くの捜査員が同意した。

寺崎にアリバイのないことは、すでに確認済みだった。彼が名刺を置いたと主張している家に捜査員が行って調べたところ、そこの一家は当日親戚の家に出かけており、午後十一時近くまで留守にしていた。たしかに玄関ドアに寺崎の名刺は挟まれていたが、いつ彼が来たのかは判断できないわけである。また、その家の主婦は、十二日に寺崎が来ることになっていたのではないかという質問に対して、「そのあたりの日のいずれかにいらっしゃるとは聞いてましたけど、十二日と約束した覚えはないんです」と答えた。さらに彼女は、こう付け加えた。「十二日は都合が悪いと、電話で寺崎さんにいったようにも思うんですけど」

後の証言には重大な意味が含まれている。つまり、その家が留守であることを承知で、寺崎は犯行後にそこへ行って名刺を残し、アリバイ作りをしたとも考えられるわけだ。

寺崎に対する捜査陣の心証は、かぎりなく黒に近い灰色といってよかった。

だが物証は何ひとつなかった。現場から採取された毛髪の中に寺崎のものと一致するものはなく、指紋についても同様だった。有力な目撃証言もない。仮に西本文代と寺崎の共犯だとすれば、二人が何らかの連携を取ったはずだが、その形跡も見つけられなかった。ベテラン刑事の中には、とにかく逮捕して徹底的に取り調べれば白状するのではないかという意見を持っている者もいたが、とても逮捕状を請求できる状況ではなかった。

7

進展のないまま月が変わった。泊まり込みの多かった捜査員たちも、ちらほらと家に帰るようになった。笹垣も久しぶりに自宅の風呂に浸かった。彼は近鉄八尾《やお》駅前のアパートで妻と二人暮らしをしていた。妻の克子《かつこ》は彼よりも三つ年上だった。二人の間に子供はいなかった。

自宅の布団で寝た翌日、笹垣は物音で目が覚めた。克子があたふたと着替えをしているところだった。時計の針はまだ七時を過ぎたところだ。

「なんや、こんな早《はよ》うに。どこへ行くんや」笹垣は布団の中から訊いた。

「あっ、起こしてごめん。ちょっとスーパーへ買い物に行ってきます」

「買い物？　こんな時間にか」

「これぐらいに行って並んどかんと、間に合えへんかもしれんから」

「間に合わんて……一体何を買いに行くんや」

「そんなん決まってるでしょう。トイレットペーパーよ」

「トイレットペーパー？」

「昨日も行ったんよ。一人一袋と決まってるから、ほんまはあんたにも一緒に行ってほしいんやけど」

「なんでそんなにトイレットペーパーばっかり買うんや」

「そんなこと説明してる暇ないわ。とにかく行ってきます」カーディガン姿の克子は、財布を手に慌ただしく出ていった。

　笹垣は何がなんだかわからなかった。このところ捜査のことで頭がいっぱいで、世間で何が起きているのか殆ど気にしていなかったのだ。石油が不足しているという話は聞いている。だがなぜトイレットペーパーを買いに行かねばならないのかわからなかった。しかもこんな朝早くに並んでまで。

　克子が帰ってきたら、詳しく話を聞いてみようと思い、彼は再び瞼を閉じた。

　電話が鳴りだしたのは、それから間もなくだった。彼は布団の上で身体を捻り、枕元に置いてある黒い電話機に手を伸ばした。頭が少し痛く、目は半分閉じたままだった。

「はい、笹垣です」

　それから十数秒後、彼は布団をはねのけて起き上がっていた。眠気は一瞬にして吹き飛んでいた。

　その電話は、寺崎忠夫が死んだことを告げるものだった。


　寺崎が死んだのは、阪神高速大阪守口線上においてであった。カーブを曲がりきれず、壁に激突したのだ。典型的な居眠り運転のパターンだった。

　この時彼のライトバンには、大量の石鹸や洗剤が積まれていた。トイレットペーパーに続いて、それらの品の買いだめ騒ぎが起きつつあり、顧客のために少しでも数を確保しておこうと寺崎が一睡もせずに走り回っていたらしいことが、後に判明した。

笹垣たちは寺崎の部屋を捜索した。桐原洋介殺しを暗示する物証を見つけるのが目的だが、徒労感のある作業であることは否定できなかった。何かが見つかったところで、犯人はこの世にいないのだ。

やがて捜査員の一人が、ライトバンの物入れから重大なものを発見した。ダンヒルのライターだ。縦型の、角張った形をしている。同様のものが桐原洋介の懐から消えていることは、捜査員全員が覚えていた。

しかしこのライターから桐原洋介の指紋は検出されなかった。詳しくいえば、誰の指紋も付いていなかった。布のようなもので拭き取られたらしいのだ。

桐原弥生子にもそのライターが見せられた。だが彼女は困ったように首を振った。似ているが同一とは断言できない、というのだった。

西本文代を警察に呼び、改めて話を訊くことになった。刑事たちは焦り、苛立っていた。何とか彼女に白状させようと必死だった。そのため取調官は、見つかったライターが桐原のものと確認できた、と解釈できる台詞まで口にした。

「これを寺崎が持ってたというのは、どう考えてもおかしい。あんたが被害者の懐から盗んで寺崎に渡したか、寺崎が自分で盗ったとしか思えんのや。一体どっちなんや。ええ？」取調官はライターを見せて西本文代に迫った。

しかし西本文代は否認し続けた。彼女の姿勢には、全く揺るぎがなかった。寺崎の死を知って相当なショックを受けているはずなのに、その態度からは迷いが感じられなかった。

何かを間違《まちご》うてる。俺らは何か、全く違う道に入りこんでしまってるぞ——取り調べを横で聞きながら笹垣は思った。

8

スポーツ新聞の一面を見て、田川敏夫は昨夜の試合を思い出し、嫌な気分をまた再現させてしまっていた。

読売ジャイアンツが負けてしまったのは仕方がない。問題は、その試合内容だった。

肝心な場面で、またしても長嶋が打てなかった。これまで常勝巨人軍を支えてきた四番打者が、見ているほうがイライラするような、中途半端なバッティングに終始してしまったのだ。ここぞというところでは必ず結果を出すのが長嶋茂雄であり、仮に打ち取られたとしても、ファンが納得するスイングを見せてくれるのがミスタージャイアンツとまで呼ばれている男の本領のはずだった。

それが今シーズンは、どうもおかしい。

いや、二、三年前から予兆はあった。しかし辛い現実を受け入れたくなくて、これまでは目をそむけてきたのだ。ミスターにかぎって、そんなことはあるまいと。だが今の状態を見ていると、子供の頃からの長嶋ファンである田川としても、痛感せざるをえない。誰だって年老いていくことを。そしてどんな名選手でもいずれはグラウンドから去っていかねばならないことを。

今年は正念場かもなと、長嶋が凡退して顔をしかめている新聞写真を見ながら田川は思った。まだシーズンは始まったばかりだが、この分では夏前にも長嶋の引退説が囁かれることになるだろう。巨人が優勝できないなんてことになったら、決定的かもしれない。そして今年はそっちのほうも厳しいのではないかと、田川は不吉な予感を立てていた。圧倒的な強さで昨年のV9まで突っ走ってきたが、そろそろチーム全体にガタがき始めているように思えてならない。そしてその象徴が長嶋なのだった。

中日ドラゴンズが勝った記事を斜め読みして、彼は新聞を閉じた。壁の時計を見ると、午後四時を回っていた。今日はもう客はこないかもなと思った。給料日前だけに、家賃を払いに来る者がいるとも思えない。

欠伸《あくび》を一つした時、アパートのチラシを貼ったガラス戸の向こうに、人影が立つのを彼は見た。が、それが大人のものでないことは、足元でわかった。人影は運動靴を履いていた。学校帰りの小学生が、暇つぶしにチラシを眺めているのだろうと田川は思った。

ところがその数秒後、ガラス戸が開けられた。ブラウスの上にカーディガンを羽織った女の子が、おそるおそるといった感じで顔を覗かせた。大きくて、どこか高級な猫を連想させる目が印象的だった。小学校の高学年のようだ。

「なんだい？」と田川は訊いた。自分でも優しいと思える声だった。相手がこのあたりに多い、薄汚い格好で、妙にすれた顔つきをした子供であったなら、これとは比べものにならない無愛想な声が出るところだった。

「あの、西本ですけど」と彼女はいった。

「西本さん？　どちらの？」

「吉田ハイツの西本です」

はっきりとした口調だった。これもまた田川の耳には新鮮に聞こえた。彼の知っている子供は、頭と育ちの悪さを露呈するようなしゃべり方しかできない者ばかりだった。

「吉田ハイツ……ああ」田川は頷き、そばの棚からファイルを抜き取った。

吉田ハイツには、八つの家族が入っている。西本家は一階の真ん中、一〇三号室を借りていた。家賃が二か月分溜まっていることを田川は確認した。そろそろ催促の電話をかけねばならないところではあった。

「すると、ええと」彼は目の前にいる女の子に目を戻した。「君は西本さんのところの娘さん？」

「はい」と彼女は顎を引いた。

田川は吉田ハイツに入っている家族の構成表を見た。西本家の世帯主は西本文代で、同居人は娘の雪穂一人となっている。十年前に入居した時には文代の夫の秀夫がいたが、すぐに死亡したらしい。

「家賃を払いに来てくれたのかな」と田川は訊いてみた。

西本雪穂はいったん目を伏せてから首を振った。そうだろうなと田川は思った。

「じゃあ、何の用だい？」

「部屋を開けてほしいんです」

「部屋？」

「鍵がないから、家の中に入れないんです。あたし、鍵を持ってないから」

「ああ」

田川にも、ようやく彼女のいいたいことがのみ込めてきた。

「おかあさん、家に鍵をかけて出かけてしもたんか」

雪穂は頷いた。上目遣いの表情に、小学生であることを忘れさせるほどの妖艶さが潜んでいて、田川は一瞬どきりとした。

「どこへ行ったのかはわからへんの？」

「わかりません。今日は出かけないっていってたのに……それであたしも、鍵を持たずに出てしもたんです」

「そうか」

どうしようかなと田川は思い、時計を見た。店じまいには、まだ少し早い時刻だった。この店の主人である父親は、昨日から親戚の家に行っており、夜遅くにならないと帰らない。

だからといって、合鍵を雪穂に渡すわけにはいかなかった。それを使う時には田川不動産の人間が立ち会うというのが、アパートの持ち主と取り決めたことであったからだ。

おかあさんが帰るまで、もう少し待っていたらどうや――いつもなら、そういうところだった。だが心細そうに見つめてくる雪穂の姿を見ていると、そんなふうに突き放す台詞は吐きづらくなった。

「そしたら、開けたげるわ。一緒に行くから、ちょっと待ってて」彼は立ち上がると、賃貸住宅の合鍵が入っている金庫に近づいた。

吉田ハイツは田川不動産の店から歩いて十分ほどのところにあった。田川敏夫は西本雪穂の細い後ろ姿を見ながら、雑な舗装のなされた狭い道を歩いた。雪穂はランドセル姿ではなく、赤いビニール製の手提げ鞄を持っていた。

何かの拍子に、彼女の身体から鈴の音がちりんちりんと鳴った。何の鈴だろうと田川は目を凝らしたが、外からはわからなかった。

よく見ると彼女の身なりも、決して恵まれた子供のものではなかった。運動靴の底はすり減っているし、カーディガンは毛玉だらけで、おまけにところどころほつれている。チェック柄のスカートも、生地がずいぶんとくたびれて見えた。

それでもなぜかこの娘の身体からは、田川がこれまでにあまり接したことのない上品な雰囲気が発せられていた。どういうことだろうと彼は不思議な気分になった。

彼は雪穂の母親をよく知っている。西本文代は平凡で、目立たない女だった。おまけに、このあたりに住む人間たちと同様の、野卑な思いを内に秘めた目をしていた。あの母親と寝食を共にしていて、こんなふうに育つというのは、ちょっとした驚きだった。

「小学校はどこ？」田川は後ろから尋ねた。

「大江小学校です」雪穂は足を止めず、顔を少し捻って答えた。

「大江？　へええ……」

やはりそうなのか、と彼は思った。大江小学校は、この地区の殆どの子供たちが通う公立小学校だ。毎年何人かが万引きで捕まり、何人かが親の夜逃げで行方不明になるという小学校だった。午後に前を通ると給食の残飯の臭いがし、下校時刻になると、子供たちの小遣いを狙った胡散《うさん》臭い男たちがどこからか自転車を引いて現れる、そういう学校だ。もっとも大江小学校の子供たちは、そんなテキ屋に引っかかるほど甘くはない。

田川は、西本雪穂の雰囲気から、あんな学校に通っているとはとても思えず、学校はどこかと尋ねたのだった。しかし考えてみれば、彼女の家庭の経済事情では、私立に通える余裕などあるはずがなかった。

学校では、さぞかし浮いた存在なのだろうと彼は想像した。

吉田ハイツに着くと、田川は一〇三号室のドアの前に立ち、一応ノックしてみた。さらに、「西本さん」と呼びかけてみた。だが反応はなかった。

「おかあさんは、まだ帰ってないみたいやね」雪穂のほうを振り返って彼はいった。

彼女は小さく頷いた。また、ちりん、と鈴の音がした。田川は鍵穴に合鍵を差し込み、右に捻った。カチリと錠の外れる音がした。

奇妙な感覚が彼を襲ったのは、その瞬間だった。不吉な予感といえるものが胸中をかすめた。しかしそのまま彼はドアのノブを回し、手前に引いた。

　部屋に一歩足を踏み入れた田川の目が、奥の和室で寝ている女の姿を捉えた。女は薄い黄色のセーターにジーンズという出で立ちで、畳の上に横たわっていた。顔はよくわからない。だが西本文代に間違いなさそうだった。

　なんだ、いるじゃないか——そう思うと同時に、彼は異様な臭気を感じた。

「ガスやっ。あぶないっ」

　後から入ってこようとする雪穂を手で制し、自分の鼻と口を押さえた。そしてすぐ横の調理台に目を向けた。ガスレンジの上に鍋が置かれ、ツマミが捻られている。しかしレンジから火は出ていなかった。

　田川は息を止めたままガスの元栓を閉め、調理台の上の窓を開け放った。さらに奥の部屋へ向かった。卓袱台《ちゃぶだい》の横で倒れている文代を横目で見ながら窓を開けると、顔を外に出して大きく深呼吸した。頭の奥が痺れるような感覚があった。

　彼は西本文代のほうを振り向いた。文代の顔は、薄い青紫色に見えた。肌に全く生気が感じられなかった。手遅れだ、と彼は直感的に思った。

　部屋の隅に黒い電話機が置いてあった。彼は受話器を取ると、ダイヤルに指をかけた。が、その瞬間に迷った。

　１１９か、いや、やっぱり１１０にすべきなのかな——。

　彼は混乱していた。これまで、病死した祖父以外に死体を見たことはなかった。
　１、１と回した後、迷いつつも０の穴に人差し指を入れた。その時だった。
「死んでるんですか」玄関のほうから声がした。

　見ると、西本雪穂が沓脱ぎに立ったままだった。玄関のドアが開けっ放しになっており、逆光で彼女の表情はよくわからない。

「死んでるの？」と彼女はもう一度訊いた。泣き声になっていた。

「まだわかれへん」田川は指を０から９に移動させ、ダイヤルを回した。

第二章

1

チャイムが鳴ってから数分して、ざわめきが聞こえてきた。

秋吉雄一《あきよしゆういち》は右手に一眼レフのカメラを持ったまま、中腰になって外の様子を窺った。思ったとおり、清華《せいか》女子学園中等部の正門から、女子生徒がぞろぞろと出てくるところだった。彼はカメラを胸の前で構え、少女たち一人一人の顔を凝視した。

彼が隠れているのはトラックの荷台の中だった。正門から五十メートルほど離れた道端に止めてあったのだ。下校時には清華女子学園の生徒の大半が目の前を通過するという絶好の位置で、しかも荷台には幌をつけてあった。今日の目的を考えた場合、雄一にとってこれほど好都合な隠れ場所はなかった。これでうまく狙いのショットを撮れたなら、六時限目をエスケープしてまでやってきた甲斐がある。

清華女子学園中等部の制服はセーラー服だった。夏服は白地に襟の部分だけがライトブルーになっている。ひだの細かいスカートもそれと同じ色だ。幌の陰から覗き見る雄一の目の前を、そんなスカートの裾をひらひらさせながら何人もの女子生徒が通り過ぎていった。まだ小学生かと思うほど幼い顔立ちの少女もいれば、すでに大人の女に足を踏み入れているような娘もいる。後者のような女子生徒が近づいた時には雄一はシャッターを押したくなったが、肝心な時にフィルムが足りなくなっては大変と思い、我慢した。

彼の目が唐沢雪穂の姿を捉えたのは、そういう体勢で道行く少女たちを睨み始めてから十五分近くが経った頃だった。彼はあわててカメラを構え、レンズ越しに彼女の動きを追った。

唐沢雪穂は例によっていつもの友人と二人で歩いていた。いつもの友人というのは、メタルフレームの眼鏡をかけた、やけに瘦せた娘だった。顎が尖っていて、額にニキビがある。そして身体つきもごつごつしていた。雄一としてはこちらの娘を被写体にする気はなかった。

唐沢雪穂はやや茶色がかった髪を肩まで伸ばしていた。まるで何かをコーティングしてあるように、見事な光沢を放っていた。その髪を自然なしぐさでかきあげる彼女の指は細かった。同様に身体も細いのだが、胸や腰の曲線には十分に女性を感じさせるものがあった。彼女のファンの中には、この点を魅力の第一に挙げる者も少なくなかった。

上品な猫を連想させる彼女の目は、隣の友人に向けられていた。下唇がわずかに厚めの口は、かわいい笑みを浮かべている。

雄一はカメラを構え直し、唐沢雪穂が近づいてくるのを待ち受けた。もう少しアップで撮りたかった。彼は彼女の鼻が好きだった。


雄一の家は、狭い路地に面して建っている棟割り住宅の一番端だった。引き戸を開けて中に入ると、すぐ右側に台所がある。築三十数年というだけあって、味噌汁やらカレーやらが混ざったような奇妙な臭いが、古い壁や柱にしみついていた。下町の臭いだと彼は思い込み、嫌っていた。

「菊池君が来てるで」

流し台に向かって夕飯の支度をしながら雄一の母がいった。その手元をみて、今夜もまたジャガイモの天ぷららしいぞと思い、雄一はうんざりした。母の郷里から先日大量に送られてきて以来、三日に一度はジャガイモが食卓に出る。

二階の部屋へ行くと、菊池文彦《ふみひこ》が四畳半の真ん中に胡《あぐ》座《ら》をかいて映画のパンフレットを見ていた。雄一が四日前に見た『ロッキー』のものだ。

「この映画、面白かったか？」雄一を見上げて菊池は訊いた。パンフレットは、シルベスタ・スタローンのアップが写っている頁が開かれていた。

「面白かったで。結構感動した」

「ふうん。みんなそういうてるなあ」

菊池は背中を丸め、なおもパンフレットを眺めていた。欲しいのかなと思ったが、雄一は黙ったまま着替えを始めた。このパンフレットをやるわけにはいかなかった。欲しければ自分だって映画館に行けばいいのだ。

「けど映画代、高いもんなあ」菊池がぽつりといった。

「そうやな」

雄一はスポーツバッグから出したカメラを机の上に置くと、背もたれを抱えるように椅子に跨《またが》った。菊池は仲のいい友人の一人だが、彼と金の話をするのは苦手だった。菊池の家は母子家庭で、生活が苦しいことはその身なりからもわかる。自分のところはとりあえず父親がまともに働いているだけでも幸せだと思っていた。父は鉄道会社の社員だ。

「また撮影か？」カメラを見て菊池が訊いた。にやにやしているのは、雄一が何を被写体にしているのかを知っているからだろう。

「まあな」雄一もにやにや笑いを返した。

「ええ写真、撮れたか」

「どうかな。けどわりと自信はある」

「それでまた一儲けか」

「そんなに高く売れるもんか。材料費がかかるし、ちょっとでもプラスが出ればええほうや」

「けどそういう特技があるのはええで。うらやましいわ」

「特技ていうほどでもない。このカメラの使い方もようわかれへんし、適当に撮って、適当に現像してるだけや。何しろ全部貰い物やから」

　現在雄一が自分の部屋として使っているこの部屋には、かつて父の弟が住んでいた。写真を趣味にしている人物で、カメラをたくさん持っていた。白黒写真の現像や焼き付けができる程度の簡単な道具も備えていた。その叔父が結婚して家を出た時、それらの一部を雄一に残していってくれたのだ。

「ええよなあ、そういうものをただでくれる人がいて」

　菊池がまた妬みめいたことを口にしそうな気がしたので、雄一は少し憂鬱になった。こういう話の流れになるのを避けているのだ。ところが菊池のほうは、わざとかそれとも無意識か、時々自分から貧富に関する話に持っていく。

　しかし今日は違った。菊池は続けていった。「この前、叔父さんが撮った写真を見せてくれたやろ」

「町の写真か」

「うん。あれ、まだあるか」

「あるよ」

　雄一は椅子を半回転させて机に向かうと、本棚の端にさしてあるスクラップブックに手を伸ばした。それは叔父が置いていったものの一つだった。中には写真が数点挟まれていた。いずれも白黒で、どうやらこの家の近所を撮影したもののようだった。先週菊池が遊びに来た時、写真の話のついでにそれを彼に見せたのだった。

　スクラップブックを渡すと、菊池はずいぶん熱心に写真を一枚一枚眺め始めた。

「何や、いったい」雄一は、菊池の少し太めの身体を見下ろして訊いた。

「いや、ちょっとな」はっきりしたことをいうかわりに、菊池はスクラップブックから写真を一枚抜き取った。「この写真、貸してくれへんか」

「どの写真？」

　雄一は菊池の手元を覗き込んだ。やはり町中を写したものだった。どこかで見たことがある細い通りを、二人の男女が歩いている。電柱のポスターは剝《は》がれそうになって風に揺れ、手前のポリバケツの上には猫がうずくまっていた。

「こんな写真、どうするんや」と雄一は尋ねた。

「うん、ちょっと、見せたい奴がおるんや」

「見せたい奴？　誰や」

「それは、その時に教える」

「ふうん」

「貸してくれよ。かめへんやろ」

「まあええけど、変な話やな」雄一は菊池の顔を見ながら写真を渡した。菊池はそれを受け取ると、大事そうに自分の鞄に入れた。

　この夜夕飯を食べ終えると、雄一は自室にこもって昼間撮影した写真の現像を始めた。フィルムの現像に関しては、暗室がわりの押入の中でフィルムを専用容器に収めてしまえば、後は明るいところで作業ができる。定着を終えたところで、彼はフィルムを容器から取り出して、一階の洗面所で水洗いを始めた。本来なら水を出しっぱなしにして一晩放置しておきたいところだったが、そんなことが母に見つかったら文句をいわれるのはわかりきっていた。

　水洗いの途中で、雄一はフィルムを蛍光灯で透かしてみた。唐沢雪穂の髪の艶が、見事に陰画となっているのを確認して彼は満足した。大丈夫、これなら客も満足するに違いないと自信を深めた。

2

　眠る前に日記を書くことは、川島江利子《えりこ》の長く続いている習慣の一つだった。初めて書いたのは小学校の五年生に上がった時だから、足掛け五年ということになる。彼女はこのほかにもいくつか習慣を持っていた。登校前に庭の植木に水をやること、日曜日の朝には部屋の掃除をすることなどだ。

　ドラマチックなことを書く必要はなく、素気ない文章でも構わないというのが、江利子が五年間で学んだ日記を続けるコツだ。本日は特に変わったことはなし、でもいい。

　しかし今日は書くべきことがたくさんあった。放課後、唐沢雪穂の家へ遊びに行ったからだ。

　雪穂とは中学三年になって初めて同じクラスになった。だが彼女のことを江利子は、一年生の時から知っていた。理知的な顔立ち、上品だが隙のない身のこなし。江利子は彼女に、自分や自分の周りにいる友人たちにはないものを感じていた。それは憧れといってもよかった。何とか彼女と友達になれないだろうかと、ずっと思い続けてきたのだ。

　だから三年で同じクラスになった時には自らを祝福し

た。そして始業式の直後、思い切って話しかけてみたのだ。

「友達になってくれない？」

これに対して唐沢雪穂は怪訝そうな素振りは全く見せず、江利子が期待した以上の笑顔を浮かべた。

「あたしでよければ」

いきなり話しかけてきた相手に対して、精一杯の好意を示そうとしてくれているのがよくわかった。無視されるのではと不安だった江利子は、その微笑みに感激さえ覚えた。

「あたしは川島江利子」

「唐沢雪穂よ」ゆっくりと彼女は名乗った後、一つ小さく頷いた。自分のいったことに対して、確認するように頷くのが彼女の癖だということを、江利子はその後少ししてから知った。

唐沢雪穂は江利子が遠くから眺めて想像していた以上に素晴らしい『女性』だった。感性が豊かで、一緒にいるだけで多くのことを再発見できた。また雪穂は会話を楽しくすることでも天性の才能を持っていた。彼女と話していると、自分までもが話し上手になったような気がするのだ。しばしば江利子は、彼女が自分と同い年であることを忘れた。だから彼女のことを日記で何度も、『女性』と表現するのだった。

そんな素晴らしい友人を持っていること自体が江利子には誇らしかったのだが、当然彼女と友達になりたがる生徒は少なくなく、彼女の周りにはいつも同級生たちが群がっていた。そんな時江利子は軽い嫉妬を感じた。大切なものを奪われたような気になるのだ。

だが何より不快なのは、近くの中学校の男子生徒が雪穂の存在に気づいて、まるでアイドルタレントでも追うように彼女の周りに出没するようになったことだった。先日も体育の授業中、金網によじのぼってグラウンドを覗いている男子生徒がいた。彼等は雪穂の姿を見つけると、ほぼ例外なく下品な声をあげるのだった。

今日も下校時に、トラックの荷台に隠れて雪穂の写真を撮っている者がいた。ちらりと見ただけだが、ニキビ面の、不健康な顔つきをした男子生徒だった。いかにも低俗な妄想で頭をいっぱいにしていそうなタイプに見えた。その妄想の材料に雪穂の写真が使われるかもしれないと思うと江利子などは吐き気を催しそうになるのだが、当の雪穂は全く意に介さない様子だ。

「ほうっておけばいいよ。どうせそのうちにあきるだろうから」

そしてまるでその男子に見せつけるように髪をかきあげるしぐさをする。向こうの男子があわててカメラを構えるのを、江利子は見逃さなかった。

「でも不愉快やないの？　勝手に写真を撮られるのなんて」

「不愉快だけど、むきになって文句をいったりして、結果的に連中と顔見知りみたいになってしまうほうが余程いやだもの」

「それはそうだけど」

「だから無視すればいいの」

雪穂は真っ直ぐ前を向いたまま、そのトラックの前を通過した。江利子はその男子の撮影を少しでも邪魔しようと、彼女の脇から離れなかった。

江利子が雪穂の家へ遊びに行くことが決まったのは、この後だった。先日借りた本を持ってくるのを忘れたから、家まで来ないかと誘われたのだ。本のことなどどうでもよかったが、雪穂の部屋を訪れるというチャンスを逃す気はなく、迷わずにオーケーした。

バスに乗り、五つ目の停留所で降りてから一、二分歩いた。静かな住宅地の中に唐沢雪穂の家はあった。決して大きな屋敷ではないが、こぢんまりとした前栽のある上品な日本家屋だった。

その家で雪穂は母親と二人で住んでいた。居間に行くと、その母親が出てきたのだが、彼女を見て江利子は少々戸惑った。この家にふさわしく、品のいい顔立ちと身のこなしをした人だったのだが、祖母といわれても不思議ではないほどの年齢に見えたからだ。地味な色調の和服を着ているせいとも思えなかった。

江利子は最近耳にした、ある不愉快な噂話を思い出していた。それは雪穂の生い立ちに関するものだった。

「ゆっくりしていってくださいね」穏やかな口調でそういうと、雪穂の母親は居間を出ていった。どこか病弱な印象を江利子は受けた。

「優しそうなおかあさんやね」二人きりになってから江利子はいってみた。

「うん、とても優しいよ」

「門のところに裏千家の札が出てたよね。お茶を教えておられるの？」

「うん。茶道のほかに華道も。あと、お琴も教えられるんじゃないかな」

すごーい、と江利子は身体を後ろにのけぞらせた。

「スーパーウーマンやね。じゃあ、雪穂もそういうことできるの？」

「一応、お茶とお華は教えてもらってる」

「わあいいな。ただで花嫁修業ができるんだ」

「でも結構厳しいよ」そういって雪穂は、母親のいれてくれた紅茶にミルクを入れて飲んだ。

江利子も彼女に倣った。いい香りのする紅茶だった。きっと単なるティーバッグじゃないんだろうなと想像した。

「ねえ、江利子」雪穂が大きな目で、じっと見つめてきた。「あの話、聞いた？」

「あの話って？」

「あたしに関すること。小学生時代のこと」

突然切り込まれ、江利子はうろたえた。「あ、ええと」

雪穂はかすかに微笑んだ。「やっぱり聞いたんだね」

「ううん、そうじゃなくて、ちょっと耳にしただけというか……」

「隠さないで。大丈夫だから」

そういわれ、江利子は目を伏せてしまった。雪穂に見つめられると、嘘をつけない。

「結構、噂になってるのかな」彼女は訊いてきた。

「そんなことはないと思う。まだ殆ど誰も知らないと思うよ。あたしに教えてくれた子も、そういってた」

「だけど、そういう会話が成り立つこと自体、ある程度広まってるってことだよね」

雪穂に指摘され、江利子は返す言葉がなくなる。

「ねえ」雪穂が江利子の膝に手を置いた。「江利子が聞いたのは、どういう話？」

「どういうって、そんなに大した話やないよ。つまんない話だった」

「あたしが昔すごい貧乏で、大江の汚いアパートに住んでたとか？」

江利子は黙り込んだ。

雪穂はさらに尋ねてくる。「本当の母親が変な死に方をしたとか？」

江利子はたまらず顔を上げた。「信用なんか全然してないよ」

その懸命な口調がおかしかったのか、雪穂は頬を緩めた。

「そんなに必死に否定しなくてもいいよ。それに、その噂、全くの嘘でもないもの」

えっ、と声を出し、江利子は親友の顔を見返した。

「そうなの？」

「あたし、養女なの。中学に上がる前に、この家に来たのよ。さっきのおかあさんは、あたしのじつの母親ではないの」気負った様子もなく、自然な口調で、何でもないことのようにいった。

「あ、そうなんだ」

「大江に住んでたのは本当。貧乏だったのも本当。お父さんがずっと前に死んじゃってたからね。それからもう一つ、母親が変な死に方をしたというのも本当。あたしが六年生の時だった」

「変な死に方って……」

「ガス中毒」雪穂はいった。「事故死よ。でも、自殺じゃないかと疑われたこともあった。それくらい貧乏をしてたからね」

「そうだったの」

どのように相槌を打っていいかわからず江利子は戸惑ったが、雪穂のほうは特に重要なことを告白したつもりもなさそうだった。もちろんそれは友人にいらぬ気遣いをさせてはならないという、彼女らしい配慮に違いなかった。

「今のおかあさんはおとうさんのほうの親戚で、あたし、昔から時々一人でここへ遊びに来ていたから、あたしのことをすごくかわいがってくれてたの。それであたしが孤児になった時に、かわいそうだといってすぐに引き取ってくれたというわけ。自分も独り暮らしで寂しかったみたい」

「そういうことだったんだ。大変だったんだね」

「まあそうね。でも幸運だったと思ってるの。本当だったら施設に入らなきゃいけなかったんだもの」

「そうかもしれないけど……」

同情めいたことをいおうとし、江利子は言葉をのみ込んだ。ここで何をいっても、雪穂に軽蔑されるだけのような気がした。彼女の苦しみがどれほどのものであったかを、苦労知らずで育ってきた自分に理解できるはずがないと思った。

それにしても、そんな苦境を乗り越えてきたというのに、この雪穂の優雅さはどうだろうと、江利子としては改めて感嘆するしかなかった。それともそれらの体験が、彼女を内面から輝かせているのだろうか。

「ほかにはどういうことが噂になってるのかな」雪穂が訊いてきた。

「知らない。そんなに詳しくは聞いてないもの」

「きっと、あることないこと噂されてるんだろうな」

「気にすることないよ。そんな噂を流してる連中は、雪穂に嫉妬してるだけなんやから」

「別に気にしてるわけじゃないの。ただ、噂の発信源は誰なのかなと思って」

「さあね。どうせどっかの馬鹿女じゃないの」江利子はわざと乱暴な口調を使った。この話題は早く終わりにしたかった。

江利子が聞いた噂話には、もう一つエピソードが含まれていた。雪穂の本当の母親はかつて誰かの妾をしていたが、相手の男が殺された時には警察から疑われた、というものだった。自殺したのは捕まりそうになったからだという、まことしやかな尾鰭《おひれ》もついていた。

だがもちろん、こんな話を雪穂に聞かせるわけにはいかなかった。彼女の人気に嫉妬した者によるでまかせに決まっていた。

　この後、江利子は雪穂が最近凝っているというパッチワークの作品を見せてもらった。座布団カバーやポシェットなどだ。色とりどりの布の組み合わせが、雪穂のセンスのよさを物語っていた。一つだけ、まだ未完成らしいが、少し色合いの違うものがあった。小物入れにでも使うつもりらしいその袋は、黒や紺といった寒色の布だけで作られていた。こういうのもいいね、と江利子は本心から褒めた。

3

　国語担当の女性教師は、教科書と黒板以外には目を向けまいとしていた。機械的に授業を進めながら、この地獄の四十五分間が早く過ぎ去ってくれることだけを祈っているように見えた。生徒に本を朗読させることも、名指しして質問することもしなかった。

　大江中学校三年八組の教室内は、前後二つの集団に分かれていた。多少なりとも授業を聞く気のある者は、教室の前半分に座っている。全くその気のない者たちは、後ろ半分のスペースを使って、好き勝手なことをしていた。トランプや花札で遊んでいる者、大声で雑談している者、昼寝をしている者などいろいろだ。

　以前はそうした授業妨害者たちに向かって注意を続けていた教師たちも、一か月、二か月と経つうちに何もいわなくなってしまった。もちろんその背景には、教師たち自身が何らかの被害に遭っているという事情があった。ある英語教師は授業中にマンガを読んでいた生徒の手からそのマンガ本を取り上げ、それで頭を殴って叱りつけたところ、その数日後に何者かに襲われ、肋骨を二本折られた。報復に違いなかったが、叱られた生徒にはアリバイがあった。また数学担当の若い女性教師は、黒板のチョーク置きにずらりと並べてあるものを見て悲鳴をあげた。そこに並んでいたのは精液の入ったコンドームだった。彼女はその少し前に、不良生徒たちを非難する言葉を吐いていたのだ。妊娠中の彼女は、ショックのあまり流産しそうになった。その直後から彼女は休職している。たぶん今の三年生が卒業するまでは、現場に戻ってこないと思われた。

　秋吉雄一は、教室のほぼ真ん中の席に座っていた。つまりその気になれば授業を聞くこともできるし、簡単に妨害組にも加われるという位置だ。その時の気分によって立場を変えられるコウモリのようなポジションを、彼は気に入っていた。

　牟《む》田《た》俊之《としゆき》が入ってきたのは、国語の授業が半分近く終わった頃だった。がらりと戸を開けると、誰の目を気にした様子もなく、悠然とした態度で、いつもの自分の席まで歩いていった。彼の席は窓際の一番後ろだ。国語教師は何かいいたそうな顔をして彼の動きを目で追っていたが、彼が椅子に座るのを見て、結局そのまま授業の続きを始めた。

　牟田は机の上に両足をのせると、鞄から雑誌を取り出した。俗にエロ雑誌と呼ばれるものだった。おい牟田、こんなところでせんずりかくなよ、と仲間の一人がいった。牟田は岩のような顔に、不気味な笑いを浮かべた。

　国語の授業が終わると、雄一は鞄の中から大きい封筒を取り出し、牟田に近づいていった。牟田は両手をポケットに突っ込み、机の上で胡座をかいていた。背中を雄一のほうに向けているので表情は見えない。だが一緒にいる仲間たちの笑い顔から推測すると、機嫌は悪くなさそうだった。彼等は最近ブームになっているテレビゲームのことを話していた。ブロック崩しという言葉が耳に入った。たぶん今日も途中で学校を抜け出して、ゲームセンターに直行するつもりなのだろう。

　牟田の向かいにいる男子が雄一を見た。その目の動きにつられたように牟田も振り返った。眉を剃った跡が青い。ごつごつした顔面の窪みの奥に、小さいが鋭い目があった。

「これ」といって雄一は封筒を差し出した。

「なんや」と牟田は訊いた。低い声だった。息に煙草の臭いが混じっている。

「昨日、清華に行って撮ってきた」

　これで封筒の中身に察しがついたらしく、牟田の顔から警戒の色が消えた。封筒を雄一の手から奪い取り、中を覗き込んだ。

　封筒の中身は唐沢雪穂の写真だった。今朝、まだ暗いうちに早起きして、焼き付けをしてきたのだ。雄一としては自信作だった。白黒写真ではあるが、肌や髪の色を感じさせる出来になったと思っている。

　舌なめずりしそうな顔つきで封筒の中を見ていた牟田は、雄一を見ると片方の頬だけに不気味な笑いを浮かべた。「なかなかええやんけ」

「そうやろ？　結構苦労したで」雄一はいった。顧客が満足してくれた様子なので、内心ほっとしていた。

「けど、数が少ないやないか。たったの三枚しかあれへんのか」

「とりあえず気に入ってもらえそうなのを持ってきただけや」

「あと何枚ある？」

「よさそうなのは五、六枚」

「よし、明日それを全部持ってこい」そういうと牟田は封筒を自分の脇に置いた。雄一に返す気はないようだった。

「一枚三百円やから、三枚で九百円」雄一は封筒を指差していった。

牟田は眉間に皺を寄せ、斜め下から舐めるように雄一の顔を睨んだ。そんなふうにすると、右目の下にある傷痕が凄みを出した。

「金は写真が全部揃ってから払《はろ》たる。それで文句ないやろ」

文句があるなら拳で聞いてやろうかという口振りだった。無論雄一に文句をいう気はなかった。ええよ、といってその場を立ち去ることにした。

雄一が歩きかけると、「おい、ちょっと待てや」といって牟田が呼び止めた。

「秋吉、おまえフジムラミヤコって知ってるか」

「フジムラ？」雄一はかぶりを振った。「いや、知らんけど」

「やっぱり清華の三年や。唐沢とは別のクラスらしいけどな」

「知らん」雄一はもう一度首を振った。

「そいつの写真も撮ってきてくれ。同じ値段で買《こ》うたる」

「けど、顔も知らんのに」

「バイオリンや」

「バイオリン？」

「その女は、放課後いつも音楽室でバイオリンを弾いてる。見たらわかる」

「音楽室の中なんか、見えるのかな」

「そんなもん、自分の目でたしかめたらええやんけ」そういうと牟田は、もう用はなくなったといわんばかりに仲間たちのほうに顔を戻した。

ここで余計なことをいうと牟田がヒステリーを起こすことを知っている雄一は、黙ってそこを離れた。

牟田が、上品で金持ちの娘が通うことで有名な清華女子学園中等部の女子生徒に目をつけ始めたのは、一学期の半ばだった。どうやら彼等不良グループの間で、清華の女子を追い回すことが流行《はや》っているらしい。もっとも、実際にお嬢様をものにした者がいるのかどうかはさだかではない。

目当ての女子生徒の写真を撮ることについては、雄一のほうから牟田に話を持ちかけた。彼等が彼女たちの写真を欲しがっているという話を耳にしたからだ。趣味の写真を続けるには小遣いが足りないという、雄一なりの事情もあった。

牟田が最初に依頼してきたのが唐沢雪穂の写真だった。雄一の感触では、牟田は本気で雪穂のことが気に入っているようだった。その証拠に、少々出来のよくない写真でも、彼は決していらないとはいわなかった。

それだけにフジムラミヤコという別の名前が出てきたのは意外だった。唐沢雪穂はとてもものにできそうにないので、ほかの女にも目をつけ始めたのかもしれないと思った。いずれにしても雄一にとっては関係のないことだった。


昼休みに雄一が弁当を食べ終え、空の弁当箱を鞄にしまっていると、菊池がそばにやってきた。手に大きな封筒を持っている。

「これからちょっと屋上まで一緒に行ってくれへんか」

「屋上？　何のために？」

「例の話や」菊池は封筒の口を開き、雄一に中を見せた。そこには、昨日雄一が貸した写真が入っていた。

「ふうん」興味が湧いた。「そら、付き合《お》うてもかめへんけど」

「よし、行こう」

菊池に促され、雄一は腰を上げた。

屋上には誰もいなかった。少し前までは不良生徒たちの溜まり場だった。しかし大量の吸殻が見つかったことがきっかけで、生徒指導の教師が頻繁に見回るようになり、誰も寄りつかなくなったのだ。

数分して、階段室のドアが開いた。そこから現れたのは、雄一たちと同じクラスの男子生徒だった。名前は知っている。だが雄一は殆ど話をしたことはなかった。桐原、といった。下の名前までは覚えていない。

雄一に限らず、誰もあまり彼とは親しくしていないようだった。何をする時でも特に目立つことはなく、授業中に発言することもめったにない。昼休みや休憩時間は、いつも一人で本を読んでいる。陰気な奴、というのが雄一の印象だ。

桐原は雄一と菊池の前で立ち止まると、二人の顔を交互に見つめた。その目にはこれまで見せたことのない鋭い光が宿っているようで、雄一は一瞬どきりとした。

「俺に何の用や」ぶっきらぼうな口調で桐原は訊いた。

菊池が彼を呼び出したらしい。

「見せたいものがあってな」その菊池がいった。

「見せたいもの？」

「これや」菊池は例の封筒から写真を取り出した。

桐原は警戒した様子で近づき、写真を受け取った。白黒の画面を一瞥した彼の目が大きく見開かれた。「なんや、これ」

「何かの参考になるんやないかと思てね」菊池はいった。

「四年前の事件について」

雄一は菊池の横顔を見た。四年前の事件とは何だ。

「何がいいたい」桐原が菊池を睨んだ。

「わかれへんか。その写真に写ってるのは、おまえのおふくろさんやろ」

えっ、という声を漏らしたのは雄一だった。そんな彼を桐原はじろりと見てから、再び鋭い目を菊池に向けた。

「違う。うちの母親やない」

「なんでや。よう見てみろよ。おふくろさんやないか。それに一緒に歩いてるのは、前におまえのところにおった店員やろ」菊池はややむきになっているようだ。

桐原はもう一度写真を見てから、ゆっくりとかぶりを振った。

「何のことか、さっぱりわからんな。とにかくここに写ってるのはおふくろやない。つまらんことをいうのはやめてくれ」そして写真を菊池に返すと、くるりと向きを変えてそのまま歩きだした。

「これ、布施駅の近くやろ。おまえの家からも近いやないか」菊池は早口で桐原の背中にいった。「それにこの写真は四年前のもんや。電柱に貼ってある映画のポスターでわかった。これ、『ジョニーは戦場へ行った』や」

桐原の足が止まった。しかし彼は菊池とゆっくり話をする気はないようだった。

「うるさいな」彼は顔を少し後ろに捻っていった。「おまえには関係のないことやろ」

「親切でいうてやってるんやないか」

菊池はいい返したが、桐原は再び二人を睨みつけただけで、そのまま階段室に向かって歩きだした。

「せっかく手がかりになると思ったのに」桐原の姿が消えてから菊池はいった。

「何の手がかりや」雄一は訊いた。「四年前の事件て何やねん」

すると菊池は雄一を見て不思議そうな顔をし、その後で頷いた。

「そうか、秋吉はあいつとは小学校が違うから、あの事件のことは知らんのやな」

「だからどういう事件や」

雄一がいらいらして訊くと、菊池は周りを見回してからいった。

「秋吉、真澄公園って知ってるか。布施駅の近くにあるんやけど」

「マスミ公園？　ああ……」雄一は頷いた。「昔、一回だけ行ったことがある」

「あの公園の横にビルがあるのを覚えてるか。ビルというても、建築途中でほったらかしになってるようなやつやけどな」

「そこまでは覚えてへんなあ。そのビルがどうしたんや」

「四年前、そのビルの中で桐原の親父さんが殺された」

「えっ……」

「金をとられてたから強盗の仕業やろうといわれてた。その頃はすごかったで。毎日毎日、町中を警察官がうろうろしとった」

「犯人はつかまったんか」

「一応、犯人らしき男は見つかったけど、はっきりしたことはわからんままや。そいつ、死んでしもた」

「死んだ？　殺されたんか」

　いやいや、と菊池は首を振った。

「交通事故や。で、警察がその男の持ち物を調べたら、桐原の親父さんが持ってたのと同じライターが見つかってんて」

「ふうん、ライターを。それやったら決定的やないか」

「そうとはいいきれんで。同じライターだというだけのことで、桐原の親父さんのものと決まったわけやない。で、問題はここからや」菊池は階段室のほうをちらりと見て、声を低くした。「しばらくしてから変な噂が流れた」

「変な噂？」

「犯人は奥さんと違うか、という噂やった」

「奥さん？」

「桐原のおふくろさんや。店の者とできてて、それで親父さんが邪魔になったんやないかという話やった」

　菊池によると、桐原の家は質屋をしているらしい。店の者というのは、その質屋で働いていた男のことを指すようだ。

　だが雄一としては、友人の口からこういう話を聞かされても、テレビドラマの筋を聞いているようで実感が湧かなかった。「店の者とできてて」という台詞も、ぴんとこない。「それで、どうなった？」雄一は先を促した。

「結構長い間、そういう噂は流れとった。けど、結局は大して根拠のないことやし、そのうちにうやむやになってしもた。俺も忘れかけとった。ところがこの写真や」

菊池は先程の写真を見せた。「これ見てみろ。後ろに写ってるのは連れ込みホテルやで。この二人、きっとここから出てきよったんやぞ」

「この写真があったら、何か違ってくるのか」

「違ってくるに決まってるやないか。桐原のおふくろさんが店員と浮気してたことの証拠や。つまり親父さんを殺す動機があるということになる。そう思たから、この写真を桐原に見せたったのに」

　菊池は図書館の本をよく読んでいる。動機などという言葉がすんなり出てくるのも、その賜物《たまもの》なのだろう。

「そうはいうても、桐原にしてみたら、自分の母親のことを疑うわけにはいかんやろ」雄一はいった。

「その気持ちはわかるけど、どんなにいやなことでも、はっきりさせなあかん場合というのがあるんと違うか」

菊池はやけに熱っぽい口調でいった後、小さく吐息をついた。

「まあええ。ここに写ってるのが桐原のおふくろさんやということを何とか証明してやる。そうしたらあいつも、知らん顔はでけへんはずや。この写真を警察に持っていったら、絶対に捜査のやり直しが始まるで。俺、あの事件のことを捜査してる刑事と知り合いなんや。あのおっさんに、この写真を見せたろ」

「なんでそんなにその事件にこだわる？」不思議になって雄一は訊いた。

菊池は写真をしまいながら、上目遣いに見返してきた。

「死体を見つけたのは、俺の弟や」

「弟？　本当か」

ああ、と菊池は頷いた。

「弟の話を聞いて、俺もそこへ見に行った。そうしたら本当に死体があったから、おふくろに知らせて、警察に連絡してもろたんや」

「そういう関係があったんか」

「発見者ということで、俺らは何遍も警察から質問された。しかしな、警察の連中は単に発見した時のことだけを訊きたかったわけやない」

「どういう意味や」

「警察はこういうことも考えとった。被害者は金を盗まれている。犯人が奪ったと思われる。けど、第三者が盗んだ可能性もある」

「第三者て……」

「死体発見者が、警察に知らせる前に金目のものをネコババするということは、珍しい話ではないそうや」菊池は口元に薄笑いを浮かべていった。「いや、それだけやない。警察の奴等は、もう一歩進んだことも考えとった。自分で殺しておいて、自分の息子に死体を発見させる――そういう手もあるやないかと」

「まさか……」

「嘘みたいやろ。ところが本当の話なんや。家が貧乏というだけで、俺らは最初から疑いの目で見られとった。俺のおふくろが桐原のところの客やったということにも、警察はこだわっとったみたいや」

「けど、疑いは晴れたんやろ」

菊池はふんと鼻を鳴らした。「そういう問題やない」

こういう話を聞かされた後では、何をどういっていいのかわからず、雄一は両手を握りしめたまま、ただ立ち尽くしていた。

その時だった。ドアの開く音がした。階段室から中年の男性教師が出てくるところだった。教師は眼鏡の奥の目をつり上げていた。

「おまえら、ここで何をやっとるんや」

別に、と菊池がぶっきらぼうにいった。

「おまえ、それ何や。何を持ってる」教師は菊池の封筒に目をつけた。「ちょっと見せてみい」

エロ写真か何かと疑ったようだ。菊池は面倒臭そうに封筒を教師に渡した。教師は中身を見て、眉のあたりの力をふっと抜いた。幾分拍子抜け、そして幾分期待外れ、というふうに雄一の目には映った。

「何や、この写真」怪訝そうに教師は菊池に訊いた。

「昔の町の写真です。秋吉から借りたんです」

教師は雄一のほうを向いた。「ほんまか」

「本当です」と雄一は答えた。

教師はしばらく写真と雄一の顔を見比べた後、写真を封筒に戻した。

「勉強に関係のないものを学校に持ってくるな」

「はい、すみません」雄一は謝った。

男性教師は周囲の足元を見回した。おそらく吸殻が落ちていないかどうかを調べているのだろう。幸い、それは見つからなかった。教師は無言で、封筒を菊池に返した。

昼休み終了のチャイムが鳴ったのは、その直後だった。

この日の放課後、雄一はまたしても清華女子学園中等部に行ってみた。しかし今日のお目当ては唐沢雪穂ではない。

しばらく塀に沿って歩いた。

その足が止まったのは、彼の耳が目的の音を捉えたからだった。目的の音、すなわちバイオリンを弾く音だ。

彼は周囲を見回し、誰も見ていないことを確認すると、迷わず金網によじ上った。すぐ目の前に灰色の校舎が建っている。一階の窓が雄一の正面にあった。窓は閉まっていたが、カーテンは開放状態だ。だから中の様子はよく見える。

女子生徒が一人、雄一のほうに背中を向けて座っていた。彼女の前にあるのは黒いピアノだ。鍵盤に両手を置いている。

やった、と雄一は心の中で叫んだ。ここが音楽室だ。

雄一は身体の角度を変えたり、首を伸ばしたりした。ピアノの向こうに、もう一人立っていた。セーラー服姿で、バイオリンを弾いている。

あれがフジムラミヤコか。

唐沢雪穂よりは小柄に見える。髪は短めか。顔をよく見たかったが、教室の中はひどく薄暗い。窓ガラスの反射も邪魔だった。

彼がさらに首を伸ばした時だった。バイオリンの音がぴたりとやんだ。それだけでなく、彼女が窓のほうへ近づいてくるのが見えた。

雄一のすぐ前の窓ガラスが開けられた。勝ち気そうな顔をした女子生徒が、彼のことを真っ直ぐに睨みつけてきた。突然のことで、彼は金網から降りることもできなかった。

「ガイチュウッ」

フジムラミヤコと思われる女子生徒が叫んだ。その声に圧倒されたように、雄一は手を離してしまった。何とか足から落ちたので、尻餅をついたが怪我はしないで済んだ。

中で誰かが叫んでいる。やばい、逃げろ――雄一は駆けだした。

「ガイチュウ」とは「害虫」のことかと気づいたのは、逃げ延びて、ほっとひと息ついた時だった。

4

川島江利子は火曜と金曜の夜、唐沢雪穂と共に英会話塾に通っていた。もちろんそれは雪穂に影響されてのことだ。

塾は七時から八時半までだった。学校から歩いて十分ほどのところにあるが、江利子は放課後いったん帰宅して、夕食をすませてから改めて出かけるのが習慣になっていた。その間雪穂は、演劇部の練習に参加している。いつも雪穂と一緒にいたい江利子だが、今さら演劇部に入るわけにはいかなかった。

火曜日の夜、塾が終わった後、いつものように二人は並んで歩いていた。途中学校のそばまで来た時、家に電話するといって雪穂が公衆電話ボックスに入った。江利子は腕時計を見た。午後九時近くになっていた。塾の教室で、いつまでもおしゃべりをしていたからだ。

「お待たせ」雪穂が電話を終えて出てきた。「早く帰ってきなさいっていわれちゃった」

「じゃあ急がなきゃ」

「うん。近道を行かない？」

「いいよ」

いつもならバス通り沿いを歩くところだが、二人は裏道に入った。そこを通ると、三角形の長辺を行くことになり、かなり時間を稼げるのだ。ただしいつもはあまり通らない。街灯がなくて暗いうえに、倉庫や駐車場ばかりが並んでいて、民家が少ないからだった。材木がたくさん積まれている、製材所の倉庫らしき建物の前に来た時だった。

「あれっ」といって雪穂が立ち止まった。彼女の目は倉庫のほうに向けられていた。

「どうしたの」

「あそこに落ちているの、うちの制服じゃない？」雪穂が一点を指差した。

江利子がその指の先を目で辿っていくと、壁に立てかけられた角材のすぐ横に、白い布のようなものが落ちているのが見えた。

「えっ、そうかなあ」彼女は首を捻った。「ただの布じゃないの」

「違うよ。うちの制服だよ」雪穂は近づいていき、その白い布のようなものを拾い上げた。「ほら、やっぱりそうだった」

彼女のいうとおりだった。破れてはいるが、制服に間違いなかった。ライトブルーの襟は江利子たちにとって馴染み深いものだ。

「どうしてここにそんなものが落ちてるのかな」と江利子はいった。

「わからない……あっ」制服を調べていた雪穂が声をあげた。

「なに？」

「これ」雪穂は制服の胸のあたりを見せた。

そこには名札が安全ピンで留められていた。名札には『藤村』と書かれていた。

江利子はわけもわからず恐ろしくなり、背中に悪寒が走るのを感じた。一刻も早くこの場から逃げだしたくなった。

だが雪穂は破れた制服を持ったまま、周囲をきょろきょろと見回した。さらにそばの倉庫の小さな扉が半開きになっているのを見つけると、大胆にも中を覗いた。

早く帰ろうよ、と江利子がいいかけた時だった。きゃっ、と雪穂が叫び、口を手で押さえてたじろいだ。

「どうしたの？」江利子は訊いた。声が震えていた。

「誰か……倒れてる。死んでるかもしれない」と雪穂はいった。

倒れていたのは清華女子学園中等部三年二組の藤村都《みや》子《こ》だった。だが死んではいなかった。両手両足を縛られ、猿ぐつわをかまされていたうえに気を失っていたが、助けられて間もなく意識を取り戻した。

発見したのは江利子たちだったが、助けたのは彼女たちではなかった。彼女たちはてっきり死体だと思い込み、警察に連絡した後は倉庫に近づかず、二人で手を握り合って震えていたのだ。

藤村都子は上半身が裸で、下もスカート以外すべて脱がされていた。それらの衣類は、すぐそばに捨ててあった。また一緒に黒いビニール袋も見つかった。

間もなくやってきた救急隊員によって都子は救急車に乗せられたが、とても口をきける状態ではなかった。江利子たちを見ても、何の反応も示さず、虚無の目をしていた。

　江利子は雪穂と共に、近くの警察署に連れていかれ、そこで簡単な事情聴取を受けた。パトカーに乗るのは初めてだったが、藤村都子の悲惨な姿を見た後だけに、そんなことを楽しめる気分ではなかった。

　彼女たちにあれこれと質問してきたのは、白髪頭を五分刈りにした中年男だった。寿司屋の板前という外観ではあるが、身体から発する雰囲気は全く違っていた。できるだけ優しく接するよう気を遣っているのだろうが、それでも目の鋭さには江利子を萎縮させるものがあった。

　刑事の質問は、江利子たちが都子を発見するに至った経過と、事件について何か思い当たることはないかということに絞られていた。経過については、江利子は雪穂と時折顔を見合わせたりしながら、できるかぎり正確に話した。刑事も特に疑問を感じた点はないようだった。

　だが心当たりとなると、江利子たちに答えられることなど何もなかった。夜道は危ないので、クラブ活動などで遅くなった場合、何人かで、必ずバス通りを歩くよう学校から指導されているが、実際に何らかの事件が起きたという話は聞いたことがなかった。

「学校からの帰りなんかに、変な人を見たとか、誰かに待ち伏せされたことはない？　あなたたちでなくても、そういうお友達がそういう経験をしたとか」刑事の横にいた、婦人警官が尋ねてきた。

「あたしはそういう話、聞いたことありませんけど」と江利子は答えた。

「でも」隣で雪穂がいった。「学校の中を覗いていたり、あたしたちが下校するところを待っていて、写真を撮ったりする人はいます」彼女は江利子を見て、「ねえ」と同意を求めてきた。

　江利子は頷いた。連中のことを忘れていた。

「それはいつも同じ男？」と刑事が訊いた。

「覗いてる人は何人かいます。写真を撮ってる人は……わかりません」と江利子は答えた。「でも学校は同じだと思います」

「学校？　相手は学生なの？」婦人警官が目を丸くした。

「大江中学の人だと思います」雪穂がいった。その断定的な口調に、江利子も少し驚いて彼女を見た。

「大江？　間違いない？」婦人警官が念を押す。

「あたし、前に大江に住んでたことがあるからわかるんです。あの校章は大江中学だと思います」

　婦人警官は刑事と顔を見合わせた。

「ほかに何か覚えてることはあるか？」刑事が訊いてきた。

「この間、あたしのことを写真に撮った人の名字ならわかります。胸に名札をつけてましたから」

「何という名字やった？」刑事は目を剝いた。獲物に食いつく顔になっていた。

「たしか、アキヨシだったと思います。秋冬の秋に、大吉の吉です」

横で聞いていて、江利子は意外な思いがした。この前の様子では、雪穂は連中のことなどまるで無視していた。しかしじつは相手の名前をチェックしていたのだ。江利子は相手の名札など記憶になかった。

「あきよし……か」

刑事は婦人警官に何か耳打ちした。婦人警官は席を立った。

「最後にこれを見てもらいたいんやけどね」刑事はビニール袋を出してきて、江利子たちの前に置いた。「現場に落ちていたもんやけど、見覚えはないかな」

ビニール袋の中に入っていたのは、キーホルダーの飾りのようだった。小さな達磨《だるま》に鎖がついているが、その鎖が途中で切れていた。

「知りません」と江利子は答えた。雪穂も同様の答えだった。

5

「あれ、鎖が切れてるぞ」

菊池の財布を見て雄一はいった。昼休みに、売店でパンを買おうとしている時だった。すぐ前に立っている菊池が財布を手にしているのだが、そこにいつも付いているキーホルダーの飾りが消えていた。小さな達磨だったと雄一は記憶していた。

「そうなんや。昨日の夕方気づいた」菊池は渋い顔をした。「あれ、結構気に入ってたんやけどな」

「どこかに落としたわけか」

「そうらしい。しかし、この鎖がそう簡単に切れるかなあ」

安物なんだろ、といいかけて雄一は言葉をのみ込んだ。そういう軽口は、この男には厳禁だった。

「ところで」菊池が声を落としていった。「昨日、『ロッキー』を見てきた」

「へえ、そらよかったな」雄一は相手の顔を見返した。ほんの少し前は、入場料の高さを嘆いていたくせに、と思った。

「意外なところから映画館の特別優待券が手に入ってなあ」雄一の疑問を見抜いたように菊池はいった。「おふくろが客からもろたらしい」

「ふうん。それはついてるなあ」

菊池の母親が近くの市場で働いているという話を雄一は聞いていた。

「ところが調べてみたら、有効期限が昨日までや。あわてて出かけたがな。何とか最終の上映に間に合《お》うたからよかったけど、あぶないところやった。まあ考えてみたら、期限が切れる寸前やなかったら、そんな優待券をくれるわけないな」

「かもしれんな。で、映画はどうやった？」

「めちゃくちゃよかった」

この後しばらく映画の話で盛り上がった。

昼休みが終わりそうになって教室に戻った時だった。同級生の一人が雄一に声をかけてきた。担任教師が呼んでいるという。担任はクマというあだなの理科教師だ。本名は熊沢という。

職員室に行くと、熊沢は深刻そうな顔をして雄一を待っていた。

「天王寺《てんのうじ》署から刑事さんが来てる。おまえに話を聞きたいそうや」

雄一はびっくりした。「何のことですか」

「おまえ、清華の女子生徒の写真を撮ってるそうやな」

熊沢は濁った眼球で、雄一の顔をじろりと見た。

「あっ、いえ……」突然の指摘に、雄一は口ごもってしまった。肯定したも同然だ。

「まったく」熊沢は舌打ちをして立ち上がった。「ばかたれがつまらんことしくさって。学校の恥じゃ」そして、ついてこいとばかりに顎をしゃくってから立ち上がった。

応接室で待っていたのは三人の男だった。一人はいつか屋上で出会った生徒指導の教師だ。教師は眼鏡の奥から、じろりと雄一のことを睨みつけてきた。

後の二人は知らない男たちだった。一方が若く、もう一方が中年だ。どちらも黒っぽい地味な背広を着ていた。この二人が刑事らしい。

熊沢が雄一のことを彼等に紹介した。その間刑事たちは彼のことを、爪先から頭の先まで舐めるように観察していた。

「清華女子学園中等部の近くで生徒の写真を盗み撮りしとったというのは君か」中年の刑事が訊いてきた。穏やかな口調に聞こえるが、底にこもった凄みは教師たちにはないものだった。この声だけで雄一は気持ちが萎縮してしまった。

「いえ、あの……」舌がもつれそうになった。

「向こうの生徒が見てるんや、君のその名札をな」刑事は雄一の胸元を指差した。「わりと変わった名字やから、記憶に残ったらしい」

まさか、と雄一は思った。

「どうなんや。正直にいうたほうがええで。写真を撮ってたんやろ？」刑事は重ねて訊いた。隣で若い刑事も雄一を睨みつけてくる。生徒指導の教師は苦りきっていた。

「はい……」雄一は仕方なく頷いた。熊沢が大きくため息をついた。

「おまえは、そんなことして、恥ずかしないんか」生徒指導の教師が吃りがちにいった。後退した額が赤くなっていた。

「まあまあ」中年刑事は教師をなだめるしぐさをしてから雄一のほうに目を戻した。「写真を撮る相手は決まってるのか」

「はあ」

「名前は知ってるな」

はい、と雄一は答えた。声がかすれた。

「ここに名前を書いてくれへんか」刑事は白いメモ用紙とボールペンを出した。

雄一はそこに、『唐沢雪穂』と書いた。刑事はそれを見て納得した顔をした。

「ほかには？」刑事は訊いた。「ほかにはおれへんのか。この子を撮ってただけか」

「そうです」

「この子が君のお気に入りというわけか」刑事は意味有りげに薄笑いをした。

「俺の……僕のお気に入りというより、友達のお気に入りなんです。それで僕が写真を撮ってやってただけです」

「友達の？　なんでわざわざ君が撮ってやるんや」

雄一は俯き、唇を噛んだ。それを見て刑事は、何かに気づいたようだ。

「ははあ」刑事はおかしそうにいった。「その写真を売るわけか？」

いい当てられ、雄一はぴくりと身体を動かしてしまった。

「おまえというやつは」熊沢が吐き捨てるようにいった。「あほか」

「写真を撮ってたのは君だけか。ほかに同じようなことをしていた者はおれへんのか」中年の刑事が訊いてきた。

「知りません。いないと思います」

「すると時々清華のグラウンドを覗いていたのも君か。よう覗いている者がいたと、あちらの生徒さんたちがいうてるんやけどな」

雄一は顔を上げた。「それは僕と違います。本当です。僕は写真を撮ってただけなんです」

「すると覗いていたのは誰なんやろ？　君、心当たりはないか」

それは牟田たちだろうと思ったが、雄一は黙っていた。しゃべったことが後で連中にばれたら、どんな目にあわされるかわかったものではなかった。

「心当たりはあるけど、いいたくないという感じやな。

下手に隠したら君のためにようないんやけどなあ。まっ、ええやろ。そしたら昨日の放課後からの行動を、できるだけ詳しく話してもらおか」

「えっ」

「昨日の行動や。どうした？　いわれへんのか」

「いったい何があったんですか」

「あきよしっ」熊沢が怒鳴った。「訊かれたことに答えろ」

「まあいいじゃないですか」ここでもまた中年刑事が、興奮気味の教師をなだめた。刑事はかすかに笑みを浮かべて雄一を見た。「清華の近くで、あそこの女子生徒が悪戯《いたずら》されそうになったんや」

雄一は顔が強張るのを感じた。「僕、何もやってません」

「君が犯人やというてるわけやない。ただ先方の生徒さんの口から、君の名前が出てきたからねえ」刑事は相変わらず穏やかな口調でいった。だがその言葉の下には、現時点ではおまえのことを最も疑っているのだぞというニュアンスがこめられていた。

「僕、知りません。本当に……」雄一は首を振った。

「だったら、昨日どこで何をしていたか、話せるんやないのかな」

「昨日は……学校の帰りに、本屋とレコード屋に寄りました」

思い出しながら雄一はいった。それが六時過ぎで、その後はずっと家にいたのだ。

「家では御家族と一緒？」

「はい。母と一緒でした。九時頃には父も帰ってきました」

「家族以外の人はいなかったわけや」

「はあ……」答えながら雄一は、家族の証言ではだめなのかなと思った。

「さて、どうするかな」中年の刑事は、隣にいる若い刑事に相談するように呟いた。「写真を撮ったのも自分のためやないと秋吉君はいうてるわけやけど、その言葉を信用する根拠もないしなあ」

「そうですね」若い刑事は同意した。口元に嫌な薄笑いが滲んでいた。

「本当に友達のために撮ったんです」

「そしたら、その友達の名前を教えてもらおか」中年刑事がいった。

「えっ……」

雄一は迷った。ここで黙り続けて、妙な疑いをかけられるのは嫌だった。

その時、絶妙のタイミングで刑事はいった。「大丈夫や。君がしゃべったことは誰にもいわへんから」

まるで雄一の心を見透かしたような一言だった。この台詞で、彼は決心した。

雄一はおそるおそる牟田の名前を口に出した。それを聞いた途端、生徒指導の教諭がうんざりした顔を見せたのは、何か問題が起きた時に、必ず出てくる名前だったからだろう。

「清華のグラウンドを覗いてた者の中にも、牟田君は入ってたのかな」中年刑事は訊いた。

「それは、わかりません」雄一は、ぱりぱりに乾いた唇を舐めた。

「牟田君に頼まれたのは唐沢さんの写真だけ？　ほかの女の子の写真は頼まれへんかったのかな」

「ほかには、ええと」どうしようかなと思ったが、雄一は隠さずに話すことにした。ここまできたら、もう同じだ。「最近になって、もう一人頼まれました」

「どういう子かな」

「フジムラミヤコという子です。僕はよう知らんのですけど」

この瞬間、部屋の空気がぴんと張りつめたように雄一には感じられた。刑事の顔つきにも変化があった。

「それで、その子の写真は撮ったんか」低い声で訊いてきた。

「まだです」

そう、と刑事は頷いた。

「もう撮りに行くなよ」熊沢が横から怒りを含んだ声でいった。「そんなあほなことをするから、妙な疑いをかけられるんや」

雄一は黙って頷いておいた。

「もう一つ確認しておきたいことがあるねん」刑事がビニール袋を出してきた。「この中のものを見たことはないか」

袋の中には小さな達磨が入っていた。雄一は驚いた。それは菊池が持っていたキーホルダーの飾りに間違いなかった。

「知ってるようやな」刑事が彼の表情に気づいていった。

またしても雄一は心が揺れた。これが菊池のものであるといえば、どういう事態を招くことになるのだろう。今度は菊池が疑われることになるのだろうか。しかしここで下手に嘘をつくと、益々まずいことになるかもしれない。それにこれが菊池のものだということは、自分がしゃべらなくてもいずれわかるかもしれないのだ――。

「どうや？」刑事が机をこつこつと指先で叩きながら促してきた。その音が針のように雄一の心をちくちくと刺した。

雄一は唾を飲み込むと、その小さな達磨の持ち主の名前を小声でいった。

6

クラブ活動等の理由で学校に残る場合も、遅くとも五時までには下校すること——こういう通達が出されたのは、木曜日の朝のことだった。ホームルーム時にも、担任教師がそのことを念押しした。

当然だろうな、というのが川島江利子の感想だ。一昨日の出来事を考えれば、五時どころか、放課後すぐに生徒全員を帰すべきだと思った。

しかし他の生徒たちは、この突然の指示に不平を漏らすだけだった。というのも一昨日の事件のことは、見事なまでに隠蔽されていたからだ。あの夜、学校の近くの倉庫で何が起こったか、彼女たちは全く知らなかった。

無論、いくつかの憶測が流れ、その中には事実と多少似通ったものもなくはなかった。たとえば、「変質者がいて、下校途中に誰かが悪戯されそうになった」というものだ。だがこの噂にしても、誰かが学校側の通達から推理して生み出したものに違いなかった。教師たちが口を滑らせたとは思えなかったし、江利子たちも黙っていたからだ。だから彼女たちが事件の被害者を発見したという事実も、生徒たちは誰も知らないはずだった。

江利子が事件のことを一切しゃべらないのは、学校側からそのように指示されたからではなかった。いやもし彼女がおしゃべりであったなら、すでに噂は大きく広がっていたに違いない。学校側の対応は、それほど遅いものだった。

事件のことは黙っていようと江利子にいったのは唐沢雪穂だった。事件の夜、家に帰ってから電話があったのだ。

「あんな目に遭って、藤村さんはすごいショックを受けていると思う。そのうえこのことが学校中に知られたりしたら、自殺しちゃうかもしれない。だからあたしたちは何もしゃべらないで、変な噂が流れないよう気をつけましょ」

雪穂の提案はもっともなものだった。自分もそうするつもりだったと江利子は答えた。

藤村都子は二年生の時の同級生だ。勉強がよくできたし、積極的な性格だったので、クラスのリーダー的な存在だった。ただ江利子は彼女のことを少し苦手にしていた。プライドを少しでも傷つけられると、すぐむきになって怒るところがあった。またその反面、人を貶《おとし》めるようなことを平気で口にすることもあった。当然、彼女のことを快く思っていない者も少なくない。そういう者たちに今度のことを知られたら、忽ち学校中の噂になってしまうに違いなかった。

この日の昼休み、江利子は雪穂と一緒に弁当を食べた。彼女たちの席は窓際で、縦に並んでいる。近くに人はいなかった。

「藤村さんは交通事故に遭って、それでしばらく休むということになっているらしいよ」雪穂が小声で教えてくれた。

「ああ、そうなんだ」

「今のところ、誰も変だとは思ってないみたい。このままうまくごまかせるといいんだけれど」

「そうね」と江利子は頷いた。

弁当を食べ終えた雪穂が、パッチワークの材料を取り出しながら、窓の外を見た。

「今日は、あの変な人たち、来てないみたい」

「変な人？」

「いつも金網越しに覗いてる人たち」

「ああ」江利子も外に目を向けた。いつも金網にヤモリのような格好ではりついている男子学生の姿が今日はなかった。「今度の事件のことが伝わって、注意されたのかもしれないね」

「かもね」

「今度のこと、やっぱり連中が犯人なのかな」小声で江利子はいってみた。

「わからない」と雪穂はいった。

「あの連中が通ってる学校って、ものすごく悪いんでしょ？」江利子は顔をしかめてみせた。「あたしやったら、絶対にそんな学校には入りたくないな」

「でも、中にはやむを得ず通ってる人もいるんじゃないかな」雪穂はいった。

「そうかなあ」

「家庭の事情とかでね」

「それはわかるけど」江利子は曖昧に頷いた後、雪穂の手元を見て微笑んだ。先日彼女の家で見せてもらった小物入れが、もう殆ど縫い終わっている。「もうすぐ完成やね」

「うん。あとは仕上げをするだけ」

「でもそれ、イニシャルがＲＫになってるね」縫いつけられたアルファベットを見て江利子はいった。「雪穂だから、ＹＫやないの？」

「いいの、これはおかあさんへのプレゼントだから。おかあさんの名前はレイコなの」

「ああそうか。ふうん。親孝行なんだね」器用に針を動かす雪穂の指を見ながら、江利子はいった。

7

清華女子学園中等部の生徒が悪戯された事件で、菊池文彦が警察から疑われているのは明白だった。まず木曜日の午前中、彼は応接室で刑事から質問を受けた。何を訊かれたのか、それについてどう答えたのか、彼は誰にも教えなかった。教室に戻ってきてからも、暗い顔でずっと黙っているだけだった。無論、そんな彼に話しかける者などいない。連日刑事がやってくる異常事態に、誰もがただならぬ気配を感じとっていた。

雄一も菊池には言葉をかけづらかった。達磨のキーホルダーのことを刑事に話したという負い目もあった。

金曜日の午前中、またしても菊池は呼ばれて教室を出ていった。出口に向かって机の間を歩いていく時、彼は誰とも目を合わせなかった。

「清華の女が襲われたらしいな」菊池が出ていった後で同級生の一人がいいだした。「それであいつが疑われてるそうや。現場にあいつの持ち物が落ちてたらしい」

「誰に聞いたんや、そんな話」と雄一は訊いた。

「先公らの話を立ち聞きした奴がおるんや。かなりやばい事件みたいやで」

「襲われたってどういうことやねん。姦《や》られたてことか」別の男子が訊いた。目に好奇の光が宿っている。

「そういうことやろ。それに、金もとられてるそうやぞ」いいだしっぺは、声をひそめて情報を流した。

なるほど、という顔を周りにいる全員がしたように雄一は感じた。菊池の家が豊かでないことを、皆が思い出したのだろう。

「でも菊池は、やってないというてるんやろ」雄一はいってみた。

「本人はその時間、映画に行ってたというてるみたいやな」

そいつは怪しいと一人がいい、何人かが頷いた。正直に白状するわけがない、という者もいた。

集まった者の中に桐原がいるのを見て、雄一は少し意外な気がした。こういうことには首を突っ込まないタイプだと思っていたからだ。それとも先日の写真の件で、菊池のことが気になっているのだろうか。

そんなことを考えながら雄一が見ていると、やがて桐原と目が合ってしまった。桐原はほんの一、二秒間雄一のことを見つめると、同級生たちの輪からすっと抜け出した。

8

事件から四日が経った土曜日、江利子は雪穂と共に藤村都子を見舞うため、彼女の家を訪れた。雪穂が提案したことだった。

だが応接間で待っていても、都子は現れなかった。代わりに彼女の母親がやってきて、娘はまだ誰にも会いたくないらしいと、申し訳なさそうにいった。

「怪我、ひどいんですか」と江利子は尋ねた。

「怪我はそれほどでも……ただねえ、精神的なショックがやっぱり……」都子の母親は、小さく吐息をついた。

「犯人はわかったんでしょうか」雪穂が訊いた。「あたしたちも、警察からいろいろと訊かれたんですけど」

　だが都子の母親は首を振った。

「まだ何もわからないみたい。あなたたちにも御迷惑をかけてるみたいね」

「それは構いませんけど……藤村さん、犯人の姿は見ていないんですか」雪穂が呟くようにいった。

「それが、急に後ろから黒いビニール袋をかぶせられたから、何も見てないらしいの。後は頭を殴られて気絶してたみたいで……」都子の母親は目を赤くし、口元を両手で覆った。「文化祭の準備とかで、毎日遅かったから心配やったんよ。あの子は音楽部の部長をしてたから、いつも居残りをして……」

　泣きだされると、江利子としては辛かった。早く帰りたいなという気さえした。すると雪穂も同じ思いなのか、彼女のほうを見て、「もう失礼しましょうか」といってきた。

「そうね」と、江利子は尻を浮かせる準備をした。

「本当にごめんなさいね。せっかくお見舞いに来ていただいたのに」

「いいえ。藤村さん、早く立ち直れるといいですね。怪我も早く治って」雪穂が立ち上がりながらいった。

「ありがとう。あっ、でも」都子の母親は、ここで急に目を大きく見開いた。「あんなことになってたけれど、服を脱がされただけで、あのう、身体を汚されてはいなかったのよ。これは信じてね」

　彼女が何をいいたいのかは江利子にもよくわかった。それで少し驚いて雪穂と顔を見合わせた。はっきりと口に出したことはないが、二人で事件のことを話す時には、都子は犯されたのだろうということを前提にしてきたからだ。

「ええ、信じます」だが雪穂は、そんなことは考えたこともないという口調で答えた。

「それから」と都子の母親はいった。「これまでも、お二人は事件のことを秘密にしてくださったみたいだけど、これからもそのようにしてほしいの。何しろあの子には将来があるし、こんなことが世間に知れたら、どんな陰口を叩かれるかわかれへんでしょう」

「はい、わかっています」雪穂はきっぱりと答えた。「決して誰にもいいません。そんな噂が流れ始めても、あたしたちさえ否定したら済むことですから。藤村さんに伝えてください。あたしたちが絶対に守ってみせるから、安心してくださいって」

「ありがとう。都子はいい友達を持って幸せね。一生この恩を忘れるなっていっておくわね」そういって都子の母親は涙ぐんだ。

9

菊池の疑いが晴れたのは土曜日のことらしかった。らしかった、という表現になるのは、雄一がそのことを知ったのは月曜日だからだ。友人たちの間で噂になっていた。それによると、今朝は牟田俊之が刑事の質問を受けているということだった。

それを聞いて、雄一は菊池本人に尋ねてみた。菊池は彼の顔をじろりと見返した後、黒板のほうに目をそらし、ややぶっきらぼうな口調で答えた。「疑いは晴れた。あの話は、もうあれで終わりや」

「それはよかったやないか」雄一は明るくいった。「どうやって疑いを晴らしたんや？」

「別に俺は何もしてない。あの日に映画館に行ってたことが証明されただけや」

「どうやって証明されてん」

「そんなことは」菊池は腕組みをし、大きくため息をついた。「そんなことはどうだってええやろ。それとも俺が捕まったほうがよかったのか」

「なにいうてるねん。そんなあほなこと、あるわけないやないか」

「そしたら、もう今度のことには触れんといてくれ。思い出すだけでも、むかむかしてくる」菊池は黒板のほうを向いたままで、雄一を見ようとはしなかった。明らかに、彼のことを恨んでいるようだった。例の達磨の持ち主をしゃべったのが誰か、薄々感づいているのだろう。

雄一はなんとか菊池の機嫌を直させる方法はないかと思った。そこでこんなことをいってみた。

「例の写真のことやけど、何か調べたいことがあるんなら付き合うで」

「何の話や」

「何の話って……ほら、桐原のおふくろさんが男と写ってる写真のことや。なんか面白そうやないか」

だがこれに対する菊池の反応は、雄一の期待を裏切るものだった。

「あれか」菊池は口元を歪めた。「あれはもうやめた」

「やめたって……」

「興味なくなった。よう考えてみたら、俺にはどうでもええことやった。昔の話やし、今では誰も覚えてないし」

「けど、おまえのほうから……」

「それに」雄一の言葉を遮って菊池はいった。「あの写真、なくした」

「なくした？」

「どこかで落としたらしい。もしかしたらこの間家の掃除をした時に、間違えて捨ててしもたのかもしれん」

「そんな……」

　困るやないか、と雄一としてはいいたいところだった。だが菊池の能面のような表情を見ると、何もいえなくなった。大切な写真を紛失したことについて、申し訳ないと思っている様子は全くなかった。この程度のことでおまえに詫びる必要はない、とでもいいたげに見えた。

「別にかめへんやろ、あんな写真」そういって菊池は雄一を見た。睨んだ、と表現してもいい目つきだった。

「うん、ああ、まあええけど」仕方なく雄一は答えた。

　菊池は立ち上がり、席を離れた。もうこれ以上話をしたくないという意思表示のようだった。

　雄一は戸惑いながら菊池の背中を見送った。その時、別の方向からの視線を感じた。そちらに目を向けると、桐原が彼を見ていた。冷たく、観察するような目で、雄一は一瞬寒気を感じた。

　だがそれも長い時間ではなかった。すぐに桐原は目を伏せ、文庫本を読み始めた。彼の机の上には布製の小物入れが置いてあった。パッチワークされたもので、ＲＫというイニシャルが入っていた。

　この日の放課後、学校を出て少し歩いたところで、雄一は突然右の肩を摑まれた。振り返ると牟田俊之が憎悪のこもった目をして立っていた。牟田の後ろには仲間が二人いた。どちらも牟田と同じ表情をしていた。

「ちょっと来い」牟田は低く響く声でいった。大きな声ではなかったが、雄一の心臓を縮ませるには十分な凄みを持っていた。

　狭い路地に雄一は連れ込まれた。二人の仲間が彼を挟み、牟田が正面に立った。

　牟田の手が雄一の襟元を摑んできた。絞るように持ち上げられると、あまり背の高くない雄一は爪先立ちしなければならなくなった。

「こら、秋吉」牟田が巻き舌でいった。「おまえ、俺のこと売ったやろ」

　雄一は必死で首を振った。怯えで顔がひきつった。

「嘘ぬかせ」牟田が目と歯を剝き、顔を近づけてきた。「おまえしかおれへんやんけ」

　雄一は首を振り続けた。「何もいうてへん。ほんまや」

「嘘つくなボケ」と左の男がいった。「しばくぞ」

「正直にいえ、おら」牟田が両手を使って雄一の身体を揺すった。

雄一の背中が壁に押しつけられる。コンクリートの冷たい感触が伝わってきた。

「ほんまや。嘘と違う。おれ、何もいうてへん」

「ほんまやなあ」

「ほんまや」雄一はのけぞりながら頷いた。

牟田は睨みつけてきた。しばらくそうした後、手を離した。右側の男が、ちっと舌を鳴らした。

雄一は自分の喉を押さえ、唾を飲み込んだ。助かった、と思った。

だが次の瞬間、牟田の顔が歪んだ。あっと思う間もなかった。衝撃を受けた直後には、雄一は四つん這いになっていた。

衝撃は顔面に残っていた。それを自覚してようやく殴られたのだと気づいた。

「おまえに決まっとるやんけっ」牟田の怒声と共に、何かが雄一の口に飛び込んできた。靴の先端だということを、反対側に倒れてから知った。

口の中が切れ、血の味が広がった。十円玉を舐めたみたいやと思った直後、強烈な痛みが襲ってきた。雄一は顔を押さえ、うずくまった。

その彼の脇腹に、牟田たちの蹴りが無数に浴びせられた。

第三章

1

ドアを開けると、頭上でからんからんと大きな鈴の音がした。

指示された喫茶店は、短いカウンターのほかに小さなテーブルが二つあるだけの狭い店だった。しかもテーブルの一つは二人掛けだ。

園村《そのむら》友彦《ともひこ》は店内を一瞥した後、少し迷ってから二人掛けのテーブルについた。迷ったのは、四人掛けのテーブルにいるただ一人の先客が見知った顔だったからだ。話をしたことはないが、三組の村下という男子生徒だということを友彦は知っていた。痩せていて、やや異国風の顔立ちをしている。たぶん女子にもてるに違いないと思わせる容姿だ。パーマをかけた髪を長く伸ばしているのは、バンドでもしているからかもしれない。グレーのシャツの上に黒い革のベストを羽織り、細くて長い足を強調するようなスリムのジーンズを穿いていた。

村下は『少年ジャンプ』を読んでいた。友彦が入っていった時に一度だけ顔を上げたが、すぐにマンガに目を戻した。待ち合わせの相手と違ったのだろう。テーブルの上にはコーヒーカップと赤い灰皿が置かれている。灰皿の上では、火のついた煙草が煙を立ち上らせていた。高校の生徒指導の教師たちも、こんなところまでは見回りに来ないと踏んでいるらしい。ここは高校の最寄り駅からは、地下鉄で二駅分離れている。

ウェイトレスはおらず、初老のマスターがカウンターから出てきて、水の入ったグラスを友彦の前に置いた。そして黙って微笑んだ。

友彦はテーブルの上のメニューには手を伸ばさず、「コーヒーをください」といった。

マスターは一つ頷いてカウンターの中に戻った。

友彦は水を一口飲み、もう一度ちらりと村下のほうを見た。村下は相変わらずマンガを読んでいたが、カウンターの奥に置いてあるラジカセから流れる曲が、オリビア・ニュートン・ジョンからゴダイゴの『銀河鉄道999《スリーナイン》』に変わった途端、露骨に顔をしかめた。邦楽は好きではないのかもしれない。

もしかしたら、と友彦は考えていた。こいつも同じ理由で、この店にいるのではないか、と。だとしたら、同じ相手を待っていることになる。

友彦は店内を見回した。今はどこの喫茶店にも置いてあるインベーダーゲーム機が、ここにはなかった。だがそのことは大して残念ではなかった。彼はすでにインベーダーには飽きていた。どのタイミングでUFOを打ち落とせば高得点を上げられるかなどの攻略法を熟知し、いつでも最高スコアを記録する自信があるからだった。彼がインベーダーゲームについて関心が残っている部分といえばプログラムのことだったが、それも最近ではほぼ把握しきっていた。

彼は退屈しのぎにメニューを広げてみた。それで初めてここがコーヒー専門店であることを知った。メニューには何十種類ものコーヒーの銘柄が並んでいた。注文する前にこのメニューを広げなくてよかったと彼は思った。もし先に見ていたら、単に「コーヒー」とだけ注文するのは申し訳ないような気がして、コロンビアだとかモカだとかを注文し、五十円か百円かの余分な出費をしていたに違いない。今の彼は、その程度の出費でも痛かった。もしも約束がなければ、こんなふうに喫茶店に入ることさえなかったはずだ。

とにかくあのジャケットが誤算だった、と友彦は先々週のことを思い出す。男性服専門のブティックで、友人と二人で万引きしようとしたところを、店員に見つかってしまったのだ。万引きの手口は単純で、ジーンズを試着するふりをして、一緒に持ち込んだジャケットを試着室内で自分の紙袋に隠すというものだった。ところがジーンズだけを元の棚に戻して売場を離れようとした時、若い男性店員に呼び止められた。あの瞬間は、まさに心臓の止まる思いだった。

幸いその男性店員が、不届き者を捕まえることより、自分の売り上げを伸ばすことに熱心だったおかげで、友彦たちを「ついうっかり商品を自分の紙袋に入れてしまったお客様」として扱ってくれた。それで警察沙汰にもならず、親や学校にばれることもなかったわけだが、ジャケットの代金二万三千円は支払わないわけにはいかなかった。その時そんな持ち合わせはなかったのだが、店員は彼の学生証を預かったうえで、家へ金を取りに帰っていいといった。友彦は急いで家に帰ると、その時の全財産だった一万五千円を持ち出し、さらに友人から八千円を借りて、ジャケットの支払いにあてた。

結果的に最新流行のジャケットが手に入ったわけで、少しも損はしていない。しかし元々、金を払ってまで欲しいような服でもなかった。万引きできるチャンスだと思ったから、あまりよく見ないで、適当に選んだだけのことなのだ。最初からあの店には、服を買うつもりで入ったのではなかった。

あの二万三千円が今あったなら、と友彦は何十回目かの後悔をする。あれも買えた、これも買えた。映画だって見られた。ところが今は、毎朝母親からもらう昼食代を除くと、所持金が殆どゼロの状態だ。しかも友人に八千円の借金がある。

初老のマスターが運んできた一杯二百円のブレンドコーヒーを、友彦はちびちびと啜《すす》った。うまいコーヒーだった。

本当に「なかなか悪くない話」ならいいんだけどな――壁の時計を見ながら友彦は思った。「なかなか悪くない話」というのは、ここへ彼を呼び出した、桐原亮司が使った表現だった。

その桐原は、午後五時ちょうどに現れた。

店に入ってきた桐原は、まず友彦の顔を見た。それから続いて村下に目を向け、ふっと鼻を鳴らして笑った。

「なんや、別々に座ってるのか」

この一言で友彦は、やはり村下も桐原に声をかけられたのだと知った。

村下はマンガ雑誌を閉じると、長い髪の中に指を突っ込んで、頭を掻いた。

「もしかしたら俺と同じじゃないかと思ったけど、違ってたら変に思われるやろ。それで知らん顔してマンガを読んどったんや」

どうやら彼のほうも、友彦のことを無視していたわけではなさそうだ。

「俺もそうや」と友彦はいった。

「もう一人仲間がおるということをいうといたらよかったな」桐原は村下の向かいの席に座った。それからカウンターのほうを向いた。「マスター、俺にはブラジル」

マスターは黙って頷いた。桐原はこの店の馴染み客なのだなと友彦は思った。

友彦も自分のコーヒーカップを持って、四人掛けテーブルに移動した。そして桐原に促されるまま、村下の隣に座った。

桐原は、ややつり上がった目で向かいの二人を眺めながら、右手の人差し指でテーブルの表面をこつこつこつと叩いた。まるで値踏みするような目つきだったので、友彦は少し不快になった。

「二人とも、ニンニクは食ってないな」桐原は訊いた。

「ニンニク？」友彦は眉を寄せた。「食ってないけど、どうして？」

「まあ、いろいろと事情があるんや。食ってないならいい。村下は？」

「四日ぐらい前に、餃子《ギョーザ》を食うたけど」

「ちょっとこっちに顔を近づけてくれ」

「こうか」村下が身を乗り出し、桐原に顔を近づけた。

「息を吐いてくれ」と桐原はいった。

村下が遠慮がちに吐くと、「もっと思いきり」と桐原は指示した。

強く吐き出された息の臭いを、桐原はくんくんと嗅いだ。それから小さく頷き、コットンパンツのポケットから、ペパーミントガムを取り出した。

「大丈夫やと思うけど、一応ここを出たら、これを嚙んでくれ」

「それはええけど、一体何をするのか、はっきり教えてくれよ。なんか気味が悪い」村下が苛立った様子でいった。

こいつも詳しいことは聞いていないらしいと友彦は察した。じつは彼もそうだった。

「それは話したやないか。ある場所へ行って、女の話し相手をしてくれたらええ。ただそれだけのことや」

「それだけでは何のことか――」

村下が言葉を切ったのは、マスターが桐原のコーヒーを運んできたからだ。桐原はコーヒーカップを持ち上げると、まずじっくりと匂いを嗅ぎ、それから徐《おもむろ》に一口啜った。

「うまいね、相変わらず」

マスターは目を細めて頷くと、カウンターの中に戻った。

桐原は改めて友彦と村下の顔を眺めた。

「難しいことやない。おまえたち二人なら大丈夫や。そう思ったから声をかけた」

「だから、何がどう大丈夫なんや」と村下は訊いた。

桐原亮司はジーンズジャケットの胸ポケットからラークの赤い箱を取り出し、一本抜き取って口にくわえると、ジッポのオイルライターで火をつけた。

「相手が気に入ってくれるということや」薄い唇に笑みを滲ませて桐原はいった。

「相手って……女か？」村下は声を低くしていった。

「そうや。でも心配するな。反吐《へど》が出るようなブスじゃないし、しわくちゃばばあでもない。十人並みの、ふつうの女や。ちょっと歳は上やけどな」

「その女と話をするのが仕事なのか」友彦は訊いてみた。

桐原は彼に向かって煙を吐いた。「そう。相手は三人や」

「わからんな。もうちょっと、きちんと教えてくれよ。どういうところで、どんな女と、どんな話をしたらええんや」友彦は少し声を大きくした。

「それは向こうへ行けばわかる。それに、どんな話をすることになるのかは、俺にもわからん。成りゆき次第やな。おまえらの得意な話をしたらええ。相手も喜ぶぞ、きっと」桐原は唇の端を曲げた。

友彦は戸惑いながら桐原の顔を見返した。こんな説明では、どういうことなのか、さっぱりわからなかった。

「俺、降りるよ」不意に村下がいった。

「そうかい」桐原はさほど驚いた様子でもない。

「わけがわからんもんな。気味が悪い。胡散臭そうだし」村下は立ち上がりかけた。

「時給三千三百円やぞ」コーヒーカップを持ち上げながら桐原はいった。「正確にいうと三千三百三十三円。三時間で一万円。こんないいバイトが、ほかにあるか？」

「だけど、ヤバい話やろ」村下はいった。「そういう話には、首を突っ込まんことにしてる」

「別にヤバいことはない。変にいいふらしたりせえへんかったら、おまえらに迷惑がかかることもない。それは俺が保証する。それからもう一つ保証しておこう。終わった後、おまえらは必ず俺に感謝する。こんなええバイトは、アルバイトニュースを隅から隅まで読んでも、絶対にない。誰だってやりたがる。ただし誰にでもできる仕事やない。そういう意味で、おまえらはすごくラッキーなんや。俺の眼鏡にかなったわけやからな」

「しかしなあ……」村下は躊躇の色を見せながら友彦を見た。友彦がどうするのかを知りたいのだろう。

時給三千円以上、三時間で一万円――これは今の友彦にとっては魅力だった。

「俺、行ってもいい」と彼はいった。「ただし、一つだけ条件がある」

「なんや」

「どこで誰と会うのかだけ、教えてほしい。心の準備が必要やから」

「そんなものは必要ないんやけどな」桐原は煙草を灰皿の中でもみ消した。「わかった。ここを出たら教えてやる。けど園村一人ではあかん。村下が降りるなら、この話はなかったことにしよう」

　友彦は腰を浮かせたままの村下を見上げた。下駄を預けられた格好の村下は、心細そうな顔をした。

「本当にヤバい話やないねんな」村下は桐原に確認した。

「安心しろ。おまえらが希望せえへんかぎり、そんなことにはならへん」

　桐原の意味深長な言い方に、村下は依然として決心がつかない様子だった。しかし彼を見上げる友彦の目が苛立ちと軽蔑の色を含んでいることを感じたか、最後には首を縦に振った。「わかった。じゃあ、付き合うよ」

「賢明やな」桐原はジーンズの尻ポケットに手を突っ込みながら立ち上がり、茶色の財布を取り出した。「マスター、勘定を頼む」

　マスターは尋ね顔で、彼等のテーブルを指し、大きく丸を書いた。

「ああ、そうや。三人分まとめてだ」

　マスターは頷き、カウンターの向こうで何か書くと、小さな紙片を桐原のほうに差し出した。

　桐原が財布から千円札を出すのを見ながら、奢ってもらえるならサンドウィッチでも注文すればよかったなと友彦は思った。

2

　園村友彦が通う集文館《しゅうぶんかん》高校には、制服というものがなかった。大学での学園紛争が盛んだった頃、この高校に通う友彦たちの先輩が制服撤廃の運動を起こし、見事にそれを実現させたからだ。一応昔ながらの学生服を標準服としているが、それを着て登校する者は二割にも満たなかった。特に、二年生になると、殆どの者が自分のお気に入りの洋服を身につけてくる。また髪にパーマをかけることは禁止されているが、その校則に縛られて我慢している者は全くといっていいほどいなかった。女子の化粧にしても同様だ。だから、ファッション雑誌のモデルの姿をそのままコピーしたような格好の女子生徒が、化粧品の匂いをぷんぷんさせながら席についているという図になるわけだが、授業の邪魔をしないかぎり、教師たちも見て見ぬふりをしていた。

そんな服装で通学しているわけだから、放課後に繁華街をうろついていても、補導される心配など殆どなかった。万一何か尋ねられても、大学生だ、と言い張れば、まず大丈夫なのだ。だから今日のような天気のいい金曜日には、まっすぐ家に帰る生徒のほうが圧倒的に少ないはずだった。

　園村友彦も、ふつうならば仲間たちと連れだって、暇を持て余した女の子たちがいそうな繁華街に、あるいは新機種の入ったゲームセンターに直行するところだった。それをしなかったのは、例の万引き事件での出費があったからにほかならない。

　桐原亮司が声をかけてきたのは、そんな事情があって、放課後になっても帰り支度をせず、教室の隅で『プレイボーイ』を読んでいる時だった。前に誰かが立つ気配があったので顔を上げると、彼が唇に意味不明の笑みを浮かべていた。

　桐原は同じクラスの生徒だった。だが進級から二か月近くが経つというのに、殆ど言葉を交わしたことがなかった。友彦自身は人見知りするほうではなく、すでに大半のクラスメイトと親しくなっている。むしろ桐原のほうに、他人に対して壁を作っている気配があった。

「今日、空いてないか」というのが彼の第一声だった。

　空いてるけど、と友彦は答えた。すると桐原は声をひそめていったのだ。なかなか悪くない話があるんやけど、一口乗ってみないか、と。

「女と話をするだけや。それだけで一万円。どうや。悪くないやろ」

「話をするだけ？」

「興味があるんなら、五時にここへ来てくれ」桐原は一枚のメモ用紙を差し出した。

　そこに地図の描かれていた店が、先程のコーヒー専門店だった。


「相手の三人は、もう先に行って待ってるはずや」唇をあまり動かさないしゃべりかたで、桐原は友彦と村下にいった。

　喫茶店を出た後、地下鉄に乗ったのだった。乗客は少なく、空席はいくらでもある。それでも桐原は座らず、ドアのそばに立った。周りの人間に話を聞かれたくないかららしかった。

「客って、どこの誰や」友彦は訊いた。

「名前は教えられへんな。まあ一応、ランちゃん、スーちゃん、ミキちゃんってことにしておこう」昨年解散した三人組アイドルグループの愛称をいって、桐原は薄く笑った。

「ふざけるなよ。教えるっていうたやないか」

「名前まで教えるとはいうてない。それに勘違いするな。お互いの名前を教え合わんほうが、結局自分らのためになる。向こうにも、おまえらの名前は教えてない。念のためにいうておくけど、どんなに訊かれても、絶対に本当の名前や学校名を教えるな」

　桐原の目には酷薄そうな光が宿っていた。友彦は一瞬たじろいだ。

「訊かれたら、どうするんだ」村下が訊いた。

「学校名は秘密ということでええやないか。名前のほうは偽名を使えば済むことや。まあしかし、名前を言い合うことはないと思う。あっちからも訊いてきたりはせえへん」

「一体どういう女たちや」友彦は質問の内容を変えた。

　なぜか桐原の顔が少し和んだ。「主婦や」と彼は答えた。

「主婦？」

「ちょっと退屈気味の奥様方というところかな。趣味も仕事もなく、一日中誰とも口をきかへんという毎日の繰り返しで、いらいらしている。亭主も相手にしてくれへん。それで退屈しのぎに、若い男と話をしてみようっていうわけや」

　桐原の話から、少し前に人気のあった日活ロマンポルノのことを友彦は思い出した。団地妻、というタイトルの一部が頭に浮かぶ。もっとも彼は見に行ったことがない。

「話をするだけで一万円か？　なんか、気味が悪いな」

　友彦はいった。

「世の中には、変わった人間が大勢おる。気にするな。向こうがくれるというんやから、遠慮なくもろといたらええ」

「なんで俺や村下に声をかけた？」

「ルックスがええからや。決まってるやないか。自分でも、そう思うやろ？」

　桐原に臆面もなくいわれ、友彦は返す言葉に困った。たしかに彼は自分のことを、芸能界に入っても通用する顔立ちだと思っていた。スタイルにも自信がある。

「だからいうたんや。誰にでもできるバイトやないとな」そういってから桐原は、自分の台詞に納得するように頷いた。

「ばばあじゃないっていうたよな」村下が、喫茶店での話を覚えていたらしく、確認するようにいった。

　桐原は、にやりと笑った。

「ばばあやない。ただし、二十代の若妻ってこともないで。ま、三十から四十の間や」

「そんなおばさんと何の話をしたらええんや」友彦は心底心配になって訊いた。

「そんなことは、おまえは考えんでもええ。どうせ、毒にも薬にもならん話をするだけのことや。それより、地下鉄から降りたら髪をとかせよ。セットが乱れんように、ヘアスプレーもかけろ」

「そんなもの、持ってないよ」

友彦がいうと、桐原は自分のスポーツバッグを開いて見せた。中にはヘアブラシやヘアスプレーが入っていた。ドライヤーまで持っている。

「せっかくやから、とびきりの二枚目に仕上げていこうやないか。なあ」桐原は唇の右端を上げた。

難波《なんば》駅で地下鉄御堂筋《みどうすじ》線から千日前《せんにちまえ》線に乗り換え、西《にし》長堀《ながほり》駅で降りた。ここへは友彦も何度か来たことがある。中央図書館があるからだ。夏などは、自習室を使おうとする受験生で、入り口に列ができることもある。

その図書館の前を通り過ぎ、さらに数分歩いた。四階建ての小さなマンションの前で桐原は足を止めた。「ここや」

友彦は建物を見上げ、唾を飲み込んだ。かすかに胃が痛い。

「なんや、その顔は。表情が固いぞ」

桐原に苦笑され、友彦は思わず自分の頬を触った。

マンションにはエレベータがなかった。階段で三階まで上がると、桐原は三〇四号室のインターホンのボタンを押した。

はい、という女の声がスピーカーから聞こえた。

「俺です」と桐原はいった。

間もなく鍵の外れる音がして、ドアが開けられた。胸元が大きく開いた黒のシャツに、グレーと黄色のチェックのスカートを穿いた女が、ドアのノブを握っていた。小柄で顔も小さく、髪が短かった。

「こんにちは」と桐原は笑顔で挨拶した。

「こんにちは」女も応じた。目の周りに黒々と化粧を施している。そして耳たぶには、真っ赤な丸いイヤリングがぶらさがっていた。若作りしているのだろうが、やはり二十代には見えなかった。目の下に小皺があった。

女は友彦たちに視線を移した。その視線がコピー機の光の帯のように、二人の容姿を上から下までさっとスキャンするのを友彦は感じた。

「お友達ね」女が桐原にいった。

「そうです。二人とも、いい男でしょう」

彼の言葉に、女はふふっと笑った。そして、「どうぞ」といってドアをさらに大きく開けた。

友彦は桐原に続いて室内に入った。玄関から上がってすぐのところがダイニングキッチンになっている。一応テーブルと椅子が置いてあるが、作りつけの棚以外に食器棚らしきものはなく、調理器具も見当たらない。独身用の小さな冷蔵庫と、その上に載っている電子レンジにも、生活感がなかった。この部屋は誰かが住むためのものではなく、別の目的のために借りられているらしいと友彦は推察した。

ショートヘアの女が、奥の襖を開けた。六畳の和室が二つあるが、今はその境界の襖が取り除かれて、長細い一室となっていた。部屋の一番端に、パイプ製の簡単なベッドが一つある。

中央にはテレビが置かれ、その前に別の女が二人座っていた。一人は茶色い髪をポニーテールにした、痩せた女だった。しかしニットのワンピースの胸は、格好よく膨らんでいる。もう一人はジーンズのミニスカートを穿き、上にもやはりジーンズのジャケットを羽織っていた。丸顔で、肩あたりまで伸びた髪に緩やかなウェーブがかかっていた。三人の中では一番地味な顔立ちに見えたが、それはあとの二人の化粧が濃すぎるせいかもしれなかった。

「遅かったやないの」ポニーテールの女が桐原に向かっていった。だが怒っている口調ではなかった。

「すみません。いろいろと段取りがあったものですから」桐原は笑顔で謝った。

「どういう段取り？　どんなおばさんが待っているか、説明してたんでしょ」

「いやあ、そんな」桐原は部屋に足を踏み入れた。畳の上で胡座をかくと、友彦たちにも、座れよ、というように目で合図した。

友彦は村下と共に座った。すると今度は桐原がすぐに立ち上がった。彼が座っていたところには、ショートヘアの女が腰を下ろした。それで友彦と村下は、三人の女たちに囲まれる形になった。

「ビールでいいですか」桐原が三人の女に尋ねた。

いいわよ、と三人は頷き合いながら答えた。

「おまえらも、ビールでええな」そういうと彼は友彦たちの返事を聞かずにキッチンへ行った。冷蔵庫からビール瓶を出してくる音がした。

「お酒、結構飲むの？」ポニーテールの女が友彦に訊いてきた。

「時々」と彼は答えた。

「強いの？」

「いやあ」彼は愛想笑いしながら首を振った。

女たちが目配せし合ったことに友彦は気づいた。その視線にどういう意味があるのかはわからなかった。だがどうやら彼女たちは、桐原が連れてきた二人の男子高校生の容姿に不満そうではなかったので、とりあえず安堵した。

薄暗いと思ったら、ガラス戸の外に雨戸が入っていた。

しかも照明は籐の笠がついた白熱灯一つだけだ。こんなふうに暗くするのは、女の歳をごまかすためかもしれないと友彦は思った。ポニーテールの女の肌は、彼の同級生の女子たちとは全く違っていた。そばで見ると、とてもよくわかる。

桐原がビール三本とグラス五つ、さらに柿の種やピーナツを盛った皿をトレイに載せて運んできた。彼はそれを皆の間に置くと、すぐにキッチンに戻った。そして次に彼が運んできたのは、大きなピザだった。

「二人は腹が減ってるやろ？」そういって友彦たちを見た。

女たちと友彦たちは酌をし合い、お互いのグラスを満たした。そしてわけもなく乾杯した。桐原はダイニングキッチンのほうで、自分のバッグの中を探っている。あいつはビールを飲まないのかなと友彦は思った。

「ガールフレンドは？」ポニーテールの女が、また友彦に訊いてきた。

「いえ、いません」

「本当？　どうして？」

「どうしてって……どういうわけか、いないんです」

「かわいい子は、学校にいっぱいいるんでしょう？」

「どうかな」グラスを手にしたまま、友彦は首を傾げた。

「わかった。かなりの面食いなんだ」

「いやあ、そんなことないんやけどな」

「君なら、いくらでもガールフレンドができると思うわよ。じゃんじゃん声をかけたらいいのに」

「でも本当に、大した女の子がいないんです」

「そうなの？　残念ねえ」そういってポニーテールの女は、友彦の太股に右手をのせた。

女たちとの会話は、桐原がいったとおり、毒にも薬にもならないものばかりだった。内容のない言葉だけが、行ったり来たりしていた。こんなことだけで本当に金がもらえるのかなと、友彦は不思議になった。

よくしゃべるのはショートヘアの女とポニーテールの女だ。ジーンズルックの女は、ビールを飲みながら皆の話を聞いているという感じだった。笑い顔にも、どこか固いものがあった。

ショートヘアとポニーテールは、やたらにビールを勧めてきた。友彦は断らずに飲み続けた。酒や煙草を勧められたらできるだけ断るなと、ここへ来る前に桐原からいわれていた。

「話が盛り上がってるみたいですけど、ここでちょっとショータイムにしましょか」顔を合わせてから三十分ほどが経った頃、桐原がこんなふうに皆に声をかけてきた。友彦は、早くもほろ酔い気分になっていた。

「あっ、新作？」ショートヘアの女が、彼のほうを見て訊いた。目が輝いている。

「まあそうです。気に入ってもらえるかどうかはわかりませんけど」

先程から桐原がダイニングテーブルの上で小型の映写機を組み立てていることには、友彦も気づいていた。何をする気なのか尋ねようと思っていたところだった。

「何の映画？」友彦は桐原に訊いた。

「それはまあ、見てのお楽しみ」桐原はにやりと笑い、映写機のスイッチを入れた。するとそこから発せられた強い光が、五人の前の壁に大きな四角形を作った。白い壁を、そのままスクリーンにしようということらしい。桐原は友彦にいった。「すまんけど、明かりを消してくれ」

友彦は身体を伸ばし、白熱灯のスイッチを切った。同時に、桐原はフィルムを回し始めた。

それはカラーの8ミリ映画だった。音は出てこない。だがどういう種類の映画であるかは、始まって間もなく友彦にもわかった。いきなり裸の男女が出てきたからだ。しかもふつうの映画であれば、絶対に映してはいけないはずの部分までもが、完全に露出されていた。友彦は自分の心臓の鼓動が速くなるのを自覚した。それはビールによる酔いのせいだけではなかった。彼は写真でこういうものを見たことはあったが、動く映像を目にするのは初めてだった。

「わあ、すごい」

「へええ、ああいうやり方もあるんやねえ」

女たちは、照れ隠しからか、はしゃいだ声でコメントをした。しかも彼女たちの台詞は、お互いに向けられたものではなく、友彦や村下に対して発せられていた。ポニーテールの女は友彦の耳元で、「ああいうこと、したことある？」と囁いた。いいえ、と答える時、彼は無様にも声を震わせてしまった。

最初の映画は十分ほどで終わった。桐原は素早く映写機のリールを取り替えた。その間にショートヘアの女が、「なんだか暑くなってきた」といって、シャツを脱ぎ始めた。シャツの下はブラジャーだけだった。映写機の光で、白い肌が浮かんだ。

その直後だった。ジーンズルックの女が突然立ち上がった。

「あの、あたし……」そういったきり口を閉ざした。言葉に迷っているようだった。

すると映写機をセットしていた桐原が訊いた。「お帰りですか」

女は無言で頷いた。

「そうですか。それは残念」

皆が見つめる中、ジーンズルックの女は玄関に向かった。誰とも目を合わせないようにしているようだった。

彼女が出ていった後、桐原は改めて戸締まりをして戻ってきた。

ショートヘアの女がくすくす笑った。「彼女には刺激が強すぎたかな」

「三対二で、自分だけあぶれたからやないの。リョウがちゃんと相手をしてあげへんから」ポニーテールの女がいった。声に優越感のようなものが混じっていた。

「様子を見てたんですよ。けど、あの人は無理みたいでした」

「せっかく誘ってあげたのにな」とショートヘアの女。

「まあいいじゃない。それより、続きを始めてよ」

「ええ、今すぐに」桐原は映写機のスイッチを入れた。再び壁に映像が現れた。

ポニーテールの女がニットのワンピースを脱いだのは、二本目の映画の途中だった。脱ぐなり女は友彦のほうに身体をすりよせてきた。そして小声で、「触ってもいいのよ」と囁いてきた。

友彦は勃起していた。だがそれが裸同然の女に迫られたからなのか、過激な映像を見ているせいなのか、自分でもよくわからなかった。ただ、このバイトの真の内容だけは、さすがにこの時点では理解していた。

彼は不安だった。といっても、これから始まることから逃げたくなったわけではない。心配だったのは、うまくこの仕事をこなせるだろうかということだ。

彼はまだ童貞だった。

3

友彦の家は国鉄阪和《はんわ》線の美章園《びしょうえん》駅のそばにあった。小さな商店街を抜けた、最初の角に建っている。木造二階建ての平均的日本家屋だ。

「おかえり。遅かったね。御飯は？」彼の顔を見て、母親の房子《ふさこ》が尋ねてきた。時刻は午後十時近くになっていた。以前は帰りが遅いと小言をいわれたものだが、高校生になってからは、あまり何もいわれなくなった。

「食べてきた」ぶっきらぼうに答え、友彦は自分の部屋に入った。

一階の三畳の和室が彼の部屋だ。かつては物置として使われていたのだが、高校に上がった時、内装をやり直して彼に与えられた。

部屋に入ると椅子に座り、まず真っ先に目の前に置いてある機械の電源を入れた。それが彼の日課でもあった。

機械とはパーソナル・コンピュータのことだった。買えば百万円近くするものだ。もちろん彼が買ったわけではない。電子機器メーカーに勤めている父親が、コネクションを使って安く譲ってもらってきたのだ。当初父親はこれを使ってコンピュータの知識を身につけようと思ったらしいが、二、三度触っただけでほうりだしてしまった。代わりに関心を持ったのが友彦で、本を読んだりして独学で勉強し、今ではちょっとしたプログラムを作れるほどになっている。

　コンピュータの起動を確認すると、傍らのテープレコーダーの電源を入れた後、キーボードを叩いた。間もなくテープレコーダーが動きだした。もっともそのスピーカーから聞こえてくるのは音楽ではない。雑音と電子音とが混ざったような音だ。

　テープレコーダーは記憶媒体装置として使われていた。長いプログラムは磁気信号に変えて一旦カセットテープに記録し、使用するたびにコンピュータの記憶素子に入力してやるのである。以前は記憶媒体として紙テープが使われていた。それに比べればカセットテープを使う方式は便利だが、それでも入力に時間がかかる点は不満だった。

　二十分近くをかけて入力を終えた後、友彦は改めてキーを叩く。十四インチのモノクロ画面に、『ＷＥＳＴ　ＷＯＲＬＤ』という文字が現れた。さらに、『ＰＬＡＹ？　ＹＥＳ＝１　ＮＯ＝０』と訊いてくる。友彦は『１』のキーに続けて、リターンキーを叩いた。

『ＷＥＳＴ　ＷＯＲＬＤ』は、彼自身が作った最初のコンピュータゲームだった。しつこく追いかけてくる敵から逃げながら、迷路の出口を探すというもので、ユル・ブリンナーが主演した映画『ウエストワールド』をヒントにしている。彼がこのゲームで遊ぶ時、二つの楽しみがあった。一つはゲーム本来の楽しみで、もう一つは改造の楽しみだった。遊びながら、さらに楽しめるアイデアを探すのである。これはというアイデアが浮かんだ時には、ゲームを中断し、早速プログラムの改良に着手する。最初は単純だったゲームを次第に複雑化させていく過程には、生き物を育てているような喜びがあった。

　しばらくの間、彼の指は数字入力用のテンキーを叩き続けた。それが画面上のキャラクターを動かすコントローラになっているからだ。

　だがこの日は少しもゲームに没頭できなかった。途中で飽きてしまう。つまらないミスをして敵にやっつけられても、少しも悔しくない。

　友彦は吐息をつき、キーボードから手を離した。椅子にもたれ、斜め上を見た。アイドルスターの水着ポスターが壁に貼ってある。大胆に露出した胸元や太股に見入った。水滴のついた肌に触る感触を想像すると、ついさっきあんな異常な体験をしてきたばかりだというのに、ペニスに変化の訪れそうな気配があった。

異常な体験——そういっていいのではないか。彼はほんの何時間か前の出来事を頭の中で反芻《はんすう》した。自分の身に起きたことだという実感が、何となく希薄だった。しかし夢でも幻想でもないことは、彼自身がよくわかっている。

8ミリ映画を三本見た後、セックスが始まった。友彦は、そしておそらくは村下も、女たちに完全にリードされていた。友彦はポニーテールの女とベッドの上で、村下はショートヘアの女と布団の中でからみあった。二人の高校生はそれぞれの相手に指導されるまま、生まれて初めてのセックスを経験した。村下も童貞だったということを、友彦は部屋を出た後で聞かされた。

友彦はポニーテールの女の中で二度射精した。一度目は何が何だかわからぬままの出来事だった。だが二度目には少し余裕を持てた。マスターベーションでは味わったことのない快感に全身が包まれ、大量の精液が吐き出される感覚があった。

途中で女たちは、相手を交換するかどうか相談し始めた。しかしポニーテールの女が気乗りしなかった様子なので、それは実現しなかった。

そろそろお開きにしよう、といいだしたのは桐原だった。友彦が時計を見ると、彼等がマンションに着いてから、ちょうど三時間が経過していた。

その桐原は、最後までセックスに加わってはこなかった。女たちも誘おうとはしなかったから、それは最初から決められていたことだったのだろう。だが彼は部屋を出ていこうともしなかった。友彦たちが汗みどろになりながら女と抱き合っている間も、ずっとダイニングの椅子に座っていた。友彦は一回目の射精を終えた後、ぼんやりとした思いでキッチンのほうを見た。桐原は薄暗い中で足を組み、壁のほうを向いたまま、静かに煙草を吸っていた。

マンションを出ると、友彦たちは桐原に近くの喫茶店に連れていかれた。そしてそこで現金八千五百円を手渡された。一万円という約束だったじゃないかと友彦と村下は揃って抗議した。

「食費を差し引かせてもろただけや。ピザを食うたり、ビールを飲んだりしたやろ。それでも千五百円なら安いはずやで」

この話に村下が納得してしまったので、友彦もそれ以上は文句をいえなくなった。それに初体験を終えたばかりで、気分が昂揚していた。

「嫌やなかったら、これからもひとつよろしく頼むわ。あの二人はおまえらが気に入ったみたいやから、もしかしたらまたお呼びがかかるかもしれん」桐原は満足そうにいったが、すぐに厳しい顔つきになって付け加えた。

「念のためにいうとくけど、絶対に個人的に会《お》うたりするなよ。こういうことは、ビジネスライクにやってるうちはアクシデントも少ない。妙な気を起こして単独プレイに走った途端、おかしなことになる。今ここで俺に約束してくれ。絶対に個人的には会うな」

会わない、と村下が即座に答えた。それで友彦は、ためらう素振りさえ見せにくくなってしまった。「わかった、会えへんよ」と彼は答えた。それを見て桐原は満足そうに大きく頷いた。

あの時の桐原の表情を思い出しながら、友彦はジーンズの尻ポケットに手を突っ込んだ。そこに一枚の紙が入っている。それを取り出し、机の上に置いた。

七桁の番号が並んでいる。電話番号だということは明らかだ。その下に『ゆうこ』とだけ書いてあった。

部屋を出る直前に、ポニーテールの女から素早く手渡されたメモだった。

4

少し酔っていた。一人で飲んだのは何年ぶりだろうと考えた。答えは出なかった。それほど久しぶりということだ。情けないことに、声をかけてくる男は一人もいなかった。

アパートに帰り、部屋の明かりをつけると、奥のガラス戸に自分の姿が映った。カーテンが開けっ放しになっているからだ。西口奈美江《なみえ》は気持ちが重たくなるのを感じながらガラス戸に近づいた。ジーンズの短いスカート、ジャケット、その下に着た赤いTシャツ。少しも似合っていない。昔の服を引っ張り出し、無理をして若作りをしてみても、ただ見苦しいだけだ。あの高校生たちも、きっとそう思っていたに違いない。

カーテンを閉め、服を乱暴に脱ぎ捨てた。下着姿になってから、ドレッサーの前に座り込んだ。

艶のない肌をした女の顔がある。目にも輝きといえるものはなさそうだ。漫然と毎日を送り、漫然と年老いていく女の顔だ。

バッグを引き寄せ、中から煙草とライターを取り出した。火をつけ、ドレッサーに向かって煙を吹きかける。鏡に映った彼女の顔が、一瞬、紗《しゃ》がかかったようになった。いつもこんなふうに見えていたらいいのにと彼女は思った。小皺が見えなくなるからだ。

先程マンションで見せられた淫らな映像が脳裏に蘇ってくる。

「一度だけ付き合ってみない？　きっと後悔しないと思う。かわりばえのしない毎日を送ってたって仕方がないでしょう？　大丈夫。絶対に楽しいから。たまには若い男の子と接しないと、ますます老け込んじゃうわよ」

職場の先輩だった川田和子から誘われたのは一昨日のことだ。通常ならば、迷いなく断っていただろう。しかし奈美江の背中を押すものがあった。それは、このへんで自分自身を変えなければ一生後悔するのではないか、という思いだった。ためらいながらも、彼女は川田和子の誘いに乗っていた。和子は妙にはしゃいでいた。

だが結局奈美江は逃げだしてしまった。あの異常な世界に浸ることができなかった。高校生たちに対して女の匂いを発散している和子たちの姿態を目にし、吐き気に似た不快感を覚えてしまった。

あれが悪いとは思わない。あそこに身を置くことで心身をリフレッシュできる女性もいるのだろう。しかし自分はその種類の人間ではないと奈美江は思った。

壁に貼ったカレンダーに目を向ける。明日からまた仕事だ。つまらないことで貴重な休暇を使ってしまった。西口さんは昨日はデートだったの——嫌味を込めて、そんなふうに尋ねてくる上司や後輩たちの表情を想像すると、気持ちが重くなった。明日は誰よりも早く出勤しよう。そして仕事にかかるのだ。そうすれば話しかけづらくなるに違いない。目覚まし時計のアラームを、いつもより早めにセットして——。

時計?

ブラシを取り、髪を二、三度とかしたところで奈美江は手を止めた。あることに気づいたからだ。はっとして傍らのバッグを開け、中を引っかき回した。しかし目的のものは見つからなかった。

しまった——。

奈美江は唇を噛んだ。どうやら忘れてきたらしい。しかも、まずい場所に。

腕時計だった。高価なものではない。だからこそ気軽に、どこへでもはめていってしまう。いつ紛失したってかまわない、そう思ってきた。すると不思議なもので、いつまでもなくさない。そのうちに愛着が湧いてきた——そういう時計だった。

トイレに入った後だ、と思い出した。洗面所で手を洗う時、いつもの癖で無意識に外してしまった。そのまま忘れてきたのだ。

彼女は電話の受話器に手を伸ばした。川田和子に確かめてみるしかなかった。彼女を介さなければ、あのリョウとかいう青年に連絡をとれない。

もちろん気乗りはしなかった。逃げだしたことについて和子から何かいわれそうだった。しかしこのままにはしておけない。バッグからアドレス帳を取り出し、番号を確認しながらダイヤルを回した。

幸い和子は帰っていた。電話をかけてきたのが奈美江だと知ると、「あらあ」と意外そうな声を出した。幾分揶揄《やゆ》するような響きもあった。

「さっきはすみません」と奈美江はいった。「何だかちょっと、その……気分が乗らなくなっちゃったんです」

「いいの、いいの」和子の口調は軽かった。「あなたには少し無理だったかもね。ごめんなさい。あたしのほうが謝らなきゃね」

あの程度のことで逃げるなんて意気地なしね――そういっているように奈美江には感じられた。

「あの、じつは――」

奈美江は時計のことを切り出した。洗面台に忘れてきたように思うのだが、気づかなかったか、と。

しかし和子の答えは、「見なかったわねえ」というものだった。

「誰かが気づいたなら、たぶんあたしにいったと思うの。そうすれば、預かってたんだけどねえ」

「そうですか……」

「たしかにあの部屋に忘れてきたの？　何なら、調べてもらおうか？」

「いいえ、あの、とりあえずそれは結構です。あの部屋ではなかったかもしれないので、もう少しほかの場所を探してみます」

「そう？　じゃあ、もし見つからなかったらいってちょうだい」

「はい。どうも夜分すみませんでした」

奈美江は早々に電話を切った。大きなため息が出た。

どうしよう――。

時計のことなど諦めてしまえば話は早い。元々、なくしてもかまわないと思い続けてきたのだ。今回にしても、忘れてきた場所がほかのところであったなら、迷いなく諦めただろう。

しかし事情が違っていた。あの場所に、あの時計を忘れてきたのはまずかった。ほかの時計なら、何の問題もなかった。奈美江は激しく後悔した。あんなところへ行くのに、なぜあの時計をはめていったのだろう。時計なんて、ほかにも持っていたのに。

何度か煙草を吸った後、灰皿の中でその火を消した。じっと空間の一点を見つめる。

ひとつだけ方法があった。奈美江はその方法が無謀でないかどうかを頭の中で吟味した。すると、さほど難しくないのではないか、という気になってきた。少なくとも、危険だとは思えなかった。

ドレッサーの上に置かれた時計を見た。十時半を少し回ったところだった。

十一時過ぎに奈美江は部屋を出た。人目につかないためには、なるべく遅いほうがいい。しかし遅すぎては地下鉄の終電に間に合わなくなるおそれがあった。彼女のアパートの最寄り駅は四つ橋線花園町駅で、西長堀駅に行くには難波で乗り換えなければならない。

地下鉄はすいていた。座ると向かい側のガラスに彼女の姿が映った。黒縁の眼鏡をかけ、トレーナーにデニムのパンツといった色気のない格好をした、明らかに三十代半ばの女がそこにいた。このほうがやっぱり落ち着く、と彼女は思った。

西長堀に着くと、昼間川田和子と共に通った道を歩いた。和子は浮き浮きしていた。どんな男の子が来るか楽しみ、ともいっていた。奈美江は調子を合わせつつも、あの時すでに気持ちが臆しているのを自覚していた。

殆ど迷うことなく、例のマンションに着いた。階段を三階まで上がり、三〇四号室の前に立った。まずインターホンのボタンを押してみる。心臓の鼓動が激しくなった。

だが応答はなかった。ためしにもう一度チャイムを鳴らしたが、結果は同じだった。

ほっとすると同時に緊張した。奈美江は周囲を見ながら、ドアのすぐ横にある水道のメーターボックスの扉を開いた。昼間、川田和子が水道管の陰から合鍵を取るのを見ていた。

「馴染み客になると、合鍵の場所を教えてくれるのよね」和子は嬉しそうにいっていた。

奈美江が同じところに手を伸ばすと、指先に触れるものがあった。思わず安堵の吐息が漏れた。

合鍵を使って錠を外し、おそるおそるドアを開けた。室内には明かりがついていた。だが玄関に靴はない。やはり誰もいないようだ。それでも彼女は物音をたてぬよう、慎重に部屋に上がり込んだ。

昼間は片づいていたダイニングテーブルの上が散らかっていた。奈美江にはよくわからなかったが、細かい電気部品や計測器のように見えた。ステレオか、それともあの映写機の修理でもしているのだろうかと彼女は思った。

いずれにしても、誰かが何かをしている途中のようだ。彼女は少し焦った。その誰かが戻ってくる前に時計を見つけねばならない

彼女は洗面所に行き、小さな洗面台の前を探した。ところがたしかに置いたはずの場所に腕時計はなかった。誰かが気づいたということか。ならばなぜ川田和子に預けなかったのか。

不安になってきた。もしかすると、高校生の一人が時計を見つけたのではないか。その彼はわざと誰にもいわなかった。こっそり自分のものにするためだ。質屋にで

も持っていけば、いくらかにはなるだろうと考えたかもしれない。

全身が熱くなるのを奈美江は感じた。どうすればいいだろう。

彼女は冷静になろうとし、まず息を整えた。自分の勘違いである可能性について考えた。洗面所に忘れたと思ったが、それは錯覚かもしれない。外した腕時計を手に持って部屋に戻り、何気なくそのへんに置いたのかもしれない。

彼女は洗面所を出て、和室に足を踏み入れた。畳の上は奇麗に片づいている。あのリョウという青年が片づけたのだろうか。彼は一体何者だろう。

昼間は取り外されていた襖がはめられていたので、ベッドを置いてあった部屋が見えなかった。彼女はゆっくりと襖を開いた。

まず奇妙なものが目に飛び込んできた。それはテレビ画面だ。中央にテレビのようなものが置かれ、そこに何か映っているのだ。ふつうの映像ではない。彼女は顔を近づけた。

これは——。

いくつもの幾何学模様が画面上で動いていた。最初は単純に模様が変化しているだけかと思ったが、そうではなかった。よく見ると中央にロケットの形をしたものがあり、それが前方から来る円形や四角形の障害物をよけながら前に進もうとしているのだった。

テレビゲームの一種だろうかと奈美江は思った。彼女も何度かインベーダーゲームをしたことはある。

画面の動きはインベーダーゲームほどスムーズなものではなかった。しかし次々に襲ってくる障害物を見事にかわすロケットの動きには、つい見とれてしまうものがあった。事実彼女は見とれていたのだろう。だから小さな物音にも気づかなかった。

「気に入ったようやな」

突然後ろから声をかけられ、奈美江は小さな悲鳴をあげた。振り返るとリョウと呼ばれた青年が立っていた。

「あっ、ごめんなさい。あの、忘れ物をしたものだから、あの、合鍵のことは川田さんから聞いていて……」奈美江は狼狽し、しどろもどろになった。

しかし彼は彼女の言葉など聞いていないようだった。黙って彼女をどかせると、画面の前で胡座をかいた。さらに傍らに置いてあったキーボードを膝の上に載せ、両手の指を使っていくつかのキーを叩いた。

たちまち画面上の動きが変わった。障害物の動きが速く、多彩になった。リョウはキーを叩き続ける。ロケットが障害物を次々とかわしていった。

奈美江にも、彼がロケットの動きを操作しているのだとのみ込めた。先程までは自動的に動いていたロケットが、今は彼の指先によって、前後左右に動かされている。やがて円形の障害物がロケットに激突した。ロケットは大きな×印に変わり、続いて画面上に『GAME OVER』の文字が出た。

彼は舌打ちをした。「やっぱり速度が遅い。ここらが限界かな」

何のことをいっているのか、無論奈美江にはわからない。それよりも、一刻も早くこの場から逃れたかった。

「あの、あたし、帰るから」立ち上がりながら彼女はいった。

すると背中を向けたまま、リョウが訊いてきた。「忘れ物は見つかった?」

「ああ……ここじゃなかったみたい。ごめんなさい」

「そう」

「じゃ、おやすみなさい」

奈美江は身体の向きを変え、歩きだした。その時、後ろから彼の声が聞こえた。

「勤続十年記念、大都銀行昭和支店……か。堅い仕事をしてるんやな」

彼女は足を止めた。振り返るのと、彼が立ち上がるのが、ほぼ同時だった。

彼が彼女の顔の前に右手を出した。その手に腕時計がぶら下がっていた。

「これやろ、忘れ物は」

一瞬とぼけようかと思ったが、彼女はそれを受け取っていた。「……ありがとう」

リョウは黙ってダイニングテーブルのほうへ歩いていった。テーブルの上にはスーパーの袋が置いてあった。彼は椅子に座り、袋の中のものを取り出した。缶ビールが二つと折り詰め弁当が一つだった。

「晩御飯?」と彼女は訊いた。

彼は答えなかった。代わりに何かに気づいたように缶ビールの一つを持ち上げた。「飲むか?」

「あ……いらない」

「そうか」彼はそのまま缶ビールの蓋を開けた。白い泡の粒が飛んだ。あふれる泡を受けるように彼はビールを飲んだ。彼女には全く用がないように見えた。

「あの……怒らないの?」奈美江は訊いてみた。「勝手に入ったこと」

リョウは彼女をじろりと見上げた。

「まあええ」そして弁当の包みを開け始めた。

奈美江としては、このまま部屋を出てしまうこともできた。しかし何かがそれをためらわせた。こちらの職場が知られているというのに、自分はこの青年のことを何も知らないという思いもあった。だがそれ以上に、このまま出ていったのでは惨めな気持ちが残るだけだと思った。

「途中で抜けたことは怒ってないの？」彼女は訊いてみた。

「途中で？　ああ……」何のことか彼はわかったようだ。「別に。たまにあることや」

「怖くなったわけじゃないの。元々あたし、さほど乗り気じゃなかったんだけど、強引に誘われて」

　彼女の言葉の途中から、彼は箸を持った手を振り始めていた。

「面倒臭い話するな。どうでもええ」

　返す言葉がなく、奈美江は唇を結んで青年の顔を見返した。

　彼は彼女を無視し、弁当を食べ始めた。カツの入った弁当だった。

「ビール、もらってもいい？」奈美江は訊いた。

　勝手にしろ、というように彼は顎をしゃくった。彼女は彼の向かい側に座ると、缶ビールの蓋を開け、ごくりと飲んだ。

「あなた、ここに住んでるの？」

　彼は無言で弁当を食べ続けている。

「御両親とは一緒に住まないの？」彼女はさらに訊いた。

「急に質問責めやな」彼は鼻で笑った。答える気はなさそうだ。

「何のためにあんなバイトをしてるの？　お金が目的？」

「ほかに何がある？」

「あなたはセックスしないの？」

「必要な時には参加する。今日も、もしおねえさんが帰らへんかったら、俺が相手をしてた」

「あたしみたいなおばさんとしなくて済んで助かった？」

「収入が減ってがっかりや」

「生意気。どうせ子供の遊びのくせに」

「何やて？」リョウがじろりと睨んできた。「もう一回いうてみい」

　奈美江は唾を飲み込んだ。予期しなかった凄みが彼の目に宿っている。しかしそれに気《け》圧《お》されたように思われるのは癪《しやく》だった。

「奥様方の玩具《おもちゃ》になって喜んでるだけでしょ。相手を満足させる前に出しちゃったりするんじゃないの」彼女はいった。

　リョウは答えず、ビールを飲んだ。だがその缶をテーブルに置いたと思った瞬間、彼は立ち上がり、獣のような素早さで彼女に飛びかかってきた。

「やめてっ、何するのよ」

　奈美江は和室まで引きずられ、そのまま倒された。畳に背中を打ち、一瞬息ができなくなった。

　次に起き上がろうとした時、再び彼が襲ってきた。すでにジーンズのジッパーは下ろされている。

「出してみろよ」奈美江の顔を両手で挟み、ペニスをその前に突き出しながら彼はいった。「手でも口でも使《つこ》てみい。下の口を使《つこ》てもええぞ。すぐに出ると思てるんやろ？　そしたら出してみろよ」

　彼のペニスはみるみるうちに勃起し、脈動を始めた。血管が浮いているのがわかる。奈美江は両手で彼の太股を押し、同時に顔をそむけようとした。

「どないした。子供のちんぽにびびってるんか」

　奈美江は目を閉じ、呻くようにいった。「やめて……ごめんなさい」

　数秒後、彼女は身体を突き飛ばされていた。見上げると、彼がジッパーを上げながらダイニングテーブルに戻るところだった。椅子に座り、さっきと同じように弁当を食べ始めた。箸の動きに苛立ちが表れていた。

　奈美江は息を整え、乱れた髪を後ろに撫でつけた。鼓動は依然として激しい。

　隣の部屋に置いてある例のテレビ画面が目に入った。『GAME　OVER』の文字が表示されたままだ。

「どうして……」彼女は口を開いた。「ほかにいくらでもバイトはあると思うのに」

「俺は単に、売れるものを売ってるだけや」

「売れるもの……ね」奈美江は立ち上がり、歩きだした。歩きながら頭を振った。「あたしにはわからないな。やっぱり、もうおばさんね」

　テーブルの前を通り過ぎ、玄関に向かおうとした時だった。

「おねえさん」彼が声をかけてきた。

　奈美江は靴を履こうと片足を浮かせていた。その姿勢のまま振り返った。

「面白い話がある。一口乗れへんか」

「面白い話？」

「ああ」彼は頷いた。「売れるはずのものを売る話や」

5

　夏休みが近づいていた。七月に入って第二週目の火曜日だった。

　名前を呼ばれて受け取った英語の答案用紙を見て、友彦は目をつぶりたくなった。覚悟はしていたが、これほどひどいとは思わなかった。この学期末試験はどの教科も散々だ。

考えなくても原因ははっきりしている。試験勉強らしきものを全くしなかったからだ。彼はたまに万引きをする程度に不良の要素を持ってはいるが、試験前には一応勉強をするふつうの生徒だった。今回ほど何の準備もしなかったことは過去に一度もない。

　だが正確にいうと準備をしなかったわけではなかった。机に向かい、せめてヤマを張る程度の勉強はしようと思った。

　ところがそれすらもできないほど、心は別のことに捕らわれていた。どんなに勉強に集中しようと思っても、脳はそのことを彼に思い出させるばかりで、肝心なことを受け入れようとはしないのだった。

　その結果がこれだ。

　おふくろに見つからないようにしないとな――ため息を一つついて、答案用紙をバッグにしまった。

　この日の放課後、友彦は心斎橋にある新日空ホテルの喫茶ラウンジに行った。中庭をガラス越しに見られる、明るくて広い店だ。

　彼が行くと、いつもの隅の席で、花岡夕子が文庫本を読んでいた。白い帽子を深くかぶり、縁の丸いサングラスをかけている。

「どうしたの、顔を隠して」彼女の向かいに座りながら友彦は訊いた。

　彼女が答える前に、ウェイトレスが近づいてきた。

「いや、俺はいい」と彼は断った。ところが夕子がいった。

「飲み物か何か頼んで。ここで話をしたいから」

　まるで余裕のない彼女の口調に、友彦はちょっと戸惑った。

「じゃあ、アイスコーヒー」とウェイトレスにいった。

　夕子は、三分の一ほど減っているカンパリソーダに手を伸ばし、ごくりと飲んだ。それからほっと息を吐いた。

「学校はいつまでだっけ?」

「今週いっぱいまで」と友彦は答えた。

「夏休みにアルバイトはするの?」

「バイトって……ふつうのバイトのこと?」

　友彦がいうと、夕子は少しだけ唇をほころばせた。

「そうよ。決まってるでしょ」

「今のところ、するつもりはない。こき使われるわりに、大した金にならへんもん」

「ふうん」

　夕子は白いハンドバッグからマイルドセブンの箱を取り出した。だが抜き取った煙草を指先に挟んだまま、火をつけようとしなかった。苛立っているように友彦には見えた。

　アイスコーヒーが運ばれてきたので、友彦はそれを一息で半分ほど飲んだ。喉がひどく渇いていた。

「ねえ、どうして部屋に行かへんの」声を低くして彼は訊いた。「いつもはすぐに部屋へ行くのに」

夕子は煙草に火をつけ、たて続けに煙を吐いた。そしてまだ一センチも吸っていないにもかかわらず、ガラスの灰皿の中でもみ消した。

「ちょっとまずいことになっちゃった」

「何？」

友彦が訊いても、夕子はすぐに答えなかった。そのことが彼を余計に不安にさせた。どうしたんだよ、と身をテーブルの上に乗り出して訊いた。

夕子は周りを見回してから、彼のほうを真っ直ぐに見た。

「おじさんに気づかれたみたい」

「おじさん？」

「あたしの旦那さん」彼女は肩をすくめた。精一杯、おどけて見せたつもりなのだろう。

「旦那さんにばれてしもたの？」

「完全にばれたわけではないけど、それに近い状態」

「そんな……」友彦は言葉を失った。全身の血が逆流したように身体が熱くなった。

「ごめんね、あたしが不注意だったの。絶対に気づかれたらいけなかったのに」

「どうしてばれたんやろ」

「誰かに見られたみたい」

「見られた？」

「あたしとトモ君がいるところを、知り合いに見られたらしいの。その知り合いが、あの人に教えたみたい。お宅の奥さん、えらい若い男と楽しそうにしゃべっとったで、という具合にね」

友彦は周囲を見回した。途端に人の目が気になりだした。そのしぐさを見て、夕子は苦笑した。

「でも主人によると、最近のあたしの様子から、何かおかしいとは思てたらしいの。雰囲気が変わったんだって。そういわれたら、そうかもしれない。トモ君と付き合うようになってから、自分でもいろいろと変わったと思うもの。だからこそ気をつけなきゃいけなかったのに、ぼんやりしてたなあ」帽子の上から頭を掻き、首を振った。

「何か訊かれたの？」

「相手は誰だっていわれた。名前をいえって」

「いうたの？」

「いうわけないやない。それほどあほやないわよ」

「それはわかってるけど……」友彦はアイスコーヒーを飲み干し、それでもまだ喉の渇きは癒されなかったので、グラスの水をがぶりと飲んだ。

「とりあえず、その場はとぼけ通した。今のところ、まだあの人も証拠は摑んでないみたい。でも、時間の問題かもしれない。あの人のことやから、私立探偵を雇うかも」

「そんなことになったらヤバいね」

「うん、ヤバい」夕子は頷いた。「それに、ちょっと気になることがあるし」

「気になること？」

「アドレス帳」

「アドレス？」

「あたしのアドレス帳が勝手に見られた形跡があるの。ドレッサーの引き出しに隠してあったんだけど……。見るとしたら、あの人しかいない」

「そこに俺の名前、書いてあるの？」

「名前は書いてない。電話番号だけ。でも気づかれたかもしれへん」

「電話番号から、名前とか住所もわかるのかな」

「さあ。でもその気になったら、いくらでも調べられるかもしれない。あの人、いろいろとコネクションを持ってるし」

夕子の言葉からイメージされる彼女の夫の像は、友彦を怖がらせた。大人の男から本気で憎まれるなどという事態は、これまで空想したことさえなかった。

「それで、どうしたらええの」友彦は訊いた。

「とりあえず、しばらくは会わんようにしたほうがいいと思う」

夕子の言葉に、彼は力無く頷いた。彼女のいうことが妥当だということは、高校二年の彼にも理解できた。

「じゃ、部屋に行こうか」カンパリソーダを飲み干すと、伝票を手に夕子は立ち上がった。


二人の関係は、約一か月続いていた。最初の出会いは、無論あのマンションでの出来事だ。あの時のポニーテールの女が花岡夕子だった。

好きになったわけではない。ただ、あの初体験の時に得た快感が忘れられなかっただけだ。友彦はあの日以後、何度か自慰にふけったが、その際脳裏に浮かぶのは、いつもあのポニーテールの女だった。当然といえた。どんなに過激なことを想像してみても、実際の記憶以上に刺激を得られるはずがない。

結局友彦はマンションでの出来事があった三日目に、彼女に電話していた。彼女は喜んで、二人だけで会うことを提案した。彼もその誘いに乗った。

花岡夕子という名前は、その時にホテルのベッドの中で聞いた。三十二歳ということだった。友彦も本名をしゃべっていた。学校名も、自宅の電話番号も教えていた。桐原との約束のことは、敢えて考えないようにした。彼は大人の女の技に、思考力をなくすほど翻弄されていた。

「若い男の子とおしゃべりできるパーティがあるって友達から誘われたの。ほら、この間いたショートヘアの彼女。それでちょっと面白そうだと思って行ってみたわけ。彼女のほうは何度か経験があるみたいだったけれど、あたしはあの時が初めて。だから、どきどきしてたんよ。でも友彦君みたいな素敵な子が来てくれてよかった」そういって夕子は友彦の腋《わき》の下に入った。大人の女は、甘えるのも巧みだった。

驚かされたのは、彼女が桐原に支払ったのは、二万円だということだった。つまり一万円強を桐原がピンハネしていることになる。道理でまめに働くはずだと合点した。

週に二度か三度、友彦は夕子と会った。彼女の夫はかなり忙しい人物らしく、少しぐらい彼女の帰宅が遅くなっても平気だということだった。ホテルを出る時、お小遣いだといって、いつも五千円札を彼に渡した。

こんなことではいけないと思いつつ、友彦は人妻と会い続けた。彼女とのセックスに溺れていた。学期末試験が近づいても、その状態に変わりはなかった。その結果が、今度の試験結果に如実に表れたのだった。

「しばらく会われへんのなんか、いややな」夕子の上に重なった状態で友彦はいった。

「あたしかていややよ」彼の下で彼女はいった。

「なんとかならへんのかな」

「わかんない。でも、今はちょっとまずいと思うわ」

「今度会えるのは、いつやろ」

「いつかしらねえ。早いとええんやけど。あんまり間が空くと、あたし、もっとおばさんになってしまうから」

友彦は彼女の細い身体を抱きしめた。そして若さに任せ、執拗に責め続けた。今度いつ会えるかわからないから、思い残すことがないよう、全身のエネルギーを彼女の身体にぶつけた。彼女は何度か絶叫した。その際には身体を弓のように後ろへ反らせ、両手両足を伸ばし、痙《けい》攣《れん》させた。

異変は三度目の性行為を終えた後に起こった。

「トイレに行ってくる」と夕子はいった。けだるいような言い方は、こういう時の常だった。

どうぞ、といって友彦は彼女の身体を離した。彼女は裸の半身を起こしかけた。ところが、「うっ」という小さな声を漏らしたかと思うと、ぱたんとまたベッドに寝てしまった。立ち眩みでもしたのだろうと友彦は思った。そういうことがこれまでにもよくあったからだ。

ところがそのまま彼女は動こうとしなかった。眠っているのかと思い、彼は身体を揺すってみた。だが全く起きる気配がない。

友彦の頭に、ある想像が浮かんだ。不吉な想像だった。彼はベッドから出ると、おそるおそる彼女の瞼をつついてみた。それでも反応は全くなかった。

彼は全身が震えだすのを止められなかった。まさかと思った。まさか、そんなひどいことが起きるはずがない――。

彼は彼女の薄い胸を触った。だが事態は彼の想像したとおりだった。心臓の鼓動が感じられなくなっていた。

6

ホテルの部屋の鍵を、ポケットに入れたままにしていたことに気づいたのは、友彦が自宅のそばまで帰ってきた時だった。しまったと一瞬唇を噛んだ。室内に鍵がなければ、ホテルの人間が変に思うに違いないからだ。

だけど、どの道だめだろうな、と彼は絶望的な気分で頭を振った。

花岡夕子が死んでしまったことを知った時、友彦はすぐに病院に電話することを考えた。しかしそれをすれば、自分が彼女と一緒だったことも告白しなければならない。それはできないと思った。それに今更医者を呼んだところで仕方がないだろうとも思った。彼女はもう死んでいるのだ。

彼は手早く服を着ると、自分の荷物を持って部屋を飛び出した。さらに人に顔を見られないよう気をつけながら、ホテルを抜け出した。

しかし地下鉄に乗っている間に、これでは何の解決にもならないことに気づいた。二人の関係を知っている人間がいるからだ。しかもそれは花岡夕子の夫という、最悪の人物だった。現場の状況から、夕子と一緒にいたのは園村友彦という高校生に違いないと彼は推理するだろう。そしてそのことを警察に話すに違いない。警察が詳しく調べれば、その推理が当たっていることを証明するのも難しくないだろう。

もう終わりだと彼は思った。全部おしまいだ。このことが世間に知られたら、明るい将来などとても望めない。

家に帰ると、居間で母と妹が夕食をとっている最中だった。彼は外で食べてきたといって、そのまま自分の部屋に直行した。

机の前に座った時、桐原亮司のことを思い出した。

花岡夕子とのことがばれるということは、必然的に、あのマンションでのことも警察に話すということになる。そうなると桐原もただでは済まないのではないかと思われた。彼のしていることは、性別を入れ替えれば、売春斡旋と同じことなのだ。

あいつには話しておかなければならない、と友彦は思った。

　部屋を抜け出し、廊下の途中に設置してある電話の受話器を取り上げた。居間のほうからテレビの音が漏れてくる。もうしばらく番組に熱中していてくれと彼は祈った。

　電話には、桐原本人がいきなり出た。友彦が名乗ると、さすがの彼も少し戸惑ったようだ。

「どうかしたのか」と桐原は尋ねてきた。身構えたような口調なのは、何かを察知したからかもしれない。

「やばいことになった」と友彦はいった。それだけで口がもつれそうになった。

「なんや」

「それが……電話ではちょっと説明しづらい。話も長くなりそうやし」

　桐原は黙った。彼なりに考えを巡らせているに違いなかった。やがて彼はいった。「まさか、年増女とのことやないやろな」

　ずばり的中されて、友彦は絶句した。桐原が吐息をつくのが、受話器から聞こえた。

「やっぱりそうか。あの時、ポニーテールにしてた女と違うか」

「そうや」

　桐原が再び吐息をついた。

「どうりであの女、最近来《け》えへんはずや。そうか、おまえと個人契約を結んどったんか」

「契約やない」

「ふうん。そしたら何や」

　答えようがなかった。友彦は口元をこすった。

「まあええ。電話でこんなことをいうてもしょうがない。今、おまえはどこにおる？」

「家にいるけど」

「じゃあこれから行く。二十分で行くから待ってろ」桐原は一方的に電話を切った。

　友彦は部屋に戻り、何か自分にできることはないかどうか考えた。だが頭は混乱するばかりで、何一つ考えがまとまらなかった。時間だけがいたずらに過ぎた。

　そして電話を切ってから本当にジャスト二十分後に桐原は現れた。玄関に迎えに出た時、友彦は彼がバイクに乗れることを知った。そのことをいうと、「そんなことはどうでもええ」と一蹴された。

　狭い部屋に入ると、友彦は椅子に座り、桐原は畳に胡座をかいた。桐原の横に、青い布をかけた、小型テレビぐらいの四角いものが置いてある。この部屋に呼んだ友人には必ず見せびらかす友彦の宝物だが、今日はそんな雰囲気ではなかった。

「さあ、話してくれ」と桐原はいった。

「うん。けど、何から話したらええのか……」

「全部や。全部話せ。たぶん俺を裏切ったんやろうから、まずはそのことからや」

桐原のいう通りだったので、友彦は返す言葉がなかった。空咳を一つすると、ぼそりぼそりとこれまでの経緯を話し始めた。

桐原は顔の表情を殆ど変えなかった。だが話を聞くうちに怒りがこみあげてきているのは、そのしぐさから明らかだった。指の骨を鳴らしたり、時折畳を拳で殴ったりした。そして今日のことを聞いた時には、さすがに形相を変えた。

「死んだ？　ほんまに死んでしもたのか」

「うん。何度もたしかめたから、間違いない」

桐原は舌打ちをした。「あの女、アル中やったんや」

「アル中？」

「ああ。おまけにええ歳やからな、おまえとあんまりがんばりすぎて、心臓に来てしもたんやろう」

「ええ歳って、まだ三十ちょっとやろ？」

友彦がいうと、桐原は唇を大きく曲げた。

「寝ぼけてんのか。あの女は四十過ぎやぞ」

「……うそやろ」

「ほんまや。俺は何度も会《お》うてるから、よう知ってる。童貞好きのばばあや。若い男を紹介したのは、おまえで六人目や」

「そんな、俺にはそんなふうには……」

「こんなことでショックを受けてる場合やない」桐原はうんざりした顔をし、眉間に皺を寄せて友彦を睨みつけてきた。「それで、女は今どうなってるんや」

友彦は萎縮しながら、状況を早口で話した。さらに、警察の追及を逃れるのはたぶん無理だろうという見通しも述べた。

桐原は唸った。

「事情はわかった。相手の旦那がおまえのことを知ってるとなると、たしかにごまかすのは難しそうや。しょうがない。がんばって警察の取り調べを受けてくれ」突き放すような口調だった。

「俺、何もかも本当のことをしゃべるつもりや」友彦はいった。「あのマンションでのことも、当然話すことになると思う」

桐原は顔をしかめ、こめかみを掻いた。

「それは困るなあ。話が中年女の火遊びだけでは済まんようになる」

「けど、あのことを話さな、俺とあの人の出会いについて説明でけへんから」

「そんなもんはなんとでもなるやろ。心斎橋をぶらついている時に、あっちから声をかけてきたとでもいうたら済むことや」

「……警察相手に、うまいこと嘘をつく自信なんかないよ。いろいろと問い詰められてるうちに、ほんまのことをしゃべってしまうかもしれへん」

「もしそんなことをしたら」桐原は再び友彦の顔を睨みつけ、自分の両膝を叩いた。「今度は俺のバックにおる人間が黙ってへんやろな」

「バック？」

「俺が一人で、ああいう商売をしてるとでも思ってたんか」

「ヤクザ？」

「さあなあ」桐原は首を左右に曲げ、関節をぽきぽきと鳴らした。

　そして次の瞬間、友彦は彼に襟首を摑まれていた。

「とにかく」と桐原はいった。「自分の身がかわいいんなら、余計なことはしゃべらんほうがええ。世の中には、警察よりも恐ろしいものがいくらでもある」

　凄みのある声と口調に、友彦は言い返せなくなっていた。

　それで説得は終了したと思ったのか、桐原は立ち上がった。

「桐原……」

「なんや」

「いや……」友彦は俯いた、言葉が出なかった。

　ふんと鼻を鳴らし、桐原は踵《きびす》を返した。その時だった。そばの四角い箱にかけてあった青い布が、はらりと下に落ちた。中から現れたのは、友彦愛用のパーソナル・コンピュータだった。

「おっ」桐原は目を見張った。「これ、おまえのか？」

「そうやけど」

「なかなかええ機械を持ってるやないか」桐原はしゃがみこみ、友彦のパーソナル・コンピュータを観察した。「プログラムはできるのか」

「ベーシックなら大体」

「アセンブラはどうや」

「少しできる」答えながら、こいつはコンピュータに詳しいのかなと友彦は思った。ベーシックもアセンブラも、コンピュータ言語の名称だった。

「何か作ったプログラムはないんか」

「ゲームのプログラムやったらあるけど」

「ちょっと見せてくれ」

「そんなん……今はそれどころやない」

「ええから見せてみろ」桐原は片手で友彦の襟首を摑んだ。

　気迫に押され、友彦は本棚からファイルを取り出した。そこにはフローチャートとプログラムを記した紙がまとめてある。それを桐原に渡した。

　桐原は真剣な眼差しで、しばらくそれらを眺めていた。やがてファイルを閉じ、同時に自分の瞼も閉じた。そしてそのまま動かなくなった。

　どうしたんやと声をかけようとして友彦はやめた。桐原の唇が、何かを呟くように動いていた。

「園村」やがて桐原が口を開いた。「助けてほしいか」

「えっ……」

　桐原は友彦のほうを向いた。

「俺のいうとおりにするんやったら助けたる。警察に呼ばれることもない。あの女が死んだこととおまえとは、全然関係がないということにしたろやないか」

「そんなことができるのか」

「俺のいうこときくか」

「きくよ。何でもきく」友彦は首を縦に振った。

「血液型は？」

「血液型？」

「おまえのや」

「ああ……O型やけど」

「O型……好都合や。ゴムは使《つこ》たんやろな」

「ゴムって、コンドームのことか」

「そうや」

「使《つこ》たよ」

「よっしゃ」桐原は改めて立ち上がり、友彦のほうに手を出した。「ホテルの鍵を寄越せ」

7

　友彦のもとへ刑事が来たのは二日後の夕方だった。白い開襟シャツを着た中年の刑事と、水色のポロシャツを着た刑事の二人組だった。彼等が友彦のところへ来たということは、やはり夕子の夫が彼女と友彦の関係に気づいていたということになる。

「友彦君にちょっと訊きたいことがあるんですわ」と開襟シャツの刑事がいった。どういう事件に関することかはいわなかった。最初に応対に出た房子は、警察の人間が来たということだけでおろおろしていた。

　友彦は近所の公園に連れていかれた。日は落ちていたが、ベンチにはまだ昼間の熱が残っていた。そのベンチに開襟シャツの刑事と並んで座った。水色ポロシャツの男は、友彦の前に立った。

　ここに連れてこられるまでの間、友彦はなるべく口をきかないようにしていた。不自然に見えたかもしれないが、無理に平静を装おうとはしなかった。それが桐原のアドバイスでもあった。

「高校生が刑事を前にして平然としとったら、そっちのほうがおかしいからな」と彼はいった。

　開襟シャツの刑事はまず彼に一枚の写真を見せ、「この人を知ってるか」と尋ねた。

　その写真には花岡夕子が写っていた。旅行に行った時のものだろうか、後ろに青い海が広がっている。夕子はこちらを見て笑っていた。髪は少し短めだった。

「花岡さん……でしょ」友彦は答えた。

「下の名前も知ってるやろ」

「夕子さん、やったかな」

「うん、花岡夕子さんや」刑事は写真をしまった。「どういう関係？」

「どういう関係て……」友彦はわざと口ごもった。「別に……ただの知り合いです」

「せやからどういう知り合いかと訊いてるんや」開襟シャツの口調は穏やかだが、少し苛立ったような響きがあった。

「正直にいうてみろや」ポロシャツの刑事がいった。口元に嫌味な笑いが張り付いている。

「一か月ほど前、心斎橋を歩いてる時に話しかけられたんです」

「どんなふうに？」

「時間が空いてるんなら、ちょっとお茶に付き合ってくれへんかって」

　友彦の答えに、刑事たちは顔を見合わせた。

「それで、ついていったんか」と開襟シャツの刑事が訊いた。

「奢ってくれるていうから」と友彦はいった。

　ポロシャツが、鼻からふっと息を吐いた。

「茶を飲んで、その後は？」開襟シャツのほうがさらに訊いてくる。

「お茶を飲んだだけです。店を出た後は、すぐに帰りました」

「なるほどな。けど、会《お》うたんはその時だけやないやろ」

「その後……二回会いました」

「ほう、どんなふうに」

「電話がかかってきたんです。今、ミナミにおるけど、暇やったらまたお茶に付き合《お》うてくれへんか、と……まあ、そういう感じです」

「最初に電話に出たのは、お母さんか」

「いえ、たまたま二回とも僕が出ました」

　友彦の答えは刑事にとっては面白くなさそうだ。下唇を突き出した。

「で、行ったわけか」

「行きました」

「行ってどうした。茶を飲んで帰っただけか。そんなことはないやろ」

「いえ、それだけです。アイスコーヒーを飲んで、ちょっとしゃべって帰りました」

「ほんまにそれだけか」

「それだけです。それだけやったらあかんのですか」

「いや、そういうわけやないけど」開襟シャツの刑事は首筋をこすりながら、友彦の顔をじろじろと眺めた。少年の表情から何かを読み取ろうとする目だった。「君の学校は共学やろ。女友達も何人かおるはずや。なにも、あんな年増女の付き合いする必要はないんと違うか」

「僕は暇やったから付き合《お》うただけです」

「ふうん」刑事は頷いたが、信用していない顔だ。「小遣いはどうや。もろたんか」

「受け取ってません」

「それはどういう意味や。金は渡されたけど、受け取ってないという意味か」

「そうです。二回目に会《お》うた時、花岡さんが五千円札をくれようとしたんです。でも受け取りませんでした」

「なんで受け取れへんかったんや」

「何となく……そんなお金をもらう理由がないし」

　開襟シャツの刑事は頷き、ポロシャツの刑事を見上げた。

「どのへんの喫茶店で会《お》うとった？」ポロシャツが尋ねてきた。

「心斎橋にある新日空ホテルのラウンジです」

　これは正直に答えておいた。夕子の夫の知り合いに目撃されていることを知っているからだ。

「ホテル？　そんなところへ行って、ほんまにお茶だけで済んだんか。そのまま二人で部屋に入ったんと違うんか」ポロシャツの刑事の口調は乱暴でぞんざいだった。主婦の暇つぶしに付き合っていた高校生を心底馬鹿にしているのだろう。

「お茶飲みながら、ちょっとしゃべっただけです」

　ポロシャツは口元を歪め、ふんと鼻を鳴らした。

「一昨日の夜やけど」開襟シャツの刑事が口を開いた。「学校が終わってから、どこへ行った？」

「一昨日……ですか」友彦は唇を舐めた。ここが勝負どころだ。「放課後、天王寺の旭屋をぶらぶらしてました」

「家に帰ったのは？」

「七時半頃です」

「それからはずっと家におったんか」

「そうです」

「家族以外とは顔を合わせてないわけやな」

「あ……ええと、八時頃に友達が遊びに来ました。同じクラスの桐原という奴です」

「キリハラ君？　どういう字？」

友彦は桐原という字を刑事に教えた。開襟シャツの刑事はそれを手帳にメモし、「その友達は何時まで家におった？」と尋ねてきた。

「九時頃です」

「九時。その後は何をしてた」

「テレビを見たり、友達と電話でしゃべったり……」

「電話？　誰から？」

「森下という奴です。中学時代の同級生です」

「電話でしゃべってたのは何時頃？」

「十一時頃にかかってきて、十二時過ぎまでしゃべってたと思います」

「かかってきた？　向こうからかかってきたわけ？」

「そうです」

　これにはからくりがあった。その前に友彦のほうから森下に電話をかけていたのだ。彼がアルバイトで留守だということを知っていて、わざとかけたのだ。そして彼の母親に、帰ったら電話が欲しいと伝えておいた。無論アリバイを確保するための細工だ。すべて桐原の指示に基づいたものだった。

　刑事は眉間に皺を寄せ、森下の連絡先がわかるかと訊いてきた。友彦は電話番号を暗記していたので、この場でそれを教えた。

「君、血液型は？」開襟シャツの刑事が訊いた。

「血液型？　O型ですけど」

「O型？　間違いないか」

「間違いないです。うちの親が二人共O型ですし」

　刑事たちが急激に興味を失っていくのを友彦は感じた。その理由がよくわからなかった。あの夜、桐原も血液型を尋ねてきたが、目的については話してくれなかった。

「あのう」友彦はおずおず尋ねてみた。「花岡さんがどうかしたんですか」

「新聞、読んでへんのか」開襟シャツの刑事が面倒臭そうにいった。

　はあ、と友彦は頷いた。昨日の夕刊に小さく載っていたことは知っているが、ここでは知らないふりを通すことにした。

「あの人な、死んだんや。一昨日の夜にホテルで」

「えっ」友彦は驚いてみせた。これが刑事に見せた唯一の演技らしい演技だった。「どうして……」

「さあな、なんでやろな」刑事はベンチから立ち上がった。「ありがとう。参考になったわ。また何か訊かせてもらうかもしれんけど、その時もよろしく」

「あ、はい」

　ほな行こか、と開襟シャツの刑事はポロシャツに声をかけた。二人は一度も振り返ることなく友彦から遠ざかっていった。

事件のことで友彦に会いに来たのは、刑事だけではなかった。

刑事が来てから四日後のことだ。学校の門を出て少し歩いたところで、後ろから肩を叩かれた。振り向くと髪をオールバックにした年配の男が、意味不明の笑みを浮かべて立っていた。

「園村友彦君だね」男は訊いてきた。

「そうですけど」

友彦が答えると男はすっと右手を出してきた。その手には名刺が摑まれていた。花岡郁雄《いくお》という名前が見えた。

顔が青ざめてしまうのを友彦は自覚した。平然としなければと思うが、身体の硬直は止められない。

「君に訊きたいことがあるんだけど、今ちょっといいかな」男は標準語に近い言葉遣いをした。腹に響くような低音だ。

はい、と友彦は答えた。

「じゃあ、車の中で話そうか」男は道路脇に止めてあるシルバーグレーのセダンを指した。

友彦は促されるまま、車の助手席に座った。

「南署の刑事さんが君のところへ行っただろ」運転席に座った花岡が切り出した。

「はい」

「君のことを教えたのは私だよ。あいつのアドレス帳に電話番号が載っていたものだからね。迷惑だったかもしれんが、私としてもいろいろと納得できないことが多くてね」

花岡が本気で友彦の立場を慮《おもんぱか》っているとは思えなかった。友彦は黙っていた。

「刑事さんから聞いたんだけど、あいつに何度か付き合わされたようだね」花岡が笑いかけてくる。もちろん目は少しも笑っていない。

「喫茶店で話をしただけです」

「うん、そう聞いた。あいつのほうから声をかけてきたんだって？」

友彦は無言で頷いた。花岡は低く笑い声を漏らした。

「あいつは面食いで、おまけに若い男の子が好きだったからねえ。いい歳をして、アイドルタレントを見ては、きゃあきゃあいったりしたものだよ。君なんか、若いし、なかなかの美男子だし、あいつ好みだったかもしれないな」

友彦は膝の上で両手の拳を結んだ。花岡の声には粘着質なところがあった。言葉の隙間から嫉妬心が滲み出てくるようでもあった。

「本当に話をしただけかい」改めて訊いてきた。

「そうです」

「何かほかのことに誘われたことはないかい。たとえば、ホテルに行こうとか」花岡は多少おどけたふりをしたようだ。だがその口調に明るいところなど全くなかった。

「そんなこと、一度もいわれてません」

「本当だね」

「本当です」友彦は深く頷いた。

「じゃあ、もう一つ教えてほしいんだけど、君のほかに、そんなふうにしてあいつと会っていた者はいないかな」

「僕のほかに？　さあ……」友彦は首を小さく傾げた。

「心当たりない？」

「はい」

「ふうん」

友彦はうつむいていたが、花岡が見つめてくるのを感じていた。大人の男の視線だった。刺されるような感覚に、気持ちは萎縮しきっていた。

その時だった。友彦の横で、こつこつとガラスを叩く音がした。顔を上げると桐原亮司が覗き込んでいた。友彦はドアを開けた。

「園村、何をしてるんや。先生が呼んでるぞ」桐原はいった。

「えっ……？」

「職員室で待ってはる。早よ行ったほうがええぞ」

「あっ」桐原の目を見た途端、その狙いを察知した。友彦は花岡のほうを向いた。「あのう、もういいですか？」

教師に呼ばれているとなれば、無視するわけにはいかない。花岡は少し心残りそうではあったが、「ああ、もういいよ」といった。

友彦は車から降りた。桐原と並んで、学校に向かって歩く。

「何を訊かれた？」小声で桐原が尋ねてきた。

「あの人とのこと」

「とぼけたんやろ」

「うん」

「よし。それでええ」

「桐原、一体どうなってるんや。おまえ、何かしたんか」

「おまえはそんなこと気にするな」

「けど——」

言葉を継ごうとした友彦の肩を、桐原はぽんと叩いた。

「さっきのやつがどこかで見てるかもしれんから、一応学校の中に入れ。帰る時は裏門から出るんや」

二人は高校の正門の前に立っていた。わかった、と友彦は答えた。

じゃあな、といって桐原は離れていった。その後ろ姿をしばらく見送った後、友彦はいわれたとおり学校に入った。

この日以後、花岡夕子の夫は友彦の前に姿を現さなかった。また南署の刑事たちが来ることもなかった。

8

八月半ばの日曜日、友彦は桐原に連れられて、例のマンションへ行った。彼が初体験した、あの古いマンションだ。

だがあの時と違うのは、桐原が自分で部屋の鍵をあけたことだった。彼の持つキーホルダーには、鍵がいくつもぶら下がっていた。

「まあ入れ」スニーカーを脱ぎながら桐原はいった。

ダイニングキッチンの様子は、友彦が前に来た時とあまり変わっていないように見えた。安っぽいテーブルも椅子も、冷蔵庫も電子レンジも、あの時のままだった。違うのは、あの時はたしかに室内に充満していた化粧品の匂いが、今は殆ど消えていることだ。

昨夜急に桐原から電話がかかってきて、見せたいものがあるから明日付き合ってほしいといわれた。理由を訊くと、秘密だといって桐原は笑った。彼が冷笑以外の笑いを示したのは、珍しいことだった。

行き先があのマンションだと知った時、友彦はつい渋い顔をしてしまった。いい思い出があるとはいいがたい。

「心配するな。もう身体を売れとはいわへん」友彦の内心を察したらしく、桐原はそういって笑った。これは冷笑といえるものだった。

あの時には開放されていた奥の襖を桐原が開けた。前は、その向こうにある和室に花岡夕子たちが座っていた。今日は誰もいない。だが友彦はそこに置いてあるものを見るなり、大きく目を見開いていた。

「さすがに驚いたようやな」桐原は楽しそうにいった。友彦の反応が期待通りだったからだろう。

そこには四台のパーソナル・コンピュータが設置されていた。さらに十数台の周辺機器が繋がれていた。

「どうしたんや、これ」呆然としたまま友彦は訊いた。

「買《こ》うたんや。決まってるやないか」

「桐原、使えるのか」

「まあ、ぼちぼちな。けど、おまえにも手伝うてほしい」

「俺に？」

「ああ。そのためにここへ来てもろたんや」

桐原がそういった時、玄関のチャイムが鳴った。誰かが訪ねてくるとは思わなかったので、友彦は思わず背筋をぴんと伸ばした。

「ナミエやな」桐原が立っていった。

友彦は部屋の隅に積まれている段ボール箱に近寄り、

一番上の箱の中を覗き込んだ。新品のカセットテープがびっしりと詰まっていた。こんなに大量のテープを何のために、と思った。

玄関のドアが開き、誰かが入ってくる音がした。園村が来ているんだ、と桐原がいうのが聞こえる。ああそう、と女の声。

そしてその女は、部屋に入ってきた。地味な顔立ちをした三十過ぎと思える女だった。どこかで見たことがある、と友彦は思った。

「久しぶりね」と女はいった。

「えっ？」

友彦が、虚をつかれた顔をしたのを見て、女はくすっと笑った。

「あの時、先に帰った女や」桐原が横からいった。

「あの時って……えっ」友彦は驚いて、女の顔を改めて見た。

たしかにあの時のジーンズルックの女だった。今日は化粧が薄いので、あの時よりも幾分老けて見えた。というより、これが彼女の本来の姿なのだろう。

「面倒臭いから、彼女のことはしつこく訊くな。名前はナミエ。俺らの経理係や。それだけで十分やろ」桐原がいった。

「経理係って……」

桐原はジーンズのポケットから折り畳んだ紙を取り出し、友彦のほうに差し出した。

その紙にはサインペンで、次のように書いてあった。

『パーソナル・コンピュータ用ゲーム各種通信販売いたします　無限企画』

「無限企画？」

「俺らの会社の名前や。とりあえず、コンピュータゲームのプログラムを売る。カセットテープに保存して、通信販売するわけや」

「ゲームのプログラムか」友彦は小さく頷いた。「それは……売れるかもしれへんな」

「絶対に売れる。間違いない」桐原は断言した。

「でも、問題はソフトやと思うけど」

桐原は一台のパーソナル・コンピュータに近づくと、そのプリンターから出力されたばかりと思われる長い紙を、友彦の前に突き出した。「これが目玉商品や」

そこにはプログラムが印刷されていた。友彦には手に負えそうにないほど、複雑で長いプログラムだった。『サブマリン』という名前がつけられていた。

「このゲーム、どうしたんや。桐原が作ったのか」

「そんなことはどうでもええやろ。――ナミエ、このゲームの名前、考えたか」

「まあ一応ね。リョウが気に入るかどうかはわからない

「学校なんか、人生のほんの一部分にすぎないじゃない」

「そうかもしれんけど、あいつほどわけのわからん奴もおらへんよ」

「リョウのことは、あまり深く詮索しないほうがいいと思うな」

「そんなつもりはないよ。ただ、いろいろと不思議なだけや。あの時も……」友彦は口ごもった。ナミエにどこまで話していいかどうかわからなかった。

　すると彼女は平然といった。「花岡夕子さんのこと？」

「まあね」彼は頷いた。彼女も事情を知っているとわかり、内心ほっとしていた。「狐につままれたみたいっていうのは、こういうことをいうんやろうな。一体、あいつはどうやって、あの事件を始末したんやろ」

「気になる？」

「そりゃあもちろん」

　友彦の言葉にナミエは顔をしかめ、ボールペンの後ろでこめかみを掻いた。

「あたしが聞いた話では、死体が見つかったのは、花岡夕子さんがチェックインした翌日の午後二時頃。チェックアウトタイムを過ぎているのに、フロントに何の連絡もないし、部屋に電話をかけても誰も出ないから、ホテルの人間が心配して様子を見に行ったそうよ。ドアにはけど」

「聞かせてくれ」

「マリン・クラッシュ」ナミエは遠慮がちにいった。「……っていうのはどう？」

「マリン・クラッシュか」桐原は腕組みをして考えていたが、やがて頷いた。「オーケー、それで行こう」

　彼が気に入った様子だからか、ナミエもほっとしたように微笑んだ。

　桐原は腕時計を見て腰を上げた。

「ちょっと印刷屋に行ってくる」

「印刷屋？　何の用で？」

「商売をするには、いろいろと準備が必要なんや」スニーカーを履くと、桐原は部屋を出ていった。

　友彦は和室で胡座をかき、先程のコンピュータプログラムを眺めた。が、すぐに顔を上げた。ナミエは机に向かい、電卓で何か計算を始めている。

「あいつは一体、どういう奴なのかなあ」彼女の横顔に話しかけた。

　彼女は手を止めた。「どういう奴って？」

「あいつ、学校では全然目立てへんねんで。親しい奴もおらんみたいや。それやのに、裏でこんなことをしてる」

　ナミエは彼のほうに向き直った。

自動ロックがかかってるから、マスターキーで開けて部屋に入ったわけ。花岡夕子さんは、全裸でベッドに横たわっていたそうね」

友彦は頷いた。その状況なら想像できた。

「すぐに警察が駆け付けたんだけど、どうやら他殺の疑いはなさそうだということになったの。性行為中に心臓発作を起こしたんだろうというのが、警察の見解だったみたい。そして死亡推定時刻は、前夜の十一時頃」

「十一時？」友彦は首を傾げた。「いや、そんなはずは……」

「ボーイが会ってるのよ」とナミエはいった。

「ボーイ？」

「ルームサービス係に、バスルームにシャンプーがないから届けてほしいと女性の声で電話があったらしいの。それでボーイが届けに行ったところ、花岡夕子さんがシャンプーを受け取ったそうよ」

「いや、それはおかしい。俺がホテルを出た時――」

友彦が言葉を止めたのは、ナミエがかぶりを振り始めたからだ。

「ボーイがいってるのよ。たしかに十一時頃、女性のお客さんにシャンプーを渡したってね。あの部屋の女性客となると、花岡夕子さんということになるじゃない」

「あっ」

そういうことかと友彦は合点がいった。誰かが花岡夕子になりすましたのだ。あの日、夕子は大きなサングラスをかけていた。髪形を似せて、あれをかければ、ボーイを騙すことは難しくないかもしれない。

では誰が花岡夕子に化けたのか。

友彦は目の前にいるナミエを見た。

「ナミエさんが、彼女に？」

するとナミエは笑いながら首を振った。

「あたしじゃない。そんな大胆なこと、あたしには無理。すぐにぼろを出しちゃう」

「そしたら……」

「それについては、考えないほうがいいわね」ナミエは、ぴしりといった。「それはリョウしか知らないこと。どこかの誰かがあなたを救ってくれた。それでいいじゃない」

「けど」

「それからもう一つ」ナミエは人差し指を立てた。「警察は花岡夕子さんの旦那さんの話で、あなたに目をつけた。でもすぐにあなたには興味を失った。なぜだかわかる？　それはね、現場から見つかったのは、AB型の痕跡だったからよ」

「AB型？」

「精液」ナミエは瞬きもせずにいった。「夕子さんの身体から、ＡＢ型の人物の精液が検出されたというわけ」

「それは……おかしい」

「そんなはずはないといいたいんだろうけれど、それが事実なんだから仕方がないでしょ。彼女の膣の中には、たしかにＡＢ型の精液が入っていたの」

　入っていた、という表現が引っかかった。それで友彦は、はっとした。

「桐原の血液型は？」

「ＡＢ」そういってナミエは頷いた。

　友彦は口元に手をやった。軽い吐き気を催した。真夏だというのに、背中が寒くなった。

「あいつが死体に……」

「何があったかを想像することは、あたしが許さない」ナミエはいった。ぞくりとするほど冷たい口調だった。目もつり上がっていた。

　友彦は、いうべき言葉が思いつかなかった。気がつくと震えていた。

　その時、玄関のドアが開いた。

「広告の段取りをつけてきた」桐原が部屋に入ってきた。手に持っていた紙をナミエに渡した。「どうや、見積り通りやろ」

　ナミエはそれを受け取り、微笑んで頷いた。その表情は少し固い。

　桐原はすぐに部屋の空気が先程までと違っていることに気づいた様子だった。彼はナミエと友彦の顔をじろじろ見ながら、窓のそばに行き、煙草を一本くわえた。

「どないした」桐原は短く訊き、ライターで火をつけた。

「あの……」友彦は彼を見上げた。

「なんや」

「あの……俺」唾を飲み込んでから、友彦はいった。「俺、何でもする。おまえのためやったら、どんなことでも」

　桐原は友彦の顔をしげしげと見つめた後、その目をナミエに向けた。彼女は小さく頷いた。

　桐原は視線を友彦に戻した。その顔にいつもの冷たい笑みが戻った。その笑みを唇に漂わせたまま、うまそうに煙草を吸った。

「当然や」

　そして彼は少し濁った青空を仰ぎ見た。

第四章

1

傘をさすほどではないが、髪や衣服を静かに濡らしていく。そんな細かい秋雨が降り続いていた。そのくせ時折灰色の雲が割れ、青空が覗いたりする。狐の嫁入りだなと、四天王寺前駅を出て空を見上げながら中道正晴《なかみちまさはる》は思った。母親から教えられた言葉だ。

彼は大学のロッカーに折り畳み式の傘を入れていたが、そのことを思い出したのが門を出てからだったため、取りに戻るのはやめたのだ。

彼は少し急いでいた。自慢の水晶発振式の腕時計は午後七時五分を示している。つまり決められた時刻に、すでに遅れているのだ。もっとも約束の相手は、彼が少し遅れるぐらいで嫌な顔を見せたりはしない。急ぐのは、彼自身が早く目的の家に着きたいからにほかならなかった。

彼は傘の代わりに、駅の売店で買ったスポーツ新聞を頭の上にかざし、とりあえず髪が濡れるのを防いだ。プロ野球のヤクルトが勝った翌日にスポーツ新聞を買うのは、昨年からの習慣だ。中学まで東京に住んでいた彼は、スワローズではなくアトムズと呼ばれていた頃からヤクルトのファンだ。そのヤクルトが、昨年広岡監督の下で奇跡の優勝を果たした。ヤクルトの選手たちが大活躍した記事を、去年の今頃はそれこそ毎日のように読んだものだった。

それが今年は全く別のチームのように絶不調である。九月に入って、完全に最下位が定位置となってしまった。当然正晴がスポーツ新聞を買う機会も少なくなる。だからこんなふうに新聞を持っていたのは、幸運といっていいことだった。

正晴が目的の家の前に着いたのは、それから数分後だった。唐沢と書かれた表札の下のボタンを押した。

玄関の格子戸が開き、唐沢礼子が顔を見せた。彼女は紫色のワンピースを着ていた。生地が薄いせいか、身体の細さが際だち、痛々しいほどだった。この初老の婦人が和服に戻るのはいつなのだろうと正晴は思った。彼がはじめてこの家に来た三月頃には、彼女は濃い灰色の紬を着ていたのだ。それが梅雨入りする少し前から洋服に変わっていた。

「すみません。先生」正晴の顔を見るなり礼子は申し訳なさそうにいった。「つい今しがた雪穂から連絡がありました。なんでも、文化祭の準備をどうしても抜けられなくて、三十分ほど遅れそうだということなんです。なるべく早く帰りなさいといってはおいたんですけど」

「ああ、そうだったんですか」正晴は、ほっとしていった。「それを聞いて安心しました。遅刻したと思って、焦ってましたから」

「本当にすみません」礼子は頭を下げた。

「ええと、じゃあ僕はどうしていようかな」正晴は腕時計を見ながら、独り言のように呟いた。

「どうぞ、中でお待ちになってください。何か冷たい飲み物でもご用意しますから」

「そうですか。でもお気遣いなく」会釈を一つして、正晴は足を踏み出した。

　彼が通されたのは、一階の居間だった。本来は和室であるが、籐製のリビングセットが置いてあったりして、洋風の使い方がなされている。彼がこの部屋に入るのは、最初に来た時以来のことだった。

　あれから約半年が経つ。

　正晴にアルバイトの話を持ってきたのは彼の母親だった。彼女の茶道の先生が、今度高校二年になる娘に数学を教えてくれる人を探していると聞き、息子を推薦することを思いついたのだ。その茶道の先生というのが唐沢礼子だ。

　工学部の学生である正晴は、数学に関しては高校時代から多少自信を持っていた。実際この春まで、高校三年生の男子に数学と理科を教えていたのだ。だがその高校生が無事受験に成功したので、正晴としては次の家庭教師のくちを探す必要があった。母親の持ってきた話は、彼にとっても渡りに船だったわけだ。

　現在正晴は母親に感謝している。その理由は、月々の収入を確保できたということだけではなかった。彼は唐沢家を訪れる毎週火曜日が楽しみでならなかった。

　彼が籐の椅子に座って待っていると、礼子が麦茶を入れたガラスコップを盆に載せて戻ってきた。それを見て彼は少し安堵した。前にこの部屋に入った時には、いきなり抹茶を出され、作法が全くわからず、大いに冷や汗をかいたものだった。

　礼子は彼の向かい側に座り、どうぞといって麦茶をすすめた。それで正晴は遠慮なくガラスコップに手を伸ばした。渇いた喉を冷えた麦茶が通過する感触が心地よかった。

「すみませんね。お待たせしちゃって。文化祭の準備なんか、適当に抜け出してくればいいと思うんですけど」礼子は再び詫びた。余程申し訳なく思っているようだ。

「いや、僕のことなら結構です。気にしないでください。

それに友達同士の付き合いというのも大切ですから」正晴はいった。大人ぶったつもりだった。

「あの子もそういってました。それに文化祭の準備といっても、クラスでの催し物ではなくて、サークルのほうらしいんです。それで三年生の先輩が目を光らせているので、なかなか抜けられないといっておりました」

「ああ、なるほど」

雪穂が英会話クラブに入っているという話を、正晴は思い出していた。彼女が少し話すのを聞いたこともある。中学生の時から英会話塾に通っているというだけあって、見事なものだった。自分ではとても太刀打ちできないと舌を巻いた覚えがある。

「ふつうの高校なら、今の時期に三年生が文化祭に一所懸命になるということもないんでしょうけど、やっぱりああいう学校ですから、そういうのんびりしたこともできるんでしょうね。中道先生がお出になった高校なんかは、ものすごい進学校だから、三年生になったら文化祭どころではなかったんでしょう?」

礼子の言葉に、正晴は苦笑して掌を振った。

「僕たちの高校にも、文化祭で浮かれている三年生はいましたよ。受験勉強の息抜きだと思っていた連中も少なくなかったんじゃないですか。そういう僕なんかも、秋になっても受験勉強に身が入らず、ちょっとしたイベントがあるとすぐにはしゃいじゃうくちでした」

「あらそうなんですか。でもそれはきっと、先生が成績優秀でいらっしゃったから、余裕でそういうこともお出来になったんだと思いますよ」

「いや、そんなことはないんです。本当に」正晴は掌を振り続けた。

唐沢雪穂が通っているのは、清華女子学園という高校だった。そこの中等部から上がったと、正晴は聞いていた。

さらに彼女は、そのまま上の大学に進もうとしている。高校での成績が優秀であれば、面接試験だけで上の清華女子大学に入ることもできるのだ。

ただし希望する学科によっては、門が極端に狭くなるおそれもあった。雪穂は最も競争率が高いといわれる英文科を希望していた。確実に合格を勝ち取るには、学年でもトップグループに入っている必要があった。

雪穂は殆どの科目で優秀な成績をおさめていたが、数学だけは少し苦手にしていた。それで心配した礼子が、家庭教師を雇うことを思いついたというわけだ。

何とか高校三年の一学期までは、上位に食い込める成績をとらせてやってほしい――それが最初に話をした時、礼子が出した希望だった。三年生の一学期までの成績が、推薦入学の際の参考資料になるからだ。

「雪穂もねえ、もしあのまま公立の中学に行かせていたら、たぶん来年は受験勉強でもっと大変だったと思うんです。それを考えると、あの時に今の学校に入れておいて、本当によかったと思っているんですよ」麦茶の入ったガラスコップを両手で持ち、唐沢礼子はしみじみとした口調でいった。

「そうですね。受験なんか、しなくていいに越したことはありませんから」正晴はいった。彼自身が日頃から考えていることであり、これまでに家庭教師として教えた子供たちの親にもいってきたことだった。「だから、お子さんの小学校入学の段階から、すでにそういう私立の付属を選ぶ親御さんも、最近は増えてますよね」

礼子は真顔で頷いた。

「ええ、それが一番いいと思います。姪や甥にも、そんなふうに話しているんです。子供の受験は、早い段階に一度きりというのが一番だって。後になればなるほど、いい学校に入るのが大変ですから」

「おっしゃるとおりです」正晴も頷いた。それからちょっと疑問に思うことがあって尋ねた。「雪穂さんは、小学校は公立ですよね。受験はされなかったのですか」

すると礼子は、考え込むように首を傾げ、少し黙り込んだ。何か迷っているように見えた。

やがて彼女は顔を上げた。

「もし私がそばにいたなら、そんなふうに進言したと思うんですけど、その頃は会ったこともありませんでしたからねえ。大阪というところは、東京なんかに比べて、子供を私立に進ませるという発想をする親は少ないんです。何より当時のあの子の境遇は、私立受験なんてことを希望しても、到底かなえてはもらえないようなものでしたし」

「あ、そうなんですか……」

微妙な問題に触れてしまったのかなと、正晴は少し後悔した。

雪穂が唐沢礼子の実子でないということは、最初にこの仕事を引き受けた時に聞いていた。だがどういう経緯で彼女が養女になったのかについては、全く知らされていなかった。これまで話題に上ったこともない。

「雪穂の本当の父親が、私の従弟《いとこ》にあたるんです。でもあの子が小さい頃に事故で亡くなりましてね、それで金銭的にもかなり苦労していたようです。奥さんが働きに出ておられたんですけど、女手一つで子育てまでするのは、大変なことですからね」

「その本当のおかあさんのほうは、どうされたんですか」

正晴が訊くと、礼子は一層顔を曇らせた。

「その方も事故で亡くなったんです。たしか雪穂が六年生になって、すぐの頃だったと思います。五月……だったかしら」

「交通事故ですか」

「いえ、ガス中毒だったんですよ」

「ガス……」

「コンロに鍋をかけている途中で、うたた寝してしまったそうなんです。そのうちに鍋の中身がふきこぼれて火が消えてしまったらしいんですけど、それに気づかないで、結局そのまま中毒を起こしてしまったということでした。きっと、相当疲れていたんだろうと思いますよ」

礼子は悲しそうに細い眉を寄せた。

ありそうなことだなと正晴は思った。最近では都市ガスが徐々に天然ガスに切り替えられてきているので、ガスそのもので一酸化炭素中毒に陥ることはないが、当時は今聞いた話とよく似た事故が頻繁に起きていた。

「特にかわいそうなのは、死んでいるのを見つけたのが雪穂だということでしてね。その時のショックがどんなふうだったかを考えると、胸が痛くなるようで……」礼子は沈痛な表情のまま、かぶりを振った。

「一人で見つけたんですか」

「いえ、部屋に鍵がかかっていたので、不動産屋の人に開けてもらったという話でした。だから、その人と一緒に見つけたんだと思います」

「へえ、不動産屋の人と」

その男も災難だったなと正晴は思った。死体を見つけた時には、さぞかし青ざめたことだろう。

「その事故で雪穂さんは、完全に身寄りがなくなってしまったわけですね」

「そうなんです。お葬式には私も出ましたけれど、雪穂はお棺にすがりつくようにして、わあわあと声を出して泣いていました。それを見ていると、こちらもたまらなくなりましてねえ……」

その時の情景が脳裏に浮かんだのか、礼子は目をしょぼしょぼさせた。

「それで、ええと、唐沢さんが彼女を引き取ることにされたわけですね」

「そうです」

「それはやっぱり、唐沢さんが一番親しくしておられたからですか」

「じつをいいますとね、雪穂を産んだおかあさんとは、さほど深い付き合いはなかったんです。家が比較的近いということはありましたけれど、それでも歩いて行き来できる距離ではなかったですしね。でも雪穂とは、文代さんが亡くなるずっと前から、しょっちゅう会っていたんですよ。あの子のほうから遊びに来てくれましてね」

「へえ……」

母親が親しくしているわけでもない親戚の家へ、なぜ雪穂は一人で遊びに行ったのだろうと正晴は疑問に思った。その思いが顔に出たのだろう、礼子が次のように説明した。

「私が雪穂と初めて顔を合わせたのは、あの子の父親の七回忌の時です。その時に少し話をしましたところ、あの子は私が茶道をしていることに、ずいぶんと興味を持った様子でした。あんまり熱心にいろいろと尋ねてくるので、それなら一度遊びにいらっしゃいといってみたんです。あの子のおかあさんが亡くなるより、一、二年前だったと思います。そうしたら、その後すぐにやってきたので、ちょっとびっくりしました。私としては、ほんの軽い気持ちでいったことでしたからね。でも茶道をやってみたいという気持ちは本気のようでしたし、私も独り暮らしで寂しい思いをしていましたから、半分遊びの気分でお茶を教えてあげることにしたんです。そうしたらあの子はほぼ毎週、バスに乗って一人でやってきました。私がたてたお茶を飲みながら、学校での出来事なんかを話してくれるんです。そのうちに、あの子の来るのが、私にとっての一番の楽しみになりました。都合が悪くて来てくれなかった時なんかは、ひどく寂しい気持ちになったものです」

「じゃあ雪穂さんは、そんな頃からお茶を？」

「そうです。でもそのうちにお華なんかにも興味を示しましてね、私が生けているのを、横で面白そうに眺めたり、時には少し手を出したりもしてきました。着物の着方を教えてほしいといわれたこともありますよ」

「まるで花嫁教室ですね」正晴はそういって笑った。

「本当にそういう感じでしたね。まあ子供相手ですから、花嫁教室ごっことでもいいましょうか。あの子ったら、私の言葉遣いの真似までするんですよ。恥ずかしいからやめてって頼んだら、家でおかあさんがしゃべっているのを聞いていたら、自分まで汚い言葉を遣ってしまいそうになるから、私のところで直していくんですって」

雪穂の、最近の女子高生には珍しい上品な物腰は、その頃からの蓄積らしいなと彼は納得した。もちろん、そんなふうになりたいという本人の願望があってこそだろうが。

「そういえば雪穂さんの話し方も、あまり関西弁っぽくないですよね」

「私は中道先生と同じで、ずっと以前、関東に住んでいたんです。それで殆ど関西弁を話せないんですけど、あの子はそこがいいとかいってくれます」

「僕もうまく話せないんですよ、関西弁」

「ええ。だから雪穂は、中道先生と話すのは楽だといっておりました。汚い大阪弁を遣う人と話していると、うつらないように気をつけるのが大変だと」

「ふうん、大阪生まれなのになあ」

「あの子はそのこと自体も嫌なんだそうですよ」

「本当ですか」

「ええ」初老の婦人は口をすぼめて頷いてから、少し首を傾げた。「ただねえ、ちょっと心配になることもあるんです。あの子はずっと私みたいな年寄りと一緒に生活していますから、最近の女の子らしい潑剌《はつらつ》としたところが少ないんじゃないかとかね。あまり無茶をしてくれると困りますけど、少しぐらいは羽目を外してもいいと思っているぐらいなんです。中道さんも、もし気が向くことがあれば、どこか遊びにでも連れて行ってやってください」

「えっ、僕がですか。いいんですか」

「ええ。中道さんでしたら安心ですから」

「そうですか。じゃあ、ちょっと今度誘ってみようかな」

「是非そうしてやってください。喜ぶと思います」

礼子の話が一段落したようなので、正晴は再びガラスコップに手を伸ばした。退屈な話ではなかった。彼としては雪穂について、もっと詳しく知りたいと思っていたところなのだ。

だがどうやらこの義母も、彼女のことを完全にわかっているとはいえないらしいと彼は思った。唐沢雪穂という娘は、礼子が思っているほど古風ではないし、おとなしすぎることもない。

印象的なことがある。あれは七月だった。いつものように二時間ほど勉強を教えた後、出されたコーヒーを飲みながら雪穂と雑談をしていた。そういう時に正晴が話すことは、大学生活に関することと決まっていた。彼女がその話題を最も好むと知っているからだ。

彼女に電話がかかってきたのは、雑談を始めてから五分ほど経った頃だ。礼子が呼びに来て、「英語弁論大会事務局の者です、といっておられるんだけど」といったのだ。

「ああ、わかった」雪穂は頷いて、階段を下りていった。それで正晴はコーヒーを飲み干し、腰を上げた。

彼が下りていくと、廊下の途中にある電話台のそばに立ち、雪穂は話していた。その顔は少し深刻そうに見えた。だが彼が帰ることを合図すると、にっこりして会釈し、小さく手を振った。

「すごいですね、雪穂さん。英語の弁論大会に出るんですか」玄関まで見送りに出てくれた礼子に正晴はいった。

「さあ、私は全然聞いてないんですけど」礼子は首を傾げていた。

唐沢家を辞去した後、正晴は四天王寺前駅のそばにあるラーメン屋に入り、遅い夕食をとった。火曜日は、そうするのが習慣になっている。

餃子とチャーハンを食べながら店のテレビを見ていたが、ふと何気なくガラス窓越しに外を眺めた時、若い女性が一人、通りに向かって小走りに駆けてくるのが見えた。正晴は目を見張った。それは雪穂にほかならなかったからだ。

何事だろう、と彼は思った。彼女の表情にただならぬ気配を感じたからだ。彼女は通りに出ると、急いだ様子でタクシーを拾った。

時計の針は十時を指している。どう考えても、何か突発的なことがあったらしいとしか思えなかった。

心配になり、正晴はラーメン屋の電話を使って唐沢家にかけてみた。何度か呼び出し音が鳴った後、礼子が出た。

「あら、中道先生。どうかされました？」彼の声を聞き、彼女は意外そうに訊いてきた。緊迫した様子は感じられなかった。

「あの……雪穂さんは？」

「雪穂ですか。代わりましょうか」

「えっ？　今、そばにいらっしゃるんですか」

「いえ、部屋にいます。明日はサークルの用事があって、早朝に集合しなければならないとかで、早く寝るとかいってました。でも、たぶんまだ起きてるんじゃないかしら」

これを聞いた途端、ぴんときた。まずいことをしたらしいと気づいた。

「あっ、それなら結構です。この次にお邪魔した時、直接話します。急ぎの用ではありませんから」

「そうなんですか。でも……」

「いえ、本当に結構です。どうか、そのまま寝させてあげてください。お願いします」

「そうですか。じゃあ、明日の朝にでも電話があったことだけ伝えておきます」

「ええ。そうしてください。どうも夜分失礼しました」

正晴は急いで電話を切った。腋の下が汗でびっしょりになっていた。

たぶん雪穂は母親に内緒で、こっそり家を出たのだ。先程の電話が関係しているのかもしれない。彼女がどこへ行ったのかは大いに気になったが、邪魔はしたくなかった。

自分の電話のせいで雪穂の嘘がばれなければいいが、と彼は思った。

その心配は翌日解消された。雪穂から電話がかかってきたのだ。

「先生、昨夜電話をくださったそうですね。ごめんなさい。あたし、今朝サークルの早朝練習があったものだから、昨日はすごく早く寝ちゃったんです」

　この言葉を聞いて、どうやら礼子にはばれなかったらしいと察した。

「いや、別に用はなかったんだ。ただ、何かあったのかと思って、心配になってさ」

「何かあったのかって？」

「血相変えてタクシーに乗るところを見たからさ」

　案の定、彼女は一瞬絶句した。その後、低い声で訊いてきた。「先生、見てたんだ」

「ラーメン屋の中からね」正晴はくすくす笑った。

「そうだったんですか。でも、そのことは母には内緒にしてくれたんですね」

「ばれるとヤバそうだったからね」

「ええ、そう。ちょっとヤバい」彼女も笑っていた。

　そう深刻なことでもなかったのか、と彼女の様子から正晴は思った。

「一体何があったんだ？　その前の電話が関係ありと見ているんだけどな」

「先生、鋭い。その通り」そういってから彼女は声を低くした。「じつはね、友達が自殺未遂を起こしちゃったの」

「えっ、本当かい」

「彼氏にふられたショックで衝動的にやっちゃったみたい。それで仲間たちが急いで駆け付けたってわけ。でもこんなこと、おかあさんには話せないものね」

「だろうな。で、その友達は？」

「うん、もう大丈夫。あたしたちの顔を見たら、正気を取り戻したから」

「それはよかった」

「ほんとに馬鹿だよね。たかが男のことで死ぬなんて」

「そうだね」

「というわけで」雪穂は明るく続けた。「このことは内密にお願いします」

「うん、わかってるよ」

「じゃあ、また来週ね」といって彼女は電話を切った。

　あの時のやりとりを思い出すと、正晴は今も苦笑してしまう。彼女の口から、「たかが男のことで」などという台詞が飛び出すとは夢にも思わなかった。若い女の子の内面など、他人には想像もできないものだということを思い知った。

　大丈夫、あなたの娘さんはあなたが思っているほどやわではありませんよ――目の前にいる老婦人にそういいたかった。

　彼が麦茶を飲み干した時、格子戸の開けられる音が玄関のほうから聞こえた。

「帰ってきたようですね」礼子が立ち上がった。

正晴も腰を上げた。素早く庭に面したガラス戸に自らの姿を映し、髪形が乱れていないことをチェックする。

馬鹿野郎、何をどきどきしているんだ——ガラスに映った自分に活を入れた。

2

中道正晴は北大阪大学工学部電気工学科第六研究室で、グラフ理論を使ったロボット制御を卒業研究テーマに選んでいた。具体的には、一方向からの視覚認識のみで、その物体の三次元形状をコンピュータに推察させるというものだった。

彼が自分の机に向かってプログラムの手直しを行っていると、大学院生の美濃部《みのべ》から声をかけられた。

「おい、中道。これを見てみろよ」

美濃部はヒューレット・パッカード社製のパーソナル・コンピュータの前に座っていた。そのディスプレイ画面を見ながら正晴を呼んだのだ。

正晴は先輩の後ろに立ってモノクロの画面を見た。そこには細かい升目が並んだ三つの画像と、潜水艦を模した絵が映っていた。

この画面には見覚えがあった。『サブマリン』と、彼等が呼んでいるゲームだ。海底に潜んでいる相手方潜水艦を、極力早く撃沈しようとするものである。三つの座標に現れるいくつかのデータから、相手の位置を推測するというところが、このゲームの楽しみどころだ。もちろん攻撃に手間取っていると、敵にこちらの位置を悟られ、魚雷攻撃を受けることになる。

このゲームは、正晴たち第六研究室の学生と大学院生が、自分たちの研究の合間に作ったものだった。プログラムを組むのも、それを打ち込むのも、すべて共同作業で行った。いわば裏の卒業研究といえるものだ。

「これがどうかしたんですか」と正晴は訊いた。

「よう見てみろよ。俺らの『サブマリン』と、ちょっと違うやろが」

「えっ」

「たとえば、この座標を表す模様とか。それに潜水艦の形もちょっと違う」

「あれ？」正晴は目を凝らして、それらの部分を観察した。「そういえばそうですね」

「変やろ？」

「ええ。誰かがプログラムを書き換えたんですか」

「ところが、そうやないんや」

美濃部はコンピュータを一旦リセットすると、横に設置してあるカセットデッキのボタンを押し、中のテープを取り出した。このカセットデッキは音楽を聞くためのものではなく、パーソナル・コンピュータの外部記憶装置だった。平たい円形の磁気ディスクに記憶させる方式をＩＢＭがすでに発表しているが、パーソナル・コンピュータのレベルでは、まだカセットテープを記憶媒体として使うのが主流である。

「これを入れて、動かしてみたんや」美濃部はテープを正晴に見せた。

テープのレーベルには、『マリン・クラッシュ』とだけ書いてあった。手書きではなく、印刷されたもののようだ。

「マリン・クラッシュ？　何ですか、これ」

「三研の永田が貸してくれた」と美濃部はいった。三研とは第三研究室の略だ。

「どうしてこんなものを？」

「これや」

美濃部はジーンズのポケットから定期入れを取り出すと、さらにそこから折り畳まれた紙切れを引っ張り出した。雑誌の切り抜きのようだった。彼はそれを広げた。

パーソナル・コンピュータ用ゲーム各種通信販売いたします――そういう文字が目に飛び込んできた。

さらにその下に、製品名とそのゲームの簡単な説明文、そして価格を記した表が付けられている。製品は全部で三十種類ぐらいあった。価格は安いもので千円ちょっと、高いもので五千円強というところだ。

『マリン・クラッシュ』は表の中程にあった。ただし、他のものより太い文字が使われ、おまけに『面白度★★★★』と説明文にはある。太い文字で書かれているものは、他にも三つほどあるが、星が四つ並んでいるのはこれだけだった。販売主が、強く売ろうとしているのがよくわかる。

売っているのは、『無限企画』という会社だった。正晴は見たことも聞いたこともない社名だった。

「何ですか、これ？　こんな通信販売をしているところがあるんですか」

「最近時々見かける。俺はあんまり気にとめてへんかったけど、三研の永田は前から知ってたそうや。それでこの『マリン・クラッシュ』のゲーム内容が、俺らの作った『サブマリン』と似てるんで、気になってたらしい。で、知り合いに、ここへ注文して買《こ》うた者がおったから、試しに借りてみたんやて。そうしたらこのとおり、中身がそっくりやろ。びっくりして俺に知らせてくれたというわけや」

正晴は唸った。何がどうなっているのか、さっぱりわからなかった。

「どういうことでしょう」

「『サブマリン』は」といって美濃部は椅子にもたれた。

金具のきしむ音がぎしぎしと鳴った。「俺らのオリジナルや。まあ、正確にいうとマサチューセッツの学生が作ったゲームを下敷きにしてるんやけど、俺ら独自のアイデアで成り立っていることは間違いない。そんなアイデアを、全く別の人間が、別の場所で思いついて、しかも形にしてしまうなんていう偶然は、ちょっとありえへんのとちがうか」

「ということは……」

「俺らの中の誰かが、この『無限企画』っていう会社に、『サブマリン』のプログラムを流したとしか考えられへん」

「まさか」

「ほかにどういうことが考えられる？　『サブマリン』のプログラムを持ってるのは、作ったメンバーだけで、めったなことでは他人に貸さへんことになっているんやぞ」

美濃部に問われ、正晴は黙り込んだ。たしかに、ほかに考えられることなどなかった。現実に『サブマリン』の類似品が、こうして販売されているのだ。

「みんなを集めましょうか」と正晴はいってみた。

「その必要があるやろな。もうすぐ昼休みやから、飯を食うたらここに集まることにしょうか。全員から話を聞いたら、何かわかるかもしれへん。もっとも、張本人が嘘をつかへんかったら、の話やけどな」美濃部は口元を歪め、金縁の眼鏡を指先で少し上げた。

「誰かが抜けがけして、あれを業者に売ったなんて、とても考えられませんけど」

「中道がみんなを信用するのは勝手や。けど誰かが裏切ったのは確実やねんからな」

「わざとやったとはかぎらないんじゃないですか」

正晴の言葉に、大学院生は片方の眉を動かした。

「どういう意味や」

「本人が知らないうちに、誰かにプログラムを盗まれたということも考えられます」

「犯人はメンバーやのうて、その周りにいる人間というわけか」

「そうです」

犯人という言い方には抵抗はあったが、正晴は頷いた。

「どっちにしても、全員から話を聞く必要があるな」そういって美濃部は腕組みをした。

『サブマリン』の製作に関わったのは大学院生の美濃部を含めて六人だ。その全員が昼休みに第六研究室に集まった。

美濃部が事の次第を皆に報告したが、やはり誰もが心当たりはないといいきった。

「第一そんなことをしたら、こんなふうにばれるに決まってるやないですか。それがわからんほどあほやないですよ」四年生の一人は、美濃部に向かってこういった。

　また別の一人は、「どうせ売るなら、自分たちの手で売りますよ。みんなに相談してね。だって、そのほうが絶対に儲かるから」といった。

　プログラムを他人に貸さなかったか、という質問を美濃部がした。これについては三人の学生が、友達を遊ばせてやるために、短期間貸したといった。だがいずれも当人がその場におり、プログラムの複製を作る暇はなかったはずだと断言した。

「すると、あと考えられるのは、誰かのプログラムが勝手に持ち出されたということか」

　美濃部はいい、プログラムの入ったテープの管理について全員に尋ねた。だがそれを紛失したといった者はいなかった。

「全員、もういっぺんよう思い出してみてくれ。俺らでなかったら、俺らの周りにいる誰かが、勝手に『サブマリン』を売り飛ばしたということなんやからな。で、それを買い取った奴が、堂々とそれを売って商売しとるということや」美濃部は悔しそうな顔でそういい、皆を見回した。

　解散した後、正晴は自分の席に戻って、もう一度記憶を確認した。だが少なくとも自分のテープが誰かに持ち出された可能性はないという結論に達していた。彼は他のデータが入ったテープと一緒に『サブマリン』のテープも、ふだんは自宅の机の引き出しにしまっている。持ち出した時でも、常に手元からは離さなかった。研究室にすら放置したことは全くない。つまりほかの誰かが盗まれたとしか考えられなかった。

　それにしても、と彼は全く別の感想を今度のことで持っていた。自分たちが遊ぶ目的で作ったプログラムが、こんなふうに商売になるとは全く思わなかった。もしかしたらこれは、新しいビジネスなのかもしれない――。

3

　正晴が唐沢雪穂の生い立ちについて思い出したのは、礼子の話を聞いてから半月程が経った頃だ。中之島《なかのしま》にある府立図書館で、友人の調べものに付き合っている最中だった。友人というのはアイスホッケー部の同僚で垣内《かきうち》といった。彼はあるレポートを書くために、過去の新聞記事を調べていた。

「ははは、そうやそうや、あの頃や。俺もよう買いに行かされたわ、トイレットペーパー」垣内は広げた縮刷版を読み、小さな声でいった。机の上には十二冊の縮刷版が載っていた。昭和四十八年七月から四十九年六月までの分で、一か月ごとに一冊に纏《まと》めてある。

正晴は横から覗き込んだ。垣内が読んでいたのは、四十八年十一月二日の記事だ。大阪の千里ニュータウンのスーパーマーケットで、トイレットペーパーの売場に約三百人の客が殺到したとある。

いわゆるオイルショックの話だ。垣内は電気エネルギー需要について調査しているので、この時期のこういう記事にも目を通す必要があるのだろう。

「東京でもあったのか？　買い占め騒ぎ」

「あったよ。でも首都圏では、トイレットペーパーよりも洗剤じゃなかったかな。俺、何度もお袋に買いに行かされた覚えがある」

「ふうん、たしかにここに、多摩のスーパーで四万円分の洗剤を買《こ》うた主婦がおるて書いてあるわ。まさか、おまえのところのお母《か》んやないやろな」垣内がにやにやしていう。

馬鹿いうなよ、と正晴は笑って応えた。

自分はあの頃何をしていたかなと正晴は考えた。彼は当時高校一年だった。大阪に越してきてからまださほど間がなく、地域に慣れるのに苦労していた。

ふと雪穂は何年生だったのかなと考えた。頭の中で数えると、小学五年生ということになった。だが彼女の小学生姿というのは、あまりうまくイメージできなかった。

唐沢礼子の話を思い出したのは、その直後だ。

「事故で亡くなったんです。たしか雪穂が六年生になって、すぐの頃だったと思います。五月……だったかしら」

雪穂の実母に関する話だ。彼女が六年生ということは、昭和四十九年だ。

正晴は縮刷版の中から四十九年五月の分を選び、机の上で開いた。

『衆議院本会議　大気汚染防止法改正を可決』、『ウーマンリブを主張する女性ら優生保護法改正案に反対し衆院議員面会所で集会』といった出来事がこの月にはあったようだ。日本消費者連盟発足、東京都江東区にセブンイレブン一号店がオープンといった記事も目についた。

正晴は社会面を見ていった。やがて一つの小さな記事を見つけた。『ガスコンロの火が消えて中毒死　大阪市生野区』という見出しがついている。内容は次のようなものだ。

『二二日午後五時ごろ、大阪市生野《いくの》区大江西七丁目吉田ハイツ一〇三号室の飲食店員西本文代さん（三六）が部屋で倒れているのをアパートの管理会社の社員らが見つけ、救急車を呼んだが、西本さんはすでに死んでいた。生野署の調べでは、発見当時部屋にはガスが充満しており、西本さんは中毒死を起こしたと見られている。ガス漏れの原因については調査中だが、ガスコンロにかけたみそ汁がふきこぼれており、それにより火が消えたことに西本さんが気づかなかった可能性があるという。』

　これだ、と正晴は確信した。唐沢礼子から聞いた話とほぼ一致している。発見者に雪穂の名前が出てこないが、それは新聞社が配慮したのだろう。

「何を一所懸命に読んでるんや」垣内が横から覗き込んできた。

「いや、別に大したことじゃないんだけど」正晴は記事を指し、バイトで教えている生徒の身に起きた事件だということを話した。

　垣内はさすがに驚いたようだ。「へえ、新聞に載るような事件に関係してるとは、すごいやないか」

「俺が関係してるわけじゃないよ」

「けど、その子供を教えてるわけやろ」

「それはそうだけどさ」

　ふうん、と妙に感心したように鼻を鳴らしながら、垣内はもう一度記事を見た。

「生野区大江か。内藤の家の近所やな」

「へえ、内藤の？　本当かい」

「うん。たしかそうやった」

　内藤というのはアイスホッケー部の後輩だ。正晴たちよりも一学年下である。

「じゃあ今度、内藤に訊いてみるかな」正晴はそういいながら、新聞記事に記載されている吉田ハイツの住所をメモした。

　しかし彼がこのことで内藤に話をしたのは、それからさらに二週間後だった。四年生になれば、実質的にアイスホッケー部を引退しているため、めったに後輩たちと顔を合わせないのだ。正晴が部室を訪ねたのも、運動不足のせいで太りかけてきたため、少し身体を動かそうと思ったからだった。

　内藤は小柄で痩せた男だ。スケーティングの技術は高いものを持っているが、体重が少ないためにコンタクトプレーをするにしても当たりが弱い。要するに、あまり強い選手ではなかった。だがよく気がつくし面倒見もいいので、幹部職として主務を担当していた。

　グラウンドでのトレーニングの合間に、正晴は内藤に話しかけた。

「ああ、あの事故ですか。知ってますよ。ええと、何年前やったかなあ」内藤はタオルで汗を拭きながら頷いた。

「僕の家の、すぐ近くです。目と鼻の先というほどではないですけど、まあ歩いて行ける距離です」

「事故のこと、地元じゃわりと話題になったのか」正晴は訊いた。

「話題というかねえ、変な噂が流れたことがあったんです」

「変な噂？」

「ええ。事故やのうて自殺やないか、という噂です」

「わざとガス中毒死したっていうのか」

「はい」返事してから、内藤は正晴の顔を見返した。「何ですか、中道さん。あの事故がどうかしたんですか」

「うん、じつは知り合いが絡んでるんだ」

彼は内藤にも事情を説明した。内藤は目を丸くした。

「へええ、中道さんがあそこの子供を教えてるんですか。へええ、それはすごい偶然ですねえ」

「別に俺にとっては偶然でも何でもないよ。それより、もう少し詳しい話を教えてくれよ。どうして自殺だっていう噂が流れたんだ」

「さあ、そこまでは知りません。僕もまだ高校生でしたし」内藤はいったん首を傾げたが、すぐに何かを思い出したように手を叩いた。「あっ、そうや。もしかしたら、あそこのおっさんに訊いたら、何かわかるかもしれへん」

「あそこのおっさんって、誰だ」

「僕が駐車場を借りてる不動産屋のおっさんです。アパートでガス自殺をされて、えらい目に遭《お》うたことがあるというようなことを、前にいうてました。あれ、あそこのアパートのことと違うやろか」

「不動産屋？」正晴の頭の中で閃くものがあった。「それ、死体の発見者じゃないのか」

「えっ、あのおっさんがですか」

「死体を見つけたのは、アパートを貸してた不動産屋らしいんだ。ちょっとたしかめてくれないか」

「あ……それはかまいませんけど」

「頼むよ。もう少し詳しいことを知りたいんだ」

「はあ」

体育会において先輩後輩の関係は絶対的だ。厄介な頼み事をされて内藤は困惑したようだが、頭を掻きながら頷いた。


翌日の夕方、正晴は内藤の運転するカリーナの助手席に座っていた。内藤が従兄から三十万円で買い取った中古車だということだった。

「悪いな。面倒臭いことを頼んで」

「いや、僕は別に構いませんよ。どうせ家の近所ですし」内藤は愛想よくいった。

前日の約束を、後輩は即座に果たしてくれたらしかった。このカリーナ用の駐車場を仲介した不動産屋に電話し、五年前のガス中毒事件の発見者かどうかを確認してくれたのだ。その答えは、死体を発見したのは自分ではなく息子のほうだ、というものだった。その息子は現在、深江橋《ふかえばし》で別の店を出しているらしい。深江橋は東成《ひがしなり》区であり、生野区よりも少し北にある。簡単な地図と電話番号を書いたメモが、今は正晴の手の中にある。

「けど、中道さんはやっぱり真面目ですねえ。やっぱりあれでしょ。教え子のそういう生い立ちのことも知っておいたほうが、家庭教師で教える上で役に立つということでしょ。僕はバイトでは、とてもそこまで出来ませんわ。もっとも、僕に家庭教師のくちは来ませんけど」内藤は感心したようにいった。彼なりに納得しているようなので、正晴は何もいわないでおいた。

じつのところ、自分でも何のためにこんなことをしているのかよくわからなかった。もちろん彼は自分が雪穂に強くひかれていることを自覚している。しかし、だからといって彼女のすべてを知りたいと思っているわけではなかった。過去のことなどどうでもいいというのが、ふだんの彼の考え方だった。

たぶん現在の彼女を理解できていないからだろうなと彼は思った。身体が触れるほど近くにいながら、そして親しげに言葉を交わしていながら、彼女の存在をふっと遠くに感じることがあるのだ。その理由がわからなかった。わからずに焦っている。

内藤がしきりに話しかけてきた。今年入った新入部員のことだ。

「どんぐりの背《せい》比べというところですわ。経験者が少ないですから、やっぱり今度の冬が勝負です」自分の取得単位数よりもチームの成績のほうが気になるという内藤は、少し渋い顔でいった。

中央大通と呼ばれる幹線道路から一本内側に入ったところに、田川不動産深江橋店はあった。阪神高速道路高井田出入口のそばである。

店では痩せた男が机に向かって書類に何か記入しているところだった。見たところ、ほかに従業員はいないようだ。男は二人を見て、「いらっしゃい。アパート？」と訊いてきた。部屋探しの客だと思ったらしい。

内藤が、吉田ハイツの事故について話を聞きたくて来たという意味のことをいった。

「生野の店のおっちゃんに訊いたら、事故に立ち会《お》うたんは、こっちの店長やと教えてくれはったんです」

「ああ、そうやけど」田川は警戒する目で、二人の若者の顔を交互に見た。「今頃なんでそんな話を聞きたいんや」

「見つけた時、女の子が一緒だったでしょ」正晴はいった。「雪穂という子です。その頃の名字は西本……だったかな」

「そう、西本さんや。おたく、西本さんの親戚の人？」

「雪穂さんは、僕の教え子なんです」

「教え子？　ああ、学校の先生かいな」田川は納得したように頷いてから、改めて正晴を見た。「えらい若い先生ですな」

「家庭教師です」

「家庭教師？　ああ、そうか」田川の視線に見下したような色が浮かんだ。「どこにいるの、あの子。母親が死んでしもうて、身寄りがなくなったんやなかったかな」

「今は親戚の人の養女になってますよ。唐沢という家ですけど」

「ふうん」田川はその名字に関心はないようだった。

「元気にしてるんかな。あれ以来、会《お》うてへんけど」

「元気ですよ。今、高校二年です」

「へえ。もうそんなになるか」

田川はマイルドセブンの箱から一本抜き取り、口にくわえた。それを見て、意外にミーハーなところがあるらしいと正晴は思った。マイルドセブンが発売されたのは二年ちょっと前だが、味が悪いという評価のわりに、新しもの好きの若者を中心にうけている。正晴の友人も、大半がセブンスターから乗り換えた。

「で、あの子があの事件のことでおたくに何かいうたんか」煙をひと吐きしてから田川は訊いた。この男は相手が年下だと見ると、横柄な口調になるらしい。

「田川さんには、いろいろと世話になったといってましたよ」

無論、嘘だ。雪穂とは、この話をしたことはない。できるはずがなかった。

「まあ、世話というほどでもないけどな。とにかくあの時はびっくりした」

田川は椅子にもたれ、両手を頭の後ろで組んだ。そして西本文代の死体を見つけた時のことを、かなり細かいところまで話し始めた。ちょうど暇を持て余していたところだったのかもしれない。おかげで正晴は事故の概要を、ほぼ摑むことができた。

「死体を見つけた時よりも、その後のほうが面倒やったな。警察からいろいろと訊かれてなあ」田川は顔をしかめた。

「どんなことを訊かれたんですか」

「部屋に入った時のことや。俺は、窓を開け放して、ガスの元栓を閉めた以外には、どこにも触ってないっていうたんやけど、何が気に入らんのか、鍋に触れへんかったかとか、玄関には本当に鍵がかかってたかとか訊かれてなあ、あれはほんまに参ったで」

「鍋に何か問題でもあったんですか」

「よう知らん。味噌汁がふきこぼれたんなら、鍋の周りがもっと汚れてるはずやとかいうてたな。そんなこといわれたかて、事実ふきこぼれて火が消えとったんやからしょうがないわな」

　田川の話を聞きながら、正晴はその状況を思い浮かべていた。彼もインスタントラーメンを作る時など、うっかりして鍋の湯をふきこぼしてしまうことがある。そんな時、たしかに鍋の周りは汚れてしまう。

「それにしても、そんなふうに家庭教師までつけてくれる家にもらわれていったんやったら、結果的にあの子にとってはよかったんやないか。あんな母親と暮らしてたんでは、苦労するばっかりやったと思うしな」

「何か問題のある人だったんですか」

「人間的に問題があったかどうかはわからんけど、何しろ生活が苦しかったはずや。うどん屋か何かで働いてたようやけど、家賃を払うのがやっとやったんじゃないか。その家賃にしても、なんぼか溜まってたしな」田川は煙草の煙を宙に向かって吐いた。

「そうなんですか」

「そんな苦労をしてたせいかもしれんけど、あの雪穂ていう子も、妙に醒めたところがあった。何しろ母親の死体を見つけた時も、涙一つ見せへんかったんやからな。あれはちょっとびっくりしたで」

「へえ……」

　正晴は意外な気持ちで不動産屋の顔を見返した。文代の葬式では、雪穂はわあわあ泣いたという話を、礼子から聞かされていたからだった。

「あれは一時、自殺やないかっていう説も出ましたよね」内藤が横から口を挟んだ。

「ああ、そうやったな」

「どういうことですか」正晴は訊いた。

「そう考えたほうが筋が通るということが、いくつかあったらしいわ。俺のところへ何遍もやって来た刑事から聞いた話やけどね」

「筋が通るって？」

「何やったかな。もうだいぶ前のことやから、忘れてしもたなあ」田川はこめかみのあたりを押さえていたが、やがて顔を上げた。「ああ、そうや。西本の奥さん、風邪薬を飲んでたんやった」

「風邪薬？　それがどうかしたんですか」

「ふつうの量ではなかったんや。空き袋から考えると、一回にふつうの五倍以上飲んだ形跡があったらしい。たしかあの時は解剖もされて、そのことが裏づけられたとかいう話やった」

「五倍以上……というのはおかしいですね」

「眠るために飲んだんやないかと警察では疑うたわけやな。ガスを出して、睡眠薬を飲むという自殺方法があるやろ？　睡眠薬はなかなか手に入らへんから、風邪薬で代用したんと違うかと考えたわけや」

「睡眠薬代わり……か」

「かなり酒を飲んだ形跡もあったらしいで。カップ酒を空けたやつが、ゴミ箱に三つほど入ってたそうや。あの奥さん、ふだんは殆ど酒を飲まへんかったという話やから、これもまた眠るためと考えられるやろ？」

「そうですね」

「ああ、そうや。それから窓のことがある」記憶が蘇ってきたせいか、田川は雄弁になってきた。

「窓？」

「部屋の鍵が全部かかってたのはおかしい、という意見があったようや。あの部屋の台所には換気扇がついてなかったから、炊事をする時には窓を開けるのがふつうやないかというわけや」

　田川の話に正晴は頷いた。そういわれれば、なるほどそうだ。

「でも」と彼はいった。「うっかりしていた、ということもありえますよね」

「まあな」田川は頷いた。「せやから、自殺説を強力に押すほどの根拠とはいわれへん。風邪薬やカップ酒にしてもそうや。ほかに説明がつかんわけやない。それに何より、あの子の証言があったしな」

「あの子というのは……」

「雪穂ちゃんや」

「どういう証言ですか」

「別にさほど特別なことはいうてへん。おかあさんは風邪をひいてたて証言しただけや。寒気がする時には日本酒を飲むこともあったともいうてた」

「あ、そういうことですか」

「刑事なんかは、それにしてもあの薬の量はおかしいというてたけれど、どういうつもりで飲んだのかは、死んだ本人に尋ねてみんことにはわからんしな。それに自殺するのに、わざわざ鍋の味噌汁をふきこぼすなんちゅうことはせんやろ。まあ、そういうようなわけで、結局事故ということで片づいたわけや」

「警察は、その鍋のふきこぼしにも疑問を持ってたんですかね」

「さあな、どうなんかなあ。まあ、そんなことはどっちでもええことや」田川は短くなったマイルドセブンを、灰皿の中でもみ消した。「警察の話では、発見があと三十分早かったら助かったかもしれんということやった。自殺にしろ事故にしろ、あの人は死ぬ運命にあったということと違うか」

彼が話し終えるのとほぼ同時に、正晴たちの後ろから客が入ってきた。中年の男女だった。いらっしゃい、と田川は新たな客を見て声をかけた。営業用の愛想笑いになっていた。もうこれ以上は自分たちに付き合ってくれることはないだろうと思い、正晴は内藤に目配せして店を出た。

4

やや栗色を帯びた長い髪が、雪穂の横顔を隠した。彼女はそれを左の中指で耳にかけ直したが、何本かは残った。こんなふうに髪をかきあげるしぐさが、正晴は大好きだった。白く滑らかな頰を見ていると、思わずキスしたくなる衝動に駆られる。初めて彼女の家庭教師をした時からそうだった。

空間上の二つの面が交わった時に出来る直線の式を求める、という問題に雪穂は取り組んでいた。解き方は教えてあるし、彼女も理解している。彼女が持っているシャープペンシルは、殆ど動きを止めることはなかった。

制限時間をたっぷり残して、「できました」といって彼女は顔を上げた。正晴はノートに書かれた数式を念入りに見た。数字や記号の一つ一つが丁寧に書かれていた。答えのほうも間違いがなかった。

「正解だよ。完璧だ。文句のつけようがない」雪穂の顔を見ながら彼はいった。

「ほんとう？　うれしい」彼女は胸の前で小さく手を叩いた。

「空間座標については、ほぼ理解したようだね。この問題が出来れば、後は全部この応用と考えてもいい」

「じゃあ、ちょっと休憩しません？　新しい紅茶を買ってきたの」

「いいよ。少し疲れただろうからね」

雪穂は微笑み、椅子から立ち上がると、部屋を出ていった。

正晴は彼女の机の横に座ったまま、部屋の中を見回した。彼女がお茶を淹れに行った時は、こんなふうに一人で取り残されるわけだが、この時間が、彼としては極めて落ち着かなかった。

本音をいうと、部屋のあちこちを探索してみたい気持ちがある。小さな引き出しを開けたいし、本棚に挟んであるノートを開いてもみたい。いや、雪穂が使っている化粧品の銘柄を知るだけでも、かなりの満足度が得られるはずなのだ。しかし動き回ったり、部屋のものに触れたことが、万一彼女にばれた時のことを考えると、じっとしているしかなかった。彼女に軽蔑されたくはなかった。

こんなことならあの雑誌を持ってくれればよかったなと彼は思った。今朝、駅の売店で男性向けファッション雑誌を買ったのだ。だが雑誌を入れたスポーツバッグは、一階の玄関を上がったところに置いてある。汚れているうえに、アイスホッケー部にいた頃使っていた巨大なバッグなので、雪穂を教えている間は下に置いておくことが習慣になっている。

仕方なく彼は、ただ室内を眺めることになった。本棚の前に、ピンク色をした小型のラジカセが置いてある。そばにはカセットテープが数本積まれていた。

正晴は腰を浮かせ、カセットのレーベルをたしかめた。荒井由実、オフコースという文字が見えた。

彼は椅子に座り直した。カセットテープから、全く別の連想を始めていた。例の『サブマリン』のことだ。

美濃部を中心に、今日も情報交換を行ったが、どこからプログラムが流出したのかは全くわからなかった。また美濃部は、テープを販売している『無限企画』という会社に電話したらしいが、何も収穫はなかったという。

「どうやってプログラムを入手したのかって訊いてみたんやけど、そういうことには答えられへんの一点ばりや。電話に出たのは女やったから、技術の人間に代わってくれというたんやけど、けんもほろろというやつや。たぶん確信犯やな。カタログに載ってたほかの商品も、どこかでパクってきたプログラムと違うか」

「直接会社に行ってみたらどうでしょう」正晴は提案してみた。

「意味はないな。たぶん」即座に美濃部は却下した。「プログラムが盗まれたと騒いだところで、相手にしてもらわれへんやろ」

「『サブマリン』を持っていって、見せたら?」

それでも美濃部は首を振った。

「『サブマリン』のほうがオリジナルやという証拠がどこにある? 『マリン・クラッシュ』を真似て作ったんやろといわれたらそれまでや」

彼の話を聞いているうちに、正晴は頭をかきむしりたくなってきた。

「そんなことをいったら、いくらでもプログラムを盗んで商売ができるじゃないですか」

「そういうことや」美濃部は冷めた顔でいった。「いずれはこの分野でも著作権というものが必要になるやろな。じつをいうと、法律に詳しい友達に、今度のことを話してみたんや。で、俺らのプログラムが盗まれたことを証明できたとして、どの程度まで賠償請求できるかと訊いてみたところ、そいつの答えはノー、つまりそれは難しいという答えやった。何しろ判例がないからな」

「そんな……」

「だからこそ、俺は犯人を見つけだしたい。見つけたら、ただではすまさへん」美濃部は凄みのある声でいった。

犯人を見つけたとしても、一、二発殴るぐらいしかできないのかと、正晴は空しい思いがした。そして、プログラムを盗まれるようなドジなことをしたのは誰だろうと、仲間たちの顔を思い浮かべた。そいつにも恨み言をいいたいところだった。

プログラムというのは財産なんだな――正晴は改めてそう思った。これまではあまりそんなふうに意識したことはなかった。自分にとって大切なものだから取り扱いに気をつけてはきたが、他人から盗まれることを想定したことは殆どない。

美濃部は、これまでに『サブマリン』を見せた相手、『サブマリン』について話した相手を列挙しようと提案した。「『サブマリン』のプログラムを盗もうと思いつくからには、『サブマリン』について知っていたということやからな」というわけである。

全員が、思いつくかぎり名前を挙げていった。その数は数十人に上った。研究室の人間、サークルやクラブの仲間、高校時代の友人、いろいろだ。

「この中に、『無限企画』と何らかの形で繫がってる人間がおるはずなんや」美濃部はそういって名前の並んだレポート用紙を見つめ、ため息をついた。

彼がため息をつく理由が正晴にもよくわかった。繫がっていたとしても、それは直接とはかぎらない。この数十人から、さらに枝分かれしていることも考えられた。その場合には、現実的に追跡調査は不可能だった。

「各自、自分が『サブマリン』のことを話した相手に当たってみることにしようや。どこかで絶対に手がかりが見つかるはずや」

美濃部の指示に仲間たちは頷いた。だが頷きながら正晴は、そんなことで果たして見つけられるだろうかという気もしていた。

彼自身は、『サブマリン』のことを他人に話したことは殆どない。彼にとってはゲーム作りも研究の一環であり、そういう専門の話など、門外漢にはつまらないだろうと思うからだ。ゲーム自体の面白さも、インベーダーゲームには足元にも及ばない。

ただ、一度だけそういうゲーム作りの話を、全くの部外者に話したことはある。その相手は、ほかならぬ雪穂だった。

「先生は大学でどんな研究をしているの？」

このように訊かれ、まずは卒業研究のことを話した。だが画像解析やグラフ理論の話が高校二年生の娘にとって面白いはずがない。雪穂は露骨につまらなさそうな顔はしなかったが、明らかに途中で退屈し始めた。そこで彼女の気をひこうとゲームの話をした。途端に彼女は目を輝かせた。

「わあ、面白そう。どんなゲームを作ってるの？」

正晴は紙に『サブマリン』の画面の絵を描き、ゲームの内容を説明した。雪穂は真剣に聞き入っていた。

「へえ、すごいなあ。先生は、そんなすごいものが作れるんですねえ」

「俺一人で作ったわけじゃないよ。研究室の仲間たちと作ったんだ」

「だけど、仕組みは理解してるわけでしょ」

「それはまあね」

「じゃあ、やっぱりすごい」

雪穂に見つめられ、正晴は心が熱くなるのを感じた。彼女に尊敬の言葉をかけられることは、最大の喜びだった。

「そのゲーム、あたしもやってみたいな」彼女はいった。

その願いを叶えてやりたかった。だが彼自身はコンピュータを持っていなかった。研究室にはあるが、彼女を連れていくわけにはいかない。そのことをいうと、彼女はがっかりした表情を見せた。

「なんだ、残念だな」

「どこかにパーソナル・コンピュータがあればいいんだけどね。だけど俺の友達でも持っているやつはいない。高いからね」

「それがあればできるの？」

「できるよ。テープに記録したプログラムを入れてやればいい」

「テープ？　どんなテープ？」

「ふつうのカセットテープだよ」

正晴は記憶媒体としてテープが使われていることを雪穂に説明した。彼女はなぜかそんなことに興味を示した。

「ねえ先生、そのテープを一度見せてくれない？」

「えっ、テープを？　そりゃあいいけどさ、見たって仕方ないぜ。だってふつうのカセットテープなんだから。君が持ってるのと同じだよ」

「いいから、一度見せて」

「ふうん。まあいいよ」

たぶん雪穂は、コンピュータに使うほどのものだから、何か少しぐらいは違ったところがあると思ったのだろう。がっかりされるのを承知で、正晴はその次の時にテープを家から持ってきた。

「へえ、本当にふつうのカセットテープなんだね」プログラムを収めたテープを手に取り、彼女は不思議そうな顔をした。

「だからそういったじゃないか」

「このテープに、そういう使い途《みち》があるなんて初めて知った。ありがとう」雪穂はテープを彼に返した。「大事なものなんでしょ。忘れるといけないから、今すぐバッグに入れてきたほうがいいよ」
「ああ、そうだな」たしかにそのとおりだと思い、正晴は部屋を出て、一階に置いてあるバッグの中にテープをしまった。

雪穂とプログラムの関わりはそれだけである。以後、彼女のほうから『サブマリン』の話をしてきたことは一度もない。また彼も、それを話題にしたことはなかった。

以上のことは、美濃部たちにも話していなかった。話す必要がないからだ。雪穂がプログラムを盗んだ可能性など、かぎりなくゼロに等しいと確信している。というより、はじめから全く考えていない。

もちろん雪穂がその気になれば、あの日スポーツバッグからテープを抜き取ることはできただろう。トイレに立つふりをして、こっそり一階に行けばいい。

だがそれからどうする？　盗み出すだけではいけないのだ。ばれないためには、二時間でそのテープの複製を作り、元のテープをバッグに戻しておかねばならない。無論設備さえあればそれは可能だ。しかしこの家にパーソナル・コンピュータが置いてあるとは思えなかった。テープの複製を作るのは、オフコースのテープをダビングするようなわけにはいかないのだ。

彼女が犯人というのは、空想としては面白いけれどな——そんなふうに考え、正晴は頰を緩めた。

ちょうどその時ドアが開いた。
「どうしたの、先生。にやにやして」トレイにティーカップを載せた雪穂が笑いながらいった。
「いや、なんでもないんだ」正晴は手を振った。「いい匂いだね」
「ダージリンよ」

彼女が机の上にティーカップを並べて置いたので、一つを彼は取り上げた。そして一口啜って机に戻す時、手元が狂ってジーンズに少しこぼしてしまった。
「わっ、ドジだな」

あわててポケットからハンカチを取り出した。その時一緒に、二つ折りにした紙が一枚、床に落ちた。
「大丈夫？」雪穂が心配そうに訊いた。
「平気さ。どうってことない」
「これ、落ちたけど」そういって彼女は床に落ちた紙を拾った。そしてそれを見た瞬間、アーモンド形の彼女の目が、さらに大きく開かれた。
「どうした？」

雪穂はその紙を正晴のほうに差し出した。そこには略地図と電話番号が書いてある。さらに田川不動産と記してある。内藤が生野店の店主から書いてもらってきたメモを、正晴はポケットに入れたままにしていたのだ。

　しまった、と彼は心の中で唇を噛んだ。

「田川不動産って、生野区にある、あの田川不動産？」彼女は訊いた。表情が強張っていた。

「いや、生野区じゃない。東成区だよ。ほら、深江橋って書いてあるだろ」正晴は地図を見せていった。

「でもそこ、生野区にある田川不動産の支店か何かだと思うよ。あの店、お父さんと息子さんがいたから、たぶん息子さんが店を出したんだね」

　雪穂の推理は当たっていた。正晴は狼狽を顔に出さぬよう気をつけながら、「へえ、そうなのか」といった。

「先生、どうしてそこに行ったの？　部屋でも探してるの？」

「いや、友達に付き合っただけだよ」

「そう……」彼女は遠くを見る目をした。「変なこと思い出しちゃった」

「変なこと？」

「あたしが前に住んでたアパートを管理してたのが、生野区にある田川不動産なの。あたし、前は生野区の大江にいたの」

「ふうん」正晴は彼女の顔を見ないで、ティーカップに手を伸ばした。

「あたしのおかあさんが死んだ時の話、先生、知ってる？　本当のおかあさんのほうだけど」彼女の声は落ち着いていた。いつもより、低く聞こえた。

「いや、知らないな」カップを持ったまま、彼は首を横に振った。

　すると彼女はくすりと笑った。

「先生、芝居が下手」

「いや……」

「わかってる。この前あたしが遅れた時、おかあさんとずいぶん長いこと話をしてたそうじゃない。その時に聞いたんでしょ？」

「いや、まあ、少しね」彼はカップを置き、頭を掻いた。

　今度は雪穂が自分のティーカップを持ち上げた。二口三口紅茶を飲んだ後、ふうーっと長い吐息をついた。

「五月二十二日」と彼女はいった。「それが母の死んだ日。一生忘れない」

　正晴は黙って頷いた。頷くことぐらいしかできなかった。

「ちょっと肌寒い日だった。だから母の編んでくれたカーディガンを着て、学校に行ったの。あのカーディガン、今でもしまってある」

　彼女は整理ダンスのほうに目を向けた。たぶんその中に、辛い思い出の品が入っているのだろう。

「ショックだったただろうね」正晴はいった。何かいわねばと思ったからだが、何というつまらないことを訊いてしまったのだろうと、直後に後悔した。

「夢を見てるみたいだった。もちろん悪夢のほうだけど」雪穂はぎこちなく笑ってから、また元の悲しげな表情に戻った。「あの日、学校が終わってから、友達と遊んじゃったの。それで、帰るのが少し遅くなったの。遊ばなかったら、一時間ぐらい早く帰れたかもしれない」

彼女のいいたいことが、正晴にもなんとなくわかった。その一時間というのには、重大な意味があるのだ。

「もしそうしていたら……」雪穂はいったん唇を噛んでから続けた。「そうしていたら、たぶんおかあさんは死なずに済んだと思う。それを思うと……」

彼女の声が涙声に変わっていくのを、正晴は身体を固くして聞いていた。ハンカチを出そうかと思ったが、手を動かすきっかけがつかめなかった。

「まるであたしが殺したように思うこともあるの」と彼女はいった。

「そんなふうに考えるのはよくないよ。だって、知ってて家に帰るのが遅れたわけじゃないじゃないか」

「そういう意味じゃないの。おかあさんはね、あたしに苦労させないために、すごく大変な思いをしていたの。だからあの日もくたびれて、あんなことになってしまったんだと思う。あたしがもうちょっとしっかりして、おかあさんに苦労させなければ、あんなひどいことにはならなかったと思う」

大粒の涙が白い頬をつたっていくのを、正晴は息を詰めて見つめていた。無性に彼女を抱きしめたくなったが、ここでそんなことができるはずもなかった。

俺は馬鹿だ、と正晴は心の中で自分を罵倒していた。不動産屋の田川から事件の概要を聞いて以来、じつにおぞましい想像が、ずっと彼の脳裏に潜み続けていたからだった。

その想像とは、真相はやはり自殺だったのではないか、というものだった。

過剰な量の風邪薬の空き袋、カップ酒、不自然に施錠された窓、いずれも自殺と考えたほうがすっきりする話だ。それを阻んでいるのは、ふきこぼれた鍋だけである。

だがその鍋は、ふきこぼれたわりには周りが汚れていなかったと警察ではいっているらしい。

そこで正晴が考えたのは、実際には自殺であったが、何者かが鍋の味噌汁をこぼし、事故死に見せかけたのではないか、ということだ。

ここでの何者かとは、雪穂以外には考えられない。風邪薬やカップ酒の不自然さについて彼女が説明しているという点とも辻褄が合う。

ではなぜ事故死に見せかけたのか。それは世間体を気にしたからだ。今後の人生を考えた場合、母親が自殺したというのは、マイナスイメージにしかならない。

ただし、この想像には恐ろしい疑問がつきまとう。

雪穂が最初に母親を発見した時、彼女はすでに死んでいたのか、それともまだ助かる段階だったのか、ということである。

田川はいっていた。あと三十分発見が早ければ助かったらしい、と。

当時雪穂には、すでに唐沢礼子という頼るべき人物がいた。もしかしたら雪穂は付き合ううちに、じつの母親に何かあった場合には、この上品な婦人に引き取ってもらえるかもしれないという手応えを感じていたかもしれない。となると、西本文代が瀕死の状態にあるのを見つけた場合、雪穂はどう行動しただろう。

この想像のおぞましいところは、まさにこの点にある。だからこそ正晴は、これ以上推理を進めるのはやめることにした。しかし、ずっと頭から離れなかったのも事実だ。

今、彼女の涙を見ているうちに、自分がいかにひねくれた精神の持ち主であるかを、正晴は痛感していた。この娘に、そんなことができるわけがないではないか。

「君のせいじゃないよ」彼はいった。「君がそんなふうにいったら、天国のおかあさんだって悲しむよ」

「あの時に、あたしが鍵さえ持っていればって思うの。それなら不動産屋さんに行ったりしなくてもよくて、もっと早くに見つけてあげられたはずだもの」

「運が悪かったんだ」

「だからあたし、今では絶対に家の鍵を離さないことにしているの。ほらこんなふうに」

雪穂は立ち上がり、ハンガーにかけてある制服のポケットから、鍵を取り出して見せた。

「古いキーホルダーだね」と正晴はそれを見ていった。

「そうでしょ。これ、あの時にも鍵に付けてあったの。でもあの日にかぎって、家に置き忘れてたのよ」そういって彼女は鍵を元の場所に戻した。

その時、キーホルダーについていた小さな鈴が、ちりんと鳴った。

第五章

1

喧噪は駅を出た時から始まっていた。

男子大学生たちが、競うようにチラシを配っている。よろしくお願いします、××大学テニスサークルです――ずっと声を張り上げているせいか、誰もがハスキーボイスになっていた。

川島江利子は、無事、チラシを一枚も受け取ることなく駅の外に出られた。そして、一緒に来た唐沢雪穂と顔を見合わせて笑った。

「すごいね」と江利子はいった。「よその大学からも勧誘に来てるみたい」

「あの人たちにとっては、今日が一年で一番大切な日なのよ」と雪穂は答えた。「でも、こんなところでチラシを配ってるようなのに引っかかっちゃだめよ。あんなのは下っ端なんだから」そして彼女は長い髪をかきあげた。

清華女子大学は豊中市にある。学舎は、古い屋敷などが残る住宅地の中に建てられていた。文学部と家政学部、それから体育学部があるだけなので、ふだんは道を行き来する学生数もさほどではない。しかも当然のことながら女子学生ばかりなので、道端で騒いだりすることもないはずだった。だが今日にかぎっていえば、この近辺に住んでいる人々は、大学がそばにあることを疎ましく思っているに違いないと江利子は思った。清華女子大学と最も交流が多いとされる永明《えいめい》大学などから、自分たちのクラブやサークルに新鮮で魅力的なメンバーを入れようと、男子学生たちが大挙して押しかけてきているからだ。彼等は通学路をものほしそうな目で徘徊し、これはと思う新入生を見つけては、所構わず勧誘を始めていた。

「幽霊部員でいいよ、コンパの時だけ来てくれれば。部費だっていらない」というような台詞が、あちこちで飛び交っていた。

江利子たちも、歩けばたった五分で到達できるはずの正門まで行くのに、二十分以上を要した。もっとも、しつこく勧誘してくる男子学生たちの狙いが雪穂のほうにあることは江利子も十分に承知していた。そんなことは中学で同じクラスになった時から慣れっこだった。

勧誘合戦は、正門をくぐると一段落した。江利子と雪穂は、とりあえず体育館に行った。そこで入学式が行われるからだった。

中にはパイプ椅子が並べてあり、列の一番前に学科名を書いた札が立てられていた。二人は英文科の席に並んで腰を下ろした。この学科の新入生は約四十名いるはずだが、その半分も席は埋まっていなかった。入学式は、特に出席が義務づけられていない。多くの新入生たちは、この後に行われるクラブ、サークル紹介に間に合うように出てくるのだろうと江利子は予想した。

　入学式は学長や学部長の挨拶だけで構成されていた。眠気に耐えるのが苦痛なほど、つまらない話ばかりだった。江利子は欠伸を噛み殺すのに苦労した。

　体育館を出ると、キャンパスには机が並べられ、各クラブやサークルの部員たちが大声で新入部員を誘っていた。中には男子学生の姿もある。どうやら合同で活動している永明大学の学生たちらしかった。

「どうする？　どこかに入る？」歩きながら江利子は雪穂に尋ねた。

「そうねえ」雪穂はそれぞれのポスターや看板を眺めている。全く関心がないわけでもなさそうだった。

「テニスとかスキーのサークルが多いみたいだけど」江利子はいった。実際二つに一つが、このどちらかだった。正式なクラブでも同好会でもない、単にテニスやスキーが好きな者が集まったというだけのグループばかりだ。

「そういうのには、あたし、入らない」雪穂はきっぱりといった。

「そう？」

「だって、日に焼けちゃうもの」

「ああ、そりゃそうだろうけど……」

「知ってる？　肌というのは、すごく記憶力がいいの。その人が浴びてきた紫外線の量を、きちんと覚えているんだって。だから日焼けして黒くなった肌が、たとえ白く戻ったとしても、歳をとってから、そのダメージが現れるの。要するにシミになるわけ。日焼けできるのは若いうちだけなんていうけど、本当は若いうちだってだめなのよ」

「へえ、そうなの」

「でも気にしないでね。江利子がスキーやテニスをしたいっていうなら、それを止めたりしないから」

「ううん、別にしたいわけじゃない」江利子はあわてて首を振った。

　その名が暗示している、雪のように白い親友の肌を見て、それぐらい気をつけて守るだけの価値があるだろうと彼女は思った。

　こんなふうに話している間も、ケーキにたかる蠅のように、男子学生が次々に寄ってきた。テニス、スキー、ゴルフ、サーフィン――よりによって日焼けを逃れられないものばかりで江利子はおかしかった。当然のことながら、雪穂が彼等の話に耳を傾けることはない。

　その雪穂が足を止めた。猫のように少しつり上がった目を、彼女はあるサークルのポスターに向けていた。

　江利子も同じ方向を見た。そのサークルが置いている机の前で、新入生らしき娘が二人、部員たちの話を聞いているところだった。部員たちは他のサークルのようなスポーツウェアを着ていなかった。女子部員も、永明大学から来ていると思われる男子部員も、濃い色の上着を羽織っていた。皆、他のサークルにいる学生よりも大人びて見えた。また、垢抜けてもいた。

　ソシアルダンス部、とポスターには書いてある。括弧がついていて、永明大学合同、と但し書きがしてあった。

　雪穂のような美女が立ち止まったことに男子部員たちが気づかぬはずはなく、早速その中の一人が近づいてきた。

「ダンスに興味があるんですか」彫りが深く、ハンサムといえぬこともない学生は、歯切れのいい口調で雪穂に問いかけた。

「少しだけ。でも、やったことないんです。それに何も知らないし」

「誰だって最初は初心者だよ。大丈夫、ひと月もすれば踊れるようになる」

「見学できるんですか」

「もちろんだよ」そういうと学生は、雪穂を受付の机の前まで連れていった。そしてそこで待ち受けている清華女子大の女子部員に、彼女のことを紹介した。それから彼は振り向いて江利子にいった。「君も、どう？」

「いえ、あたしは結構です」

「そう」

　江利子を誘ったのは単なる儀礼だったらしく、彼はすぐに雪穂のところへ戻っていった。せっかく自分が獲得してきたのに案内役をほかの者に取られてはならないと焦っているのだろう。実際、すでに別の男子学生三人が雪穂の周りに集まっていた。

「見学だけでもすれば？」

　ぼんやりと立っていた江利子の耳元に、誰かが話しかけてきた。彼女はびっくりして横を見た。背の高い男子学生が彼女を見下ろしていた。

「あっ、いえ、あたしはいいんです」江利子は顔の前で手を振った。

「どうして？」長身の学生は笑いながら尋ねてきた。

「だって……ダンスなんて、あたしの柄じゃないですから。あたしがダンスなんかを始めたら、家族が腰を抜かします」

「柄なんてのは関係ないよ。君の友達が見学に参加するんだろう？　だったら一緒に覗いてみたらいいじゃないか。見るのはタダだし、見学したからって強制的に入部させたりはしないからさ」

「え、でも、やっぱりだめです」

「ダンスはしたくないの？」

「そうじゃないんです。ああいうこと、できたら素敵だなって思います。でも、あたしには無理です。だめです、きっと」

「どうしてかなあ」長身の学生は怪訝そうに首を傾げた。だがその目は笑っていた。

「だって、あたし、すぐに酔っちゃうんです」

「酔う？」

「車とか船とかに、です。とにかく揺れるものに弱いんです」

彼女の言葉に、彼は眉を寄せた。

「わからないな。そのこととダンスと、どういう関係があるの？」

「だって」江利子は声をひそめて続けた。「ソシアルダンスって、女の人が男の人に、ぶんぶん振り回されたりするじゃないですか。『風と共に去りぬ』で、喪服姿のスカーレットが、レット・バトラーと踊るシーンがあるでしょう？　あれなんか、見ているだけで目が回っちゃうんです」

江利子は真面目に話しているつもりなのだが、相手の学生は途中から吹き出していた。

「ダンスっていうと敬遠されることが多いけど、そんな理由を聞いたのは初めてだな」

「でも冗談じゃないんです。本当にそれが心配なんです」

「本当に？」

「はい」

「よし、じゃあ本当に目が回って酔ってしまうかどうか、その目で確かめてみるといい」そういうと彼は江利子の手を引いて、サークルの受付に連れていった。

名簿に名前を書き終えた雪穂が、三人の男子学生から何かいわれて笑っていた。雪穂は江利子が手を引かれているのを見て、少し驚いたようだ。

「彼女にも見学させてやってくれ」長身の学生がいった。

「あっ、シノヅカさん……」受付にいた女子部員が呟いた。

「どうやらダンスに対して、大きな誤解をしているようだからね」彼は江利子に白い歯を見せた。

2

ダンス部の見学会は午後五時ちょうどに終わった。その後、永明大の何人かの男子部員は、これはと目をつけた見学者たちを喫茶店に誘ったようだ。それだけが楽しみで、この部に籍を置いているという部員も結構いる。

この夜、篠塚一成《かずなり》は大阪のシティホテルにいた。窓のそばに置いてあるソファに座り、大学ノートを開いた。

二十三人の名前が並んでいた。まあまあだなと一成は頷いた。とびきり多いというわけではないが、昨年の数は上回った。問題は何人が入ってくれるかだ。

「男の子たち、例年以上に舞い上がってたわね」ベッドのほうから声がした。

倉橋香苗《かなえ》が煙草に火をつけ、灰色の煙を吐いた。裸の肩が露《あらわ》になっているが、胸元は毛布で隠している。ナイトスタンドの淡い光が、異国風の彼女の顔に、濃い陰影を作っていた。

「例年以上？　そうかな」

「そう感じなかった？」

「いつもあんなものだと思ったけどな」

香苗は首を振った。長い髪が揺れた。「今日は特別だった。たった一人のせいでね」

「一人？」

「あの唐沢って子、入部するんでしょ？」

「唐沢？」一成は名簿に並んでいる名前を指でなぞった。「唐沢雪穂……英文科か」

「覚えてないの？　まさかね」

「忘れてたわけじゃない。でも、顔とかはあまりはっきりと覚えてないな。何しろ、今日は見学者が多かった」

香苗は、ふふんと鼻を鳴らした。

「一成は、ああいうタイプ、好みじゃないものね」

「ああいうタイプ？」

「いかにもお嬢様っていうタイプ。ああいうんじゃなくて、ちょっと育ちの悪そうなのが好きなんでしょ。あたしみたいに」

「別に、そういうわけじゃない。それに唐沢って子、そんなにお嬢様タイプだったかな」

「長山君なんて、あれは絶対に処女だとかいって、ずいぶん興奮してた」香苗は、くすくす笑った。

「あほだな、あいつ」一成は苦笑し、ルームサービスで注文したサンドウィッチをほおばった。

今日見学に来た新入生たちのことを考えた。

彼は本当に、唐沢雪穂のことをよく覚えていなかった。奇麗な女の子だという印象を持ったのは事実だ。だが、それだけだった。どういう顔だったのかは、今では正確には思い出せない。一言二言、言葉を交わしただけだし、しぐさなどをじっくりと観察したわけでもないから、お嬢様タイプだったのかどうかさえ判断できなかった。同輩の長山がはしゃいでいたのは覚えているが、それがあの娘のせいだったということさえ、今初めて知った。

むしろ一成の記憶に残っているのは、唐沢雪穂の付き添いのようにしてやってきた、川島江利子のほうだった。化粧気は全くなく、洋服もおとなしい、素朴という言葉がぴったりの娘だった。

　あれはたぶん唐沢雪穂が、見学者名簿に名前を書いている時だったのだろう。川島江利子は少し離れたところで、一人ぽつんと立って友人を待っていた。すぐそばを人が通りかかろうと、どこかで誰かが大声を出そうと、全く気に留めていないようだった。まるでそんなふうに待っているのが快適なようにさえ見えた。そんな様子は、花をつけた雑草を思わせた。道端で風に揺れている。正式な名前など誰も知らないような小さな花だ。

　そういう花をちょっと摘んでみたくなるのと同じような心理で、一成は彼女に声をかけた。本来は、ダンス部の部長である彼自らが、新入部員を勧誘することはない。

　川島江利子はユニークな娘だった。一成の言葉に対して、彼が全く予期しない反応を見せた。言葉も表情も、極めて新鮮に見えた。

　見学会の間も、彼は江利子のことを気にしていた。なぜか気にしてしまった、といったほうが正確かもしれない。つい彼女のほうに目が向いてしまうのだ。

　それは、見学者の中でも彼女が最も真剣な目をしていたせいかもしれない。しかも彼女は、ほかの者がパイプ椅子に腰掛けていたにもかかわらず、最後まで立ったままだった。座って見るのは先輩たちに対して失礼だと思ったのかもしれない。

　彼女たちが引き上げる時、一成は追いかけていって声をかけた。感想を訊くためだった。

「すっごくよかったです」胸の前で両手を握りしめ、川島江利子はいった。「ソシアルダンスなんて、時代遅れなものだと思ってたんですけど、ああいうのが踊れるってすごいことですよね。選ばれた人たちっていう気がしちゃいます」

「それは違うよ」一成は首を振って否定した。

「えっ、そうですか」

「選ばれた人間がソシアルダンスを習うんじゃない。いざという時にダンスの一つぐらい踊れるような人間が選ばれていくんだ」

「はあ、そうなんですか……」川島江利子は牧師の話を聞く信者のように、感心と憧れの混じったような目で一成を見上げてきた。「すごいですね」

「すごい？　何が？」

「何がって、そういう言葉が出てくることです。選ばれた人間が踊るんじゃなくて、踊れる人間が選ばれるなんて、すごい名言だと思います」

「やめてくれ、ちょっと思いついたことを、格好つけていってみただけだ」

「いいえ、忘れません。この言葉を励みに、がんばります」江利子は、きっぱりといいきった。

「ということは、入部の決心がついたってことかい」

「はい。彼女と二人で決めたんです。お世話になります」そういって江利子は、隣にいた友人を見た。

「そう。じゃあ、こちらこそどうぞよろしく」一成は江利子の友人のほうに顔を向けた。

「よろしくお願いいたします」その友人は、丁寧に頭を下げた。それから、じっと一成の顔を見つめてきた。

彼が唐沢雪穂の顔を真正面から見るのは、これが最初だった。整った顔立ちをしている、という印象を持った。

だがこの時彼は、彼女の猫のような目に対して、もう一つ別の感想を抱いた。そして今改めて考えてみて、それのせいで、彼女のことを単なるお嬢様とは思えないのだと気づいた。

彼女の目には、言葉ではいい表せないような微妙な刺《とげ》が含まれていた。だが、ダンス部の部長が自分を無視して友人とだけ話していたからプライドを傷つけられた、というわけでもないようだった。あの目に宿る光は、そういう種類のものではなかった。

あれはもっと危険な光だった、というのが一成の感想だ。卑しさを秘めた光、ともいえた。そして本物のお嬢様ならば、ああいう光を目に宿らせることはないはずだ、というのが彼の考えだった。

3

入学式から二週間が経った。

英文科の四講目を受け終えると、江利子は雪穂と連れだって永明大学に向かった。清華女子大学からだと、電車を使って三十分ほどで行ける。ダンス部の合同練習は火曜日と金曜日だが、実際には清華女子大の部員だけで練習することはないので、彼女たちが参加するのは今日で四回目ということになる。

「今日こそ、きちんと踊れますように」電車の中で江利子は祈るふりをした。

「踊ってるじゃない」雪穂がいう。

「だめよ。足が全然思うように動かないんだもん。落ちこぼれそう」

「そんな泣き言いうと、篠塚さんが失望しちゃうわよ。あんなに熱心に勧誘してもらったくせに」

「それをいわれるとつらい」

「部長が直々に勧誘した部員って、江利子だけという話よ。つまりはＶＩＰというわけ。期待に応えなきゃ」雪穂が冷やかす目をした。

「そんなこといわないで。プレッシャーに弱いんだから。でもどうして篠塚さん、あたしにだけ声をかけたのかな」

「気に入ったんでしょ、きっと」

「そんなことあるわけないじゃない。雪穂ならわかるけど。それに部長には倉橋さんという人がいるし」

「倉橋さんね」雪穂は頷いた。「ずいぶん長く付き合ってるみたいね」

「長山先輩の話だと、一年の時からですって。倉橋さんのほうからアタックしたって話だけど、本当かな」

「かもしれないわね」雪穂はもう一度頷いた。あまり驚いてはいないようだった。

　篠塚一成と倉橋香苗が公然の仲だということは、江利子が初めて練習に参加した時に知った。何しろ香苗は篠塚のことを、名前で呼び捨てにするのだ。しかも新入部員たちに見せつけるかのように、身体を密着させて踊っていた。そのことについて他の部員たちが何もいわないでいるのが、却って二人の仲を証明していた。

「倉橋さん、あたしたちにアピールしたかったのかもしれないわね」雪穂がいった。

「アピールって？」

「篠塚さんは、あたしのものよっていう意思表示」

「ああ……」江利子は頷いた。それはあるかもしれないと思った。またその気持ちはよくわかった。

　篠塚一成のことを考えると、江利子は胸のあたりが少し熱くなる。それが恋愛感情なのかどうかはわからない。だが彼が倉橋香苗と恋人らしく振る舞っているのを見た時、少し落胆する気持ちがあったのは事実だった。それが香苗の狙いであったなら、見事に成功したといえた。

　しかし篠塚一成がどういう人物なのかを二年生の先輩から聞かされた時、恋愛感情を抱くことなど笑い話にすぎないと思った。彼は、製薬会社では日本でも五指に入る篠塚薬品の、専務の長男だった。現社長は伯父にあたる。つまり掛け値なしの御曹司ということになる。そういう人物が自分の身近にいること自体、江利子には信じられないことだった。だから声をかけてきたのも、御曹司の気紛れだろうと解釈していた。

　永明大前の駅で江利子は雪穂と共に電車を降りた。駅を出ると、なま暖かい風が頬を撫でていった。

「今日はあたし、先に失礼することになると思う。ごめんね」雪穂がいった。

「デート？」

「そんなんじゃないの。ちょっと用があるから」

「ふうん」

　いつからだったか、時々雪穂がこんなふうにいって、江利子と別行動を取るようになった。どういう用があるのか、今は尋ねたりしない。以前しつこく訊いたことがきっかけで、彼女から交際を断たれたことがあるのだ。雪穂との仲が気まずくなったのは、その時だけだ。

「なんだか雨になりそうね」

どんよりと曇った空を見上げて雪穂が呟いた。

4

考えごとをしていたので気づかなかったが、いつの間にかフロントガラスに細かい水滴がついていた。降ってきたのかなと思っていると、みるみるガラスは濡れ始め、前が見えにくくなった。一成はワイパーを動かそうと急いで左手をレバーにかけたが、すぐに気づいてハンドルを持ち換え、右側にあるレバーを操作した。外国車は、右ハンドルでも、レバー類は日本車と反対の位置についている場合が殆どだ。先月買ったばかりのこのフォルクスワーゲン・ゴルフも例外ではなかった。

大学の門を出ると、駅を目指す学生たちが、鞄や紙袋などを傘代わりに頭上にかかげて駆けていた。

ふと見ると川島江利子が歩道を歩いていた。白いジャケットが濡れるのも気にならぬ様子で、いつもののんびりした調子で足を運んでいる。いつもは彼女の横にいるはずの唐沢雪穂が、今日はいなかった。

一成は車を歩道に寄せ、江利子が歩くのと同じ速度まで落とした。だが彼女は一向に気づかない。同じペース、同じリズムで歩く。何か楽しいことでも考えているのか、唇にかすかな笑みが浮かんでいる。

一成はクラクションを軽く二度鳴らした。それでようやく江利子は車のほうを見た。

彼は左側のドアの窓を開けた。

「やあ、濡れネズミ。助けようか」

だが江利子はこの冗談に笑顔を見せず、逆に顔を強張らせたかと思うと、足早に歩きだした。一成はあわてて車で追いかけた。

「おい、どうしたんだ。逃げるなよ」

声をかけたが、彼女は立ち止まるどころか、却って足の速度を上げた。彼のほうを見もしない。どうやら勘違いされているらしいと彼は気づいた。

「俺だよ、川島」

名前を呼ばれ、ようやく彼女は足を止めた。そして驚いた顔で振り返る。

「ナンパなら、晴れた日にするよ。弱みにつけこみたくはないからね」

「篠塚さん……」彼女は目を大きく見開き、口元を手で覆った。

川島江利子は白いハンカチを持っていた。真っ白というわけではなく、白地に小さな花の模様が入っている。そのハンカチで彼女は、濡れた手と顔を拭き、最後に首筋のあたりをぬぐった。びしょぬれの上着は脱いで、膝の上に置いている。後ろの席に置けばいいと一成はいったのだが、シートが濡れるからといって手放さないのだ。

「本当にすみません。暗くて、顔がよく見えなかったんです」

「もういいよ。たしかに、ああいう声のかけ方だと、ナンパだと思われるかもしれない」運転しながら、一成はいった。彼女の家まで送っていくつもりだった。

「すみません。ときどき、あんなふうに誘われることがあるものですから」

「へえ、もてるんだな」

「あ、いえ、あたしじゃないんです。雪穂と一緒にいると、街とかでも声をかけられてばっかりで……」

「そういえば、今日は珍しく唐沢と一緒じゃないんだな。彼女、練習には来てたみたいだけど」

「用があるからって、途中で帰っちゃったんです」

「そういうことか。それで一人だったんだな。それにしても」一成はちらりと彼女のほうを見た。「どうして歩いてたの？」

「歩いてた？」

「さっきだよ」

「だって、家に帰らなきゃいけないから」

「そうじゃなくて、走らずに歩いていた理由を訊いているんだ。周りの人間は、みんな走ってただろう？」

「ああ、でも、別に急いでなかったですから」

「濡れちゃうじゃないか」

「だけど、走ると顔に当たる雨を強く感じちゃうでしょう。こんなふうに」彼女はフロントガラスを指差した。

先程まで小降りだった雨が、今は本格的に降りだしている。ガラスに当たって弾けた水滴を、ワイパーがこすりとっていく。

「でも濡れる時間は少なくて済むぜ」

「あたしの足だと、三分ぐらい短くなるだけです、きっと。その程度の時間を短縮するために、濡れた道を走りたくありません。転んじゃうかもしれないし」

「転ぶ？　まさか」一成は笑いだした。

「冗談でなく、あたし、よく転んじゃうんです。ああ、そういえば、今日も練習中に転んじゃいました。おまけに山本さんの足を踏んづけちゃって……山本さん、気にしないでいいよっていってくれたけど、痛かったんじゃないかなあ」江利子はプリーツスカートから覗いた足を右手でこすった。

「ダンスには馴れた？」

「少し。でも、やっぱり全然だめです。新入部員の中で、あたしが一番物覚えが悪いですよね。雪穂なんか、もうすっかりレディという感じなのに」江利子はため息をついた。

「すぐにうまくなるさ」

「そうでしょうか。だといいんですけど」

信号が赤になったので一成は車を止め、江利子の横顔を見た。相変わらず化粧気が全くないが、街灯の光を浴びた頰の表面には、全くといっていいほど凹凸がなかった。まるで陶器のようだなと彼は思った。その頰に濡れた髪が数本はりついている。彼は手を伸ばしてそれを取り除こうとした。すると彼女は驚いたように身体をびくりと動かした。

「ああ、ごめん。髪がついてるから」

あっと声を漏らして、江利子はその髪を後ろにかきあげた。頰が少し上気しているのが、暗がりの中でもわかった。

信号が青に変わったので、彼は車を発進させた。

「その髪形はいつから？」前を向いたまま彼は訊いた。

「えっ、これですか」江利子は濡れた頭に手をやった。

「高校を卒業する、ちょっと前からですけど」

「だろうね。最近の流行らしいから。ほかの新入部員の中にも何人かいたな。聖子ちゃんカットっていうんだろ。似合う似合わないにかかわらず、誰でもかれでも、その髪形をしている」

長さはセミロングで、前髪を下ろし、横の髪を後ろに流したスタイルだった。昨年デビューした新人歌手のトレードマークでもあるその髪形が、一成はあまり好きではなかった。

「これ、似合いませんか」江利子は、怖ず怖ず尋ねてきた。

「そうだなあ」一成はギアチェンジをし、カーブを曲がった。ハンドル操作を終えてからいった。「はっきりいって、あまり似合うとはいえないね」

「そうですか……」彼女はしきりに髪を撫で始めた。

「気に入ってるの？」

「そういうわけじゃないんですけど、あの、雪穂が勧めてくれて、それで、よく似合うっていってくれるし……」

「また彼女か。なんでも唐沢のいいなりなんだな」

「そんなことありませんけど……」

江利子が目を伏せるのを一成は横目で見た。不意に一つのアイデアが浮かんだ。彼はちらりと腕時計を見た。七時少し前だった。

「君、これから何か予定があるの？　バイトとか」

「いえ、ありませんけど」

「じゃあ、少し付き合ってくれないかな」

「どこへ行くんですか」

「心配しなくても、いかがわしいところに連れていったりしないさ」そういうと一成はアクセルを踏み込んだ。

途中、電話ボックスを見つけて、彼はある場所に連絡した。それがどこであるかは江利子にはいわなかった。彼女が少し不安そうにしている様子を、彼は楽しんだ。

車を止めたのはビルの前だった。その二階に目的の店はあった。店の前に立った時、江利子は口を両手で覆い、後ずさりをした。

「えっ、どうして美容院に？」

「僕が何年も世話になっている店だ。腕はたしかだから安心していい」それだけいうと、彼は彼女の背中を押しながら、店のドアを開いた。

マスターは鼻の下に髭を生やした、三十過ぎの男性だった。様々なコンテストで入賞を果たしており、その技術とセンスには定評があった。そのマスターが一成に挨拶した。「こんばんは、お待ちしておりました」

「遅くにごめんね」

「いえいえ、一成さんのお友達ということでしたら、何時まででも待ちます」

「じつは彼女の髪を切ってやってほしいんだ」一成は江利子のほうに掌を向けた。「似合う髪形に」

「なるほど」マスターは江利子の顔をじろじろと眺めた。頭の中でイマジネーションを広げている目だった。江利子はさすがに恥ずかしそうだ。

「それから」一成はそばにいた助手の女性のほうを向いた。「少し化粧もしてやってくれないか。髪形が、より一層映えるように」

「わかりました」助手の女性は目を輝かせて頷いた。

「あの、篠塚さん」江利子が居心地悪そうに、もじもじした。「あたし、今日はあまりお金を持ってないんです。それにお化粧なんて殆どしたことないし……」

「そういうことは君が心配しなくていい。ただ黙って座っていればいいんだ」

「でも、あの、美容院に行くなんてこと、家にいってこなかったから、遅くなると心配すると思うんです」

「それはそうかもしれないな」一成は頷き、再び助手の女性を見た。「電話を借りられるかな」

はい、と返事すると、助手はカウンターテーブルの上に置いてあった電話機を持ってきた。髪を切られている最中の客が呼び出されることもあるのか、長いコードが付いていた。一成はそれを江利子のほうに差し出した。

「さっ、家にかけるんだ。美容院に寄るから遅くなるといっても叱られることはないだろう？」

もはや抵抗は無駄だと悟ったか、江利子は少し泣きだしそうな顔をしながら、受話器を取り上げた。

　店の隅にあるソファに座り、一成は江利子の髪が切られるのを待つことにした。高校生だと思われるアルバイトの娘が、コーヒーを持ってきてくれた。その娘が、まるで刈り上げのような頭をしているのを見て一成は少し驚いたが、それなりに似合っているのを見て妙に感心した。これからはこういうスタイルが流行《はや》るのかもしれないとも思った。

　江利子がどのように変身するか、一成は楽しみだった。自分の直感に狂いがなければ、彼女の中の秘められた美貌が開花するはずだと思った。

　なぜ川島江利子のことがこれほど気になるのか、一成自身にもよくわからなかった。はじめて見た時からひかれていたのはたしかだが、どこにひきつけられたのか、うまく説明できないのだ。はっきりといえることは、彼女は、誰かに紹介されたわけでもなく、向こうから接近してきたわけでもない、彼自身の目で見つけだした女性だということだった。そしてその事実に彼は大いに満足していた。これまでに付き合ってきた娘は、必ず、そのどちらかだったからだ。

　考えてみれば、それは男女交際にかぎらなかったなと、一成はこれまでのことを回想した。玩具も洋服も、すべて与えられてきただけだった。自分で見つけ、欲し、手に入れたものなど何ひとつない。与えられるほうが先だったから、それが自分の求めていたものなのかどうかさえ考えないことも多かった。

　永明大学の経済学部を選んだのも、彼の意思とはいいがたかった。親戚にあの大学の出身者が多かったことが最大の理由だ。選んだというより、ずっと以前から決められていたことと表現したほうがふさわしい。

　サークル活動にダンス部を選んだことさえも、一成が自分で決めたことではなかった。彼の父親は学業の妨げになるという理由で、サークル活動をすることには反対だったが、社交界で役立つだろうということから、ダンス部だけは認めてくれたのだ。

　そして――。

　倉橋香苗は、彼が選んだ女ではなく、彼を選んだ女だった。清華女子大の部員の中でも、一年生の時から彼女は際立って美しかった。新入部員にとっての最初の発表会で、誰が彼女のパートナーになるか、男子部員の最も関心のあることだったが、ある日彼女のほうから一成にいってきたのだ。自分をパートナーに選んでほしい、と。

　彼女の美しさには一成も目を見張っていたから、この申し出に彼は有頂天になった。そしてコンビを組んで練習を重ねるうち、即座に恋愛関係に陥った。

　しかし、と彼は思う。

香苗に対して恋愛感情を持っていたかどうか、彼としては自信がなかった。単に美しい娘と交際できること、肉体関係を持てることで、はしゃいでいただけのように思えるのだ。その証拠に、ほかに楽しそうな遊びの計画があった時などは、彼女と会うほうを犠牲にすることも少なくなかった。そうすることが大して苦痛でもなかった。彼女はよく、一日に一度は電話してくれといったが、それが煩わしいと思うこともしばしばだ。

　また香苗にしても、本当に自分のことを愛してくれているのかは怪しいと思った。彼女はただブランドが欲しいだけではないのか。時折彼女は将来という言葉を口にするが、仮に自分との結婚を望んでいたにしても、それは彼女が彼の妻になりたいからではなく、篠塚一族の中に食い込みたいからではないかと一成は推測していた。

　いずれにしても、香苗との関係はそろそろ終わりにしようと彼は考えていた。今日の練習中でも、彼女は他の部員に見せつけるように身体をすりよせてきた。あんなことは、もうたくさんだと思った。

　そんなことを考えながらコーヒーを飲んでいると、助手の女性が目の前に現れた。

「終わりましたよ」といって彼女は微笑んだ。

「どんなふうに？」と彼は訊いた。

「それは御自分の目で、おたしかめになってください」

助手の女性は、意味ありげな目をしていった。

　江利子は一番端の椅子に座らされていた。一成はゆっくりと近づいていった。鏡に映った彼女の顔を見て、彼は思わず息をのんだ。

　髪は肩の少し上まで切られていた。耳たぶが少し覗いている。それでもボーイッシュにはならず、女らしさを感じさせる仕上がりとなっていた。さらに化粧を施された彼女の顔に、一成は見とれた。肌の美しさが一段とひきたてられたようだ。切れ長の目は、彼の心を揺さぶった。

「驚いたな」と彼は呟いた。声が少しかすれた。

「変じゃないですか」江利子は不安そうに訊いた。

「とんでもない」彼は首を振り、マスターを見た。「すごいね。大したもんだ」

「素材がいいということですよ」マスターは、にっこりした。

「ちょっと立ってみてくれよ」一成は江利子にいった。

　彼女はおそるおそる立ち上がった。恥ずかしそうに上目遣いに彼を見る。

　一成は彼女の姿をじっくりと眺めた。それからいった。

「明日の予定は？」

「明日？」

「土曜日だろ。講義は午前中だけ？」

「あ、あの、あたし、土曜の講義は選択していないんです」

「それはちょうどよかった。何か予定は入ってるの？　友達と会う約束とか」

「いいえ、特にありませんけど」

「じゃあ決まった。僕に付き合ってもらおう。君を連れていきたいところがいくつかあるんだ」

「えっ、どこですか」

「それは明日になってからのお楽しみだよ」

一成は改めて江利子の顔と髪形を観賞した。予想以上だった。この個性派美人には、どういう洋服を着せたらいいだろうか――早くも明日のデートに思いを馳せていた。

5

月曜日の朝、江利子が階段教室に行くと、先に席についていた雪穂が彼女の顔を見て大きく目を開き、そのまま表情を止めた。絶句しているようだった。

「……どうしたの、それ」しばらくして雪穂はいった。珍しく声がうわずっていた。

「いろいろとあってね」江利子は雪穂の隣に腰を下ろした。すでに顔見知りになっている学生たちも、彼女のほうを見て驚いた顔をしている。それがとても気持ちよかった。

「いつ、髪を切ったの？」

「金曜日。あの、雨の日」

江利子はあの日のことを雪穂に話した。いつもは冷静な雪穂も、驚きの表情を浮かべたままだった。しかしやがてそれも笑顔に落ち着いた。

「すごいじゃない。やっぱり篠塚さんは江利子のことが気に入ったのよ」

「そうなのかな」江利子は短くなった横の髪を指先でいじった。

「それで、土曜日はどこに行ったの？」

「それが――」江利子は告白を続けた。

土曜日の午後、江利子が篠塚一成に連れていかれたところは、高級ブランド品を扱うブティックだった。彼は馴れた調子で店に入っていくと、あの美容院の時と同じように、店長らしき女性にいったのだった。彼女に似合う服を用意してほしい、と。

上品な身なりをしたその店長は、この一言で俄然はりきった。若い店員たちに命じて、次から次と洋服を持ってこさせた。試着室は、江利子の独占状態だった。

行き先がブティックだとわかった時には、大人っぽい洋服の一着ぐらいは買ってもいいと思った江利子だが、自分が着せられている洋服の値段を見て目を剝いた。そんな大金は持ち合わせてはいなかったし、持っていたとしても、たかが洋服のために払える金額ではなかった。

　そのことを江利子が一成に耳打ちすると、彼は何でもないことのようにいった。

「いいんだ、僕がプレゼントするんだから」

「えー、そんな、だめです。こんなに高いもの」

「男がくれるという時には、遠慮なくもらっておけばいいんだ。心配しなくても、見返りなんかは要求しないよ。君に似合う服を着てもらいたいだけなんだ」

「でも、昨日だって、美容院代を出してもらっちゃったし……」

「君の大切な髪を、俺の気紛れで切らせたんだから当然のことだ。それに、これはすべて俺のためでもあるんだ。一緒に連れて歩く彼女が、似合わない聖子ちゃんカットをしていたり、保険のセールスレディのような服を着ているのは、耐えられないからな」

「そんなにひどいですか、いつものあたし……」

「はっきりいうとね」

　一成にいわれ、江利子は情けない気持ちになった。これまでは、自分なりにお洒落をしてきたつもりだったからだ。

「君は今、ようやく繭《まゆ》を作り始めたところなんだ」試着室の横に立ち、篠塚一成はいった。「どんなに奇麗に変われるのか、自分でも気づいていない。その繭作りに、俺が力を貸したいと思うわけだよ」

「繭から出てきても、あんまり変わらなかったりして……」

「そんなことはない。保証するよ」新しい洋服を彼女に渡すと、彼は試着室のカーテンを閉めた。

　結局その日はワンピースを一着買った。もう、一、二着買えばいいと一成はいったが、そこまでは甘えられない。そのワンピース一着でさえ、家に帰って、母親にどう説明しようかと悩んだ。何しろ前日の美容院での変身で、驚かせたばかりなのだ。

「大学での古着バザーで買ったといえばいいさ」一成は笑いながらアドバイスをくれた。さらにこう付け加えた。

「それにしてもよく似合ってるよ。女優みたいだ」

「まさか」江利子は照れながら鏡を見た。だが、満更でもなかった。

　話を聞き終えた雪穂は、あきれたような顔でかぶりを振った。

「まるでシンデレラストーリーね。びっくりして、何といっていいのかわからない」

「あたしだって夢を見てるみたいよ。こんなにしてもらっていいのかなと思っちゃう」

「でも江利子、篠塚さんのこと好きなんでしょ」

「うん……よくわかんないんだけど」

「そんなにやけた顔して、わかんないもないでしょ」雪穂は優しく睨んだ。


翌日の火曜日、江利子が永明大学に行くと、彼女の変貌ぶりにダンス部の部員たちも驚きの色を見せた。

「すごいわねえ、髪形と化粧でこんなに変わっちゃうんだ。あたしもトライしようかな」

「エリは、磨けば光るタマだったってこと。土台がよくなくちゃ、何やっても無駄よ」

「あっ、ひどーい」

こんなふうに取り囲まれ、騒がれるなどということは、江利子のこれまでの人生にはないことだった。こうした場面に立ち会った時、輪の中心にいるのは常に雪穂だった。その雪穂が、今日は少し離れたところで微笑んでいる。信じられないことだった。

永明大学の男子部員たちも、彼女を見つけるとすぐに近寄ってきた。そして、様々な質問を投げかけてくる。ねえ、どうしたの、すごく変わったじゃないか。心境の変化でもあったの。恋人にふられたの。それとも恋人ができたの――。

江利子は、注目されることがこれほど気持ちのいいものだとは知らなかった。いつも注目され続けてきた雪穂を、改めて羨ましく思った。

しかし誰もが彼女の変化を喜んでくれるわけではなかった。先輩の女子部員の中には、露骨に彼女を無視する者もいたのだ。倉橋香苗などは江利子の顔をしげしげと眺め、「色気づくには百年早いわよ」という台詞を吐いた。だが彼女は江利子を変えたのが自分の恋人だということには気づいていない様子だった。

練習が始まる前に、江利子は二年生の先輩に呼ばれた。

「部費の支出を計算しといて」髪の長い先輩は、茶色の袋を差し出していった。「この中に帳簿と、前年度分の領収書が全部入ってるから、日付と金額を書いて、月別に計算しておいてほしいの。わかった？」

「いつまでにすればいいんですか」

「今日の練習が終わるまでに、やて」先輩はちらりと背後を見た。「倉橋先輩の指示や」

「あ、はい、わかりました」

二年生の先輩がいなくなってから、雪穂が近づいてきた。

「ひどいね、江利子が練習する時間がなくなるじゃない。あたし、手伝うから」

「大丈夫、すぐにできると思うよ」

江利子は袋の中を覗いた。細々としたレシートが、びっしり入っているのが見えた。帳簿を出して広げたが、きちんと記入されていたのは二、三年前までのようだ。

何かが下に落ちた。拾い上げると、プラスチック製のカードだった。

「キャッシュカードじゃない」雪穂がいった。「たぶん部費を入れてある口座のものよ。いい加減ね、こんなところに放り込んでおくなんて。盗まれたら大変なのに」

「でも暗証番号を知らないと、使えないんじゃないの」と江利子はいった。父親が最近キャッシュカードを持つようになったらしいが、機械を使いこなす自信がなくて、それを使って金を引き出したことがないといっていたのを思い出した。

「それはそうだけど……」雪穂はまだ何かいいたそうだ。

江利子はカードの表面を見た。三協銀行という文字が印刷されていた。

練習所の隅で江利子は帳簿つけを始めたが、思いの外に時間がかかった。途中雪穂が手伝ってくれたが、計算を終え、帳簿への記入を済ませた時には、練習時間もなくなっていた。

二人は帳簿を持って、体育館の廊下を歩いた。更衣室にいるはずの、倉橋香苗に渡すためだった。ほかの部員たちは、殆ど帰ってしまったようだ。

「今日は何のために来たかわからないわね」雪穂が、げんなりしたようにいった。

女子更衣室の前まで来た時だった。中から声が聞こえてきた。

「だから、馬鹿にしないでっていってるでしょ」

江利子はぎくりとして足を止めた。倉橋香苗の声に間違いなかった。

「馬鹿にしてるわけじゃない。君のことを十分に尊重しているから、こういうふうに、きちんと話しているんじゃないか」

「何が尊重よ。それが馬鹿にしてるっていうのよ」

ドアが勢いよく開けられ、目をつり上がらせた倉橋香苗が飛び出してきた。彼女はそこに二人の新入部員がいるのも目に入らないのか、何もいわず、大股で廊下を歩いていった。江利子たちが声をかけられる雰囲気ではなかった。

続いて篠塚一成が部屋から出てきた。彼は江利子たちを見て苦笑した。

「なんだ、君たちそこにいたのか。どうやら、つまんないやりとりを聞かれたみたいだな」

「追いかけなくていいんですか」と雪穂が訊いた。

「いいんだ」彼は短く答えた。「君たち、もう帰るんだろ？　送っていくよ」

「あっ、あの、あたしは用がありますから」即座に雪穂はいった。「江利子だけ、送ってあげてください」

「雪穂……」

「帳簿は、今度あたしが倉橋さんに渡しておく」雪穂は江利子の手から袋を取り上げた。

「唐沢、本当にいいのかい」一成は訊いた。

「ええ。じゃ、江利子のことよろしく」ぺこりと頭を下げると、雪穂は倉橋香苗と同じ方向に歩いていった。

　一成がため息をついた。「唐沢、気をきかせてくれたらしいな」

「本当に大丈夫なんですか。倉橋さんのこと」

「大丈夫。もう、いいんだ」一成は彼女の肩に手を置いた。「もう終わった」

6

　黒のミニスカートを穿いた娘が、鏡の中で笑っていた。今までなら絶対に着られないほど丈が短く、太股が露になっている。それでも江利子はくるりと一回転してみた。彼が気に入りそうだ、と思った。

　いかがですか、と女性店員がやってきた。彼女の姿を見て、わあ、とてもよく似合ってますよ、と笑顔でいう。お世辞には聞こえなかった。

　これにします、と江利子はいった。高級品ではないけれど、自分でも似合っていると思った。

　店を出ると、外はすっかり暗くなっていた。駅を目指し、江利子は歩を速めた。

　五月も後半に入っていた。今月はこれで四着目だなと彼女は頭の中で数えた。最近は自分一人で買い物をすることが多くなった。そのほうが気楽だからだ。一成が気に入りそうな服を、足が棒になるまで歩き回って探すことに喜びを感じている。しかしそんなことに雪穂を付き合わせるわけにはいかなかった。それに、やはり少し照れ臭い。

　デパートのショーウィンドウの横を通る時、自分の姿が反射して見えた。二か月前なら、これが自分だとはわからなかったかもしれないと思った。

　江利子は今、自分の容姿に強い関心を抱いていた。他人からどう見えるか、そして一成にはどう見えるかが、常に気になった。化粧の方法を研究し、自分に似合うファッションを調べることに余念がなかった。また、工夫すればしただけ、鏡に映る姿が美しくなっていく手応えもあった。それが嬉しかった。

「江利子、本当に奇麗になったわね。日に日に変わっていくのがわかる。蛹《さなぎ》から蝶に変わるみたい」雪穂もこんなふうにいってくれる。

「やめてよ。雪穂にそんなこといわれたら照れるよ」

「だって本当のことだもの」そういって雪穂は頷いた。

　一成が、繭という表現を使ったことを彼女は覚えていた。早く本物の女になり、繭から出たいと思った。

　その一成とのデートも、すでに十回を越えていた。正式に交際を申し込まれたのは、彼が倉橋香苗と喧嘩をした、あの日だった。車で家まで送ってもらう途中、彼にいわれたのだ。付き合ってほしい、と。

「倉橋さんと別れたから、あたしと付き合うんですか」

あの時江利子はこう尋ねた。

　一成は首を振った。

「彼女とは別れるつもりだった。そこへ君が現れた。だから決心した」

「あたしが篠塚さんと付き合い始めたと知ったら、きっと倉橋さん、怒りますよ」

「しばらくは秘密にしておけばいい。俺たちがいわなきゃわからない」

「無理です。きっと、ばれちゃいます」

「その時はその時さ。俺がなんとかする。君に迷惑はかけない」

「でも――」といったきり、江利子は言葉を続けられなくなった。

　一成は車を道端に寄せた。その二分後に、江利子はキスされたのだった。

　あの時以来、江利子はずっと夢見心地でいる。こんなに素敵なことが続いていいものだろうかとさえ思う。

　二人の関係は、ダンス部内では、うまくごまかし続けられているようだった。話してあるのも雪穂だけだ。他の者には知られていない。その証拠に、江利子はここ二週間のうちに、二人の男子部員からデートに誘われていた。もちろん断ったが、そんなこともこれまでには考えられなかったことだ。

　ただ、倉橋香苗のことは依然として気になっていた。あの後香苗は二度練習に出ただけで、それ以外はずっと欠席している。一成と顔を合わせたくないのだろうが、彼の新しい恋人が自分だと知っているせいもあるのではないかと江利子は考えていた。女子大内で時々顔を合わせるのだが、そのたびに射るような鋭い視線を江利子に向けてくるからだ。一応先輩なので彼女のほうから挨拶するが、香苗のほうがそれに応えてきたことはない。

　このことを一成に話したことはないが、一度相談してみようかとも思っていた。

　とにかく、それを除いては、江利子は幸せだった。一人で歩いている時も、つい笑みを漏らしてしまうほどだった。

　洋服の入った紙袋を提げ、江利子は自宅の近くまで帰ってきた。あと五分ほど歩けば、二階建ての古い家屋が見えるはずだった。

　空を見上げると星が出ていた。明日も晴れのようだと知り、彼女は安堵した。明日は金曜日で、一成に会える。だから新しい洋服を着ていくつもりなのだ。

　無意識のうちに、また自分が笑っていたことに気づき、江利子は一人で照れた。

7

　呼び出し音が三度鳴り、受話器が取り上げられた。もしもし、川島でございます――江利子の母親の声が聞こえた。

「もしもし、篠塚と申しますが、江利子さんはご在宅でしょうか」一成はいった。

　一瞬相手が沈黙した。いやな予感がした。

「今、ちょっと出かけておりますけど」母親はいった。何となく一成が予想した答えだった。

「いつ頃お帰りになられますか」

「それは、あの、よくわかりません」

「失礼ですが、どちらにお出かけでしょうか。いつおかけしてもお留守のようですが」

　今週に入って、三度目の電話だった。

「それが、たまたま出かけてまして、親戚の家なんですけど」母親の声には狼狽の響きがあった。それが一成を苛立たせた。

「じゃあ、お帰りになられたら電話をいただきたいんですが。永明大の篠塚といっていただければ、おわかりになると思います」

「篠塚さん……ですね」

「ではよろしくお願いいたします」

「あの……」

「はい？」

　一成が訊き返したが、母親はすぐには答えなかった。数秒してから、ようやく声が届いた。

「あの、まことに申し上げにくいことなんですけど、もう電話はかけてこないでいただきたいんですけど」

「はっ？」

「少しお付き合いさせていただいたようですけど、あの子もまだ子供ですし、どうか、ほかの方を誘ってあげてください。あの子も、それでいいといっておりますし」

「ちょっと待ってください。どういうことなんですか。それは彼女がいってることなんですか。もう僕とは付き合いたくないと」

「……そういう意味ではありませんけど、とにかく、もうお付き合いさせていただくわけにはいかなくなったんです。すみません。こちらの事情ですので、あまりお尋ねにならないでください。それでは」

「あっ、ちょっと――」

　叫んだが間に合わず、というより無視されて、電話は切れた。

　一成は電話ボックスを出た。わけがわからなかった。江利子からの連絡が途絶えて、一週間以上になっていた。最後に電話で話をしたのは先週の水曜日だった。明日は洋服を買いに行くから、金曜日の練習には新しい服を着ていくといっていた。が、その金曜日の練習を彼女は突然休んだ。

　連絡はあったらしい。唐沢雪穂が電話してきて、急に教授から雑用を命じられたから、江利子と共に今日の練習は欠席する、といったそうだ。

　その日の夜に一成は江利子の自宅に電話した。しかし今日と同じように、今夜は親戚の家に行っており、帰らないといわれたのだ。

　土曜日の夜にも電話した。その時も留守だった。言い訳をする母親の口調はぎこちなく、どこか余裕がなかった。一成の電話が迷惑そうでもあった。

　その後も何度か電話したが、いつも同じような返事しか戻ってこなかった。江利子が帰宅すれば電話してくれるよう伝言を頼んだのだが、うまく伝わっていないのか、かかってきたことはなかった。

それ以後ダンス部の練習に江利子は出てこなかった。江利子だけでなく、唐沢雪穂も来ないから、事情を訊くこともできなかった。今日は金曜日だが、やはり彼女たちの姿がないので、練習を途中で抜けて電話をかけたら、先程のように宣告されたというわけだ。

　一成としては、どう考えても突然江利子に嫌われる理由など思い当たらなかった。江利子の母親の言葉も、そういうニュアンスではなかった。「こちらの事情」という表現を使っていたが、どういう事情なのだろう――。

　様々な考えを巡らせながら、一成は体育館内にある練習所に戻った。すると女子部員の一人が、彼を見つけて駆け寄ってきた。

「篠塚先輩、変な電話がかかってきているんですけど」

「変な電話？」

「清華女子大のダンス部の責任者を呼べって……。倉橋さんは休んでるっていったら、じゃあ永明大の部長でもいいって」

「誰なんだ」

「それが名乗らないんです」

「わかった」

　一成は体育館の一階にある事務室に行った。守衛の前に置いてある電話の受話器が外されたままになっていた。一成は守衛にことわってから受話器を取り上げた。

「電話、代わりました」と一成はいった。

「永明大の部長さんか」男の声が尋ねてきた。低い声だが、まだ若い男のようだった。

「そうですけど」

「清華に倉橋という女がおるやろ。倉橋香苗」

「いるけど、それがどうかしたのかな」相手に合わせて一成も、丁寧な言葉を遣うのはやめることにした。

「あの女に伝えてくれ。早よ金を払えてな」

「金？」

「後金《あときん》や。万事うまいことやったから、成功報酬をもらわなあかん。前金十二万、後金十三万の約束やったはずや。さっさと払えていうといてくれ。どうせ部費の管理はあの女がしてるんやろ」

「それは何の金かな。何をうまくやったっていうんだ」

「それをあんたにいうわけにはいかへんな」

「だったら、俺に伝言を頼むのも変じゃないか」

一成が訊くと、相手の男は低く笑った。

「それが変ではないんや。あんたから伝えてもらうのが一番効果的なんや」

「どういう意味だ」

「さあな」それだけいって男は電話を切った。

仕方なく一成は受話器を置いた。初老の守衛が怪訝そうにしているので、すぐにその場を立ち去ることにした。


前金で十二万、後金で十三万、合計二十五万円――。

そんな金を払って倉橋香苗は一体何を頼んだのだろう。電話で声を聞いたかぎりでは、たちの良い男とは思えなかった。一成から伝えるのが効果的だという言葉も気になった。

あとで香苗に電話してみようかとも思ったが、気が重かった。別れて以来、一度も話をしていないのだ。しかも今は、江利子のことで頭がいっぱいだった。

ダンス部の練習を終えると、一成は自分の車で帰宅した。彼の部屋のドアには、彼専用の郵便受けが取り付けられている。彼宛の郵便物は、お手伝いさんが、そこに入れておいてくれるのだ。中を見ると、ダイレクトメールが二通と、速達郵便が一通入っていた。速達のほうの差出人は書かれていない。住所や宛名は、定規を使って書いたような、奇妙な文字で記されていた。

彼は部屋に入り、ベッドに腰かけると、不吉な予感を抱きながら封筒を開けた。

中には写真が一枚入っているだけだった。

それを見た瞬間、衝撃が彼を襲った。頭の中で嵐が吹き荒れた。

8

唐沢雪穂は約束の時刻よりも五分ほど遅れて現れた。彼女に向かって一成は小さく手を上げた。すぐに彼女は気づいて近づいてきた。

「遅くなってすみません」と彼女は謝った。

「大丈夫、俺も今来たところだから」

ウェイトレスが来たので、雪穂はミルクティーを注文した。平日の昼間ということもあり、ファミリーレストランの中はすいていた。

「わざわざ来てもらって、すまなかった」

「いえ」雪穂は小さく首を振った。「でも、電話でもいいましたけど、江利子のことでしたら、あたしの口からはまだ何もいえないんです」

「それはわかっている。たぶん大きな秘密を抱えているんだろうね」

彼の言葉に、雪穂は目を伏せた。長い睫《まつげ》だった。部員の中には、彼女をフランス人形のようだという者もいるが、もう少し目が丸ければそのとおりだと彼も思った。

「でも、それは俺が何も知らない場合のみ、意味をなす対応策じゃないのかな」

えっ、と彼女は顔を上げた。その顔を見て、彼はいった。

「写真が送られてきたんだよ。匿名で、しかも速達で」

「写真？」

「こんなもの、君に見せたくはないんだけど」一成は上着のポケットに手を入れた。

「待ってください」雪穂があわてて叫んだ。「それは、あの……トラックの荷台の？」

「そう。場所はトラックの荷台の中だ。写っているのは」

「江利子？」

「そう」一成は頷いた。全裸姿で、という説明は省いた。

雪穂は口元を手で覆った。今にも泣き出しそうな目をしたが、ウェイトレスがミルクティーを運んできたこともあり、何とかこらえてくれた。一成は安堵した。こんなところで泣かれたら、収拾がつかなくなる。

「君もこの写真を見たの？」と彼は訊いた。

「はい」

「どこで？」

「江利子の家で、です。彼女のところに送られてきたんです。びっくりしました。あんなひどい格好で……」雪穂は声を詰まらせた。

「何てことだ」一成はテーブルの上で拳を固めた。掌に脂汗が湧いた。

気持ちを落ち着けるため、窓の外に目を向けた。外は、しとしとと細かい雨が降り続いていた。まだ六月には入っていないのだが、梅雨入りはしたのかもしれない。彼は初めて江利子を美容院に連れていった時のことを思い出した。あの時も雨が降っていた。

「話してくれないか。一体何があったんだ」

「何があったって……つまりそういうことです。そういうことがあったんです。突然襲われて……」

「それだけじゃわからない。場所はどこなんだ。いつの話なんだ」

「場所は、江利子の家の近くです。襲われたのは……先々週の木曜日です」

「先々週の木曜……間違いないね」

「間違いありません」

一成は手帳を取り出し、カレンダーで日付を確認した。思ったとおりだった。最後に電話をくれた日の翌日だ。洋服を買いに行くといっていた日だ。

「警察には届けたのか」

「いいえ」

「どうして？」

「大騒ぎして、このことが世間に知れ渡ったら、そっちのほうがよっぽど痛手だって江利子の御両親が……。あたしも、そう思います」

一成は拳でテーブルを叩いた。苛立つ話だが、両親たちの気持ちは理解できた。

「俺や江利子のところに写真が送られているということは、犯人は通りすがりの人間じゃないぜ。それはわかってるのか」

「わかります。でも誰があんなひどいことを……」

「心当たりはある」

「えっ？」

「一人だけね」

「それは、もしかすると」

「そう」とだけ一成はいい、雪穂の目を見返した。それで彼女も理解したようだ。

「まさか……だって、女の人がそんなことを」

「男を雇ったんだよ。そういう卑劣なことができる男をね」

一成は、先週の金曜日に、正体不明の男から電話があったことを雪穂に話した。

「電話の後にすぐ例の写真を見たものだから、俺はすぐに両者を結びつけて考えたわけだよ。それから、電話の男が妙なことをいってたことも思い出した。ダンス部の部費は香苗が管理しているんだろう、という意味のことだ」

雪穂が息を止める気配があった。「犯人に渡す金に、部費を使ったってことですか」

「信じがたい話ではあるけれど、確認してみることにした」

「倉橋さんに、直接お訊きになったんですか」

「さすがにそれはできない。でも方法はある。口座番号はわかっているから、銀行に問い合わせて、そういう出金があったかどうかを調べればいい」

「でも通帳は倉橋さんが持っておられるんでしょう?」

「それはそうだけど、いろいろと手段はあるんだ」

一成は言葉を濁した。実際には、家に出入りしている三協銀行の人間に、無理をいって頼んだのだ。

「で、その結果だけど」一成は声をひそめた。「先々週の火曜日に、十二万円の金がカードで引き出されている。さらに今朝確認したところでは、今週はじめにも十三万円が下ろされていた」

「だけどそれは倉橋さんが下ろしたとはかぎらないんじゃないですか。ほかの人かも」

「調べたかぎりでは、ここ三週間、彼女以外の人間はカードに触れてもいない。最後に触ったのは君だよ」そういって彼は雪穂の胸元を指差した。

「帳簿の計算を江利子がやらされた時ですね。あの二、三日後に、帳簿とカードを倉橋さんに渡したんですけど」

「それ以来、カードは彼女が持ち続けている。決まりだよ。彼女が男を雇って江利子を襲わせたんだ」

雪穂は、ふうーっと長い息を吐いた。「とても信じられません」

「俺だって同感だよ」

「だけどそれは篠塚さんの推理ですよね。証拠はないんですよね。口座のことにしても、たまたま同額の出金があったというだけかもしれないじゃないですか」

「こんな不自然な偶然ってあると思うかい? 俺は警察に届けるべきだと思う。警察が本気になって調べれば、きっと尻尾をつかまえられる」

しかし雪穂がこの考えに同調する意思のないことは、その顔つきから明らかだった。果たして彼がいい終わると彼女は口を開いた。

「最初にいいましたように、江利子の家では、大騒ぎになることを望んでいないんです。そんなふうに警察沙汰にして、仮に誰が悪いのかがはっきりしたとしても、江利子の傷は癒されないということです」

「だからといって、このままほうってはおけない。俺の気が済まない」

「それは」といって雪穂は一成の目を見つめてきた。「それは、篠塚さんの問題じゃないですか」

この言葉に一成は一瞬返す言葉をなくした。息をのみ、雪穂の整った顔を見返した。

「今日、あたしがここへ来たのは、江利子からのメッセージを伝えるためでもあったんです」

「メッセージ？」

「さようなら、楽しかったです、ありがとう――それが彼女からの言葉です」事務的な口調で雪穂はいった。

「ちょっと待ってくれ、一度彼女に会わせてくれ」

「無茶いわないでください。彼女の気持ちを少しは考えてあげてください」雪穂は立ち上がった。ミルクティーは殆ど口をつけられていない。「こんな役目、本当は全然やりたくなかったんです。でも彼女のためだと思って、我慢して引き受けました。あたしの気持ちもわかってください」

「唐沢……」

「失礼します」雪穂は出口に向かって歩きだした。だがすぐに立ち止まった。「あたしはダンス部を辞めません。あたしまで辞めると、彼女が気を遣うから」そして改めて歩き始めた。今度は止まる気配はなかった。

彼女の姿が見えなくなると、一成はため息をつき、窓の外に目をやった。

雨は相変わらず降り続いていた。

9

テレビでは、つまらないワイドショーかニュース番組しかやっていなかった。江利子は、布団の上に転がしてあったルービックキューブに手を伸ばした。昨年大流行したこのパズルも、今ではすっかり忘れ去られている。難解ということで話題になったのに、解法が知れ渡るや、小学生でもあっという間に完成させられるようになってしまったからだ。それでも江利子は、未だに悪戦苦闘している。四日前にこれを持ってきた雪穂から、ある程度のコツを教わっているにもかかわらず、全く進展なしだ。

あたしは何をやってもだめだな、と改めて思った。

ノックの音がした。はい、と答えると、母の声がした。

「雪穂さんが来てくれたわよ」

「あっ、入ってもらって」

間もなく、別の足音が聞こえた。ゆっくりとドアが開き、雪穂の白い顔が覗いた。

「寝てたの？」

「ううん。これをしてた」ルービックキューブを見せた。

雪穂は微笑みながら入ってきた。椅子に座る前に、「これ」といって箱を見せた。江利子の大好物であるシュークリームの箱だった。ありがとう、と江利子は礼をいった。

「後で紅茶を持ってきてくれるって。おかあさんが」

「そう」頷いてから、江利子はおそるおそる尋ねた。

「彼に会ってくれた？」

「うん」と雪穂は答えた。「会ったよ」

「それで……伝えてくれた？」

「伝えた。辛かったけど」

「ごめんね。いやなことをさせて」

「ううん、それはいいんだけど」雪穂は手を伸ばし、江利子の手を優しく握った。「気分はどう？　頭はもう痛くない？」

「うん。今日はだいぶ平気」

　襲われた時、クロロホルムを嗅がされた。その時の後遺症で、しばらくは頭痛がおさまらなかったのだ。もっとも医者によると、精神的なものが大きいのではないかという話だった。

　あの夜、いつまでも帰ってこない娘のことを心配した母親が、駅まで迎えに行く途中、トラックの荷台の中で倒れていた江利子を発見したのだった。江利子はまだ昏睡状態だった。その不快な眠りから覚めた時のショックは、一生忘れられないだろうと彼女は思っている。あの時傍らでは、母が声を出して泣いていたのだ。

　さらに数日後に送られてきた、あのおぞましい写真。差出人は不明で、何のメッセージも書かれていない。それだけに、犯人の底深い悪意がこめられているようで、江利子は震撼した。

　もうこれからは決して目立たず、人の陰に隠れて生きていこうと彼女は決めていた。今までだってそうしてきたのだ。それが自分にふさわしい。

　悲惨極まりない出来事だったが、一つだけ救いがあった。じつに奇妙なことだが、彼女の処女は奪われていなかった。全裸にし、無惨な写真を撮ることだけが、犯人の目的だったらしい。

　両親が警察に届けないことを決心した理由はそこにある。下手に騒げば、どんな噂をたてられるかわかったものではない。事件のことが知れれば、誰もが彼女のことを、犯されたと思うだろう。

　江利子は中学時代のある事件を思い出した。帰宅途中に同級生が襲われた事件だ。下半身を裸にされていた彼女を発見したのは、江利子と雪穂だった。

　被害者である藤村都子の母親は、江利子たちにこういった。幸い、服を脱がされただけで、身体を汚されてはいなかった、と。あの時は、そんなことがあるんだろうかと思ったが、同じ目に遭ってみて、そういうこともあるのだと知った。そしてやはり自分の場合も、他人は信じてくれないに違いないと思った。

「早く元気になってね。力になるから」雪穂がいった。

江利子の手を強く握ってくる。

「ありがとう。雪穂だけが支えよ」

「うん。あたしのそばにいれば大丈夫だからね」

その時テレビからアナウンサーの声が聞こえてきた。

「銀行口座の預金が、本人の全く知らないうちに引き出されるという事件が起きました。被害に遭ったのは東京都内のサラリーマンで、今月十日に銀行の窓口で預金を引き出そうとしたところ、約二百万円あったはずの残高がゼロになっていました。調べてみると、四月二十二日までに、三協銀行府中支店で七回、キャッシュカードによって引き出されていることがわかりました。この男性は銀行の勧めるまま五十四年ごろキャッシュカードを取得しましたが、これまで一度も使ったことがなく、カードは事務所の机の中に眠っていたということです。警察では、何者かがカードを偽造した可能性があるとみて、捜査を——」

雪穂がテレビのスイッチを切った。

第六章

1

目立たぬよう深呼吸を一つしてから、園村友彦は自動ドアをくぐった。

つい頭に手を持っていきそうになる。カツラがずれそうなのが気になるからだ。だが絶対にそれをしてはいけないと、桐原亮司から厳しく注意されていた。眼鏡にしてもそうだ。必要以上に触ると、それが変装の小道具だとばれてしまうというのだった。

三協銀行玉造《たまつくり》出張所には、現金自動預入支払機が二台設置されていた。現在、そのうちの一方が塞がっている。利用しているのは、紫色のワンピースを着た中年の女だった。機械を使い馴れていないのか、操作がやたらに遅い。時折きょろきょろするのは、説明してくれそうな銀行員を探しているからだろう。しかし係の者は誰もいない。時計の針は午後四時を少し回ったところを示している。

この小太りの中年女が自分に助けを求めてくることを友彦は恐れた。そんなことになったら、今日の計画はとりあえず中止しなければならない。

　ほかには客がおらず、友彦としては、いつまでもそんなに佇んでいるわけにはいかなかった。どうしようかなと彼は思った。諦めて踵《きびす》を返すべきか。しかし一刻も早く「実験」をしてみたいという欲求も小さくなかった。

　彼はゆっくりと、空いているほうの機械に近づいた。早く中年女が去ってくれないかと思ったが、彼女は依然として操作盤に向かって首を傾げている。

　友彦はバッグを開け、中に手を入れた。指先にカードが触れた。それを摘み、取り出そうとした。その時だった。

「あのう……」突然隣の中年女が話しかけてきた。「お金を入れたいんですけど、どうもうまいこといかへんのです」

　友彦は、あわててカードをバッグに戻した。そして女のほうを向かず、顔を伏せたままで小さく手を振った。

「わかりません？　誰でも簡単に出来るて聞いてきたんやけど」女はしつこく尋ねてくる。友彦は手を振り続けた。声を出すわけにはいかなかった。

「ねえちょっと、何やってるの？」その時入り口のほうから別の女の声がした。隣の女の連れらしい。「急がんと遅れるで」

「これ、おかしいねん。うまいこといかへんの。あんた、やったことある？」

「あっ、それか。あかんあかん。うち、そういうのには触らんことにしてるねん」

「うちもあかんねん」

「そしたら、日を改めて窓口でやったらどう？　別に急がへんのでしょ？」

「まあねえ、せやけど、うちに出入りしてる銀行員が、機械のほうが絶対に便利ですっていうたんよ。せやからカードを作ったのに」中年女はようやく諦めたらしく、機械の前から動いた。

「あほやな。あれは、客が便利という意味やのうて、銀行側にとって人手が少なくて済むいうことなんよ」

「ほんまにそうやわ。頭にきた。何が、これからはカード時代です、や」

　中年女は、ぷりぷりして出ていった。

　友彦は小さな吐息をつき、改めてバッグに手を入れた。借り物のハンドバッグだった。流行の品なのかどうか、彼にはよくわからなかった。それどころか、今の自分の姿が現代の女性として変ではないか、ということがずっと気になっていた。桐原亮司は、「もっと変な女が、堂々と歩いてるで」と、いうのだが。

彼は徐にカードを取り出した。それは、大きさや形は三協銀行のキャッシュカードと同一にしてあるが、模様は何も印刷されていなかった。ただ磁気テープが貼り付けてあるだけだ。だから、なるべく防犯カメラに手元を写されぬよう気をつける必要があった。

友彦はキーボード上に目を走らせ、「お引き出し」のボタンを押した。すると、「カードをカード挿入口に入れてください」と書いてある横のランプが点灯した。彼は心臓の鼓動が大きくなるのを感じながら、手に持っていた白いカードを、素早くカード挿入口に入れた。

機械は何の拒絶反応も見せず、彼のカードを吸い込んだ。続いて、暗証番号を求める表示が出た。

ここが勝負だ、と彼は思った。

キーボードの数字ボタンを、４１２６と押した。さらに確認ボタンを押す。

一瞬空白の時間があった。その一瞬が、ひどく長く感じられた。機械が少しでも変わった反応を示せば、すぐに立ち去らねばならない。

だが機械は何も疑った様子がなく、引き出すべき金額を尋ねてきた。友彦は跳び上がりたいのを我慢して、２、０、万、円とボタンを押した。

数秒後、彼は一万円札二十枚と明細を手にしていた。さらに白いカードを回収し、足早に銀行を出た。

丈が膝の下まであるフレアスカートは、足にからんで歩きにくかった。それでも不自然にならぬよう気をつけて歩いた。銀行の前の道はバス通りで交通量は多いが、歩道に人は少ない。それが救いだった。慣れない化粧をした顔が、糊でも塗ったように強張っている。

二十メートルほど離れた路上に、ライトエースが止まっていた。友彦が近づいていくと助手席のドアが内側から開けられた。友彦はあたりを少し気にしてから、スカートの裾を少したくし上げて乗り込んだ。

桐原亮司は、今まで読んでいたらしいマンガ雑誌を閉じた。友彦が買ったものだ。その雑誌に連載中の、『うる星やつら』というマンガに登場するラムちゃんが、彼のお気に入りだった。

「首尾は？」エンジンキーを回し、桐原亮司が訊いてきた。

「これ」友彦は二十万円の入った袋を見せた。

桐原は横目でちらりとそれを見ると、コラム式のチェンジレバーをローに入れ、ライトエースを発進させた。表情に大きな変化はなかった。

「俺らの謎解きに、間違いはなかったというわけや」前を向いたままで桐原はいった。その口調にも、はしゃいだところはない。「まあ、自信はあったけどな」

「自信はあったけど、うまいこといった時には、やっぱり思わず身体が震えたで」友彦は臑《すね》の内側を掻いた。ストッキングを穿いた足は、やたらにかゆかった。

「防犯カメラには気をつけたやろな」

「大丈夫。絶対に顔を上げんようにしたから。ただ……」

「なんや？」桐原が、じろりと横目で友彦を見た。

「変なババアがいて、ちょっとやばかった」

「変なババア？」

「うん」

友彦は現金自動預入支払機の前でのことを話した。

桐原の顔が途端に曇った。彼は急ブレーキを踏み、ライトエースを路肩に止めた。

「おい、園村。最初に注意したやろ」と彼はいった。「ちょっとでも変なことがあったら、すぐに引き返せっていうたよな」

「それはわかってるけど、あれぐらいは平気やと思て……」友彦は声が震えるのを抑えられなかった。

桐原はそんな友彦の襟首を摑んだ。女物のブラウスの襟だ。

「おまえ一人の考えで判断するな。こっちは命がけでやってるんぞ。捕まるのはおまえだけと違うんや」そういって目を剝いた。

「顔は見られてない」うわずった声で友彦はいった。「声も聞かれてない。本当や。だから、俺の正体なんて絶対にばれへん」

桐原は顔を歪めた。それから、舌打ちをして友彦の襟を離した。

「おまえは、あほか」

「えっ……」

「何のために、そんな気色の悪い格好をさせたと思てるんや？」

「だから、これは変装……やろ？」

「そうや。誰の目をごまかすためや？　銀行や警察の目やろうが。偽造カードが使われたとなったら、連中はまず防犯カメラをチェックする。そこに今のおまえの姿が映っとったら、十人が十人、女やと思う。男にしては線が細いほうやし、なんといっても、高校ではファンクラブができたほどの美形やからな」

「だからカメラには……」

「カメラには、そのうるさいババアも映ってるわけやろ？　警察は、その中年女を見つけだそうとする。見つけるのは簡単や。隣で機械をいじくってたわけやから、その記録も機械に残ってる。で、見つけたら刑事は中年女に訊く。あの時横にいた女について、何か覚えていることはないかとな。そのババアが、あれは女装した男やったというたらどうする？　せっかくの変装が水の泡や」

「それは本当に大丈夫やて。あんなババア、何も気づいてないって」

「気づいてないと、どうして断言できる？　女というのは、必要もないのに人のことを観察するのが好きな動物やねんぞ。もしかしたら、おまえの持ってたハンドバッグの銘柄ぐらいは覚えてるかもしれん」

「まさか……」

「そういう可能性もあるということや。仮に何も覚えてなかったとしても、それはラッキーやっただけや。で、こういうことをする以上、ラッキーなんかを期待したらあかん。これは、おまえが昔やってた、ブティックでの万引きとは話が違う」

「……わかった。すまん」友彦は小さく頭を下げた。

　桐原は吐息をつくと、再びギアをローに入れた。そして、ゆっくり発進させた。

「でも」友彦は、怖ず怖ずと口を開いた。「あのババアは、本当に心配ないと思う。自分のことに夢中やったから」

「そのおまえの勘が正しかったとしても、変装した意味がなくなったことはたしかや」

「どうして？」

「声を出さへんかったんやろ？　全く」

「ああ、だから――」

「だからあかんのや」桐原は低い声でいった。「そんなふうに話しかけられて、何も返事せえへん人間がどこにおる？　何か理由があって声を出されへんかったんやないかと警察は判断するやろ。その結果、女装と違うかという説が出てくる。この時点で変装の意味はパーや」

　桐原の話を聞いていて、友彦は返す言葉がなくなった。まさにそのとおりだと思ったからだ。やはりあの時、すぐに引き返すべきだったのだと後悔した。桐原のいっていることは難しいことではない。ちょっと考えればわかることだった。にもかかわらず、そこまで考えが及ばなかった自分の愚かさに腹が立った。

「すまん」友彦は、桐原の横顔に向かって、もう一度謝った。

「二度と、こういうことはいわへんからな」

「わかってる」友彦は答えた。桐原が同じ過ちを犯す馬鹿を許さないことは、十分に承知していた。

　友彦は、運転席と助手席との間の狭い隙間を、窮屈な姿勢で通り抜けた。そして荷台に置いてあった紙袋の中から自分の洋服を取り出し、車の揺れに耐えながら着替えを始めた。パンティストッキングを脱ぐ時には、奇妙な解放感があった。

　サイズの大きい女性服、靴、ハンドバッグ、カツラ、眼鏡、そして化粧品といった変装に必要な品物はすべて、桐原によって調達されていた。どこから、どのようにして入手したのか、彼は決して話そうとはしなかった。友彦も訊かなかった。桐原には、他人が絶対に踏み入ってはならない領域がたくさん存在するということを、友彦はこれまでの付き合いで痛いほどわかっていた。

着替えを終え、化粧を落とした頃、ライトエースが地下鉄の駅の近くで止まった。友彦は降りる支度をした。

「夕方、事務所のほうに寄ってくれ」桐原がいった。

「ああ、わかってる。そのつもりや」友彦はドアを開けて、車から降りた。ライトエースが発進するのを見送ってから、地下鉄の階段を下り始めた。階段の壁に、『機動戦士ガンダム』のポスターが貼ってあった。見に行かなきゃな、と彼は思った。

2

高電圧工学の講義は眠かった。出席をとらないうえに、試験の時に楽勝でカンニングが出来るという噂が流れているせいで、五十人以上が座れる講義室に、十数人の学生が座っているだけだった。友彦は前から二列目の椅子に座り、時折ふっと意識が途切れそうになるのをこらえながら、白髪の助教授がスローな口調で話すアーク放電やグロー放電のメカニズムを、ノートにメモしていった。手を動かしていなければ、すぐにも机に突っ伏してしまいそうなのだ。

園村友彦は真面目な学生、ということで通っていた。少なくとも、信和《しんわ》大学工学部電気工学科では、皆からそう思われていた。実際彼は、受講を申請した講義には、確実に出席している。彼がサボタージュするのは、法学とか芸術学とか一般心理学といった、およそ電気工学とは無縁の教養課程にかぎられていた。彼はまだ二年生だったので、こういった内容の講義も、数多くカリキュラムに組み込まれているのだ。

友彦が専門課程の講義を真面目に聞く理由は、殆ど一つだった。そうするように桐原亮司から命じられているからだ。ビジネスのためだという。

もともと友彦が電気工学科を選んだこと自体、桐原の影響が小さくなかった。高校三年の時点で理数の成績がよかったので、工学部か理学部に進もうとは思っていた。しかし学科までは決めかねていた。そんな彼に桐原がいったのだ。

「これからはコンピュータの時代や。おまえがそういう方面の知識を仕入れてくれたら、俺も助かる」

この頃桐原は、例のゲームプログラムを通信販売する仕事を続けて、かなりの成果を上げていた。友彦も、プログラムの開発などを手伝っていた。桐原が「助かる」といったのは、自分の事業を展開していくのに、という意味だったのだろう。

これに対して友彦は、そんなにいうなら自分が進めばいいじゃないか、と桐原にいったことがある。桐原も、友彦に勝るとも劣らないほど理数科の成績がよかったからだ。

だがこの時彼は、頰を少しひきつらせたような笑みを浮かべた。

「大学に行く余裕があったら、こんな商売やってへんわ」

この時初めて友彦は、彼が進学しないことを知った。同時に、それならば自分が電気やコンピュータの知識を身につけようと決心した。ただ漠然と進路を決めるより、誰かの役に立つという目的のもとに決定したほうが、進学する意味が濃いと思った。

また友彦には桐原に対して、何年かかっても返さねばならない恩というものが存在した。あの高校二年の夏の出来事は、今も彼の心に深い傷となって残っている。

こうした理由から、友彦は専門課程の講義をできるかぎり真面目に受けようと決めたのだが、驚いたことに、彼がそうやってノートにまとめたものを、桐原はじつに熱心に読むのだった。そのノートの内容を理解するために、専門書を横に置いたりもしている。桐原は信和大学の講義には一度も出ていないが、まず間違いなく、最も講義内容を理解している人間だった。

そんな桐原が、このところ興味を持っているものがある。キャッシュカードやクレジットカードなどの、いわゆる磁気カードだ。

最初に手を出したのは、友彦が大学に入学して間もなくの頃だった。きっかけは、友彦がある装置を大学内で目撃したことだ。磁気テープに打ち込まれた情報を読んだり、その情報を書き換えたりできるその装置は、エンコーダーと呼ばれた。

その装置の話を聞くと、桐原の目の色が変わった。そしてこんなことをいった。

「それを使《こ》たら、キャッシュカードの複製なんかも作れるわけや」

「そりゃあ作れるかもしれないな」と友彦は答えた。「けど、作っても意味がないんやないか。キャッシュカードを使うには暗証番号が必要やろ。だからこそ、キャッシュカードというのは、万一落としても安心なんやないか」

「暗証番号か」

その後桐原は黙って何事か考えている様子だった。

彼がマイコンプログラムの事務所に、ラジカセぐらいの大きさの段ボール箱を運び込んだのは、それから二、三週間が経った頃だ。その箱の中身はエンコーダーだった。磁気カードを挿入するところがあり、その情報を表示するパネルがついている。

「そんなものが、よう手に入ったな」

友彦がいうと、桐原は小さく肩を揺すって笑った。

この中古のエンコーダーを入手して間もなく、桐原は一枚のキャッシュカードを偽造した。そのオリジナルとなったカードが、誰のものなのかは友彦も知らない。何しろ桐原の手元にあったのは、ほんの数時間だけだったのだ。

桐原はそれを使って、二十数万円の金を二回に分けて引き出したようだった。驚くことに彼は、磁気カードに書き込まれている情報から、暗証番号を解読していたのだ。

だがこれには少しからくりがあった。じつはエンコーダーを入手する以前から、桐原は磁気カードのパターンを読むことに成功していたらしいのだ。

特別な機械を用いないで、どうやってパターンを解読するか。一度だけ桐原が実演して見せてくれたことがある。それはまさにコロンブスの卵だった。

彼が用意したのは磁石の微粉末だ。それをカードの磁気部分にふりかけた。間もなく友彦は、あっと声を上げた。

磁気テープ部分に、細かい縞模様が浮かび上がってきたのだ。

「結局はモールス信号みたいなものや」と桐原はいった。「予《あらかじ》め暗証番号のわかっているカードにこういうことをしてるうちに、パターンの意味が読めてきた。となると、今度はその逆や。暗証番号がわからんでも、パターンを浮かびあがらせたら解読できる」

「すると拾ったり盗んだりしたキャッシュカードも、こんなふうに磁石の粉をふりかけたら……」

「使えるということやな」

「なんと……」友彦は後に続く言葉が思いつかなかった。

そんな彼の様子がおかしかったのか、桐原が珍しく心底愉快そうに笑った。

「笑《わろ》てしまうわなあ。これのどこが安全やねん。銀行員はよう、通帳と印鑑を別々に保管してくれというけど、キャッシュカードというのは、金庫と鍵が一緒になってるようなものや」

「こんなことでいいと思ってるのかなあ」

「たぶん一部の関係者は知ってるんやろ。これがかなりやばい代物やということをな。けど、もう引っ込みがつかへんから黙ってるんや。ビクビクしながらな」桐原は、また笑い声を上げた。

だが桐原は、この秘密の技術を、すぐには活用しようとしなかった。本業のマイコンプログラム製作が忙しかったせいもあるが、何より、他人のカードなど、そう簡単には手に入らないということがあった。使ったのは、エンコーダーを入手した直後に、どこかのキャッシュカードを複製した時だけだった。しばらく、彼がカードの話をすることはなかった。

ところが今年になって、桐原がこんなことをいいだした。

「考えてみたら、他人のキャッシュカードを手に入れる必要なんかないんやな」狭い事務所で、古びたテーブルに向かってインスタントコーヒーを飲んでいる時のことだ。

「どういう意味や」と友彦は訊いた。

「要するに必要なのは現存する口座番号であって、暗証番号ではない。まあ考えてみたら当たり前のことやった」

「よくわからんな」

「つまりや」桐原は椅子にもたれ、テーブルに足をのせた。そして近くにあった名刺を手に取った。「これをキャッシュカードとする。このカードを機械に入れたら、機械は磁気テープに組み込まれた、いろいろな情報を読み取る。その中の一つが口座番号と暗証番号や。当然のことやけど、機械にはカードを入れた人間が本人かどうかはわからん。それを判断するために、暗証番号を押せという。磁気テープに記録された番号と同じ数字が押されたら、疑うことなく要求された金を吐き出す。ということは、磁気テープに何も記録されていない白紙のカードを持ってきて、そこに口座番号なんかの必要事項を記録し、最後に適当な暗証番号を入れたらどうや」

「あっ」

「そうやって作ったカードは、もちろん本物とは内容が違う。暗証番号が違ってるわけや。けどそれを機械に判定する力はない。機械が確認するのは、磁気テープに記録された番号と、人間が押す番号が一致するかどうかということだけや」

「じゃあ実在する口座番号がわかったら……」

「いくらでも偽物のキャッシュカードを作れるということになるな。偽物やけど、金はちゃんとおろせる」桐原は唇の端を曲げた。

友彦は全身に鳥肌が立った。今桐原がしゃべっていることが、決して夢物語でないということを理解したからだった。

それから二人で、偽のキャッシュカードを作り始めた。まずカードに記録されているコードを改めて分析してみた。その結果、始め符号、ＩＤコード、承認コード、暗証番号、銀行コードなどが配列されていることを突き止めた。

次に、銀行のゴミ箱に捨てられた他人の口座の利用明細を多数拾い、突き止めた法則性にしたがって、口座番号や適当に決めた暗証番号を七十六桁の数字とアルファベットに変換した。

あとはそれをエンコーダーを使って磁気テープに打ち込み、プラスチックカードに張りつければ完成である。

先程、友彦が現金を引き出すことに成功した白いカードが、その完成品第一号だった。いくつか拾った利用明細の中から、最も残高が多い口座を選んだのだ。そのほうが発覚しにくいというのが桐原の意見だった。友彦も同感だった。

間違いなく犯罪だったが、友彦に罪悪感はなかった。一つには、偽造カードを作るまでの経過が、あまりにもゲーム的だったからかもしれない。また、金を盗む相手が全く見えないせいもあるだろう。だが何より、桐原からいつも聞かされている言葉が、頭に染みついていることが大きかった。

「落ちてるものを拾うのと、置き引きと、どう違う？　金の入ったカバンを、ぼんやり置いとくほうが悪いんと違うか。この世は隙を見せたほうが負けや」

この台詞を聞くたびに、戦慄と共に、ぞくぞくするような快感も、友彦は覚えるのだった。

3

大学の四講目が終わると、友彦はすぐに事務所に向かった。事務所といっても、特に看板を掲げているわけではない。古いマンションの一室を、それに充てているだけだ。

友彦にとって、様々な思い出のある部屋である。初めて来た時には、自分がこんなふうに出入りすることになるとは、夢にも思わなかった。

三〇四号室の前に来ると、彼は自分の合鍵で錠を外し、ドアを開けた。入ってすぐのダイニングキッチンで、作業台に向かって桐原が座っていた。

「早かったな」友彦のほうに身体を捻って彼がいった。

「寄り道せえへんかったからな」靴を脱ぎながら友彦は答えた。「立ち食いそば屋が満員で入られへんかった」

作業台の上にはパーソナル・コンピュータが置かれていた。ＮＥＣのＰＣ８００１だった。緑色の画面上に文字が並んでいた。本日は晴天なり、こんにちは山田太郎です――。

「ワードプロセッサーか」桐原の後ろに立って、友彦は訊いた。

「ああ。チップとソフトが届いた」

桐原は両手を器用に使ってキーボードを叩いた。叩いたのはアルファベットのキーだが、画面には平仮名が表示された。ＵＭＡと叩くと、「うま」と出るわけだ。さらに桐原はスペースキーを押した。するとコンピュータに繋いだディスクドライブ装置がカタッという音をたて、画面の右下隅に「馬」と「午」という漢字が出た。それぞれに、１、２という番号がついている。桐原が１のキーを押すと、またしてもディスクドライブ装置の作動音の後、「うま」という平仮名の部分が「馬」という漢字に変わった。続いて彼は「しか」と押した。同様の手法で「鹿」という漢字に変換させる。これでようやく「馬鹿」という熟語が完成した。この間、十秒近くかかっている。

友彦は苦笑を漏らした。「手書きのほうが、絶対に速いな」

「システムがフロッピーディスクに入ってて、変換のたびにいちいち呼び出す方式やから、時間がかかるのも当然や。システム全体をメモリーに入れてしまえば格段にスピードアップするんやろうけど、まあ、このコンピュータではここまでがやっとやろ。それにしても、フロッピーはやっぱりすごい」

「これからはフロッピーかな」

「当然やろ」

友彦は頷き、ディスクドライブ装置に目を向けた。これまではプログラムの読み書きといえば、カセットテープを媒体にするのが主流だった。しかしそれでは読み書きに時間がかかって仕方がなかった。記憶容量も少ない。フロッピーディスクを使えば、速度も記憶容量も格段に上がる。

「問題はソフトやな」桐原がぽつりといった。

友彦は再び頷き、机の上に置いてある五インチのフロッピーディスクを手に取った。桐原の考えていることが、手に取るようにわかった。

コンピュータゲームのプログラムを通信販売した時には、反響がすごかった。ある日を境に、現金書留が山のように送られてくるようになったのだ。もちろんすべてゲームソフトの注文書と代金だった。「絶対に当たる」と断言した桐原の予想が的中したわけだ。

その後もしばらく売れ行きは好調だった。かなりの収益を上げたといえるだろう。しかしそれがここへ来て、行き詰まりつつある。競争相手が増えてきたことはある。だが最も大きな要因は、著作権のことだ。

これまではインベーダーゲームなどの人気ソフトの海賊版を、堂々と広告に載せて売っていたのだが、どうやらそれも自由にはできなくなりそうな気配だ。いよいよコピーソフトが取り締まられる動きが出てきたのだ。実際に何社かは訴えられており、友彦たちの「会社」にも、警告文が送られてきた。

　これについて桐原は、「裁判になったら、たぶんプログラムのコピーは認められなくなる」と予測していた。その根拠は、一九八〇年にアメリカで著作権法が改正されたことにある。その改正によって、「プログラムは作成者の独自の学術的思想の創作的表現であり、著作物である」と明文化されたのだ。

　コピープログラムの販売が認められなくなると、この道で生き残っていくためには、独自のプログラムを開発するしかない。だがそこまでの資金やノウハウといったものは、友彦たちにはなかった。

「ああ、そうや。これを渡しとかんとな」桐原が思い出したようにいい、ポケットから封筒を取り出した。

友彦が受け取って中を改めると、一万円札が八枚入っていた。

「今日の報酬。おまえの取り分や」桐原はいった。

友彦は封筒を捨て、中の札だけをジーンズのポケットにねじこんだ。「あれについては、今後どうする？」

「あれ？」

「だから……」

「キャッシュカードか」

「うん」

「そうやな」桐原は腕組みをした。「あの手を使ってひと稼ぎするとなると、早いほうがええ。ぐずぐずしてると、対抗措置をとられる」

「対抗措置……ゼロ暗証システムか」

「ああ」

「けど、あれはコストもかかるし、大抵の金融機関は乗り気やないて……」

「キャッシュカードの欠点に気づいてるのが、俺らだけと思うか。そのうちに、今日俺らがやったようなことが、全国で行われるようになる。そうなったら、けちな銀行もコストがどうのこうのいうてる場合やない。すぐにも切り替えてくる」

「そうか……」友彦はため息をついた。

　ゼロ暗証システムとは、キャッシュカードの磁気テープに、暗証番号を打ち込まない方式のことをいう。そのかわりに顧客の暗証番号は、ホストコンピュータに記録しておくのだ。つまり利用者がカードを使おうとするたびに、現金自動預入支払機はいちいちホストコンピュータに問い合わせ、暗証番号が正しいかどうかを確認するのである。これならば、今回友彦たちがやったようなキャッシュカードの偽造は無意味になる。

「とはいえ、今日みたいなことを何回も繰り返すのは危険や。防犯カメラはごまかせたとしても、どこで尻尾を摑まれるか予想でけへんからな」桐原はいった。

「知らんうちに銀行の残高が減ってたら、誰でも警察に届けるやろうしなあ」

「要は、偽造キャッシュカードが使われたということさえ、ばれへんかったらええんやけどな」

　桐原がそこまでいった時、玄関のチャイムが鳴らされた。二人は顔を見合わせた。

「奈美江さんかな」と友彦はいった。

「今日はここには来《け》えへんはずやけどな。それに、まだ仕事の終わる時間ではないやろ」桐原が時計を見て首を傾げた。「まあええ。ちょっと出てみてくれ」

　友彦は玄関ドアの内側に立ち、覗き窓から外の様子を窺った。灰色の作業服を着た男が一人立っていた。年齢は三十前後に見えた。

　友彦はドアチェーンをつけたままドアを開けた。

「何ですか」

「換気扇の点検です」男は無表情でいった。

「今すぐ？」

　男は黙って頷いた。無愛想な奴だなと思いながら、友彦は一旦ドアを閉めた。それからドアチェーンを外し、改めてドアを開けた。

　外に立っている男の数が増えていた。紺色の上着を着た大柄な男と、緑色のスーツを着た若い男が、すぐ目の前にいた。作業服の男は、後ろに下がっている。友彦は瞬時に危険を察知し、ドアを閉めようとした。だがそれを、大柄な男に止められた。

「ちょっと邪魔するで」

「なんですか、あんたら」

　友彦がいったが、男は答えず、強引に身体を入れてきた。広い肩幅に、友彦は少し圧倒された。柑橘《かんきつ》系の匂いが洋服に染みついているようだった。

　大柄な男に続いて、緑スーツの若い男も入ってきた。若い男の右眉の横には、傷を縫った痕があった。

　桐原は椅子に座ったままで男を見上げた。

「どなた？」

　しかしここでも大柄な男は返事をしなかった。靴を履いたまま上がり込むと、室内をじろじろ見回しながら、先程まで友彦が座っていた椅子を引き、そこに腰を下ろした。

「奈美江は？」と男は桐原に訊いた。目に酷薄そうな光が宿っていた。真っ黒な頭髪は、べったりとオールバックに固められている。

「さあ」桐原は首を傾げて見せた。「それより、おたくは？」

「奈美江はどこにおる」

「知りません。あの人に何の用ですか」

だが男は相変わらず桐原の質問を無視し、緑色のスーツを着た若い男に目配せした。若い男が、これまた土足で部屋に上がり込んだ。そして奥の部屋に入っていった。

大柄な男は、作業台の上のコンピュータに目を向けた。顎を突き出すような格好で、画面を覗き込んだ。

「何や、これは」と男は訊いた。

「日本語ワードプロセッサー」と桐原は答えた。

「ふうん」男はすぐに興味をなくしたようだ。再び室内を見回した。「儲かるんか、こういう仕事」

「うまいことやれば」と桐原は答えた。

すると男は肩を揺すって低く笑った。

「どうやら、にいさんらは、あんまりうまいこといっとらんみたいやな。ええ？」

桐原が、友彦のほうを見た。友彦も見返した。

奥で若い男が、段ボール箱の中を漁っていた。奥の部屋は倉庫になっている。

「西口さんに用があるんですか」桐原は奈美江の名字を口にした。「それやったら、土曜か日曜に出直してきてもらえませんか。平日は、ここへは来ませんから」

「そんなことはわかってる」

男は上着の内ポケットからダンヒルの箱を取り出した。そして一本くわえると、やはりダンヒルのライターで火をつけた。

「奈美江から連絡は？」煙を吐いてから男は訊いた。

「今日はまだありません。何か伝えておきましょうか」桐原がいった。

「あいつに伝える必要はない」

男は、煙草の灰をテーブルの上に落とそうとした。すると素早く桐原が、灰を受けるように自分の左手を差し出した。

男が片方の眉を上げた。「何の真似や」

「ここには電子機器が沢山あるから、煙草の灰には気をつけてもらわんと」

「そしたら灰皿を出せ」

「ありません」

「ほお」男の口元が歪んだ。「ほな、こいつを使わしてもらおか」そういうと桐原の掌の上に、煙草の灰を落とした。

桐原が眉ひとつ動かさなかったのが、男は気に食わなかったようだ。「なかなかええ灰皿、持っとるやんけ」というと、そのまま煙草の火を掌に押しつけた。

桐原が全身の筋肉を緊張させているのが、友彦の目にも明らかだった。しかし彼はさほど表情を変えず、声も漏らさず、左手を出したまま、男の顔をじっと睨み続けていた。

「それで根性見せたつもりか。ああ？」男がいった。

「別に」

「スズキ」男は、奥のほうに声をかけた。「何かあったか」

「いえ、何もないみたいです」スズキと呼ばれた若い男が答えた。

「そうか」

男はダンヒルの箱とライターをポケットにしまった。それから机の上に転がっていたボールペンを手に取ると、広げたままにしてあったワープロソフトの取扱説明書の端に何か書き込んだ。

「奈美江から連絡があったら、ここに電話してくれ。電気屋やというたらわかるようにしておく」

「おたくの名前は？」

「わしの名前なんか、聞いたかてしょうがないやろうが」男は立ち上がった。

「もし連絡しなかったら？」桐原が訊いた。

男は笑い、鼻から息を吐いた。

「なんで連絡せえへんのや。そんなことして、にいさんらが何か得することがあるか」

「西口さんが、連絡せんといてくれというかもしれません」

「ええか、にいさん」男は桐原の胸のあたりを指差した。「連絡しようとしまいと、にいさんらが得することはない。けど連絡せえへんかったら、確実に損はする。一生後悔しても足りないぐらいの損になるかもしれん。ということはや、どうするべきかははっきりしてるんとちゃうか」

桐原はしばらく男の顔を見た後、小さく頷いた。「わかりました」

「それでええ。にいさんはあほやない」男はスズキという若い男に目で合図をした。スズキは部屋を出ていった。男が財布を取り出した。そして一万円札二枚を友彦に渡した。

「火傷《やけど》の治療代や」

友彦は黙ってそれを受け取った。その時指先が震えた。それを見たのだろう。男が馬鹿にしたように薄く笑った。

男が出ていくと、友彦はドアに鍵をかけ、ドアチェーンもかけた。それから桐原を振り返った。「大丈夫か」

桐原は答えず、奥の部屋に入っていった。そして窓のカーテンを開けた。

友彦も彼の横に行き、窓の外を見下ろした。マンションの前の通りに黒っぽい色のベンツが止まっていた。少し待っていると、先程の男たちが現れた。大柄な男とスズキという若い男が後部座席に乗り込み、作業服を着た男が運転席についた。

ベンツが動きだすのを見てから、「奈美江に電話してみてくれ」と桐原がいった。

　友彦は頷き、ダイニングキッチンに置いてある電話で、西口奈美江の部屋にかけた。しかし呼び出し音が聞こえるだけで、奈美江は出なかった。受話器を置きながら、彼は首を振った。

「部屋にいてるんなら、連中がこんなところに来るはずがないか」桐原がいった。

「銀行にもいないということやろうな」友彦はいった。

奈美江の本来の職場は、大都銀行昭和支店だ。

「休んでるのかもしれんな」桐原は小型冷蔵庫のドアを開け、製氷器を取り出した。そして流し台に氷をぶちまけると、その中の一つを左手で握った。

「火傷、大丈夫か」

「どうってことない」

「あいつら何者かな。ヤクザみたいに見えたけど」

「それはたぶん間違いない」

「どうして奈美江さんが、あんな連中と……」

「さあな」桐原は、ひとつ目の氷を掌の中で溶かしてしまうと、また新たな氷を握りしめた。「とりあえず友彦は家に帰れ。何かわかったら連絡する」

「桐原はどうするつもりや」

「俺は、今夜はここに泊まる。奈美江が連絡してくるかもしれん」

「じゃあ俺も——」

「おまえは帰れ」桐原は即座にいった。「さっきの連中の仲間が、見張ってるかもしれん。俺ら二人が泊まったら、変に思うやろ」

　たしかにそのとおりだった。友彦は諦めて帰ることにした。

「銀行で何かあったのかな」

「さあな」桐原は左手の火傷を右手で触った。激痛でも走ったのか、苦しそうに顔を歪めた。

4

　園村友彦が帰った時、すでに家族たちの夕食は終わっていた。電子機器メーカーに勤める父親は、和室の居間でプロ野球のナイター中継を見ており、高校生の妹は自分の部屋にこもっていた。

　友彦の生活について、両親は最近では全く干渉しなくなった。彼等は息子が有名大学の電気工学科に進んだことを喜んでいたし、世間の大学生と違って、講義もきちんと受け、単位を確実に取得していることに満足していた。友彦は桐原の仕事を手伝うことについて、両親には、マイコンショップのアルバイトと説明してあった。無論、反対されるはずがなかった。

　三人分の食器を洗う合間に母親が食卓に並べてくれたのは、焼き魚と野菜の煮物と味噌汁だった。御飯だけは友彦が自分でよそった。母親の手料理を食べながら、桐原は夕食をどうするのだろうと彼は思った。

　付き合いが三年になるというのに、桐原の生い立ちや家族について、友彦は詳しいことを殆ど知らなかった。知っていることといえば、かつて父親が質屋を経営していたということや、その父親が今は没しているということぐらいだった。兄弟姉妹は、たぶんいない。母親は生きているようだが、一緒に住んでいるかどうかは曖昧。親しい友人というのも、友彦の知るかぎりはいない。

　西口奈美江という女に関してもそうだ。経理事務を任せてはいるが、プライベートなことを彼女の口から聞いたことは殆どない。ふだんは銀行に勤めているようだが、どんな仕事をしているのかも知らなかった。

　その西口奈美江がヤクザに追われている――。

　どういうことだろうと思った。奈美江の小さくて丸い顔を思い浮かべた。

　夕食を終え、友彦も自分の部屋に行こうとした。その時、居間のテレビから流れるニュースが耳に入った。いつの間にかナイター中継は終わっていたらしい。

「今朝八時頃、昭和町の路上で中年の男性が胸などから血を出して倒れているのを、通行人が発見し、警察に通報しました。男性はすぐに病院に運ばれましたが、間もなく死亡しました。この男性は、此花《このはな》区西九条に住む銀行員真壁幹夫《まかべみきお》さん四十六歳で、胸などを鋭い刃物のようなもので刺されているということです。通行人が真壁さんを見つける直前、現場付近では出刃包丁のようなものを持った不審な男性が目撃されており、警察では事件と何らかの関係があるとみて、その行方を追っています。真壁さんは現場から百メートルほどのところにある、大都銀行昭和支店に出勤する途中でした。次に――」

　途中までは、最近急増している通り魔殺人かと思って友彦は聞いていた。だが最後の部分を聞き、ぎくりとした。大都銀行昭和支店。どこかで聞いたことがある、どころではない。西口奈美江が勤務している銀行だ。

　友彦は廊下に出ると、その途中に置いてある電話の受話器を取り上げた。気持ちが逸《はや》るまま、番号ボタンを押した。

　しかし事務所にいるはずの桐原が、一向に電話に出なかった。呼び出し音を十回鳴らし、友彦は受話器を置いた。

　少し考えて、友彦は居間に戻った。父親が十時からのニュース番組を見ることを知っていたからだ。

　しばらく父親と並んでテレビを見た。友彦は番組に熱中するふりをし、父親から何か話しかけられるのを防いだ。彼の父は何の話をしていても、すぐに息子の将来の話などに結びつけてしまう癖があった。

　番組の終わり頃になって、ようやく例の事件に関するニュースが流された。しかしその内容は、先程聞いたものと殆ど変わりがなかった。番組の司会者は、理由なき無差別殺人の一つではないかという推理を述べていた。

　電話が鳴ったのは、その直後だった。友彦は反射的に腰を浮かした。俺が出るよ、と両親にいって廊下に出た。

　受話器を取り、「はい、園村ですが」といった。

「俺や」受話器から、予想通りの声が聞こえてきた。

「ついさっき電話をかけた」声を落として友彦はいった。

「そうか。ニュースを見たんやな」

「ああ」

「俺も、ニュースは今見たところや」

「ニュースはって？」

「説明すると長《なご》うなる。それより、ちょっと出られへんか」

「えっ」友彦は居間のほうを振り返った。「今すぐか」

「そうや」

「それはなんとかなると思うけど」

「ちょっと出てきてくれ。相談したいことがある。奈美江のことや」

「連絡があったのか」友彦は受話器を握りしめた。

「今、横におる」

「えっ、どうして？」

「せやから説明は後や。とにかくすぐに来てくれ。というても事務所のほうやない。ホテルや」桐原は、そのホテル名と部屋番号をいった。

　それを聞いて友彦は、少し複雑な気持ちになった。高校二年の時に、例の事件があったホテルだった。

「わかった、すぐに行く」部屋番号をもう一度復唱し、友彦は電話を切った。

　バイト先のマイコンショップでトラブルが起きたのでこれから出かける、とだけ母親にいって、友彦は家を出た。母親は何も疑っている様子はなく、大変やねえ、と感心したようにいった。

　急いで家を出たので、まだ電車は動いていた。友彦は、花岡夕子とデートしていた頃のことを思い出しながら、あの時と同じ道程を辿った。乗り換え口も、ホームで電車を待つ位置も、ほろ苦さを伴いながらも懐かしいものだった。あの人妻が、彼にとっては最初の女性だったのだ。彼女が死んでからは、昨年コンパで知り合った某女子大生とセックスするまで、友彦は女性とキスすることさえなかった。

　その思い出のホテルに到着すると、彼は真っ直ぐエレベータホールに向かった。このホテル内の位置関係については熟知している。

　二十階で降りると、２０１５という表示が出ているドアを探した。それは廊下の一番奥にあった。友彦はドアをノックした。

「はい、どなた？」桐原の声がした。

「平安京エイリアン」と友彦は答えた。コンピュータゲームの名前だ。

　ドアが内側に開いた。無精髭を生やした桐原が、入れよ、というように親指を立てた。

　部屋はツインルームだった。窓の近くにテーブルと二つの椅子が置いてある。その一つに、チェックのワンピースを着た西口奈美江が座っていた。

「こんばんは」と奈美江のほうから声をかけてきた。微笑んでいるが、ずいぶんやつれて見えた。本来は丸顔タイプだが、顎が尖っている。

「こんばんは」友彦は応え、ちょっと室内を見回してから、まだ少しも皺の寄っていないベッドに腰かけた。

「ええと、それで」桐原を見た。「どういうこと？」

　桐原はコットンパンツのポケットに両手を突っ込んだまま、壁際に置いてある机に尻をのせた。

「園村が出ていってから一時間ぐらいして、奈美江から電話があった」

「うん」

「もう俺らのほうの仕事は手伝われへんから、帳簿だとか関係書類を返しておきたいっていうことや」

「手伝えないって？」

「逃げる気らしい」

「えっ、どうして」友彦は奈美江を見た。それから先程のニュースを思い出した。「あの、同じ銀行の人が殺されたっていう事件と関係あるのか？」

「まあそういうことや」桐原はいった。「けど、奈美江が殺したわけやない」

「いや、そんなことは思ってないけど」

　友彦はいったが、じつは一瞬考えたことだった。

「殺したのは、夕方事務所に来た連中らしい」

　桐原の言葉に、友彦は息をのんだ。

「何のためにそんなことを……」

　奈美江は黙って俯いたままだ。それを見て、桐原は改めて友彦のほうを向いた。

「紺色のジャケットを着た身体の大きなヤクザ、エノモトというそうやけど、奈美江はあいつに貢いでたらしい」

「貢ぐって……金を？」

「貢ぐという以上は、もちろん金や。ただし、自分の金やなかった」

「えっ、ということは、もしかしたら……」

「ああ」桐原は顎を引いた。「銀行の金や。オンラインシステムを利用して、エノモトの口座に勝手に振り込んでたらしい」

「いくら？」

「総額でいくらになるかは、奈美江にもわからんそうや。何しろ、多い時で二千万円以上動かしたっていうんやからな。それが一年以上続いてたらしい」

「そんなことができるの？」友彦は奈美江に訊いていた。だが彼女は下を向いたままだ。

「できるということやろ。本人がやったというてるねんから。けど、奈美江の不正に感づいた人間がおった。それが真壁や」

「マカベ……さっきのニュースの……」

桐原は頷いた。「真壁は奈美江が犯人とは思わず、自分の疑問を話したらしい。それで奈美江は観念して、エノモトに連絡したそうや。とうとうばれてしまいそうやてな。エノモトとしては、無限に金を引き出せる打ち出の小槌を失いとうなかった。それで仲間だか子分だかに命じて、真壁を殺したというわけや」

聞いているうちに、友彦は急速に喉が渇いてきた。心臓の鼓動が大きくなる。

「そうだったのか……」

「けど奈美江としては、万々歳という気分にはなられへん。いうてみたら真壁は、奈美江のせいで死んだようなもんや」

桐原がいうと、奈美江が嗚咽《おえつ》を漏らし始めた。細い肩が小さく揺れていた。

「そういう言い方をせんでもええやろ」友彦は彼女を気遣っていった。

「こういうことは、オブラートに包んでしゃべっても、意味がないやろうが」

「だけど――」

「いいの」奈美江が口を開いた。瞼は腫れているが、その目には何らかの決意が込められているようだった。「本当のことなんだから。リョウのいうとおりなんだから」

「そうかもしれんけど……」そういったきり、後が続かなかった。仕方なく友彦は、話の先を促す目的で桐原を見た。

「それで奈美江も、いよいよエノモトとは縁を切らなあかんと思たそうや」桐原は、机の横を指差した。そこには大きめの旅行バッグが二つ、ぱんぱんに膨れた状態で置かれていた。

「道理で、あの連中が血相を変えて奈美江さんのことを捜してたわけや。奈美江さんがいなくなったら、その真壁っていう人を殺した意味がなくなってしまう」

「それだけでなく、エノモトは至急大金を必要としているらしい。本来なら昨日の昼間に、奈美江がいつものように金を振り込むことになってたそうや」

「あの人、いくつかの事業に手を出してるのよ。でも、どれもあまりうまくいってないみたい」奈美江が呟いた。

「どうしてあんな男に……」

「今ここでそんなことを訊いて何の意味がある」桐原がぶっきらぼうにいった。

「それはそうだけど……」友彦は頭を掻いた。「で、これからどうする？」

「何とか逃がすしかないやろ」

「そうやな」

　自首するという案は、この場合口にできないのだろうなと友彦は解釈した。

「というても、当面どこに身を置くかも決まってない。いつまでもこんなホテルにおったら、いつかは見つかってしまう。エノモトからは逃げられても、警察からはそう簡単には逃げられへんからな。長期間隠れてても平気そうなところを、今日と明日の二日間で俺が探してみる」

「見つかるかな」

「見つけるしかない」桐原は冷蔵庫を開け、中から缶ビールを一つ取り出した。

「ごめんね、二人とも。もし警察に捕まっても、あなたたちに協力してもらったことは絶対にしゃべらないから」奈美江が申し訳なさそうにいった。

「お金はあるの？」と友彦は訊いた。

「うん、それはまあなんとか」彼女の口調は、どこか歯切れが悪かった。

「さすがは奈美江や。ただエノモトに操られてるだけやない」桐原が缶ビールを片手にいった。「こういう日が来ることを予想して、秘密の口座を五つも持ってたというんや。で、それぞれの口座に、こっそり不正送金していたというんやから、感心するわ」

「へえ」

「威張れることじゃないから、あんまりいわないで」奈美江は額に手をあてた。

「でも、金はないより、あったほうがいいよ」友彦はいった。

「そういうことや」そういって桐原はビールを飲んだ。

「それで俺は何をしたらええ？」奈美江と桐原の顔を交互に見て、友彦は訊いた。

「おまえには二日間、ここで奈美江と一緒にいてほしい」

「えっ……」

「奈美江は迂闊《うかつ》には外に出られへん。買い物なんかを誰かが代わりにやるしかない。で、こういうことを頼めるのは、おまえしかおらん」

「そうか……」

友彦は前髪をかきあげ、奈美江を見た。彼女はすがるような目をしていた。

「わかった。任せてくれ」強い口調でいった。

5

土曜日の昼間、友彦はデパートの地下食料品売場で買った弁当を、ホテルの部屋に持ち帰った。五目御飯に焼き魚や鶏の唐揚げがついた弁当だった。さらにホテルに備え付けのティーバッグで日本茶を入れ、小さなテーブルで昼食をとることにした。

「ごめんね、こんな食事に付き合わせちゃって」奈美江がすまなそうにいった。「園村君は、外で食べてきてもよかったのに」

「ええよ。一人で食べるより、誰か相手がいたほうが、俺も楽しいから」割り箸で焼き魚をほぐしながら友彦はいった。「それにこの弁当、結構うまいし」

「うん、おいしいね」奈美江は目を細めた。

弁当を食べ終えると、友彦は次にプリンを冷蔵庫から取り出した。食後のデザート用に買ってきたものだ。それを見て奈美江は少女のように喜んだ。

「すごく気がつくのねえ、園村君、きっといい旦那さんになるわよ」

「えっ、そうかなあ」プリンを口に運びながら友彦は照れた。

「園村君、恋人はいなかったっけ」

「うん。去年、ちょっと付き合ったけど、別れた。はっきりいうと、ふられた」

「へえ、どうしてかな」

「もっと遊び方をよう知ってる男がええていわれた。俺は地味すぎるらしい」

「みんな、男を見る目がないのねえ」奈美江はかぶりを振った。だがその後彼女は、自嘲するように笑った。「そんなことをいう資格、あたしにはなかったんだ」そしてカップの中のプリンを、スプーンで崩した。

その手つきを見ながら、友彦はある質問をしようとした。しかし結局やめておいた。訊いても仕方のないことだと思ったからだ。

だが奈美江のほうは、そんな彼の表情を見逃さなかった。

「エノモトとのこと、訊きたいんでしょ」と彼女はいった。「どうしてあんな男に引っかかったのか、どうして一年以上も金を貢いでいたのかって」

「いや、別に……」

「いいの。訊いてくれて。だって、誰が聞いたって馬鹿な話やもの」奈美江は、まだ中身の入っているプリンのカップをテーブルに置いた。「煙草、持ってる？」

「マイルドセブンやけど」

「うん。それでいい」

友彦からもらった煙草に、友彦の使い捨てライターで火をつけ、奈美江は深々と一服した。白い煙が、優雅に空間を舞った。

「一年半ほど前、車でちょっとした事故を起こしてしまったの」窓を見ながら話し始めた。「接触事故よ。といっても、ほんの少しこすっただけ。それに、こっちに落ち度があるとも思えなかった。でもね、何しろ相手が悪かった」

友彦はぴんときた。「ヤクザ？」

奈美江は頷いた。

「取り囲まれちゃってね、一時はどうなることかと思った。そんな時、別の車の中からエノモトが現れたの。彼は相手のヤクザと顔見知りみたいだった。そうして、後日あたしが修理代を払うってことで話をつけてくれたの」

「ものすごい弁償金を要求されたとか」

奈美江は首を振った。

「たしか十万円そこそこだったと思う。それでもエノモトは、下手な交渉をして申し訳なかったといって謝ったのよ。信じられないと思うけど、あの頃エノモトは本当に紳士だったの」

「信じられへんな」

「身なりもきちんとしていたし、自分のことをヤクザじゃないといってた。事業をいくつかしているとかで、その名刺をもらった」

今は全部捨てちゃったけれど、と彼女は付け足した。

「で、好きになってしもたわけ？」友彦は訊いた。

奈美江はすぐには答えず、しばらく煙草を吸っていた。その煙の行方を追う目をした。

「言い訳するみたいだけど、本当に優しかったの。あたしのことを、心底愛してくれているように思えた。そうして、そんな気分になれたのは、四十年近くも生きてきて、あの時が初めてだった」

「だから奈美江さんも、相手に何かしてやりたくなったわけや」

「というより、エノモトから関心を持たれなくなるのが怖かった。自分が役に立つ女だということを示したかった」

「それで金を？」

「愚かよねえ。新しい事業に金が必要なんだという話を、全然疑わなかった」

「でも、エノモトがやっぱりヤクザだってことには気づいたんやろ？」

「それはまあね。でも、もうその時には関係がなかった」

「関係がないって？」

「相手がヤクザであろうとなかろうと関係ない、という意味よ」

「ふうん……」友彦はテーブルの上の灰皿を見つめた。返すべき言葉が思いつかない。

その灰皿の中で、奈美江は煙草をもみ消した。

「結局あたしは変な男に捕まってしまうのよねえ。男運がないっていうのかな」

「以前にも、何かあったの？」

「まあね。煙草、もう一本もらえる？」友彦が差し出した箱から、彼女は一本抜き取った。「前に付き合ってた男はバーテンだったの。だけど、まともに働いてくれたことなんか殆どなかった。博打好きでね、あたしから巻き上げたお金を、きれいさっぱり賭事に使ってくれた。で、あたしの預金がすっかり底をつくと、もう用はないとばかりに姿を消したというわけ」

「いつ頃の話？」

「う……ん。三年前」

「三年前……」

「そう、あの頃。園村君とも初めて会ったよね。そういうことがあって、生きてることに嫌気がさしてたから、ああいうところにも行ってみようと思ったの」

「ふうん」

ああいうところ――若い男と乱交するところ、だ。

「この話は、ずっと前にリョウにもしたことがある。だからたぶんリョウは、今度のことで呆れてると思う」奈美江はテーブルの上に置いてあった使い捨てライターを取り、煙草に火をつけた。

「どうして」

「だって、同じ間違いを繰り返してるから。リョウは、そういうの、嫌いでしょ」

「ああ」たしかにそうだと友彦は思った。「一つ訊いてもいいかな」

「なあに？」

「銀行での不正送金って、そんなに簡単にできるものなのか」

「難しい質問」奈美江は足を組み、立て続けに煙草を吸った。説明の仕方を考えているようだった。煙草が二センチほど短くなったところで、彼女は口を開いた。「簡単だったってことなのよね、結局。でもそれが落とし穴だった」

「どういうこと？」

「一言でいってしまえば、送金伝票を偽造すればいいだけのことなの」奈美江は煙草を二本の指に挟んだまま、こめかみを掻いた。「伝票に金額と送金先の口座を記入して、事務集中課の係長と課長の印を押せばいいわけ。課長は席を立っていることが多いから、無断で判子を使うのは難しくない。係長の職印は偽造したわ」

「それでばれへんの？　チェックする人はいないの？」

「資金の残高を示す日計表というのがあるの。経理部職員が、それを点検することになってるんだけど、その職員の印鑑さえあれば、照合済みの書類も偽造可能なのよ。こうしておけば、とりあえずはごまかせる」

「とりあえずって？」

「この方法だと、決済資金が急に減ってしまうから、時間の問題で発覚してしまうわけ。それであたしは仮払金を流用することにしたの」

「何それ？」

「金融機関相互の送金だとか入金は、振り込みを受けた金融機関が一時的に顧客に立て替え払いした後、相手方の金融機関が決済する仕組みになってるの。その、立て替え払いのお金のことを仮払金といって、どんな金融機関でも特別にプールしてあるわけ。あたしは、そのお金に目をつけたのよ」

「何だか複雑やな」

「仮払金の操作というのは、専門的知識が必要で、長年実務を担当してきた係員にしか全体を把握できないの。大都銀行昭和支店でいえば、あたしということになるわね。だから、本来は経理部や検査部で二重、三重のチェックがされるはずなんだけど、実質的には何もかもあたし任せだった」

「要するに、チェックが規則通りに行われていないということか」

「早い話がそういうこと。たとえばうちの銀行の場合、百万円以上の送金をする時には、役席承認簿に振り込み先と金額を記入して、課長の許可を受けてキーを借り、コンピュータの端末機を操作することになっているの。しかもこの送金結果は、翌日、日報としてコンピュータから打ち出され、課長がそれを点検すると決められている。ところが、こんなふうにきっちりとチェックされることなんて殆どないのよ。だから、不正送金の伝票やその日の日報なんかは隠してしまって、正常な日の伝票や日報だけを上司に見せておけば、誰も騒いだりはしないというわけなの」

「ふうん。聞くからに難しそうやけど、結局は上司が怠慢やったということか」

「まあそうね。でも――」奈美江は首を傾げ、大きくため息をついた。「真壁さんみたいに、いずれは気づく人が出てくるものなのよね」

「それがわかっていても、不正送金をやめられへんかったんやな」

「うん。麻薬……みたいなものかな」奈美江は煙草の灰を灰皿に落とした。「キーボードをちょこちょこっと操作するだけで、大金がこっちからあっちへ移動する。まるで魔法の手を持っているような気になっていた。でも全部錯覚だったのよね」

奈美江は最後に、「コンピュータを騙すのは、ほどほどにしたほうがいいわよ」と友彦にいった。

家には、しばらくバイト先で泊まり込むから、といってあった。友彦は、二つ並んだベッドの片方を借りることにした。まず彼がシャワーを浴び、浴衣を着てベッドにもぐりこんだ。その後で奈美江がバスルームに入っていった。その時にはフットライト以外の明かりは消されていた。

奈美江がバスルームから出てきて、ベッドに入る気配があった。それを友彦は背中で聞いた。石鹸の匂いが漂っているような気がした。

暗闇の中で、友彦はじっとしていた。眠れそうになかった。とにかく気持ちが高ぶっていた。何とか奈美江を無事に逃がさなければならないという意識が、彼を興奮させているのかもしれなかった。今日は結局、桐原からの連絡はなかった。

「園村君」背中のほうから奈美江の声がした。「眠った？」

「ううん」彼は目を閉じたまま返事した。

「眠れないね」

「うん」

奈美江が眠れないのは当然だろうと友彦は思った。先のことが全く読めない逃避行に出なければならないのだ。

「ねえ」と彼女が再び呼びかけてきた。「あの人のこと、思い出す？」

「あの人？」

「花岡夕子さん」

「あ……」その名前を聞くと平静ではいられなかった。動揺を悟られぬよう気をつけて彼は答えた。「時々」

「そう、やっぱりね」奈美江は予想通りという声を出した。「好きだったの？」

「わからん。あの頃は若かったし」

友彦がいうと、ふふっと彼女は笑った。

「今だって若いくせに」

「そうやけど」

「あの時」と彼女はいった。「あたしは逃げだしちゃった」

「そうやったね」

「変な女と思ったでしょうね。あんなところまで行っておきながら逃げるなんて」

「いや……」

「時々ね、後悔することがある」

「後悔？」

「うん。あの時、帰らないほうがよかったかなって。帰らないで、すべてを成りゆきに任せていたら、生まれ変われたかもしれない」

　友彦は唇を閉じていた。彼女の呟きに重い意味があることは彼にもわかった。軽率な受け答えはできなかった。

　重苦しい空気の中で、彼女がさらにいった。「もう、遅いのかな」

　この問いかけの意味は友彦にもよくわかった。じつは彼も同じ思いに支配されつつあったからだ。

「奈美江さん」ついに彼は思い切って話しかけた。「しますか？」

　彼女は黙り込んだ。それで友彦は、おかしなことをいってしまったのかなと思った。だがやがて彼女は訊いた。

「こんなおばさんでもいいの？」

　友彦は答えた。「三年前から、奈美江さんは変わってないよ」

「三年前からおばさんっていうこと？」

「いや、そうじゃなくて……」

　奈美江がベッドから出る気配がした。数秒後、友彦のベッドの中に彼女はもぐりこんできた。

「生まれ変われるといいな」と彼女は友彦の耳元でいった。

6

　月曜日の朝、桐原が迎えに現れた。彼はまず奈美江に謝った。いい隠れ家が確保できなかったから、しばらく名古屋のビジネスホテルで身を潜めていてほしいというのだった。

「昨日は、そういう話やなかったやないか」友彦はいった。昨夜桐原から、いい場所が見つかったから明日の朝出発しようという内容の電話が入っていたのだ。

「今朝になって、急に都合が悪なった。長い間やないから、ちょっと我慢してくれ」

「あたしはいいわよ」と奈美江はいった。「名古屋なら、昔ちょっと住んでたから土地鑑もあるし」

「その話を聞いてたから名古屋にした」桐原がいった。

　ホテルの地下駐車場には、白のマークⅡが止めてあった。レンタカーだと桐原はいった。仕事に使っているライトエースを動かすと、エノモトたちが怪しむからだという。

「これ、新幹線の切符。それからビジネスホテルの地図」車に乗り込んでから、封筒と白いコピー用紙を桐原は奈美江に渡した。

「いろいろとありがとう」彼女は礼をいった。

「それからもう一つ。これを持っていったほうがええ」桐原が紙袋を出してきた。

「何これ？」紙袋の中を覗き込み、奈美江は苦笑した。友彦も横から覗き込んだ。袋の中には、やたら強いカールをつけた女性用のカツラと大きなサングラス、そしてマスクが入っていた。

「例の架空口座の金を、キャッシュカードでおろさなあかんやろ」車のエンジンをかけながら桐原がいった。「その時には、できるだけ変装したほうがええ。多少不自然でも、カメラに顔が写らんようにせんとな」

「至れり尽くせりね。ありがとう。使わせてもらう」奈美江は紙袋を、すでに満杯と思われるボストンバッグに押し込んだ。

「向こうへ着いたら連絡してくれよな」友彦がいった。

「うん」と奈美江は笑顔で頷いた。

桐原が車を発進させた。


奈美江を新幹線に乗せた後、友彦は桐原と共に事務所に引き返した。

「うまいこと逃げのびられたらええんやけどな」

友彦がいってみたが、桐原は何とも答えなかった。そのかわりに、こんなことを訊いてきた。

「エノモトとの話、聞いたか」

うん、と友彦は答えた。

「あほやろ、あの女」

「えっ……」

「エノモトは最初から奈美江に近づくつもりやったんや。奈美江の銀行での立場を利用しようと企んだんやろ。彼女が交通事故を起こしてヤクザにからまれたというのも、全部エノモトが仕組んだことに決まってる。そんな単純なことにも気づかへんのやから、どうかしてるで。あの女は昔からそうや。男に溺れて、まともな判断がでけへんようになる」

何もいい返せず、友彦は唾を飲んだ。だがまるで鉛を飲み込んだように胃袋が重くなった。桐原のような発想は全くなかった。

この日、友彦は早めに帰宅した。そうして奈美江からの電話を待った。

だが電話はなかった。

西口奈美江の死体が、名古屋のビジネスホテルで発見されたのは、友彦が彼女を見送ってから四日目のことだった。胸部と腹部をナイフのようなもので刺されていた。この時点で、死後七十二時間以上が経過していると判断された。

奈美江が勤務する銀行には、二日間の休暇届が出されていた。三日目からは無断欠勤となり、行内でも彼女の行方を捜していたという。

奈美江の持ち物の中には、五つの預金通帳が入っていた。そこに入っていた預金総額は月曜日の時点では二千万円をはるかに越えるものだった。それが死体発見時には、殆どゼロになっていた。

銀行が調査した結果、彼女は長年にわたって不正送金を行っていた。五つの預金通帳も、その目的に使われたものらしかった。

警察は、西口奈美江が送金していた口座から、会社役員榎本《えのもと》宏《ひろし》を横領の疑いで逮捕した。また西口奈美江が殺された事件についても、榎本を取り調べる方針だということだった。

ただ、奈美江が五つの口座から引き出したはずの金は、まだ見つからなかった。奈美江自身がカードで下ろしたことは確実だった。現金自動預入支払機の防犯カメラに、変装した女が映っていたのだが、用いられたカツラ、サングラス、マスクが、彼女の荷物の中から見つかっているからだ。

以上の内容を載せた新聞を読んだ後、園村友彦はトイレに駆け込み、胃の中がからっぽになるまで嘔吐した。

第七章

1

原稿には、渦《うず》電流式探傷コイルの形状、というタイトルが付けられていた。ラジエータチューブの欠陥を発見する器具に関する特許出願用の原稿だった。それを書いた技術者との打ち合わせを電話で終えた後、高宮誠は立ち上がった。そしてコンピュータの端末機が四台並んだ壁際に目をやった。すべての機械に担当者が一名ずつつき、彼のほうに背中を見せていた。担当者は全員女性だ。四人のうち東西電装の職服を着ているのは右端の一人だけで、残る三人は私服姿だった。彼女たちは派遣社員なのだ。

従来まで、この会社の特許情報はすべてマイクロフィルムに収められてきたが、今後はコンピュータで簡単に検索が行えるよう、フロッピーディスクに記録されることになった。彼女たちは、その移し換えのために雇われていた。最近では、こうした派遣社員を利用する企業が増えてきている。人材派遣業は厳密にいえば職業安定法違反の疑いが濃かったのだが、先の国会で法的に認知された。だがそのかわりに、派遣労働者の保護を目ざす「労働者派遣事業法」も同時に成立している。

誠は彼女たちに近づいていった。いや正確にいうと、一番左端の背中に向かって歩いていった。長い髪を後ろで束ねているのは、キーボードを操作するのに邪魔になるからだと、以前ちょっと立ち話をした時に誠は聞いていた。

三沢《みさわ》千都留《ちづる》は端末の画面と横に置いた紙を交互に見ながら、めまぐるしいスピードでキーを叩いていた。あまりにも速いので、生産ラインの機械が動いているように聞こえた。無論それは、他の三人についてもいえることだった。

「三沢さん」と誠は斜め後ろから呼びかけた。

まるで機械のスイッチを切ったように千都留の両手は止まった。ワンテンポ遅れて彼女は誠のほうを向いた。縁が黒く、レンズの大きい眼鏡を彼女はかけていた。そのレンズの向こうの目は、画面を見続けていたせいか、少し険しくなっていたが、誠の顔を認めると同時に、ふっと力が抜けたように優しいものに変わった。

「はい」と彼女は答えた。その時にはもう、口元にも笑みが浮かんでいた。乳白色をした肌理の細かい肌に、明るいピンクの口紅がよく似合っている。丸顔なので少し幼く見えるが、誠より一つ年下なだけだということも、これまでの何気ない会話から彼は探り当てていた。

「渦電流探傷という項目で、これまでにどういう出願があったか調べたいんだけど」

「うずでんりゅう?」

「こういう字を書くんだ」誠は持っていた書類のタイトルを彼女に見せた。

千都留は素早くそれをメモした。

「わかりました。検索してみて見つかりましたら、プリントアウトして席までお持ちすればいいですね」歯切れのいい口調で彼女はいった。

「悪いね。忙しいのに」

「いいえ、これも仕事のうちですから」千都留は微笑んだ。仕事のうち、というのは彼女の口癖だった。あるいはそれは派遣社員の口癖なのかもしれなかったが、他の女性とは殆ど話をしたことがなかったので、本当のところは誠にはわからなかった。

誠が席に戻ると、先輩の男性社員が休憩しないかと誘ってきた。この会社では、役員室や来客室などの特殊な場所を除いて、職場で女子社員にお茶くみなどをさせることは固く禁じられている。社員は休憩したくなったら、自動販売機で紙コップに入った飲み物を買うのだ。

「いえ、俺は後でいいです」誠はその先輩社員にいった。それで先輩は一人で部屋を出ていった。

高宮誠は東西電装東京本社特許ライセンス部に配属されて三年になる。東西電装は、スタータやプラグなど、自動車に使われている電気部品を製造している会社だ。そして特許ライセンス部では、自社製品に関わる全ての工業的権利を管理していた。具体的には、技術者が考案した技術などについて特許出願しようとするのを手助けしたり、他社と特許問題で争わねばならない時に対抗措置を整えたりするのだ。

しばらくすると三沢千都留がプリントアウトされた紙を持ってやってきた。

「これでいいですか」

「助かったよ。ありがとう」誠は書類に目を通しながらいった。「三沢さん、もう休憩した?」

「いえ、まだですけど」

「じゃあ、お茶を御馳走するよ」そういって誠は立ち上がり、出口に向かった。途中でちらりと後ろを見て、千都留がついてくるのを確認した。

自動販売機は廊下に置いてある。誠はコーヒーの入った紙コップを手にすると、そこから少し離れた窓際で、立ったまま飲むことにした。千都留も、レモンティーの入ったカップを両手で持ってついてきた。

「いつも大変そうだね。あんなふうにキーボードを叩きっぱなしで、肩が凝らない？」誠は訊いた。

「肩よりも目が疲れます。一日中、モニターを見続けてますから」

「ああ、そうか。目が悪くなりそうだね」

「この仕事をするようになってから、視力がずいぶん落ちました。以前は、眼鏡がなくても平気だったんですよ」

「ふうん。一種の職業病だね」

　コンピュータの前に座っている時以外は、千都留は眼鏡を外している。そうすると、彼女の目がさらに大きいことも明らかになるのだった。

「いろいろな会社を渡り歩くというのは、体力的にも精神的にも疲れるだろうね」

「疲れますね。でも、システム設計で派遣されている男性なんかに比べると、ずっと楽ですよ。そういう人たちは、納期が迫れば、残業、徹夜は避けられませんもの。昼間はコンピュータを派遣先の人が通常業務に使うので、ミスの点検や手直しはどうしても夜になりますから。残業が百七十時間にもなったって人を知ってます」

「それはすごいな」

「システムによっては、プログラムをプリントアウトするだけで二、三時間もかかる場合があるんです。そんな時は、コンピュータの前で寝袋にくるまって眠るんですって。不思議と、プリンターの音がやむと目がさめるそうですよ」

「ひどい話だなあ」誠は首を振った。「でも、その分ギャラはいいんじゃないの」

　だが千都留は苦笑していった。

「人件費が安くつくから、派遣社員のニーズが出てくるんですよ。いってみれば使い捨てライターみたいなものです」

「そんな悪条件に、よく耐えてるね」

「仕方ないです。食べるためですから」そういって千都留はレモンティーを啜った。彼女の唇が小さくすぼまるのを、誠はこっそり見下ろした。

「うちの会社はどうなのかな。やっぱり君たちを安く雇ってるのかな」

「東西電装さんは、とてもいいほうです。職場も奇麗で、気持ちがいいです」それから千都留は、少し眉を寄せた。「でも、ここで働けるのも、あとわずかなんですよ」

「えっ、そうなの？」

　誠は内心どきりとしていた。初耳だった。

「来週中に、決められていた分の仕事は、ほぼ終えられそうなんです。当初の契約でも半年間ということでしたし、最終チェックの仕事をするにしても、たぶん再来週いっぱいで終わりということになると思います」

「へえ……」

誠は、空になった紙コップを握りつぶした。何かいわねばならないと思ったが、言葉が思いつかなかった。

「今度は、どういう会社に行くことになるのかな」千都留は唇に笑みを浮かべ、窓から外を眺めて呟いた。

2

高宮誠に自動販売機のレモンティーを奢ってもらった日の終業後、三沢千都留は同じ派遣会社から来ている上野朱美《あけみ》と二人で、青山にあるイタリアンレストランで夕食をとることにした。同い年でどちらも独り暮らしということもあり、しばしばこうして二人で食事をする。

「ようやく東西電装ともお別れだね。あのものすごい量の特許を全部整理したのかと思うと、自分たちのことながら感心しちゃうよ」蛸《たこ》とセロリのサラダを口に運び、白ワインの入ったグラスを傾けて、上野朱美はぶっきらぼうな口調でいった。化粧や服装などは女っぽいものにするくせに、しぐさや言葉遣いに粗野なところがあるのは、本人によると下町育ちだかららしい。

「だけど、条件は悪くなかったよね」千都留はいった。「その前の鉄鋼メーカーはひどかったけれど」

「ああ、あそこは論外だよ」朱美は口元を歪めた。「上にいる人間が馬鹿ばっかりだったもんね。派遣社員の使い方を、何もわかってなかった。奴隷か何かだと思って、無茶なことばっかりいいやがった。おまけにギャラがくそ安いときてる」

千都留は頷き、ワインを飲んだ。朱美の話を聞くことは、ストレス解消になる。

「それで、どうするの？」朱美の話が一段落したところで千都留は訊いた。「この後も、仕事を続けるの？」

「うん、まあ、それなんだけど」朱美はズッキーニのフライにフォークを突き刺し、もう一方の手で頬杖をついた。「やっぱり、辞めることになりそう」

「あ、そうなんだ」

「あっちが、うるさくってさ」朱美は顔をしかめた。「一応、働いてもかまわないというようなことをいってるんだけど、どうも本心じゃなさそうなんだよね。すれ違いになるのは嫌だとかいってんの。それでもう面倒臭くなっちゃったんだ。まあ、向こうは早く子供が欲しいようなことをいってるし、そうなれば当然あたしは働けなくなるわけだし、今辞めても同じことかなと思ってね」

朱美の話の途中から、千都留は頷き始めていた。

「それがいいと思うよ。どうせ、いつまでも続けられる仕事じゃないもの」

「まあね」朱美はズッキーニを口にほうりこんだ。

来月、彼女は結婚することになっている。相手は五歳上のサラリーマンだ。問題は、結婚後も共働きをするかどうかだったのだが、どうやら結論が出たようだ。

二人の前にパスタの皿が運ばれてきた。千都留は海胆《うに》のクリームスパゲティ、朱美はペペロンチーニを注文していた。ニンニクの臭いを恐れてちゃ美味しいものは食べられない、というのが朱美の持論だった。

「千都留はどうするの？　しばらくは、今の仕事をがんばるつもり？」

「うーん、いろいろと迷っているんだけど」フォークにスパゲティを巻き付けた。だがすぐには口へ運ばなかった。「とりあえず、実家に帰ろうかと思ってるの」

「ああ、それもいいかもね」と朱美はいった。

千都留の実家は札幌だった。東京の大学に入ったのがきっかけで上京したが、のんびり帰省したことなど、学生、社会人時代を通じて一度もなかった。

「いつから？」

「わからないけど、たぶん東西電装の仕事が終わったら、すぐに帰ることになると思う」

「じゃあ、再来週の土曜か日曜だね」朱美はペペロンチーニを口に運んだ。そしてそれを飲み込んでからいった。

「たしか日曜は、高宮さんの結婚式じゃないかな」

「えっ、ほんと？」

「そうだったと思うよ。この間ほかの人と話をしていて、そんなことを聞いたんだ」

「ふうん……相手は会社の人？」

「違うみたい。学生時代から付き合ってた人だってさ」

「ああ、なるほどね」

千都留はスパゲティを口に入れた。しかし味がさっぱりわからなくなっていた。

「どこの誰だか知らないけれど、うまくやったよね。あんないい男、そうそういないよ」

「自分だって結婚直前のくせに何いってるのよ。それとも、じつはああいう人が朱美のタイプなわけ？」わざとおどけて千都留は訊いた。

「タイプっていうか、条件がいいんだよね。あの人、地主の息子なんだよ。知ってた？」

「全然知らない」

プライベートなことについて話したことなど殆どなかったから、知る機会がなかった。

「すごいんだよ。まず、家は成城でさあ、その近くに土地をいくつか持ってるらしいの。それからマンションも持ってるって聞いた。お父さんは死んでるらしいんだけど、家賃収入だけで、楽にやっていけるって話。まあ、それだけ恵まれているんなら、嫁に行くほうとしちゃあ、親父なんか死んでてくれて幸いって感じだよね」

「よく知ってるのねえ」千都留は感心する思いで、友人の顔を眺めた。

「特許ライセンス部の中じゃ、有名な話だよ。だから高宮さんを狙ってる女も多かったんだってさ。でも結局、その学生時代からの彼女ってのに誰も勝てなかったわけだね」朱美の口調に、どこか痛快そうな響きがこめられているのは、彼女には最初から権利がなかったせいかもしれない。

「高宮さんなら」千都留は思い切っていった。「財産がなくても、みんな憧れるんじゃないかな。マスクはいいし、上品だし、あたしたちに対しても紳士だった」

すると朱美は小さく掌を振った。

「あんた、馬鹿だねえ。家に金があるから、ああいう紳士が出来上がるんだよ。顔立ちにだって、気品ってものが出てくる。あの人だって、貧乏人の家に生まれてたら、もっと下品で卑しくなってたに決まってるよ」

「そうかもね」千都留は軽く笑って応じた。

この後、メインディッシュの魚料理が運ばれてきた。二人はいろいろな話をしたが、もう高宮誠のことが話題に上ることはなかった。

千都留が早稲田にあるマンションに戻ったのは、十時を少し過ぎた頃だった。朱美はどこかへ飲みに行きたい様子だったが、疲れているからといって断ったのだ。

ドアを開け、壁のスイッチを入れると、1DKの部屋に白々とした蛍光灯の光が広がった。途端に目に入る衣類や日用品の乱雑な様子に、彼女は疲れが倍加する思いだった。この部屋には、大学二年の時から住んでいる。それ以来の様々な苦悩や挫折が、いたるところに溜まっているように思えた。

服を着たまま、隅のベッドに倒れこんだ。ベッドの下のほうで、軋み音がした。何もかもが、確実に古くなっているのだ。

不意に高宮誠の顔が浮かんだ。

彼に特定の相手がいるらしいということは、じつは全く知らなかったわけではない。特許ライセンス部の女子社員が、そういう意味のことを話しているのを、偶然耳にしたことがあるのだ。しかしどの程度の関係なのかということまでは知らなかった。当たり前のことだが、その時に尋ねるわけにもいかなかった。もっとも、それを知ったところで、千都留にはどうすることもできなかったのだが。

派遣社員をしていて、楽しみといえるものが一つだけある。それはいろいろな男性と巡り合う機会があるということだ。新しい職場に行くたび、今度こそ自分にふさわしい相手がいるのではと、密かにわくわくしてしまう。だがこれまでは、そういう期待は常に裏切られてきた。自社の女子社員のライバルにならぬよう配慮したのではないかと思うほど、そんな出会いのチャンスなど全くない職場が多かった。

ところが東西電装では違った。職場に行ったその日に、彼女は自分が理想とする相手を発見していた。それが高宮誠だ。

もちろん最初に彼女の心をとらえたのは彼の外見だ。しかし単に整った顔立ちをしているというのではなく、内側から滲み出る育ちの良さ、人間性の高さのようなものが感じられた。見た目だけを飾っている、他の若い男性社員とは、そこが明らかに違っていた。

仕事で接するうちに、千都留は自分の直感が正しかったことを確信した。彼は派遣社員たちの立場を思いやる優しさと、上司に対してさえも嘘やごまかしを認めない誠実さを備えていた。

結婚するなら、こういう人だ、と千都留は思っていた。

じつは彼女には、自惚《うぬぼ》れがあった。高宮誠のほうも、自分のことを意識しているのではないか、というものだ。彼がそれを言葉に出したことはない。しかしちょっとしたしぐさ、彼女に向ける目、言葉のかけ方などから、それを感じるようになっていた。

だがどうやら、それは錯覚だったようだ。今日の昼間のことを思い出し、千都留は自虐的に苦笑した。もう少しで恥をかくところだった。

自動販売機のお茶を飲もうといわれた時、千都留は、高宮誠がそろそろ自分のことをデートに誘ってくれるのではないかと期待した。しかし彼がそれを言い出す気配はなかった。それで彼女は、自分がこの会社にいる時間はあまりないのだということを、さりげなく話した。それを聞けば、彼も焦るのではないかと思ったのだ。

だが高宮誠は、特別何も感じなかったようだ。じゃあ、新しい職場でがんばってくださいね——彼がいったのは、それだけだった。

朱美の話を反芻《はんすう》し、それが当然だったのだということを千都留は痛感していた。二週間後に結婚を控えている人間が、派遣社員のことなど気に留めるはずもなかった。彼が最後まで優しかったのは、あくまでも彼の人間性によるものだったのだ。

もうあの人のことは考えないでおこうと千都留は決心した。そして身体を起こし、枕元の電話に手を伸ばした。札幌の実家に電話するためだった。突然帰るといったら、郷里の父母はどんな反応を示すだろう。正月にも帰らなかった娘のことを、今も怒っているかもしれない。

3

出窓から入ってくる風は、すっかり秋のものになっていた。この部屋を初めて見に来た時には、梅雨らしい細かい雨が降っていたものだったがと、つい三か月ほど前のことを高宮誠は思い出していた。

「絶好の引っ越し日和ねえ」床を乾拭《からぶ》きしていた頼子《よりこ》が、手を休めていった。「お天気だけが心配だったんだけれど、これなら運ぶ人たちも助かるわね、きっと」

「引っ越し屋はプロだぜ。天気なんか、さほど関係ないよ」

「あらあ、そんなことないわよ。山下さんのところなんか、お嫁さんの荷物の入るのが先月だったでしょ？　台風で大変だったとおっしゃってたわ」

「台風なんか特別だよ。もう十月だぜ」

「十月だって、大雨の降ることがあるじゃない」

頼子が再び手を動かし始めた時、インターホンのチャイムが鳴った。

「誰かな」

「雪穂さんじゃないの？」

「でも彼女なら、鍵を持っているはずだけどな」そういいながら誠は、リビングルームの壁に取り付けられたインターホン用の受話器を取り上げた。

「はい」

「あたし。雪穂です」

「なんだ、やっぱり君か。鍵を忘れたのかい？」

「そうじゃないけど……」

「ふうん。とにかく開けるよ」

誠はオートロックの解錠ボタンを押した。それから玄関に行き、鍵を外すと、ドアを開けて待った。

エレベータの止まる音がし、足音が近づいてきた。やがて廊下の角から唐沢雪穂が姿を見せた。薄いグリーンのニットを着て、白いコットンパンツを穿いていた。上着を手に持っているのは、今日は特別暖かいからだろう。

「やあ」と誠は笑いかけた。

「ごめんなさい。いろいろと買い物をしていたら、遅くなっちゃった」雪穂は手に持っていたスーパーの袋を見せた。その中には洗剤やスポンジ、ゴム手袋などが入っていた。

「掃除なら、先週済ませたじゃないか」

「でもあれから一週間経っているし、家具を入れたりしたら、きっとあちこち汚れると思うから」

彼女の言葉に、誠は頭をゆらゆらと振った。

「女ってのは、同じことをいうんだな。お袋もそういって、掃除用具を一式持ってきているんだ」

「あっ、じゃあ早くお手伝いしなきゃ」雪穂はあわてた様子でスニーカーを脱ぎ始めた。それを見て誠は意外な気がした。彼女が履くのはいつも、踵の高い靴ばかりだったからだ。そういえば雪穂のパンツルックを見るのも初めてだった。

そのことをいうと、彼女はちょっと呆れた顔をした。

「お引っ越しの日にスカートだったり、ハイヒールを履いてたりしたら、仕事が何もできないじゃない」

「そういうことよ」奥から声がした。シャツの袖をまくった頼子が、笑いながら出てきた。「こんにちは、雪穂さん」

「こんにちは」雪穂はぺこりと頭を下げた。

「この子は昔からこうなのよ。自分で部屋の掃除をしたことがないものだから、拭いたり掃いたりするのがどれだけ大変かってことを知らないの。たぶんこれからも雪穂さんに苦労をかけると思うから、覚悟しておいてね」

「ええ、それは大丈夫です」

頼子と雪穂はリビングルームに行くと、早速掃除の段取りを決め始めた。二人のやりとりを聞きながら、誠はさっきと同じように出窓のそばに立ち、すぐ下の道路を見下ろした。そろそろ家具屋が到着する頃だった。電器屋には、家具屋にいったよりも一時間遅い時刻を指示してある。

いよいよだな、と誠は思った。あと二週間で、所帯を持つことになる。これまではなかなか実感が湧かなかったが、さすがにここまで近づくと、少し緊張感が出てきた。

雪穂は早くもエプロンをつけ、隣の和室の畳を拭き始めていた。そういう家庭的な格好をしても、彼女の美しさは少しも損なわれることがなかった。つまり本物の美人ということだ。

丸四年か、と誠は口の中で呟いた。雪穂と付き合ってきた期間のことだ。

彼が雪穂と知り合ったのは、大学四年の時だった。彼が所属していた永明大学ソシアルダンス部は清華女子大のソシアルダンス部と合同で練習を行っていたが、そこへ彼女が入部してきたのだ。

何人かいた新入生の中でも、雪穂は特別輝いて見えた。整った顔立ち、均整のとれたプロポーションは、そのままファッション雑誌の表紙を飾れそうだった。多くの男子部員が彼女にひかれ、彼女を恋人にすることを夢見た。誠もその中の一人だった。その頃付き合っている相手がいなかったこともあるが、一目見た時から彼女に心を奪われた。

それでもきっかけがなければ、彼が雪穂に交際を申し込むことなどなかっただろう。何人かの部員が、彼女にふられたことを知っていたからだ。自分も恥をかくことになるだけだと思い込んでいた。

ところがある時雪穂のほうから、どうしてもマスターできないステップがあるので教えて欲しいといってきた。誠にとって絶好のチャンスが訪れたわけだ。彼はマンツーマンでダンスの特訓をするという名目で、皆のアイドルを独占する時間を得ることに成功した。

さらに、そうした二人だけの練習を重ねるうちに、雪穂のほうも自分に対して悪い印象は持っていないようだという感触を、誠は抱くようになった。そこである日思い切ってデートに誘ってみた。

じっと誠を見つめてきた雪穂の返答は、次のようなものだった。

「どこへ連れていってくれるんですか」

誠は踊りだしたい気持ちを抑え、「君の好きなところ」と答えた。

結局その時にはミュージカルを見て、イタリアンレストランで食事をした。そしてもちろん彼女の家まで送った。

それから四年あまり、二人は恋人同士であり続けた。

あの時彼女のほうからダンスを教えてくれといってこなかったら、たぶん自分たちが交際することはなかっただろうと誠は思う。翌年には彼は卒業していたから、その後は全く顔を合わせなくなっていたに違いない。そう思うと、唯一のチャンスをものにしたという感じがする。

また、ある女子部員が退部したことも、二人の関係に微妙な影響を及ぼしていた。じつは誠にはもう一人、気になっている新入部員がいた。当時彼は雪穂のことを高嶺の花のように思っていたから、そちらの彼女のほうに交際を申し込もうかと思ったりもしていた。川島江利子というその女子部員には、雪穂のような華やかさはないが、一緒にいるだけで安らぎが得られるような独特の雰囲気があった。

ところが川島江利子は、突然ダンス部を辞めた。彼女と親しかった雪穂も、その詳しい理由は知らないということだった。

江利子が退部せず、誠が交際を申し込んでいたらどうなっていたか。仮に断られたとしても、その後雪穂に乗り換えるようなことはしなかっただろうと彼は思う。そうなれば、現在の状況も全く違ったものになっていたはずだ。少なくとも、二週間後に都内のホテルで雪穂と結婚することはなかった。

人の運命とはわからないものだ——そう実感せざるをえない。

「ところで、どうして鍵を持っているのにインターホンを鳴らしたんだい？」カウンターキッチンの掃除をしている雪穂に、誠は訊いた。

「だって、勝手に入るなんてことできないじゃない」手を休めずに彼女は答えた。

「どうして？　そのために君にも鍵を渡したんじゃないか」

「でも、まだ結婚式が終わってないのに」

「そんなこと、別に気にする必要ないのに」

するとまたしても頼子が横から口を挟んできた。

「けじめをつけるってことよねえ」そして二週間後には嫁になる女性に笑いかける。

　雪穂は二週間後に姑になる女に頷き返した。

　誠は吐息をつき、窓の外に目を戻した。彼の母親は、初めて雪穂を見た時から、彼女のことを気に入っている様子だった。

　運命の糸は、自分と唐沢雪穂とを結びつけようとしているのだろうと誠は思った。そして、それに従っていれば全てうまくいくのかもしれない。

　だが――。

　現在彼の脳裏には、一人の女性の顔が焼き付いて離れない。考えまいとしても、ふと気づくと彼女のことを考えているのだ。

　誠は頭を振った。焦りに似た感情が、彼の内面を支配していた。

　数分後、家具屋のトラックが到着した。

4

　翌日の夜七時、誠は新宿の駅ビルの中にある喫茶店にいた。

　隣のテーブルでは、関西弁の男二人が大声で野球の話をしていた。もちろんタイガースの話だ。専門家たちでさえ誰も予想していなかったことだが、ずっと低迷していたチームが、今年は優勝を目前にしている。この椿事《ちんじ》は、関西出身の人間たちを大いに元気づけているようだ。誠の職場でも、これまで阪神ファンであることをおくびにも出さなかった部長が、突然にわかファンクラブを結成し、毎日のように会社帰りに酒盛りをしているらしい。この騒ぎは当分おさまりそうもないなと、巨人ファンの誠はうんざりしていた。

　しかし関西弁を聞くのは懐かしい気分がして悪くなかった。彼が卒業した永明大学は大阪にあった。四年間、千里にあるマンションで独り暮らしをしていたのだ。

　彼がコーヒーを二口飲んだ時、待ち合わせの相手が現れた。グレーのスーツを見事に着こなした姿は、すっかりビジネスマンだった。

「あと二週間で独身とおさらばする気分はどうだい？」

篠塚一成は、にやにやしながら向かいの席に座った。ウェイトレスが来たので、彼はエスプレッソを注文した。

「急に呼び出して悪かったな」誠はいった。

「かまわないさ。月曜日は比較的暇なんだ」篠塚は細くて長い足を組んだ。

　彼とは大学が同じで、ダンス部でも一緒だった。篠塚のほうが部長で、誠は副部長だったのだ。

　学生でソシアルダンスを始めようとする者は、それなりの家庭環境にいる場合が多い。篠塚は大手製薬会社の社長を伯父に持つ御曹司だった。実家は神戸にあるが、現在は上京してきて、その会社の営業部にいるという話だった。

「俺より、おまえのほうが忙しいんじゃないのか。いろいろと大変だろ」篠塚がいった。

「まあな。昨日、家具と電化製品をマンションに入れた。今夜から、とりあえず俺一人で寝泊まりするつもりなんだ」

「着々と新居が出来上がりつつあるということか。あとは花嫁が入れば完成だな」

「次の土曜日には、彼女の荷物を運び入れる」

「そうか。いよいよ、というわけだな」

「まあな」誠は目をそらし、コーヒーカップを口元に運んだ。篠塚の笑顔が、何となく眩しかった。

「それで、話ってのは何なんだ。昨日の電話じゃ、ずいぶんと深刻そうな声を出してたものだから、ちょっと気にしてたんだぜ」

「うん……」

　昨夜、家に帰ってから篠塚に電話したのだった。電話では話しにくい相談事があるといったから、篠塚も心配したのだろう。

「まさか、今になって独身生活に未練が出てきたというんじゃないだろうな」そういって篠塚は笑った。

　無論彼はジョークでいったのだろう。だが今の誠は、これに対して気の利いた台詞を返すだけの余裕がなかった。ある意味でこのジョークは、的を射ていたからだ。

　誠の表情から何かを読み取ったらしく、篠塚は眉を寄せ、身を乗り出した。

「おい、高宮……」

　その時ウェイトレスがエスプレッソコーヒーを運んできた。それで篠塚は身体を少しテーブルから離したが、彼の目は誠の顔を見つめたままだった。

　ウェイトレスが立ち去ると、篠塚はコーヒーカップには触れようともせず、再び尋ねてきた。

「冗談だろ、なあ」

「迷ってるんだよ。じつをいうと」誠は腕組みをし、親友の目を見返していった。

篠塚は目を見開き、口を半開きにした。それから周りを気にするようにきょろきょろした後、改めて誠を見つめた。

「何を迷うことがあるんだよ、今さら」

「だから」誠は思い切っていった。「このまま結婚してもいいかどうかってことさ」

　すると篠塚は表情を止め、誠の顔をしげしげと眺める目をした。それからゆっくりと頷き始めた。

「心配するな。大抵の男は結婚が近づくと逃げだしたくなるって話を、前に聞いたことがある。所帯を持つっていうことの重みと窮屈さを、急に実感するようになるんだ。大丈夫、おまえだけじゃない」

　どうやら篠塚は好意的に解釈しようとしているようだった。だが誠はかぶりを振らねばならなかった。

「残念だけど、そういう意味じゃないんだ」

「じゃ、どういう意味なんだ」

　当然の質問をしてきた篠塚の目を、誠はまともに見ることができなかった。今の正直な気持ちを告白したら、どれほど軽蔑されるだろうと不安になった。しかしこの男以外に、相談できる相手はいなかった。

　誠はグラスに入った水をがぶりと飲んだ。

「じつは、ほかに好きな女《ひと》がいるんだ」思い切って彼はいった。

　篠塚は、すぐには反応しなかった。表情も変わらなかった。誠は、うまく意味が伝わらなかったのだろうかと思った。それでもう一度繰り返そうと思い、息を吸い込んだ。

　その時篠塚が開口した。

「どこの女なんだ？」険しい目で、じっと誠を見つめてきた。

「今は、うちの会社にいる」

「今はって？」

　戸惑いを見せた篠塚に、誠は三沢千都留のことを話した。人材派遣会社は篠塚の会社でも利用することがあるらしく、事情はすぐにのみ込めたようだ。

「すると、まだ仕事上での付き合いしかないわけだな。プライベートで会ったりはしていないわけだ」話を聞き終えた後で、篠塚が質問してきた。

「今の俺の立場じゃ、デートに誘うわけにもいかない」

「そりゃあそうだ。だけどそれなら、相手の女性がおまえのことをどう思っているかもわからないということだよな」

「そういうことだ」

「それなら」篠塚は口元にかすかに笑みを浮かべた。

「その女性のことは忘れたほうがいいんじゃないか。俺には一時の気の迷いとしか思えないんだけどな」

親友の言葉に、誠も薄く笑って見せた。

「そういわれるだろうと思ったよ。俺がおまえだったとしても、同じことをいっただろうからな」

「ああ、すまん」篠塚は何かに気づいたように、あわてて謝った。「この程度のことは、おまえにだってわかってるはずだよな。その上で、気持ちをどうすることもできないから、思い悩んで俺に相談してきたわけだ」

「とてつもなく馬鹿なことを考えているという自覚はあるよ」

だろうな、というように篠塚は頷いた。そして少し冷めているはずのエスプレッソコーヒーを一口飲んだ。

「いつからなんだ？」と篠塚は訊いた。

「何が？」

「その彼女のことが気になり始めた時期だよ」

「ああ」誠は少し考えてから答えた。「今年の四月ってことになるかな。彼女を初めて見た時だ」

「じゃあ半年も前じゃないか。どうして、もっと早く何とかしなかったんだ」篠塚は声に苛立ちを含ませていた。

「どうしようもなかったんだよ。式場の予約は済んでいたし、結納も控えていた。いやそれ以前に、自分で自分の気持ちが信じられなかった。さっきおまえがいった、一時の気の迷いだろうと俺自身も思ったわけだよ。だから、早くおかしな気持ちは捨てなきゃいけないと、自分にいいきかせてきたんだ」

「ところが今日まで捨てられなかったということか」篠塚はため息をつき、学生時代は軽くパーマをかけていたが、今は短く刈り込んだ髪に指を突っ込み、頭を掻いた。「あと二週間って時に、厄介なことをいいだしたものだなあ」

「悪いな。こんなことを相談できる人間は、おまえしかいないからさ」

「俺はかまわないんだけどさ」そういいながらも篠塚は顔をしかめたままだった。「でも現実問題として、その相手の女性の気持ちはわからないわけだよな。つまり、おまえのことをどう思っているかは」

「もちろんそうだ」

「だったら……という言い方は変か。問題なのは、今のおまえの気持ちのほうだものな」

「こういう気持ちのままで結婚していいものかどうか、自分でもよくわからないんだ。もっと素直にいうと、今の状態では結婚式に臨みたくないってところだな」

「その気持ちはわかるよ。何となくだけど」篠塚は、またため息をついた。「で、唐沢のことはどう思っているんだ？　もう、あまり好きじゃないってことか」

「いや、そんなことはない。彼女のことは今でも……」

「だけど、百パーセントではないってことだよな」

こういわれると誠としては返す言葉がない。彼はグラスに残っていた水を飲み干した。

「あまり無責任なことはいえないけれど、たしかに今の気持ちのままで結婚式をするってのは、二人にとってよくないと思うな。もちろん、おまえと唐沢の二人にとって、という意味だ」

「篠塚ならどうする？」と誠は訊いた。

「俺なら、結婚が決まったら、なるべくほかの女とは顔を合わせないようにするよ」

篠塚独特の冗談に、誠は笑った。だが心から笑える気分でないことはいうまでもない。

「それでも、もし結婚前に好きな女ができてしまったら」篠塚はここで一旦言葉を切り、斜め上に視線を向けてから、改めて誠を見た。「俺なら結婚を見合わせる」

「二週間前でも？」

「たとえ一日前でも、だ」

誠は黙り込んだ。親友の言葉には重みがあった。

その親友が、空気を和ませるように白い歯を見せた。

「自分のことじゃないから、こんな勝手なことがいえるんだろう。そう簡単にいかないのはよくわかっている。それに、気持ちの度合いの問題もある。その女性に対するおまえの思いがどれほどのものかは、俺にはわからないからな」

誠は親友の言葉に、深く頷いた。

「参考にさせてもらうよ」

「人それぞれに価値観は違う。おまえがどんな結論を出したって、俺は何もいわないよ」

「結論が出たら報告する」

「気が向いたらでいいさ」そういって篠塚は笑った。

5

手描きの地図に記されたビルは、新宿伊勢丹のすぐそばにあった。そこの三階に、民芸居酒屋という看板が上がっている。

「どうせなら、もっと気のきいたところでやってくれりゃいいのにさ」エレベータに乗ってから、朱美が不服そうにいった。

「仕方ないよ。仕切ってるのが、おじさんだもん」

千都留の言葉に、「それもそうか」と朱美はうんざりした顔で頷いた。

店の入り口には、格子戸風の自動ドアがついていた。まだ七時前だというのに、早くも酔った客の大声が聞こえてくる。ネクタイを緩めたサラリーマンらしい男の姿が、ドア越しに見えた。

千都留たちが入っていくと、「おう、こっちこっち」

という声が店の奥から聞こえた。東西電装特許ライセンス部で付き合いのあった顔が並んでいる。彼等は、数脚のテーブルを独占していた。何人かは、すでに顔が赤くなっていた。

「酌なんかさせやがったら、テーブル蹴飛ばして帰っちゃおうぜ」千都留の耳元で朱美が囁いた。実際、どんな職場に行っても、飲み会では酌を強要されることが多かった。

まさか今日はそんなことはないだろうと千都留は踏んでいた。何しろ、彼女たちの送別会なのだ。

お決まりの挨拶や乾杯が行われた。これも仕事のうちと諦めて、千都留は愛想笑いを浮かべた。ただし、帰りには気をつけなければと思っていた。社内の女性に妙なことをして騒がれたら面倒だが、派遣社員なら後腐れがないと思っている男が意外に多いことを、千都留はこれまでの経験で知っていた。

高宮誠は、彼女の斜め向かいに座っていた。時折料理を口に運びながら、中ジョッキに入った生ビールを飲んでいる。ふだんでも口数の多いほうではない彼は、今日も人の話の聞き役に回っていた。

その彼の視線が、ちらりちらりと自分に向けられているように千都留は感じた。それで彼女が彼のほうを見ると、すっと目をそらせてしまう——そんなふうに思われた。

まさか、自意識過剰だよ、と千都留は自分にいってきかせた。

いつの間にか朱美の結婚の話になっていた。多くの男性社員が彼女を落とそうとしていた、というお決まりのジョークが、少し酔った係長の口から発せられた。

「こんな激動の年に結婚しちゃって、この先どうなるのか心配です。男の子ができたら、是非阪神タイガースにあやかって、トラオと名付けたいと思います」朱美もアルコールが回ったのか、こんなことをいって皆を笑わせていた。

「そういえば、高宮さんも結婚されるようですね」声がぎこちないものになるのを気をつけながら、千都留は訊いた。

「うん、まあ……」高宮は、少し答えにくそうにした。

「明後日だよ、明後日」千都留の正面に座っている成田という男が、高宮誠の肩を叩きながらいった。「明後日で、こいつの花の独身生活もおしまいってわけだ」

「おめでとうございます」

ありがとう、と高宮は小声で答えた。

「こいつはね、あらゆる面で恵まれている男なんだ。だから、おめでとうなんていってやる必要は全然ないんですよ」成田が、ややもつれた口調でいった。

「別に恵まれてませんよ」高宮は、困った顔をしながらも、歯を見せた。

「いいや、おまえは恵まれすぎている。ねえ、三沢さん、ちょっと聞いてくださいよ。こいつは俺よりも二歳も下のくせに、もうマイホームを手に入れてるんだ。こんなことが許されますか」

「マイホームじゃないですよ」

「マイホームじゃないか。家賃を払わなくていいマンションなんだろ？　それがマイホームじゃなくて、何なんだよ」成田は唾を飛ばして食って掛かった。

「あれはお袋の名義なんです。そこに住まわせてもらうだけです。だから、ただの居候みたいなものですよ」

「ほらね、おかあさんがマンションを持っている。すごいと思いませんか」成田は千都留に同意を求めながら、自分の猪口《ちょこ》に酒を注いだ。それを一気に飲み干してから、また話を続けた。「しかもね、ふつうマンションを持っているといったら、2DKとか3LDKの部屋があるという意味に解釈しちゃうでしょ？　ところが、こいつのところは違うんだなあ。マンションの建物全部を持ってる。で、そのうちの一部屋をいただいちゃったわけなんです。こんなこと、許されますか？」

「もう勘弁してくださいよ」

「いいや、許さんぞ。おまけにね、今度こいつがもらう嫁さんってのが、すごい美人なんだ」

「成田さん」高宮は、さすがに弱りきった表情を見せた。何とか成田を黙らせようと、彼の猪口に酒を注いでいる。

「そんなに奇麗な人なんですか」千都留は成田に尋ねた。興味のあることだった。

「奇麗、奇麗。あれは女優になってもおかしくないよ。それに、お茶だとかお華だとかも出来るんだろ？」成田が高宮に訊いた。

「まあ、一応」

「すごいよねえ。英語もぺらぺらだっていってたよな。ちくしょう、どうしておまえのところにばっかり、そういう幸運が舞い込むんだよ」

「まあ待て、成田。人間、そう良いことばかりは続かんさ。そのうちにおまえのほうに幸運が転がりこむこともあるさ」端の席に座っている課長がいった。

「へえ、そうですかねえ。それは一体いつなんです」

「まあ、来世紀半ばぐらいには、何とかなるんじゃないか」

「そんな五十年も先じゃ、生きてるかどうかもわからんじゃないですか」

　成田の言葉に全員が笑った。千都留も笑いながら、そっと高宮のほうを窺った。すると一瞬だけ二人の目が合った。その時、彼が何かを伝えたがっているように千都留には思えた。だが、それも錯覚に違いなかった。

送別会は九時にお開きとなった。店を出る時、千都留は高宮を呼び止めた。

「これ、御結婚のお祝いです」彼女はバッグから小さな包みを取り出した。昨日の帰りに買ったものだ。「今日、会社でお渡ししようと思ってたんですけど、チャンスがなくて」

「そんな……よかったのに」彼は包みを開いた。中に入っていたのは、ブルーのハンカチだった。「ありがとう、大事にするよ」

「半年間、どうもありがとうございました」彼女は前で手を揃え、頭を下げた。

「僕は何もしていないよ。それより、君は今後どうするの？」

「しばらく実家でのんびりするつもりです。明後日、札幌に帰るんです」

「ふうん……」彼は頷きながら、ハンカチを包みに戻した。

「高宮さんたち、赤坂のホテルで式をお挙げになるんでしょう？　でも、その時にはたぶんあたし、北海道にいると思います」

「朝早く出発するんだね」

「明日の夜は品川のホテルに泊まる予定なんです。だから、早く出発しようと思って」

「どこのホテル？」

「パークサイドホテルですけど」

すると高宮は、また何かいいたそうな顔をした。しかしその時、入り口から声がした。「おい、何やってるんだ。もうみんな下に降りちゃったぞ」

高宮は軽く手を上げると、歩きだした。彼の後に続きながら、もうこの人の背中を見つめることはないのだなと、千都留は思った。

6

三沢千都留たちの送別会をした後、誠は成城の実家に帰った。

家には現在、母親の頼子と、祖父母が住んでいた。祖父母は頼子の両親だった。亡くなった父親は婿養子であり、頼子こそが代々の資産家である高宮家の直系なのだ。

「いよいよ、あと二日ね。明日は忙しいわあ。美容院に行かなきゃならないし、お願いしてあったアクセサリーは取りに行かなきゃいけないし。朝は早く起きなきゃ」

アンティーク調のダイニングテーブルの上に新聞紙を広げ、リンゴの皮を剝きながら頼子はいった。

誠は彼女の向かいに座り、雑誌を読むふりをしながら時計を気にしていた。十一時になったら電話をかけようと思っていた。

「結婚するのは誠なんだから、おまえが着飾ったって仕方がないだろう」ソファに腰かけた祖父の仁一郎《じんいちろう》がいった。前にチェス盤を広げ、左手にはパイプを持っている。もう八十歳を過ぎているが、歩く時でも背中はぴんと伸びているし、声にも張りがあった。

「だって、子供の結婚式に出るなんてことは、もう二度とないのよ。少しぐらいお洒落《しゃれ》したっていいじゃないの。ねえ」

後の「ねえ」は、仁一郎の向かいで編み物をしている文子《ふみこ》に向けられたものだった。小柄な祖母は、黙ってにこにこしている。

祖父のチェス、祖母の編み物、そして母の陽気なおしゃべり。これらは誠が子供の頃から、この家の独特の世界を作りあげてきたものだった。彼が結婚を明後日に控えた今夜も、それは全く変わらなかった。この家に残っている、そうした不変のものを、彼は愛していた。

「しかし、誠が嫁さんをもらうとはなあ。こっちがよぼよぼの爺さんになるわけだ」仁一郎が、しみじみとした口調でいった。

「結婚するには、どちらもまだちょっと若いような気がするけれど、もう四年も付き合っているんだし、あとはいくら引き延ばしても同じことよね」そういって頼子が誠を見た。

「相手の雪穂さんも、とてもいい人で、安心しましたよ」文子がいった。

「うん。あの子はいい。若いがなかなかしっかりしている」

「あたしも、初めて誠が家に連れてきた時から気に入っちゃった。やっぱり、育ちのしっかりしている子は違うわねえ」頼子は、切ったリンゴを皿に盛った。

初めて雪穂を頼子たちに会わせた時のことを誠は思い出した。頼子はまず彼女の容姿を気に入り、次に養母と二人暮らしという境遇に同情したようだった。さらにその養母にあたる女性が、家事全般だけでなく茶道や華道も雪穂に教えていたことを知り、大いに感心した様子だった。

頼子が切ってくれたリンゴを二切れ食べると、誠はダイニングチェアから立ち上がった。十一時になろうとしていた。「ちょっと二階に行ってくる」

「明日の夜は雪穂さんたちとお食事だから、忘れないようにね」頼子が突然いった。

「食事？」

「雪穂さんとおかあさんは、明日の夜はホテルにお泊まりになるんでしょ？　だから夕食でも御一緒にいかがですかって、あたしのほうから電話してみたのよ」

「どうしてそんなことを勝手に決めるんだよ」誠は声を尖らせた。

「あら、いけなかった？　だってどうせあなたは、明日の夜も雪穂さんと会うつもりだったんでしょ」

「……何時から？」

「七時にレストランを予約したわ。あのホテルのフレンチは有名なのよ」

誠は何もいわず、居間を出た。階段を上がり、自分の部屋に向かった。

最近買ったばかりの洋服などを除いて、殆どの荷物はそのまま残してある。誠は学生時代から使っていた机の前に座り、その上に置いてある電話の受話器を取った。彼専用の電話だが、現在も使えるようにしてある。

壁に貼った電話番号のメモを見ながら、彼はプッシュホンのボタンを押した。呼び出し音が二度鳴ったところで、電話が繋がった。

「もしもし」無愛想な声が聞こえた。クラシックでも聞いて、仕事の疲れを癒していたところだったのかもしれない。

「篠塚かい。俺だよ」

「ああ」声のトーンが少し高くなった。「どうした」

「今、いいかい？」

「いいよ」

篠塚は四谷で独り暮らしをしていた。

「じつは、重要な話があるんだ。たぶん驚くだろうと思うけど、落ち着いて聞いてくれ」

この言葉で、どういう内容の相談事か篠塚は察したようだ。すぐには声が返ってこなかった。誠も黙っていた。電話の雑音だけが、彼の耳に届いていた。三か月ほど前から雑音がひどくなり、相手の声も聞こえにくくなっていたことを彼は思い出していた。

「ひょっとして、例の話の続きかい？」篠塚が、ようやく訊いてきた。

「まあ、そういうことだ」

「おい」軽く笑い声をたてるのが聞こえた。だがたぶん顔は笑ってはいないだろう。「結婚式は明後日だろう」

「この間おまえは、たとえ一日前でも結婚を見合わせるっていったぜ」

「いったけどさ」篠塚は少し呼吸を乱していた。「おまえ、本気なのか」

「本気だ」誠は唾を飲み込んでから続けていった。「明日、彼女に俺の気持ちを打ち明けようと思う」

「彼女ってのは、その派遣社員の女性だな。三沢さん、とかいったっけ」

「うん」

「打ち明けてどうするんだ。プロポーズでもするのか」

「そこまでは考えてない。ただ、俺の気持ちを伝えたい。そうして、彼女の気持ちを知りたい。それだけのことだ」

「おまえのことなんか、何とも思ってないといったら？」

「その時はそれまでだ」

「おまえは、素知らぬ顔で次の日唐沢と結婚式を挙げるというわけか」

「卑怯だってことはわかってるんだ」

「いや」少し間を置いてから篠塚はいった。「そういう狡さは必要だと思うよ。大事なことは、おまえが後悔しない道を選ぶってことだ」

「そういってくれると少し気が楽になるよ」

「問題は」篠塚は声を低くした。「その相手の女性も、おまえのことを好きだといった場合だ。その時はどうする？」

「その時は――」

「何もかも捨てられるか」

「そのつもりだ」

　ふうっと息を吐く音がした。

「高宮、それ大変なことだぜ。わかってるのか。大勢の人に迷惑をかけることになるし、何人かの心を傷つけることになる。何より、唐沢がどんな思いをするか……」

「彼女には償いをするよ。どんなことをしてでも」

　またお互いが黙り込んだ。雑音だけが電話線に乗っている。

「わかった。それだけいうからには、余程の覚悟があるんだろう。もう何もいわない」

「心配かけて、悪いな」

「俺のことなんか、別にいいさ。それより、場合によっては明後日は大騒ぎになるわけだな。何だか、こっちまで鳥肌が立ってくる」

「俺も、さすがに緊張している」

「そうだろうな」

「ところで、おまえに頼みたいことがあるんだ。明日の夜は空いてるかい？」

7

　運命の日は、朝から雨模様だった。遅い朝食をすませた後、誠は自分の部屋でぼんやりと空を眺めていた。昨夜はよく眠れなかったせいで、ひどく頭が痛かった。

　誠は、どうにかして三沢千都留に連絡をとれないものかと思案していた。彼女が今夜、品川のホテルに泊まることはわかっている。だから、いざとなったら訪ねていけばいいのだが、なるべくなら昼間のうちに会い、自分の本心を打ち明けてしまいたかった。

　しかし連絡をとる手段が見つからなかった。個人的な付き合いを全くしていなかったから、電話番号も住所も知らない。派遣社員だから、当然職場の名簿にも彼女の名前は載っていない。

　課長か係長ならば、知っているかもしれなかった。だが何といって尋ねればいいのか。それに彼等にしても、彼女の連絡先を記したものを、自宅に置いているとはかぎらなかった。

　残された道は一つだった。これから会社へ行き、三沢千都留の連絡先を調べるのだ。土曜日だが、休日出勤している社員は少なくないはずだ。誠が職場で捜し物をしていても、咎められる心配はなかった。

　善は急げと誠が椅子から立ち上がった時、玄関のチャイムが鳴った。嫌な予感がした。

　約一分後、その直感が的中していたことを彼は確信した。誰かが階段を上がってくる音がした。スリッパを引きずるような独特の足音は、たぶん頼子のものだ。

「誠、雪穂さんがいらっしゃったわよ」頼子がドアの向こうでいった。

「彼女が？　……すぐに行くよ」

　下りていくと、雪穂は居間で頼子や祖父母たちと紅茶を飲んでいた。彼女の今日の服装は、ダークブラウンのワンピースだった。

「雪穂さんがケーキを持ってきてくださったの。あなたも食べる？」頼子が訊いてきた。ひどく機嫌がよさそうだった。

「いや、俺はいいよ。それより、ええと、どうしてこっちに？」誠は雪穂を見た。

「旅行に持っていかなきゃいけないもので、いくつか買い忘れてたものがあるの。それで付き合ってもらおうと思って」彼女は歌うようにいった。アーモンド形の目が、宝石のようにきらきらと輝いて見えた。もうこの娘は花嫁の表情になっているのだなと思うと、誠は胸がきりきりと痛んだ。

「そう……。じゃあ、どうしようかな。ちょっと会社に寄る用があったんだけれど」

「何よ、こんな時に」頼子が眉間に皺を作った。「結婚式の前に休日出勤させるなんて、あなたの会社、どうかしてるんじゃないの」

「いや、仕事ってほどのことじゃないんだ。目を通したい資料があってさ」

「じゃあ、お買い物のついでに行けば？」雪穂がいった。

「そのかわり、あたしもついていっていいでしょう？　休日なら職服もいらないから、社外の人間だって自由に出入りできるって、前にいってたじゃない」

「ああ、それはまあそうだけど……」

誠は内心うろたえていた。雪穂がこんなことをいいだすとは思いもしなかった。

「いやあねえ、会社人間は」頼子が唇を曲げた。「家庭と仕事と、どっちが大事なの？」

「わかったよ。別に急ぎでもないから、今日は会社に行くのはやめておく」

「本当？　あたしならかまわないけど」雪穂がいった。

「いや、いいんだ。大丈夫だから」誠は婚約者に笑いかけた。頭の中では、三沢千都留への告白は今夜直接ホテルへ出向くことで果たそうと考えていた。

着替えるからといって雪穂を待たせ、誠は自分の部屋に戻った。そしてすぐに篠塚に電話をかけた。

「高宮だけど、例の件、大丈夫だな」

「うん。九時頃に行くつもりだ。それより、彼女に連絡はついたか」

「いや、やっぱり連絡先を摑めそうにない。おまけに、これから雪穂と買い物なんだ」

電話の向こうで篠塚がため息をついた。

「聞いているだけで、こっちまで辛くなる」

「すまん。いやなことに付き合わせて」

「まあ仕方ないさ。じゃ、九時に」

「よろしく」

電話を切り、着替えを済ませると、誠はドアを開けた。すると、廊下に雪穂が立っていたので、彼はぎくりとした。彼女は背中に手を回し、壁にもたれるような格好で彼のことを見つめていた。口元にうっすらと笑みを浮かべている。それはいつもの微笑みとは、少し質の違ったものに見えた。

「遅いから、様子を見に来たの」と彼女はいった。

「ごめん。服を選んでたんだ」

さらに彼が階段を下りようとした時、雪穂は後ろから訊いてきた。「例の件って何？」

誠は思わず足を踏み外しそうになった。

「聞いてたの？」

「聞こえてきたのよ」

「そうか……仕事の話だよ」彼は階段を下り始めた。次に彼女が何を訊いてくるのか怖かったが、それ以後質問はなかった。

買い物は銀座ですることになった。三越や松屋といった有名デパートをはしごし、有名ブランドの専門店を覗いた。

旅行のための買い物をするという話だったが、雪穂は特に何も買う気はないように誠には見えた。それでそのことを指摘すると、彼女は肩をすくめ、舌を出した。

「本当は、ゆっくりデートがしたかったの。だって、今日はお互いにとって、独身最後の日なんだもの。いいでしょ？」

誠は小さく吐息をついた。よくない、とはいえなかった。

楽しそうにウィンドウショッピングをする雪穂の姿を眺めながら、誠はこの四年間のことを思い出していた。そして彼女に対する自分の気持ちを、改めて見つめ直していた。

たしかに、好きだから今日まで交際を続けてきた。しかし、結婚を決意することになった直接の理由は何だろうか。彼女への愛情の深さだろうか。

残念ながらそうではないかもしれない、と誠は思った。結婚のことを真剣に考え始めたのは二年ほど前だが、ちょうどその頃、一つの事件があったのだ。

ある朝、雪穂に呼び出されて、都内にある小さなビジネスホテルに行った。なぜ彼女がそんなところに泊まっていたのかは、後で知ることになる。

雪穂は、それまでに誠が見たことのないような真剣な顔つきで彼を待っていた。

「これを見てほしいの」といって彼女はテーブルの上を指した。そこには煙草の半分くらいの長さの、透明な筒が立てて置かれていた。中に少量の液体が入っている。

「触らないで、上から覗いて」と彼女はいい添えた。

誠がいわれたように覗くと、筒の底に小さな赤い二重丸が見えた。そのことをいうと、雪穂は黙って一枚の紙を差し出した。

それは妊娠判定器具の取扱説明書だった。それによると、二重丸が見えることは、陽性であることを意味する。

「朝起きて最初の尿で検査しろってことだったの。あたし、結果をあなたに見て欲しかったから、ここに泊まったの」雪穂はいった。その口ぶりから、彼女自身は妊娠を確信していたのだと窺えた。

誠が余程暗い顔をしていたのだろう、雪穂は明るい口調でいった。「安心して。産むなんていわないから。一人で病院にだって行けるから」

「いいのか」と誠は訊いた。

「うん。だって、まだ子供はまずいものね」

率直なところ、雪穂の言葉を聞いて誠は安堵していた。自分が父親になるなどということは、想像もしていなかった。したがって、そういう覚悟があるはずもなかった。

誠にいった通り、雪穂は一人で病院へ行き、密かに堕胎手術を受けた。その後一週間ほど姿を見せなかったが、その後はそれまでと同じように明るく振る舞った。彼女のほうから子供のことを口にすることはなかった。彼がそれについて何か尋ねようとしても、彼女はその気配を察知するらしく、いつも先にかぶりを振ってこういうのだ。

「もう何もいわないで。もういいから。本当にいいから」

このことをきっかけに、誠は彼女との結婚を真剣に考えるようになった。それが男の責任だと思ったのだ。

しかし、と誠は今になって思う。もっと大事なものを、あの時の自分は忘れていたのではないか——。

8

食後のコーヒーを飲むふりをしながら、誠は腕時計を見た。九時を少し過ぎていた。

七時から始まった高宮家と唐沢家の会食は、殆ど頼子のおしゃべりで終始した。雪穂の養母である唐沢礼子も、寛容そうな笑みをたたえたまま、聞き役に徹してくれていた。知性に裏打ちされた本物の上品さを備えた女性だった。この人のことも、明日には裏切ることになるかもしれないと思うと、誠は心苦しかった。

レストランを出たのは九時十五分頃だった。ここで頼子が予想通りの提案をした。まだ時間が早いから、バーにでも行かないかというのだった。

「バーはきっと混んでるよ。一階のラウンジに行こう。あそこなら、酒だって飲めるし」

誠の意見に、まず唐沢礼子が同意した。彼女はアルコールが飲めないらしい。

エレベータで一階に下り、ラウンジに向かった。誠は時計を見た。九時二十分を過ぎていた。

四人でラウンジに入ろうとした時だ。「高宮」と背後から声がした。誠が振り返ると、篠塚が近づいてくるところだった。

「やあ」誠は驚いたふりをした。

「遅かったじゃないか。計画中止かと思ったぜ」篠塚は小声でいった。

「食事が長引いたんだ。でも、来てくれて助かった」

さらに一言二言話す格好をした後で、誠は雪穂たちのところへ戻った。

「この近くで永明大出身の連中が集まっているらしい。ちょっと顔を出してくるよ」

「何もこんな時に行かなくても」頼子が露骨に嫌な顔をした。

「いいじゃないですか。友人同士のお付き合いは大事ですものね」唐沢礼子がいった。

すみません、と誠は彼女に向かって頭を下げた。

「なるべく早く帰ってね」雪穂が彼の目を見ていった。

うん、と誠は頷いた。

ラウンジを出ると、誠は篠塚と共にホテルを飛び出した。ありがたいことに、篠塚は愛車のポルシェで来ていた。

「スピード違反で捕まったら、罰金は払ってくれよな」

そういうなり篠塚は車を発進させた。

パークサイドホテルは品川駅から徒歩で約五分のところにある。十時少し前には、誠はホテルの正面玄関で、篠塚のポルシェから降り立っていた。

彼は真っ直ぐフロントへ行き、三沢千都留という女性が宿泊しているはずだがといった。髪を奇麗に刈ったホテルマンは、丁寧な口調でこういった。

「三沢様には、たしかに御予約いただいておりますが、まだチェックインされておりませんね」

到着予定時刻は九時になっていると、そのホテルマンはいった。

誠は礼をいい、フロントから離れた。ロビー内を見渡してから、近くのソファに腰を下ろした。フロントがよく見える位置だ。

間もなく彼女が現れる――そのことを想像しただけで、心臓の鼓動が速くなった。

9

千都留が品川駅に着いたのは、十時十分前だった。部屋の片づけや帰省の支度に、思った以上に時間がかかってしまったのだ。

大勢の人々と共に、彼女は駅前の交差点を渡り、ホテルに向かった。

パークサイドホテルの歩行者用の入り口は道沿いにあったが、正面玄関に行くには、そこから敷地内の庭園を歩かねばならなかった。千都留は重い荷物を手に、曲がりくねった細い舗道を進んだ。いろとりどりの花がライトアップされているが、それらを観賞している余裕はあまりなかった。

ようやく正面玄関に近づいてきた。タクシーが次々と入ってきては、その前で客を降ろしている。やはりこういうホテルに来る時には、車でないと格好がつかないなと千都留は思った。ホテルのボーイたちも、徒歩でやってくる客には関心がなさそうだ。

千都留が正面玄関の自動ドアを通ろうとした時だった。

「ちょっとすみません」突然後ろから声をかけられた。

振り返ると、黒っぽいスーツを着た若い男が立っていた。

「失礼ですが、これからチェックインされる方でしょうか」男は尋ねてきた。

「そうですけど」警戒しながら千都留は答えた。

「じつは私、警視庁の者なのですが」そういって男は上着の内側から、ちらりと黒い手帳を見せた。「折り入ってお願いがあるのです」

「あたしにですか」千都留は面食らった。自分が何かの事件に関係している覚えはなかった。

　ちょっとこちらへ、といって男は庭園のほうに歩きだした。それで仕方なく、千都留もついていった。

「今夜は一人でお泊まりですか」男が訊いた。

「そうですけど」

「それは、こちらのホテルでなければいけないのでしょうか。たとえば、この奥にもホテルがありますが、そちらではいけないのでしょうか」

「それは別にいいんですけど、このホテルに予約をとってあるので……」

「そうでしょうね。だからこそ、あなたにお願いがあるんです」

「どういうことですか」

「じつは、このホテルにある事件の犯人が泊まっているんです。それで我々としては、出来るだけ近くで監視したいのですが、生憎今夜は団体客の予約が入っていて、捜査に使う部屋を確保できない状態なのです」

　男のいいたいことが、千都留にもわかってきた。

「それであたしの部屋を？」

「そういうことです」男は頷いた。「すでにチェックインしたお客さんに代わっていただくのは難しいですし、あまり妙な動きをして、犯人たちに気づかれるのもまずいのです。それで、まだチェックインしていないと思われる方を、お待ちしていたというわけです」

「はあ、そうなんですか……」千都留は相手の男を見た。よく見ると、ずいぶんと若い感じがした。まだ新米なのかもしれない。しかしスーツをきっちりと着こなし、精一杯の誠意を示そうとしている点は好感が持てた。

「もし了解していただけるのでしたら、今夜の宿泊代はこちらで出させていただきますし、ホテルの前までお送りします」と男はいった。言葉のアクセントに、かすかに関西弁が混じっていた。

「この奥にあるホテルというと、クイーンホテルですよね」千都留は確認した。そこならパークサイドホテルよりも、はるかに格上だ。

「クイーンホテルの、四万円の部屋を確保してあります」彼女の内心を見抜いたように、男は部屋のクラスを述べた。

　自腹では絶対に泊まることのない部屋だ、と彼女は思った。それで気持ちが固まった。「そういうことでしたら、あたしは構いませんけど」

「ありがとうございます。では、自分がホテルの前までお送りします」男は千都留の荷物に手を伸ばしてきた。

10

十時半を過ぎても、三沢千都留は現れなかった。

誠は誰かが置いていった新聞を広げながらも、フロントから目を離さなかった。早く気持ちを告白したいというより、今はただ一刻も早く彼女の顔が見たかった。心臓の鼓動は依然としてピッチが上がったままだ。

一人の女性客がフロントに近づいていった。それで一瞬はっとしたが、顔が全然違うことに気づき、がっかりして目を伏せた。

「予約していないんですけど、部屋はあるでしょうか」

女性客が訊いている。

「お一人様でしょうか」フロントにいる男が尋ねた。

「はい」

「するとシングルでよろしいでしょうか？」

「ええ、それで結構」

「はい、御用意できます。一万二千円、一万五千円、一万八千円の部屋がございますが、どれになさいますか」

「一万二千円の部屋でいいわ」

予約していなくても結構泊まれるものなのだなと誠は思った。今夜は団体客なども入っていないようだ。

誠は一旦入り口のほうに目を向けてから、ぼんやりと新聞を眺めた。文字を読んではいるが、内容はちっとも頭に入っていかない。

それでも一つだけ、彼の興味を引く記事があった。盗聴に関するものだ。

昨年から今年にかけ、共産党員が警察官に電話を盗聴された事件が相次いだ。それで公安のあり方などについて、方々で議論がなされている。

が、誠が関心を持ったのは、そういう政治的なことではない。盗聴が発覚するに至った経過が気になったのだ。

電話の雑音が増えたことや、受話音量が小さくなったことから、電話の持ち主がＮＴＴに調査を依頼したのがきっかけ、とある。

うちのは大丈夫だろうな、と彼は思った。ここに書いてあるのと同じ症状を、彼の電話も示しているからだ。もっとも、彼の電話を盗聴して得をする人間がいるとも思えなかった。

誠が新聞を折り畳んだ時だった。フロントにいたホテルマンが、彼のところに来た。

「三沢様をお待ちの方でしたよね」とホテルマンは訊い

てきた。

「そうですが」誠は思わず腰を浮かせていた。

「じつは、たった今お電話がありまして、部屋をキャンセルしたいということでした」

「キャンセル？」全身が、かっと熱くなるのを誠は感じた。「彼女は今どこにいると？」「それは伺っておりません」ホテルマンは首を振った。

「それに、電話をかけてこられたのは男性でした」

「男？」

「はい」とホテルマンは頷いた。

誠は、ふらふらと歩きだした。どうしていいのかわからなかった。しかし少なくとも、ここで待っていても無意味であることはたしかだった。

彼は正面玄関からホテルを出た。タクシーが並んでいたので、先頭の一台に乗った。成城へ、と彼はいった。不意に笑いがこみあげてきた。自分の滑稽さに、自分でおかしくなった。

結局、自分と彼女とは運命の糸では結ばれていなかったのだと彼は思った。泊まるつもりにしていたホテルをキャンセルすることなど、ふつうではめったにない。そんなレアケースが発生するのは、何か超自然的な力が作用したとしか思えなかった。

だが振り返ってみれば、告白するチャンスはこれまでに何度もあった。それを逃し、今日まで来てしまったこと自体、そもそもの間違いなのかもしれなかった。

彼はポケットからハンカチを出し、いつの間にか浮かんでいた額の汗をぬぐった。そしてしまう時、そのハンカチが千都留から貰ったものであることに気づいた。

明日の披露宴の段取りを思い出しながら、彼は瞼を閉じた。

第八章

1

六時の閉店間際に入ってきたのは、五十前後に見える小柄な中年男と、高校生と思われる痩せた少年の二人組だった。親子だろう、と園村友彦は、その雰囲気から察した。しかも息子のほうの顔を、友彦は知っていた。ここへ何度かやってきたことがあるからだ。しかしいつもは口をきくわけでも、まして何かを買うわけでもなく、ディスプレイしてある高級パソコンを眺めて帰るだけだった。そういう少年は、彼のほかに何人もいた。だが友彦は彼等に対して、何か言葉をかけたりはしない。そんなことをしたら、冷やかしはお断りなのかと思い、もう二度とここへ足を運ばなくなるおそれがあるからだ。冷やかし大いに結構、思わぬ臨時収入が入るか、成績アップのご褒美に親から買ってもらえるよう話がついた時、客として訪れてくれればいいというのが、この店の経営者すなわち桐原亮司の考えだった。

金縁の眼鏡をかけた父親は、狭い店内をぐるりと見渡した後、まず看板商品であるパソコンに目を留めた。いつも少年が眺めている品だ。親子はそれを見て、何かぼそぼそとしゃべっている。やがて父親は、「なんやこれは」といって、大きくのけぞった。どうやら商品の価格を見たようだ。いくら何でも高すぎるぞ、と叱責の口調で息子にいった。違うんだよ、もっといろいろあるんだ、と息子。

友彦はパソコンの画面に顔を向け、客には全く関心がないというふうを装いながら、親子の様子を観察し続けた。父親のほうは、外国の景色を眺めるといった感じの視線を、陳列してあるパソコン本体や周辺機器にぼんやりと向けているだけだ。コンピュータの知識はないのだろう。少し白髪の混じった頭を、きっちりとセットしている。ハイネックのセーターの上に毛糸のカーディガンを羽織っただけのラフなスタイルだが、会社人間の臭いは消えていない。どこかの企業の部長といったところか、と友彦は値踏みした。十二月にこの出で立ちということは、当然ここへは自家用車で来たということだろう。

陳列ケースの中の部品類をチェックしていた中嶋弘恵《ひろえ》が、友彦をちらりと見た。声を掛けたほうがいいんじゃないの、という視線だ。わかっているよ、という意味を込めて、彼は小さく頷いた。

頃合を見計らって、友彦は立ち上がった。親子に向かって愛想笑いをする。

「何かお探しのものでも？」

父親が、救われたような、それでいて少し気後れしたような顔を見せた。息子のほうは、他人との交渉は苦手なのか、ふてくされたような顔で棚に並んだソフトに目を向けている。

「いや、息子がね、パソコンがほしいとかいうものだから」父親は苦笑して見せた。「しかし、どういうものを買っていいのか、さっぱりわからなくて」

「どういったことにお使いになる予定ですか」友彦は親子の顔を交互に見た。

「何に使うんや？」父親が息子に訊いた。

「ワープロとか、パソコン通信とか……」息子はうつむいたまま、ぼそぼそと答えた。

「ゲームとか？」友彦はいってみた。

息子は小さく頷いた。相変わらずふてくされたような態度を取っているのは、買い物をするのに父親を連れてこざるをえなかったことに対する照れ隠しだろう。

「ご予算は？」と友彦は父親に尋ねた。

「まあそれは……十万円ぐらいのつもりでいたんだけどね」

「だから十万円じゃ買われへんって」息子が吐き捨てるようにいった。

「ちょっとお待ち下さい」

友彦は自分の席に戻り、パソコンのキーを叩いた。たちまち画面に在庫品のリストが現れた。

「８８《ハチハチ》なら、ちょうどいいものがありますよ」

「はちはち？」父親が眉を寄せた。

「ＮＥＣの８８シリーズです。今年の十月に発売されたばかりで、本体価格が約十万円というものがあります。でも、もっとお安くできると思います。悪い品ではないですよ。ＣＰＵクロックは一四ＭＨｚ《メガヘルツ》、標準ＲＡＭは六四ＫＢ《キロバイト》。これにディスプレイを付けて、合計十二万円にはできると思います」

友彦は後ろの棚からカタログを見つけだし、親子のほうに差し出した。父親はそれを受け取って、ぱらぱらと眺めた後、息子に渡した。

「プリンタは必要ないんですか」迷っている様子の息子に友彦は訊いた。

「あればいいと思うけど」呟くように少年は答えた。

友彦は再びパソコンで在庫を調べた。

「日本語熱転写プリンタが六万九千八百円であります」

「すると、合わせて十九万か」父親が渋い顔をした。

「完全に予算オーバーや」

「申し訳ありませんけど、そのほかにソフトを買っていただかなければなりません」

「ソフト？」

「パソコンにいろいろな仕事をさせるためのプログラムです。それがないと、ただの箱です。ご自分でプログラムを組むということであれば、話は別ですけど」

「なんや、そんなのはセットになってないのか」

「用途に応じてプログラムが必要なんです」

「ふうん」

「ワープロソフトや代表的なソフトをお付けするとして」友彦は電卓を叩き、最終的に十六万九千八百円という数字を表示させてから、それを父親に見せた。「これぐらいでいかがですか。ほかの店では、絶対に出せない数字ですよ」

父親は口元を歪めた。予定以上の散財を強いられそうで、憂鬱になったようだ。ところが息子のほうは全く別のことを考えていた。

「98《キユーハチ》は、やっぱり高いんですか」

「98シリーズですと、やっぱり三十万ほど出していただかないと。それに周辺機器を揃えますと、四十万を越えるかもしれません」

「そりゃ論外だ。子供の玩具にしては高すぎる」父親がゆらゆらと頭を振った。「その88っていうのにしたって、高すぎる」

「どうされますか。ご予算にこだわられるのでしたら、それなりの商品もありますけど、かなり性能は落ちますよ。機種も古いですし」

父親は迷っている様子だった。息子の顔を見つめる目に、それが表れていた。しかし結局、息子の訴えるような視線に耐えられなかったようだ。じゃあ、その88というのをくれ、と友彦にいった。

「ありがとうございます。お持ち帰りになられますか」

「うん、車だから自分で運べるんやないかな」

「では、今すぐここへ持ってきますので、少々お待ちください」

支払いの手続きを中嶋弘恵に任せ、友彦は店を出た。店といっても、事務所用に改装されたマンションの一室だ。ドアに貼ってある、『パソコンショップ　MUGEN』の看板がなければ、何の部屋かわからないだろう。そして倉庫代わりに使っているのは、隣の部屋だった。

倉庫用の部屋には、事務机と簡単な応接セットが置いてある。友彦が入っていくと、向き合って座っていた二人の男が、ほぼ同時に彼を見た。一人は桐原であり、もう一人は金城《かねしろ》という男だった。

「88が売れた」桐原に伝票を見せながら友彦はいった。「モニターとプリンタのセットで、一、六、九、八」

「ようやく88は一掃か。助かった。これで厄介払いができた」桐原が片方の頬に笑みを浮かべた。「これからは９８の時代やからな」

「全くだ」

部屋の中には、パソコンや関連機器を納めた段ボール箱が、天井近くまで積み上げられていた。友彦は段ボール箱に印刷された型番を見ながら、その間を歩いた。

「地道な商売やっとるなあ。十万ちょっとの金を落としていく客が、ぽつりぽつりと来る程度やないか」金城が揶揄する口調でいった。段ボールの山の中にいる友彦には、金城の顔は見えなかったが、その表情は目に浮かぶようだった。こけた頬を歪め、落ちくぼんだ目をぎょろりと剝いたに違いない。あの男を見るたびに友彦は、骸骨を連想せずにはいられなかった。灰色のスーツを着ていることが多いが、大きさの合わないハンガーにかけたように、肩の部分が飛び出している。

「地道が一番ですよ」桐原亮司が答える。「ローリターンやけど、ローリスクです」

低い、くぐもった笑い声。金城が発したものに違いなかった。

「なあ、去年のことを忘れたんか？　結構ええ目を見たはずや。おかげで、こういう店も開けた。もう一回、勝負をかけようという気にならへんか」

「前にもいいましたけど、あんなに危ない橋とわかってたら、おたくさんらと一緒に目をつぶって渡るなんてことはしませんでしたよ。一歩間違えたら、何もかもなくしてしまうところやった」

「大層なこというな。俺らをあほやと思とるんか。押さえるべきところをちゃんと押さえておいたら、なんにも心配することはない。大体、あんたかて、こっちの正体を知らんわけやないやろ。全く危険のない橋やとは思てなかったはずやで」

「とにかく、この話はお断りしますよ。ほかを当たってください」

何の話だろう、と段ボール箱を探しながら友彦は思った。いくつかの仮説が頭に浮かんだ。金城が、どういう用件で訪ねてくる男かということは、把握しているつもりだった。

やがて目的の箱は見つかった。パソコン本体とディスプレイとプリンタの三つだ。友彦はそれらを一つずつ、部屋の外に運び出した。そのたびに桐原と金城の脇を通り抜けるのだが、二人は黙って睨み合っているばかりで、それ以上の会話を盗み聞きすることはできなかった。

「桐原」部屋を出る前に、友彦は声を掛けた。「もう店を閉めてもええかな」

ああ、と桐原は声を出した。上の空のような声だった。

「閉めてくれ」

わかった、といって友彦は部屋を出た。このやりとりの間、金城は一度も友彦のほうを見なかった。

親子連れに品物を渡すと、友彦は店を閉めた。そして、食事に行こうと中嶋弘恵にいった。

「あの人が来てるんでしょう?」弘恵は眉をひそめた。「あの骸骨みたいな顔をした人」

彼女の言葉に友彦は吹き出した。自分と同じ印象を弘恵が持っていたというのが、おかしかったのだ。そのことをいうと、彼女もひとしきり笑った。だがその後で、また少し顔を曇らせた。

「桐原さん、あの人とどんな話をしているのかな。大体あの人、何者なの? 友彦さんは何か知ってるの?」

「うんまあ、それについては、ゆっくり話をするよ」そういって友彦はコートの袖に腕を通した。一言で説明できる話ではなかった。

店を出た後、友彦は弘恵と並んで、夜の舗道をゆっくり歩いた。まだ十二月はじめだが、街のあちらこちらにクリスマスを思わせる飾りがあった。イブはどこへ行こうか、と友彦は考えた。昨年は有名ホテルの中にあるフレンチレストランを予約した。しかし今年はまだこれといったアイデアが浮かばない。いずれにしても、今年も弘恵と一緒に過ごすことになるだろう。彼女と過ごす、三度目のクリスマスイブだ。

友彦は弘恵とアルバイト先で知り合った。大学二年の時だ。アルバイト先というのは、安売りで有名な大型電器店だった。彼はそこで、パソコンやワープロの販売をしていた。当時は今以上に、その分野で詳しい知識を持っている者が少なかったので、友彦は重宝がられた。店頭での販売が業務内容のはずだったが、時にはサービスマン的なこともやらされた。

そんなところでアルバイトすることになったのは、それまで手伝っていた桐原の『無限企画』が休業状態に陥ってしまったからだ。コンピュータゲームのブームに乗って、プログラムを販売する会社が林立しすぎたため、粗悪なソフトが出回った。その結果、消費者の信頼を裏切る形になってしまい、多くの会社がつぶれることになった。『無限企画』も、その波にのまれたといってよかった。

だがこの休業を、今となっては友彦は感謝している。中嶋弘恵と知り合えるきっかけになったからだ。弘恵は友彦と同じフロアで、電話やファクスを売っていた。顔を合わせることも多く、そのうちに言葉を交わすようになった。最初のデートはアルバイトを始めてから一か月が経った頃だ。それからお互いを恋人と認識するようになるまで、長い時間はかからなかった。

中嶋弘恵は美人ではなかった。目は一重だし、鼻も高いほうではない。丸顔で小柄、そして、少女のようにというより少年のようにと表現したほうがいいくらい痩せていた。しかし彼女には、他人を安心させるような柔らかい雰囲気があった。友彦は彼女と一緒にいると、その時々に抱えている悩みを忘れることができた。そして彼女と別れた後も、その悩みの大半を、大したことではないと思えるようになるのだった。

しかしそんな弘恵を、友彦は一度だけ苦しめたことがある。二年ほど前のことだ。妊娠させてしまい、結局堕胎手術を受けさせることになってしまったのだ。

それでも弘恵が泣いたのは、手術を終えた夜だけだった。その夜、彼女はどうしても一人になりたくないといって、一緒にホテルに泊まることを望んだ。彼女は一人でアパートを借り、昼間は働き、夜は専門学校に行くという生活を送っていた。友彦はもちろん彼女の望みをきいてやった。ベッドの中で、手術を受けたばかりの彼女の身体を、そっと抱きしめた。彼女は震えながら、涙を流した。そしてそれ以後、彼女がこの頃のことを思い出して泣くようなことは決してなかった。

友彦は財布の中に、透明の小さな筒を入れている。煙草を半分に切った程度の大きさのものだ。一方から覗くと、赤い二重丸が底に見える。弘恵の妊娠を確認する時に使った、妊娠判定器具だった。二重丸は陽性の印なのだ。もっとも、友彦が持っている筒の底に見える二重丸は、あとから彼が赤い油性ペンで描いたものだった。実際に使用した際には、弘恵の尿を入れた筒の底に赤い沈殿物が生じ、それが判定の印となった。

友彦がそんなものを後生大事に持っているのは、自らを戒めるためにほかならなかった。もう二度と弘恵にあんな辛い思いをさせたくなかった。だから財布にはコンドームも入れてある。

その『お守り』を、友彦は一度だけ桐原に貸したことがある。自戒をこめた台詞を口にしながら見せていると、桐原のほうから、ちょっと貸してくれないかといってきたのだ。

何に使うんだと友彦が訊くと、見せたい人間がいるんだよと桐原は答えた。そしてそれ以上詳しいことはいわなかった。ただ、それを返す時、桐原は意味ありげに薄く笑いながらこういった。

「男というのは弱いな。こと話が妊娠ということになると、手も足も出えへん」

彼があの『お守り』を何に使ったのか、友彦は今も知らなかった。

2

友彦と弘恵が入ったのは、玄関に格子の引き戸が入った狭い居酒屋だった。すでにサラリーマンたちが席を埋めており、空いているのは一番手前のテーブルだけだった。友彦は弘恵と向き合うように座り、コートを隣の席に置いた。頭の上にテレビがあり、バラエティ番組の音声が流れていた。

エプロンをつけた中年女性が注文を取りに来たので、ビール二本と、料理を数点頼んだ。この店は刺身のほか、卵焼きや野菜の煮物が格別旨い。

「あの金城という男と初めて会ったのは、去年の春頃や」烏賊と明太子を和《あ》えた突き出しを肴にビールを飲みながら、友彦は話し始めた。「桐原に呼び出されて、紹介された。その時は金城も、まだそれほど人相が悪くなかった」

「骸骨より、もうちょっと肉がついていたわけね」

弘恵の受け答えに、友彦は笑った。

「まあそういうことや。猫をかぶってたんやろうけどね。で、その時の話というのは、あるゲームのプログラムを作ってほしい、というものやった。あの金城が桐原に依頼してきた」

「ゲーム？　どういうゲーム？」

「ゴルフゲーム」

「へえ。それを開発してくれっていう依頼なの？」

「簡単にいうとそうやけど、本当はもっと話は複雑や」

友彦は、グラスに半分ほど残ったビールを一気に飲み干した。

とにかくあれは、最初から胡散臭い話だった。まず友彦に見せられたのは、ゲームの仕様書と未完成のプログラムだ。依頼内容は、このプログラムを二か月以内に完成させてほしい、というものだった。

「ここまで出来てて、どうして残りをほかの人間に作らせるんですか」最大の疑問を友彦は口にした。

「プログラムを作っていた担当者が、突然心臓麻痺で死んでしもたんよ。そのプログラム会社には、ほかにろくな技術者がおらんかってね、このままでは納期に間に合いそうもないと思って、何とか無理のききそうなところを探し回ったというわけなんや」今の金城からは想像しにくいソフトな口調で、こう答えた。

「どうや？」と桐原は訊いてきた。「未完成とはいえ、おおまかなシステムは出来上がってる。俺らがすることは、虫食いみたいに欠けている部分を補うだけや。二か月あったら、何とかなるやろ」

「バグが問題やな」と友彦は答えた。「プログラムのほうは一か月ほどで出来ると思うけど、完璧に仕上げるとなると、残り一か月で足りるかどうか」

「何とか頼むわ。ほかにもう頼めるところがなくてねえ」金城が拝む格好をした。あの男がそんなしぐさを見せたのは、この時だけだった。

　結局友彦たちは、この仕事を引き受けることにした。最大の理由は、条件がよかったからだ。うまくいけば、再び『無限企画』を復活させられるかもしれなかった。

　ゲームの内容は、ゴルフをリアリティたっぷりに表現したものだった。プレーヤーは状況によってクラブやスイングを使い分け、グリーン上では芝目を読んだりもするのだ。その特性を理解するため、友彦は桐原と共にゴルフの勉強をしなければならなかった。二人共、ゴルフについてはあまりよく知らなかったのだ。

　作られたゲームは、ゲームセンターや喫茶店などに販売されるという話だった。うまくすれば第二のインベーダーゲームになる、というようなことを金城はいっていた。

　金城という男のことを、友彦はよく知らなかった。桐原が、詳しく説明してくれなかったからだ。だが何度か話すうちに、どうやら榎本宏と関係があるらしいとわかってきた。

　榎本宏――かつて友彦たちが一緒に仕事をしていた西口奈美江の愛人だ。

　奈美江が名古屋で殺された事件は、まだ解決していない。彼女から不正送金を受けていたということで警察は榎本を疑ったようだが、どうやら決定的な証拠を摑めなかったようだ。また横領についても現在係争中だった。肝心の奈美江が死んでしまっているので、警察としても捜査が思うように進まないようだった。

　友彦は、奈美江を殺したのは榎本だろうと確信している。問題は、奈美江が名古屋にいることを、榎本は誰から聞いて知ったかということだった。

　もちろんその答えも友彦は持っている。ただし、決して口には出せない。

　西口奈美江のことは話さず、自分たちがどういうきっかけでゴルフゲームのプログラムを作ることになったかということだけを、友彦は弘恵に説明した。その間に刺身の盛り合わせと、卵焼きがテーブルに並べられていた。

「それで、そのゴルフゲームは完成したわけね」卵焼きを割り箸で半分に切りながら、弘恵が訊いてきた。友彦は頷いた。

「予定通り、二か月後にプログラムが完成した。その一か月後には、全国に出荷が始まっていた」

「よく売れたんでしょう?」

「売れたよ。どうして？」

「そのゲームやったらあたしも知ってるもの。何度かやったことあるよ。アプローチとパターが結構難しいのよね」

弘恵の口からゴルフ用語が飛び出してきたので、友彦はちょっと意外な気がした。ゴルフのことなど何も知らないと思っていた。

「これはどうもお客様、といいたいところやけど、弘恵が遊んだのが、俺らの作ったゲームやったかどうかはわからんな」

「えっ、どうして？」

「このゴルフゲームは、全国で約一万台が売れた。ただし俺らが作ったのは、そのうちの半分だけで、残りは別会社から売り出されたものやった」

「じゃあ、インベーダーの時みたいに、いろいろな会社が真似をして作ったわけやね」

「ちょっと違う。インベーダーの時は、まず最初に一つのメーカーから売り出されて、それがブームになったから、別の会社もコピーして発売し始めた。ところがゴルフゲームは、大手メーカーのメガビット・エンタープライズから発売されるのとほぼ同時に、海賊版が出回った」

「えっ」焼き茄子《なす》を口に運びかけていた手を、弘恵は止めた。目が丸くなっていた。「どういうこと？　同じ時期に同じゲームが発売されるなんて……偶然やないよね」

「偶然で、そんなことが起こるはずがない。何者かが、事前に一方のプログラムを手に入れて真似したというのが真相やろな」

「念のために訊くけど、友彦さんが作ったのは、オリジナルのほう？　それとも、海賊版のほう？」上目遣いに弘恵は友彦を見た。

友彦はため息をついた。

「そんなこと、いうまでもないやろ」

「そうよ……ねえ」

「どういうルートを使ったのかは知らないけれど、金城たちはゴルフゲームのプログラムや設計図を、開発段階で入手したんやろ。だけどプログラムが不完全だったので、俺たちに仕上げを依頼してきたというわけや」

「それ、よく問題にならへんかったね」

「なった。メガビット社は、血眼になって海賊版の出所を調べたという話や。けど結局わからなかった。どうやら、相当複雑な流通ルートが使われてたらしい」

その流通ルートとは、端的にいって暴力団絡みのものだったが、友彦としてはそこまでは弘恵に聞かせたくなかった。

「友彦さんたちに火の粉が飛んでくる心配はないの？」

不安そうに弘恵は訊いた。

「わからん。今のところは大丈夫やけどね。まあ、もし警察に事情を訊かれるようなことになったら、何も知らんかったということで押し通すしかない。それが本当なんやから」

「そうやね。でも友彦さんら、そんな危ないことをやってたんだ」弘恵は、しげしげと友彦の顔を見つめた。その目には、驚きと好奇の色が混じっていたが、軽蔑している様子ではなかった。

もうこりごりだよ、と友彦はいった。

弘恵にはいわなかったが、おそらく桐原はすべての事情を最初から察していたのだろうと友彦は考えていた。あの勘の鋭い男が、金城などという胡散臭い男の話を鵜呑みにするはずがなかった。その証拠に、自分たちの作らされたものが海賊版だったとわかった時も、彼はさほど驚いた様子を見せなかった。

友彦は、桐原がこれまでにしてきたことを目の前で見てきている。それらを思い出すと、コンピュータソフトの海賊版を作る程度のことは、何でもないかもしれないとも思うのだった。

以前、桐原は銀行カードの偽造に凝っていた。実際にそれを使って不正に金を引き出したこともある。友彦も手伝った。一体それによって桐原がどれほど稼いだのか、友彦は知らなかったが、百万二百万の金でないことはたしかだった。

またつい最近まで、桐原は盗聴に凝っていた。どういう人間に頼まれて、誰の会話を盗聴しているのかは知らなかったが、有効な方法について友彦も何度か相談を受けた。

ただし、今の桐原は、パソコンショップを無事に運営していくことに気持ちを集中させているようだった。金城などにそそのかされなければいいが、と友彦は思った。もっとも、人の言葉で自分の意思を変えるような男でないことも、友彦が一番よく知っていた。

弘恵を駅まで送った後、友彦は店に戻ることにした。もしかしたら桐原がまだ残っているのではないか、と思ったのだ。桐原は、店の入っているビルとは別のマンションに部屋を借りていた。

ビルのそばまで来て上を見ると、店の窓に明かりがついていた。『パソコンショップ　ＭＵＧＥＮ』は、ビルの二階にある。

階段で上がり、友彦は自分の鍵で店のドアの錠を外した。入り口から奥を見ると、桐原が缶ビールを飲みながらパソコンに向かっているところだった。

「なんや、戻ってきたのか」友彦の顔を見て、桐原はいった。

「何だか気になってな」友彦は壁にたてかけてあったパイプ椅子を広げて座った。「金城が、また何かいうてきたんか」

「例によって、や。ゴルフゲームで儲けたことが、余程忘れられへんらしい」桐原は新しい缶ビールのプルトップを引き、ごくりとひと飲みした。彼の足元には小型の冷蔵庫が置いてあり、そこには常時ハイネケンの缶が一ダースほど入っているのだった。

「今度は何をいうてきたんや」

「無茶な話や」桐原は鼻で笑った。「うまい話なら、多少の危険は覚悟するけど、今度の話はまずい。とても乗られへんな」

彼の言葉ではなく表情から、どうやら相当危ない話らしいと友彦は察した。桐原の目には、何かのことを真剣に考えている時に見せる、鋭い光が宿っていた。金城の話に乗る気はないが、関心は大いにあるということなのだろう。あの骸骨顔の男がどんな話を持ってきたのか、友彦はますます気になった。

「ものは何や？」と彼は訊いた。

桐原は友彦を見て、にやりと笑った。

「聞かへんほうがええ」

「まさか……」友彦は唇を舐めた。これほど桐原が緊張する獲物となれば、考えられるものは一つしかなかった。「化け物のことやないやろな」

正解、とでもいうように桐原は缶ビールを高く掲げた。

友彦は発すべき言葉が思いつかず、ただ首を横に振った。

化け物、というのは、あるゲームソフトに対して二人でつけた渾名《あだな》だった。ゲームの内容ではなく、その常軌を逸した売れ行きから、そんなふうに呼ぶようになったのだ。

そのゲームの名前は、『スーパーマリオブラザーズ』という。任天堂のファミリーコンピュータ用ゲームソフトの一つだ。今年の九月に売り出されたとたん、品切れが続出する大人気で、すでに二百万個近く売れている。内容は、主人公の「マリオ」が、敵の妨害をかわしながら、お姫様を救い出すというものだ。単純に一面ずつクリアしていくのではなく、寄り道や抜け道が用意されていたりして、宝探しの要素も含まれている。驚くのは、ゲームだけでなく、このゲームの攻略方法を記した本や雑誌までもが爆発的に売れていることだ。その勢いは、クリスマスを前にして、さらに増してきている。おそらく来年になってもマリオブームは続くだろう、というのが、友彦と桐原の共通した見解だった。

「あのマリオで何をしようというんや。まさか、また偽物を作る話やないやろな」友彦は訊いた。

「ところが、その『まさか』なんや」桐原は、おかしそうにいった。「スーパーマリオの海賊版を作らへんかと誘われた。技術的にはそう難しくないはずやと、金城のやつはいきまいてた」

「そりゃあ技術的には可能や。すでに完成品が出回っているわけやから、それを手に入れて、ＩＣをコピーして、基板に載せてやったらええ。ちょっとした工場があれば、すぐにできる」

友彦の言葉に、桐原は頷いた。

「金城としては、そのあたりの段取りを俺らにつけてほしいようや。説明書や本物を真似たパッケージの印刷については、すでに滋賀の印刷工場を押さえてあるらしい」

「滋賀？　またずいぶん遠くの印刷屋にやらせるんやな」

「大方そこの経営者が、金城のバックにおる暴力団から金を借りてるんやろ」よくあることだといった調子で桐原はいった。

「けど、今からではクリスマス商戦には間に合えへんな」

「金城らは、クリスマスのことは最初から考えてないらしい。連中があてにしているのは、ガキ共の年玉や。けどこれから仕事を始めるとなると、どんなに急いでも、箱詰めした製品が出来上がるのは一月後半やろ。それまでガキ共の財布が膨らんだままかどうかは怪しいで」桐原は、にやにやした。

「作ったとしても、どこでどうやって売るつもりなんや。卸すとなると、現金取引専門の問屋に売るしかないわけやけど……」

「それは危険やろ。問屋の連中は鼻がきく。品切れ続出のスーパーマリオを、突然大量に持ち込んで買《こ》うてくれというたりしたら、一発でおかしいと思うやろ。任天堂に確認されて、おしまいや」

「じゃあ、どこで売る？」

「お得意の闇マーケットやろ。ただし今度はインベーダーやゴルフゲームの時と違って、客はゲームセンターや喫茶店の親父やない。ふつうの子供や」

「いずれにしても、その話は断ったわけやな」友彦は確認した。

「当たり前や。連中と心中するつもりはない」

「それを聞いて安心した」友彦は冷蔵庫からハイネケンを取り出し、プルトップを引いた。白く細かい泡が飛んだ。

3

その男がやってきたのは、友彦が桐原とスーパーマリオの話をした翌週の月曜日だった。桐原は仕入れのために外出しており、店に来る客の相手は友彦一人でこなしていた。中嶋弘恵もいるが、彼女の仕事は、専ら電話の応対をすることだった。雑誌に広告を載せているおかげで、電話による問い合わせや注文が結構多いのだ。『MUGEN』をオープンしたのは昨年暮れだが、その時にはまだ弘恵がおらず、桐原と二人で、てんてこ舞いしたものだった。彼女が来てくれるようになったのは、今年の四月からだ。友彦が頼むと、その場ですぐにオーケーしてくれた。職場がつまらなくて、やめたいと思っていたところだと彼女はいった。職場とは、昨年秋まで友彦が働いていた例の量販店だった。

　旧タイプのパソコンを半額で買った客が帰った後、その男はやってきた。中肉中背で、年齢は五十歳には届いていないように見えた。額が少し後退しており、残った髪をオールバックにしていた。白いコーデュロイのズボンを穿き、黒のスエードのジャンパーという出で立ちだった。ジャンパーには胸ポケットがついていて、男はそこに金縁で緑色のレンズが入ったサングラスを差し込んでいた。顔色はよくなく、目つきはさらによくなかった。口は不機嫌そうに閉じられたままだ。唇の両端が少し下がり気味なのを見て、友彦はイグアナを連想していた。

　男は店に入ってくるなり、まず友彦の顔を見た。それから電話をしている最中の弘恵を、友彦の時の倍ほど時間をかけて観察した。途中で気づいた弘恵は、気味悪くなったのか、椅子を半転させてしまった。

　その後、男は棚に積まれたパソコンや周辺機器を、じろじろと眺めた。買うつもりも、パソコンに対する興味もないということは、その表情を見ればわかった。

「ゲームはないんか？」やがて男が声を発した。かすれた声だった。

「どういったゲームをお探しですか？」マニュアル通りに友彦は尋ねた。

「マリオ」と男はいった。「スーパーマリオみたいな、面白いのがええな。ああいうのはないの？」

「せっかくですけど、パソコン用のゲームには、ああいったものはないと思います」

「なんや、そうなんか。残念やな」言葉とは逆に、男は少しも落胆している様子ではなかった。意味不明の不気味な笑みを浮かべたまま、依然として部屋の中を見回している。

「そういうことでしたら、ワープロにされたほうがいいと思いますね。パソコンでもワープロとして使えるんですけど、まだまだ使い勝手が悪いですよ。……ＮＥＣですか。はいＮＥＣさんからも出ていますよ。上位機種では、文豪５Ｖとか５Ｎがあります。……保存はフロッピーディスクにするんです。……安い機種ですと、一度に表示できる行数が少ないですし、大きな文書を保存しようとすると、いくつかにわける必要があったりするんです。……ええ、やはり文章をお書きになるお仕事の方でしたら、上の機種のほうがよろしいかと」弘恵の受話器に向かって話す声が、店内に響いている。その声はいつもよりはきはきしているように友彦には聞こえた。彼女の狙いが彼にはわかった。うちの店は忙しくて妙な客に付き合っている暇はないのだというところを、男に示そうとしているのだ。

　一体何者だろうと友彦は思い、同時に警戒した。ただの客でないことは確実だった。スーパーマリオブラザーズの名称を口にしたことが、さらに友彦を不安にさせていた。先週金城が持ち込んできた話と関係があるのだろうか。

　弘恵が電話を終えると、それを待っていたように男の目が再び友彦たちのほうを向いた。どちらに話しかけるか迷うように二人の顔を交互に見た後、弘恵に視線を止めていった。「リョウは？」

「リョウ？」弘恵が戸惑ったような目を友彦に向けた。

「亮司や。桐原亮司」男はぶっきらぼうにいった。「ここの経営者はあいつやろ。今は留守か？」

「仕事で出かけてまして」と友彦が答えた。

　男は彼のほうに首を回した。「いつ頃帰る？」

「それがよくわからんのです。遅くなると聞いてますけど」

　嘘だった。予定では、そろそろ帰ってくるはずだった。しかし友彦は直感的に、この男を桐原に会わせてはいけないと思った。少なくとも、このまま会わせてはいけない。桐原のことをリョウと呼び捨てにした人間は、友彦の知るかぎりでは西口奈美江だけだ。

「ふうん」男は、じっと友彦の目を見つめた。若い男の言葉の裏に隠された意思を、透視しようとする目だった。友彦は顔をそむけたくなった。

　まあとにかく、と男はいった。「ちょっと待たせてもらうで。待つのは、別にかめへんやろ？」

「ええ、それは構いませんけど」だめだとはいえなかった。そしてこんな場合、桐原ならきっとうまく追い返すのだろうと友彦は思った。彼のように、うまく物事をさばけない自分が腹立たしかった。

　男はパイプ椅子に腰かけた。ジャンパーのポケットから煙草を取り出しかけたが、店内禁煙の張り紙が目に留まったらしく、そのままポケットに戻した。小指にプラチナらしき指輪をはめているのが見えた。

　友彦は男を無視して伝票の整理を始めた。だが男の視線が気になり、何度も間違えた。弘恵は男に背を向けて、注文書の確認をしている。

「しかし、あいつもやるもんやなあ。なかなか立派な店やないか」男が店内を見回しながら口を開いた。「リョウのやつ、元気にしてるか？」

「元気ですよ」男のほうは見ないで、友彦は答えた。

「そうか。それはよかった。まあ昔から、あまり病気とかはせえへんやつやったからな」

　友彦は顔を上げた。昔から、という台詞が気になった。

「お客さん、桐原とはどういったお知り合いなんですか？」

「古い付き合いや」いやな笑いを浮かべて男はいった。「あいつがガキの頃から知ってる。あいつのことも、あいつの親のこともな」

「御親戚とか？」

「親戚やない。けど、親戚みたいなもんかな」男はそういってから、自分の答えに納得したように、うんうんと何度も頷いた。その動きを止めてから、逆に訊いてきた。「リョウのやつ、相変わらず陰気か？」

　えっ、と友彦は聞き直した。

「陰気かって訊いてるんや。ガキの頃から暗いやつでな、何を考えてるのか、さっぱりわからへんかった。今はちょっとはましになったのかと思ってね」

「別に……ふつうですよ」

「そうか。ふつうか」何がおかしいのか、男は含み笑いをした。「ふつうねえ。そいつはよかった」

　仮にこの男が本当に桐原の親戚だったとしても、決して付き合いたくないと友彦は思った。

　男が腕時計を見て、両足の太股をぽんと叩き、腰を浮かせた。

「帰ってきそうにないな。出直すとしょうか」

「何かお言付けがあるなら、聞いておきますけど」

「いや、ええ。会ってじかに話したい」

「じゃあ、お客さんのお名前だけでも伝えておきます」

「ええというとるやろうが」男は友彦をじろりとひと睨みし、玄関ドアに向かった。

　まあいいか、と友彦は思った。この男の特徴をいえば、桐原ならわかるに違いない。それより今は、この男を早く帰すことが先決だ。

「またお越しください」

　友彦が声をかけたが、男は何もいわずにドアの把手《とって》に手を伸ばした。

　だがその手が届く前に、把手がくるりと回転した。さらにドアが外側に開けられた。

　ドアの向こうには桐原が立っていた。驚いた顔をしていたのは、すぐ目の前に人がいたからだろう。

　しかしその目が男の顔に焦点を結ぶと、彼の表情は一変した。驚きを示していることに違いはなかったが、それの質が全く違っているようだった。

　顔全体がぐにゃりと歪んだかと思うと、次にはコンクリートで作ったマスクのように固まった。その顔には暗い影が落ちていた。目にはどんな光も宿らず、唇はこの世のすべてを拒絶していた。そんな彼の様子を見るのは、友彦は初めてだったので、一体何が起きたのかわからなかった。

　ところが桐原のこの変化は、ほんの一瞬のことだった。次の瞬間には、彼はなんと笑顔を見せていたのだ。

「マツウラさんやないか」

　おう、と男も笑いながら応じた。

「久しぶりやったなあ、元気にしてるか」

　二人は友彦の見ている前で、握手をした。

4

　松浦、というのが男の名字だった。やはり昔からの知り合いらしい。だが桐原が友彦に教えてくれたことは、それだけだった。それだけ説明すると、二人で隣の部屋へ行ってしまった。

　友彦は戸惑っていた。桐原が見せたあの笑顔から察すると、会って嫌な相手ではなさそうだ。となると、会わせないほうがいいと思った友彦の直感は、間違っていたことになる。

　しかし彼は、笑顔よりも、その直前に見せた桐原の表情のほうが気に掛かっていた。ほんの一瞬ではあったが、負のエネルギーを凝縮したような凄みが桐原の全身から発せられていた。あの様子とその後の笑顔が、どうにも結びつかなかった。もしかすると自分の思い過ごしだったのかという気もするのだが、あの異様な気配が勘違いの産物だとは、どうしても思えなかった。

　弘恵が戻ってきた。彼女は隣の部屋に日本茶を運んで行ったのだ。

「どうやった？」と友彦は訊いた。

　弘恵は一度首を捻ってから、「なんだか楽しそうやったけど」といった。「あたしが入っていったら、つまらない冗談をいい合って笑ってた。あの桐原さんが、駄洒落をいうてるんよ。信じられる？」

「信じられへんな」

「でも事実なの。あたし、耳を疑ったわ」弘恵は、自分の右耳をほじるしぐさをした。

「松浦の用件が何なのかはわかった？」

友彦が訊くと、彼女は申し訳なさそうにかぶりを振った。

「あたしがいる前では雑談してるだけやった。他人に話を聞かれたくないみたい」

「ふうん」

胸が、ざわざわと騒いだ。隣で二人は、どんなやりとりを交わしているのか。

それから約三十分後、隣のドアの開く気配がした。さらに十秒ほどすると、店のドアが開けられ、桐原が顔を覗かせた。

「俺、ちょっと松浦さんを、そのへんまで送ってくるから」

「あ、お帰りか」

「うん。すっかり長話になった」

桐原の向こうにいた松浦が、どうもどうも、といって手を振った。

ドアが再び閉じられると、友彦は弘恵を見た。彼女も友彦を見ていた。

「どういうことやろ」と友彦はいった。

「あんな桐原さんを見たの、初めて」弘恵も目を丸くしていた。

しばらくして桐原が戻ってきた。ドアを開けるなり、

「園村、ちょっと隣に来てくれ」といった。

「ああ……わかった」友彦が答えた時には、もうドアは閉まっていた。

友彦は弘恵に店番を頼んだ。彼女は怪訝そうに首を傾げた。友彦は首を振るしかなかった。長年の付き合いではあるが、桐原について知らないことは山ほどあった。

隣の部屋に行くと、桐原が窓を開け放ち、空気を入れ替えているところだった。その理由はすぐにわかった。部屋中に煙草の煙が充満しているのだ。桐原が、ここへ来た人間に喫煙を許可したのは、友彦の知るかぎりではこれが初めてだった。コンビニで買った鍋焼きうどんのアルミ鍋が、灰皿代わりに使われていた。

「義理のある相手や。何の愛想もでけへんから、煙草ぐらいは吸わせてやろうと思ってな」友彦の疑念を晴らすように桐原はいった。言い訳がましく聞こえたので、これまたこいつらしくない、と友彦は感じた。

空気が入れ替わり、室内がすっかり十二月の外気温に変わると、桐原は窓を閉めた。

「何の話かと後で弘恵ちゃんに訊かれたら」ソファに腰を下ろしながら彼はいった。「松浦さんのところにパソコンを二台、卸しの値で流してやる話やったと答えといてくれ。たぶん今頃は、俺らがどんな話をしているのか、あれこれ想像してるやろうからな」

「ということはつまり、本当はそういう話ではないということか」友彦はいった。「彼女には聞かせられへん話ということか」

「まあそういうことや」

「あの松浦という人が関係してるんやな」

ああ、と桐原は頷いた。

友彦は両手で髪を後ろにかきあげた。

「なんていうか、俺としてはあんまり面白い気分やないな。あの人が何者なのかも知らんしな」

「使用人や」桐原がいった。

「えっ？」

「うちの使用人だった男や。昔、俺の家が質屋をしてたことは話したやろ。その頃、働いてた男や」

「質屋に……そうか」友彦としては全く予想外の答えだった。

「親父が死んだ後も、うちが店じまいをするまで働いてた。つまり俺やお袋は、実質的にあの人に養われてたということになる。松浦さんがおれへんかったら、俺らはすぐにも路頭に迷ってたやろな」

桐原の言葉を聞き、友彦はどう答えていいのかわからなくなった。こんなふうに三文小説風にしゃべるというのも、いつもの桐原からは考えられないことだった。昔の恩人に会って、神経が昂《たかぶ》っているということだろうかと思った。

「で、その大切な恩人が何のために今頃やってきたんや。いやそれより、桐原がここにいるということがなんでわかったんやろう。桐原のほうから連絡したのか？」

「そうやない。あの人のほうが、俺がここで商売をしてることを知って、訪ねてきたんや」

「どこで知ったんや？」

「それがな」桐原は片方の頬を微妙に歪めた。「金城から聞いたらしい」

「金城？」嫌な予感が胸に広がるのを友彦は感じた。

「この間、おまえと話したな。仮にスーパーマリオの海賊版を作れたとして、どうやって売るつもりなのかということを。その答えが見つかった」

「何か、からくりでもあるのか」

「からくりなんていう大層なものやない」桐原は身体を揺すった。「簡単な話や。要するに、ガキにはガキなりの裏取引の場があるということらしい」

「どういうこと？」

「松浦さんは、ちょっとやばい商品専門のブローカーをしてるという話や。扱う品物に制限はない。どんなものでも金になると思たら仕入れるし、売りさばくそうや。特にこのところ力を入れているのが、子供向けのゲームソフトらしい。スーパーマリオなんかは正規の店では品薄やから、実際の価格よりさほど値下げせんでも飛ぶように売れていくという話やった」

「あの人は、どこからマリオを仕入れてるんや？　任天堂に何か特別なパイプでも持ってるのか」

「そんなものはない。ただし特別な仕入先があるらしい」桐原は意味ありげに、白い歯を見せた。「それはふつうのガキや。ガキが、松浦さんのところに持ち込んでくるらしい。ではそのガキ共は、どこで入手してくるか。お笑いやぞ。ガキ共は万引きしたり、持ってるガキのをカツアゲするんや。松浦さんの手元には、三百人以上の悪ガキの名前を載せたリストがあるそうや。その連中が、定期的に自分らの獲物を売りに来る。それを市価の一割から三割程度の値段で買い取って、別のガキに七割程度の値段で売るわけや」

「偽物のスーパーマリオも、その店で売りさばくということか？」

「松浦さんはネットワークを持ってる。似たようなブローカーが何人もいるそうや。そういった連中に任せたら、スーパーマリオなら五千や六千は、たちどころに売りつくしてしまうという話やった」

「桐原」友彦は小さく右手を出した。「やらないという話だったよな。今度ばかりは、危なすぎるということで、俺らの意見は一致してたよな」

友彦の言葉に、桐原は苦笑を浮かべた。その笑いの意味を友彦は汲み取ろうとしたが、真意はわからなかった。

「松浦さんは」桐原が話し始めた。「金城から俺のことを聞いて、昔自分が働いていた質屋の息子だと気づいた。それで、俺の説得係としてここへ来たわけや」

「それでまさか、説得されたわけやないやろ？」友彦は、しつこく尋ねた。

桐原は太いため息をついた。それから少し身を乗り出した。

「これは俺一人でやる。おまえは一切ノータッチでええ。俺のすることには、完全に無関心でいてくれ。弘恵にも、俺が何をしてるかは気づかれんようにしてくれ」

「桐原……」友彦は首を振った。「危険やぞ。この話はやばい」

「やばいことはわかってる」

桐原の真剣な目を見つめ、友彦は絶望的な気分になった。こんな目をした時の彼を説得することなど、自分には到底無理だと思った。

「俺も……手伝うよ」

「断る」

だけど、やばいよ、と友彦は口の中で呟いた。

5

『ＭＵＧＥＮ』は、十二月三十一日まで店を開けることになっていた。その理由を桐原は二つ挙げた。一つは、年末ぎりぎりになって年賀状を書こうとする連中が、ワープロなら楽ができるのではないかと期待して買いに来る可能性があるということで、もう一つは、年末になっていろいろと金の計算をしなければならない人間たちが、突然パソコンの調子がおかしくなって駆け込んでくることもあるだろうというものだった。

　しかし実際にはクリスマスが過ぎると、店には殆ど客が来なくなった。たまに来るといえば、ファミコン屋と間違えて入ってくる小学生や中学生ぐらいだ。暇な時間を友彦は、弘恵とトランプをして過ごした。机の上にカードを並べながら、これからの子供たちは、もしかすると七並べやババ抜きも知らなくなるかもしれないと二人で話したりした。

　客は来なかったが、桐原は連日忙しそうに出歩いていた。『スーパーマリオブラザーズ』の海賊版作りに動いていることは間違いなかった。桐原さんはいつもどこへ行くのかしらと疑問を口にする弘恵に対し、友彦はうまい言い訳を探すのに苦労した。

　松浦が顔を見せたのは、二十九日のことだった。弘恵は歯医者に出かけており、店には友彦しかいなかった。松浦の顔を見るのは、最初に会った時以来だった。相変わらず、顔色はくすみ、目は濁っていた。それをごまかすかのように、この日は色の薄いサングラスをかけていた。

　桐原は出かけているというと、例によって、「ほな、待たせてもらおか」といってパイプ椅子に腰を下ろした。松浦は、襟に毛のついた革のブルゾンを着ていた。それを脱ぎ、椅子の背もたれにかけながら店内を見渡した。

「年の瀬やというのに、しぶとう店を開けとるなあ。大晦日までか？」

　そうです、と友彦が答えると、松浦は肩を小さく揺すって笑った。

「遺伝やな。あいつの親父も、大晦日の夜遅うまで店を開けとく主義やった。年末は、掘り出し物を安う叩くチャンスやとかいうてな」

　桐原の父親についての話を、桐原以外の人間から聞くのはこれが初めてだった。

「桐原の親父さんが亡くなった時のこと、御存じですか」

　友彦が質問すると、松浦はぎょろりと目玉を動かして彼を見た。

「リョウから話を聞いてへんのか」

「詳しいことは何も。通り魔に刺されて死んだというようなことを、以前ちらっとだけ……」

その話を聞かされたのは、数年前だ。親父は道端で刺されて死んだ——桐原が父親について語ったことのすべては、殆どこれだけだったといっていい。友彦は強烈に好奇心を刺激されたが、何一つ尋ねることはできなかった。この話題に触れることを許さない雰囲気が、桐原にはある。

「通り魔かどうかはわからんな。何しろ、犯人が最後まで捕まらんかった」

「そうなんですか」

「近所の廃ビルの中で殺されとったんや。胸をひと刺しやった」松浦は口元を歪めた。「金がとられとったから、強盗の仕業やろうと警察は踏んでいたようや。しかも、その日にかぎって大金を持ってたから、顔見知りやないかと疑ってたみたいやな」何がおかしいのか、途中でにやにや笑い始めた。

その笑いの意味を友彦は察した。「松浦さんも疑われたんですか」

「まあな」といって松浦は声を出さぬまま、表情をさらに崩した。人相の悪い顔は、どんなに笑っても不気味にしか見えなかった。松浦はそんな笑いを浮かべて続けた。

「リョウのおふくろさんはまだ三十代半ばで女っぷりもよかった。そんな店に、男の店員がおったわけやから、いろいろとあることないこと勘ぐられる」

友彦は驚いて、目の前にいる男の顔を見返した。この男と桐原の母親の仲が怪しまれたということか。

「本当のところはどうやったんですか」と彼は訊いてみた。

「何がや？　俺が殺ったわけやないぞ」

「そうじゃなくて、桐原のおふくろさんとの仲は……」

ああ、と松浦は口を開けた。それからちょっと迷うように顎を撫でた後、「何にもなかったで」と答えた。「何の関係もなかった」

「そうですか」

「そうや。信じられへんか」

「いえ」

友彦は、この点についてこれ以上深く詮索するのはやめておくことにした。

だが彼なりの結論は出ていた。松浦と桐原の母親には、おそらく何らかの関係があったのだろう。もっとも、それが父親が殺された事件に関係しているかどうかはわからない。

「アリバイとかも調べられたんですか」

「もちろんや。刑事はしつこいからな。生半可なアリバイでは納得してくれへんかった。ただ俺がついてたのは、ちょうど親父さんが殺された頃、店に電話がかかってきたことや。事前に打ち合わせがでけへん電話やったから、警察もようやく俺から目を離してくれたというわけや」

「へえ……」

　まるで推理小説の世界だなと友彦は思った。

「その頃桐原はどうしてたんですか」

「リョウか。あいつは被害者の息子やからな、世間からしきりに同情されとったわ。事件が起きた時は、俺やおふくろさんと一緒におったことになってるしな」

「なってる？」その言い方が引っかかった。「それ、どういう意味です」

「いや、別に」松浦は黄色い歯を見せた。「なあ、リョウは俺のことを、あんたにはどんなふうにしゃべってるんや。昔の使用人やというてるだけか」

「どんなふうにって……恩人だというてましたよ。養ってもらってたと」

「そうか、恩人か」松浦は肩を揺すらせた。「それはええ。たしかに恩人やろな。せやからあいつは俺には頭が上がらん」

　意味がわからず友彦が質問をしようとした時だ。

「えらい古い話をしてるやないか」不意に桐原の声が聞こえた。入り口の前に彼が立っていた。

「あ、お帰り」

「昔話なんか聞かされても、退屈なだけやろ」そういいながら桐原はマフラーをほどいた。

「いや、初めて聞く話やから、かなり驚いている。正直なところ」

「あの日のアリバイの話をしとったんや」松浦がいった。「覚えてるか、ササガキという刑事。あいつ、しつこかったなあ。俺とリョウとリョウのおふくろさんの三人に、一体何回アリバイの確認をしよった？　うんざりするほど、何遍もおんなじ話をさせられたで」

　桐原は店の隅に置いた電気温風ヒーターの前に座り、両手を暖めていた。その姿勢のまま、松浦のほうに顔を向けた。「今日は何か用があったんか？」

「いや、特に用はない。年越しの前にリョウの顔を見とこうと思うてな」

「それなら、そのへんまで送るわ。悪いけど、今日はいろいろとやらなあかんことがあるから」

「なんや、そうか」

「うん、マリオのこととかな」

「おう、それはあかん。しっかりやってもらわんとな。で、順調か」

「予定通り」

「それはよかった」松浦は満足そうに頷いた。

桐原は立ち上がって、再びマフラーを首に巻き付けた。松浦も腰を上げた。

「さっきの話の続きは、また今度な」松浦は友彦に向かってそういった。

二人が出ていってしばらくしてから、弘恵が戻ってきた。下で桐原と松浦を見たといった。松浦の乗ったタクシーが動きだすまで、桐原は道路脇に立っていたらしい。

「桐原さん、どうしてあんな人を慕うのかな。昔世話になったというけど、要するにお父さんが亡くなった後も、そのまま働いていたというだけのことやないのかなあ」

不可解だといわんばかりに、弘恵はゆらゆらと頭を振った。

友彦も全く同感だった。先程の話を聞いて、ますます解《げ》せなくなった。松浦と桐原の母親の間に何かあったのなら、あの勘の鋭い桐原が気づかないはずがない。そして気づいていたのなら、現在のような態度を松浦に対してとるとは思えなかった。

松浦と桐原の母親との間には、何もなかったということか――ついさっき確信したばかりのことについて、友彦は早くも自信を失いかけていた。

「桐原さん、遅いね」事務机に向かっていた弘恵が、顔を上げていった。「何してるのかな」

「そういうたらそうやな」松浦がタクシーに乗って立ち去るのを見送っていたとしても、とっくに戻ってきているはずだった。

気になって友彦は部屋を出た。そして階段を下りようとしたところで、その足を止めた。

桐原が、一階と二階の中間にある踊り場に立っていた。二階にいる友彦からは、彼の背中を見下ろす形になる。踊り場には窓がついていた。そこから外を眺めることができる。すでに午後六時近くになっているので、通りを走る車のヘッドライトの光が、彼の身体をスキャンするように通過していく。

友彦は声をかけられなかった。じっと外を見つめる桐原の背中に、ただならぬ気配を感じた。

あの時と同じだ、と友彦は思った。桐原が松浦と再会した時のことだ。

友彦は足音を殺し、部屋の前まで戻った。そして音をたてぬよう気をつけてドアを開き、身体を中に滑り込ませた。

6

『MUGEN』の一九八五年の営業は、十二月三十一日午後六時で終了となった。大掃除をした後、友彦は桐原や弘恵とささやかな乾杯をした。来年に向けての抱負を弘恵から訊かれ、「ファミコンに負けへんパソコンゲームを作りたいな」と友彦は答えた。

　桐原の答えは、「昼間に歩きたい」というものだった。

　小学生みたい、といって弘恵は桐原の回答を笑った。

「桐原さん、そんなに不規則な生活をしてるの？」

「俺の人生は、白夜の中を歩いてるようなものやからな」

「白夜？」

「いや、何でもない」桐原はハイネケンを飲んだ後、友彦と弘恵の顔を交互に見た。「ところでおまえら、結婚はせえへんのか」

「結婚？」ビールを飲みかけていた友彦はむせそうになった。そんなことをいわれるとは予想していなかった。「まだあんまり考えたことないな」

　桐原は腕を伸ばし机の引き出しを開けた。そこからA4のプリンタ用紙を一枚と、細く平たい箱を取り出した。その箱を友彦は見たことがなかった。古い箱で、縁が擦れたようになっていた。

　桐原は箱を開け、中のものを出した。それは鋏《はさみ》だった。刃の部分が十センチ以上ある。先端はかなり鋭利だ。銀色に光っているが、その輝きには年代物の風格があった。

「すごい上等そうな鋏」弘恵が率直な感想を述べた。

「昔、うちの店で質流れした品物や。ドイツ製らしい」

　桐原は鋏を手にして、刃を二、三度合わせた。しゃきしゃきという心地よい音が鳴った。

　彼は左手に持った紙を、その鋏で切り始めた。小刻みに、そして滑らかに紙を動かす。友彦はその手元をじっと見つめた。右手と左手のコンビネーションは絶妙だった。

　やがて紙を切り終えると、桐原はそれを弘恵に渡した。彼女は切り上がったものを見て目を丸くした。「わあ、すごい」

　それは男の子と女の子が手を繋いでいる形になっていた。男の子は帽子をかぶり、女の子は頭にリボンをつけていた。見事な出来映えだった。

「大したものやな」友彦はいった。「こんな特技があるとは全然知らんかった」

「結婚の前祝いということにしとこか」

　ありがとう、と弘恵は礼をいい、その切り絵を慎重にそばのガラスケースの上に置いた。

「なあ友彦」と桐原はいった。「これからはパソコンの時代や。やりようによっては、この商売はまだなんぼでも金になる」

「そうはいうても、この店はおまえの店やしな」

　友彦がいうと、桐原はすぐに首を振った。

「これからこの店がどうなるかは、おまえらにかかってる」

「何やそれ。えらいプレッシャーをかけてくれるやないか」友彦は笑いとばした。桐原の台詞が、妙に深刻な響きを持っていたからだ。

「冗談でいうてるんやない」

「桐原……」友彦はもう一度笑って見せようとしたが、頬がひきつったようになった。

その時電話が鳴った。いつもの習慣からか、電話から一番遠くに座っていた弘恵が、受話器を取り上げた。

「はい、ムゲンです」

次の瞬間、彼女の表情が曇った。受話器を桐原のほうに差し出した。「金城さんです」

「こんな時にどうしたのかな」と友彦はいった。

桐原が受話器を耳に当てた。「はい、桐原です」

数秒後、桐原の表情が険しくなった。受話器を手にしたまま立ち上がっていた。それだけでなく、空いたほうの手を椅子にかけたスタジアムジャンパーに伸ばしていた。

「わかりました。俺のほうは自分で何とかします。ケースとパッケージは……はい、お願いします」受話器を置くと、二人に向かっていった。「ちょっと出かける」

「どこへ？」

「説明は後や。時間がない」桐原はいつものマフラーを首に巻き、玄関に向かった。

友彦は彼の後を追った。しかし桐原の足が速いので、追いついたのは、ビルを出てからだった。

「桐原、一体何があった？」

「あったんやない。これからあるんや」業務用のバンが置いてある駐車場目指し、大股で歩きながら、桐原は答えた。「海賊版のマリオで足がついたらしい。明日の早朝、防犯課が工場や倉庫を捜索するそうや」

「海賊版が？　なんでばれた？」

「さあな。誰かがタレ込んだのかもしれん」

「たしかか？　明日の朝に警察が捜索するって、なんでわかるんや」

「物事にはどんなことにも、特別なルートというものがある」

駐車場に着いた。桐原はバンに乗り込み、エンジンキーを回した。十二月の寒さにさらされたエンジンは、なかなかかかってくれなかった。

「何時になるかわからんから、適当に帰ってくれ。戸締まりを忘れるな。それから弘恵ちゃんには、適当に説明しといてくれ」

「一緒に行かんでもええんか」

「これは俺の仕事や。最初にそういうたやろ」タイヤを鳴らし、桐原はバンを発進させた。そして乱暴とさえいいえるハンドルさばきで、夜の闇に消えた。

友彦は仕方なく店に戻った。店では弘恵が心配そうに待っていた。

「桐原さん、こんな時間に一体どこへ行ったの？」

「アーケードゲームの下請けメーカーのところや。以前桐原がタッチしたゲーム機のプログラムに、ちょっとしたトラブルが発生したらしい」

「でも、もう大晦日やのに」

「ゲーム機メーカーにとって一月は書入れ時やから、一刻も早く解決しておきたいということやろ」

「ふうん」

明らかに弘恵は、友彦の話を嘘だと見抜いていた。だが今はそれを責めている場合ではないということも、了解しているようだった。浮かない顔つきで窓の外に目を向けた。

それからしばらく、二人でテレビを見た。どのチャンネルも、二時間以上の枠を取ったスペシャル番組だった。今年を振り返る、というコーナーがあった。阪神タイガースの監督が胴上げされる映像が流れた。一体何回この映像を見ただろうと友彦は思った。

桐原が戻ってきそうな予感はなかった。二人は殆ど無言だった。友彦もそうだが、弘恵の意識もテレビ以外のところにあるに違いなかった。

「弘恵は先に帰ったほうがええ」ＮＨＫの紅白歌合戦が始まったのを機に友彦はいった。

「そうかな」

「うん、そのほうがいい」

弘恵は少し逡巡したようだが、わかったそうする、といって立ち上がった。

「友彦さんは待ってるつもりやの？」

うん、と友彦は頷いた。

「風邪ひかんように気をつけてね」

「ありがとう」

「今夜、どうする？」弘恵がこう尋ねてきたのは、大晦日の夜は一緒に過ごそうと前々から約束していたからだ。

「行くよ。ちょっと遅くなるかもしれんけど」

「うん。じゃあ、お蕎麦の用意をしとくから」弘恵はコートを羽織り、部屋を出ていった。

一人になると、様々な想像が友彦の脳裏を駆けめぐった。テレビでは恒例の年越し番組が放送されていたが、内容が全く頭に入らなかった。気がつくと番組は新年を祝うものに変わっていたのだが、友彦はいつ零時を過ぎたのかもわからなかった。彼は弘恵のアパートに電話をかけ、もしかしたら行けないかもしれないといった。

「桐原さん、まだ帰ってけえへんの？」弘恵の声は少し震えていた。

「うん、ちょっと手こずってるみたいやな。もう少し待ってみる。弘恵は、眠たかったら先に寝ててもええぞ」

「ううん、平気。今夜は朝まで面白そうな映画をやってるから、それを見てるわ」たぶん意識的なものだろう、弘恵は明るい声を出した。

　部屋のドアが開いたのは、午前三時を過ぎた頃だった。深夜映画をぼんやりと眺めていた友彦は、物音に気づいて顔を向けた。桐原が暗い表情で立っていた。さらに彼の格好を見て友彦は驚いた。ジーンズは泥だらけで、スタジアムジャンパーは袖が少し破れていた。マフラーは手に持っている。

「一体どうしたんや、その格好……」

　桐原は答えなかった。そのかわり、友彦がここにいることについても何もいわなかった。とにかくひどく疲れているように見えた。彼は床の上にしゃがみこみ、首をうなだれた。

「桐原……」

「帰れ」うつむき、目を閉じたまま桐原はいった。

「えっ」

「帰れというとるんや」

「だけど」

「帰れ」これ以外の台詞を発する気は、桐原にはないようだった。

　仕方なく友彦は帰り支度を始めた。その間桐原は姿勢を全く変えなかった。

「じゃあ俺、行くから」最後に友彦が声をかけたが、桐原は返事をしなかった。それで諦めて友彦は出口に向かった。しかしドアを開けようとした時、「園村」と声をかけてきた。

「なんや」

だが桐原はすぐには答えず、じっと床を見つめていた。それで友彦がもう一度口を開きかけた時、彼はいった。

「気ぃつけて帰れよ」

「ああ……うん。桐原も、早よ帰って寝たほうがええぞ」

　しかし返事はなかった。友彦は諦めてドアを開け、部屋を出た。

7

　一月三日の朝刊に、『スーパーマリオ――』の海賊版ソフトが大量に見つかったという記事が出た。見つかった場所は、あるブローカーの自宅の駐車場だ。そのブローカーは、ファミコンソフトの古物商も営んでいるということだった。

　友彦が記事を読んだかぎりでは、そのブローカーが松浦であることは間違いなさそうだった。そして松浦は、行方をくらましているらしかった。海賊版ソフトを作った犯人や流通ルートについては、暴力団が関わっている可能性が高いということ以外、警察は摑んではいないようだった。無論、桐原の名前も全く出てこなかった。

　友彦はすぐ桐原に電話をしてみたが、呼び出し音が鳴るだけで誰も出なかった。

　一月五日、予定通りに『MUGEN』は店を開けた。だが桐原は現れず、友彦は弘恵と二人で仕入れや販売をこなした。まだ冬休みということもあり、中学生や高校生の客が多かった。

　仕事の合間に友彦は桐原に何度も電話をかけた。だが向こうの受話器が取り上げられることはなかった。

「桐原さん。何かあったんやろか」客がいない時、弘恵も不安そうにいった。

「あいつのことやから心配する必要はないと思うけど、帰りに寄ってみるわ」

「そうやね、そのほうがええね」

　弘恵は、いつも桐原が座っていた椅子に目を向けた。その椅子の背もたれにはマフラーがかけてあった。大晦日の夜、桐原が首に巻いていたマフラーだ。

　そしてその椅子の少し上の壁には、小さな額がかけてあった。これは弘恵が持ってきてかけたものだ。額に入れられているのは、あの夜桐原が見事な鋏さばきで作った少年と少女の切り絵だった。

　友彦はふと思いついて、桐原が使っていた机の引き出しを開けた。例の鋏を入れた箱が消えていた。

　この時友彦はある予感を抱いた。桐原はもう自分の前には現れないのではないか、というものだった。

　この日仕事が終わると、友彦は桐原の部屋に寄ってみた。しかしチャイムを鳴らしても、ドアの向こうで人の動く気配はなかった。外に出て窓を見上げてみたが、明かりは消えていた。

　翌日も、そのまた次の日も桐原は店に来なかった。やがて桐原の電話は解約の期限が来たらしく不通になった。友彦は彼のマンションに行ってみた。すると見知らぬ男たちが彼の部屋から家具や電化製品を運び出しているところだった。

「何をしてるんですか」リーダーらしき男に訊いた。

「何してるて……部屋の片づけです。ここに住んでた人から頼まれましてね」

「おたくらは？」

「便利屋ですけど」相手の男は怪訝そうに友彦を見た。

「桐原は引っ越したんですか」

「そういうことでしょうね。部屋を引き払うわけやから」

「引っ越し先はどこですか」

「さあ、それは聞いてません」

「聞いてないって……この荷物を運ぶんでしょ？」

「これは全部処分するようにいわれてます」

「処分？　何もかも？」

「そうです。代金も前金で貰ってます。すんません。こっちは仕事中なんですわ」そういうと男は他の者たちに指示を与え始めた。

友彦は一歩下がり、桐原の荷物が次々に運び出される様子を眺めた。

そのことを聞くと、弘恵は困惑と狼狽を見せた。

「そんなあ……なんで急にそんなことを」

「あいつにはあいつの考えがあるんやろ。とにかく今は俺らだけで、何とか店を支えていくしかない」

「いずれ桐原さんから連絡があるやろか」

「あるに決まってる。それまでは二人でがんばろ」

友彦の言葉に弘恵は心細そうな顔をしながらも頷いた。

店を開けて五日目の午後、店に一人の男が現れた。古いヘリンボーンのコートを羽織った五十歳前後の男だった。その年代のわりに背が高く、肩幅も広かった。分厚い一重瞼の目は、鋭さと柔らかさの両方を備えていた。

パソコンの客ではない、と友彦はすぐに思った。

「おたくがここの責任者？」男は尋ねてきた。

はあ、と友彦は答えた。

「ふうん、お若いね。桐原君と同い年ぐらい……かな」

桐原の名を出され、友彦はつい目を見開いた。その反応に男は満足したようだ。

「ちょっとええかな、話を訊きたいんやけど」

「お客さんは……」

すると男は顔の前で手を振った。

「客やない。こういう者ですわ」男は上着の内側から手帳を取り出した。

友彦がそれを見るのは初めてではなかった。高校二年の時、一度刑事の訪問を受けたことがある。あの時の刑事たちと同じ種類の臭いを、目の前にいる男も発していた。

弘恵が出かけている時でよかったと思った。

「桐原のことで何か？」

「はあ、ちょっとね。ここ、座らせてもらってもええかな」男は友彦の正面に置いてあったパイプ椅子を指した。

「どうぞ」

「ほな、失礼して」男は椅子に腰を下ろし、背もたれに体重を預けた。その格好で店内を見回した。「難しそうなものを売ってはるなあ。こういうの、子供が買《こ》うていくの？」

「大人のお客さんが多いですけど、時々は中学生ぐらいのお客さんもいます」

ふうん、といって男は首を振った。「えらい世の中になったもんや。もうついていかれへんな」

「用件は何ですか」少しじれて友彦は訊いた。

刑事はそんな彼の表情を楽しむように薄い笑みを浮かべた。

「この店の本来の経営者は桐原亮司君やろ。彼は今、どこにおる？」

「桐原に何の用ですか」

「まずはこっちの質問に答えてもらいたいなあ」刑事はにやにやした。

「あいつは今……ここにはいません」

「うん、それはわかってる。去年まで借りてたマンションも解約済みで、部屋は蛻《もぬけ》の殻《から》やった。それでおたくに訊きに来たわけや」

友彦はため息をついた。ごまかしはあまり意味がないようだ。

「じつはそれで僕らも困ってるんです。急に経営者が行方不明になったもんですから」

「警察には届けた？」

いえ、と友彦は首を振った。

「そのうちに何か連絡があるだろうと思ってたところなんです」

「最後に彼と会うたのは？」

「大晦日です。店じまいまで一緒にいました」

「その後電話で話したことは？」

「ありません」

「仲間のあんたに何もいわんと雲隠れか。そんなことがあるかね」

「だから困ってるというてるやないですか」

「なるほど」男は自分の顎を撫でた。「最後に会《お》うた時、何か変わったことはなかったかな。桐原君の様子に」

「いえ、別に何も気づきませんでした。いつもと同じでした」表情を変えぬよう答えながら、なぜこの男は桐原のことを君付けで呼ぶのだろうと友彦は思った。

男が上着のポケットに手を入れ、何か出してきた。

「この男に見覚えは？」

それは写真だった。松浦の上半身が写っていた。

何と答えるべきか、友彦は瞬時に判断しなければならなかった。結局、嘘は少ないほうがいいという結論を彼は下した。

「知ってますよ。松浦さんでしょ。桐原の実家で働いてたとか」

「ここに来たことは？」

「何度かあります」

「どういう用件で？」

「さあ」友彦は首を捻って見せた。「久しぶりに桐原に会いに来た、というふうに聞いてますけど。僕は直接話をしたことは殆どないので、ようわかりません」

「ふうん」

　男はじっと友彦の目を見つめてきた。彼の言葉にどの程度の嘘が含まれているかを見極めようとする目だった。友彦はそらしたくなったが、懸命に耐えた。

「松浦さんが現れてからの桐原君の様子はどうやった？　何か印象に残ってるようなことはないかな」

「特にはありません。懐かしそうに話してましたよ」

「懐かしそうに？」

　男の目が光ったように友彦は感じた。

「はい」

「ほお……」男は興味深そうな顔で頷いた。「二人がどういう話をしてたか覚えてないかな。昔話とかも出たと思うんやけど」

「昔話もしてたみたいですけど、細かい内容は聞いてません。こっちはお客さんの応対で忙しかったし」

　桐原の父親が殺された事件について松浦がしゃべっていたことを、友彦は思い出していた。しかしここではいわないほうがいいと直感的に判断した。

　その時、ドアが開いて高校生ぐらいの男子が入ってきた。いらっしゃいませ、と友彦は声をかけた。

「そうか」男はようやく腰を上げた。「そしたら、また来ますわ」

「あの……桐原が何か？」

　友彦が訊くと、男は一瞬迷った顔をした後でいった。

「何をしたのかは、まだわからん。けど、何かをしたことは間違いない。それで捜してるんですわ」

「何かって……」

「おっ」友彦の言葉を無視し、男は例の切り絵を入れた額に目を向けた。「これ、彼が作ったもんやろ？」

「そうですけど」

「そうか。相変わらず上手いもんやな。しかも、男の子と女の子が手を繋いでる姿というのがええ」

　なぜこれを作ったのが桐原だとわかったのだろうと友彦は思った。そしてこの男が、単にスーパーマリオの海賊版製作の犯人を追っているわけではないことを確信した。

「邪魔したな」男はドアに向かいかけた。

「あの……」その背中に友彦は声をかけた。「お名前を伺ってもよろしいですか」

「ああ」男は立ち止まり、振り返った。「ササガキ、いうもんです」

「ササガキさん……」

「ではまた」男は部屋を出ていった。

友彦は額を押さえた。ササガキ……その名前には聞き覚えがあった。たしか松浦が口にしていた。桐原の父親が殺された事件で、しつこくアリバイを調べていた刑事の名前がササガキだった、と。

彼は後ろを振り向き、桐原が残していった切り絵を見つめた。

第九章

1

東西電装株式会社東京本社では、大抵の部署が月曜日の朝にミーティングを行う。それぞれの所属長から、会議で決定されたことの報告がなされたり、仕事に関して大まかな指示が出されたりするのだ。各担当者から何らかの連絡事項がある場合なども、この場が用いられる。

四月半ばの月曜日、特許ライセンス部特許一課長の長坂の話は、先日開通した瀬戸大橋のことに及んでいた。先月開業した青函トンネルの話題と併せ、これから一層日本が狭くなる、車社会にも拍車がかかる、当然競争も激しくなるだろうから心してかからねばならない、という具合にその話は落ち着いた。おそらく、先週開かれた会議で誰かがいった台詞を受け売りしているのに相違なかった。

ミーティングが終わると部下たちは自分の席に戻って、それぞれの仕事を始めた。電話をかける者がいる、書類を取り出す者がいる、慌ただしく出ていく者がいる。いわばこれが、この部署における平均的な月曜日の風景だった。

高宮誠も、いつものように始動していた。金曜日にやり残した特許出願手続きの仕上げを始めた。頭のウォーミングアップ用に、あまり急ぎでない仕事を少しだけ次の週に回すというのが、彼のやり方だった。

だがその仕事が終わらぬうちに、「E班、ちょっと集まってくれ」と声がかかった。声の主は、昨年暮れに係長に昇格したばかりの成田だ。

E班というのは、電気、電子、コンピュータ関係の特許を扱うグループの名前だった。Eはエレクトロニクスの頭文字だ。係長以下五人のスタッフで構成されている。

成田の机を囲む形で、誠たちは座った。

「重要な話だ」成田が少し固い表情でいった。「生産技術エキスパートシステムに関することだ。これがどういうものか、みんな知っているか」

誠を含めた三人が頷いた。昨年入社の山野という社員だけが、「よく知りません」と申し訳なさそうにいった。

「エキスパートシステムのことは知ってるか」と成田は訊いた。

「いえ……聞いたことはあるんですけど」

「じゃあＡＩは？」

「ええと、人工知能のことですよね」山野は自信なさそうに答えた。

最近急激に進歩してきたコンピュータの世界では、その働きをより人間の頭脳に近づけたものにしようという動きが活発になってきている。たとえば人間は他人とすれ違う時、相手との距離を測りながら歩いているわけではない。それまでの経験や直感などから、歩く速度や方向を、「適当に」決めているだけである。そうした柔軟性のある思考力や判断力をコンピュータに持たせたものが、人工知能と呼ばれるものだった。

「エキスパートシステムというのは人工知能の用途の一つで、専門家の代わりをさせようというものだ」成田はいった。「俗にプロフェッショナルとかエキスパートとかいわれる人ってのは、単に知識が豊富なだけじゃなくて、それぞれの分野でいろいろなノウハウを持っているだろう？　それをきちんとしたシステムに構築して、それさえ使えば素人でもプロの判断ができるようになるというふうに作りあげたものがエキスパートシステムだ。実用化されているものとしては、医療エキスパートシステムとか経営診断エキスパートシステムといったものがある」

そこまで説明してから、わかったか、と成田は山野に訊いた。

なんとなく、と山野は答えた。

「うちの会社でも、二、三年前から、そのシステムに注目していたんだ。というのは、うちの会社は急成長したせいもあって、ベテランと若手社員の年齢のギャップが大きいだろう？　当然、ベテランが定年になったりしたら、本当の意味のエキスパートがいなくなってしまうわけだよな。特に金属加工だとか、熱処理、化学処理といった生産技術の分野は、職人的な知識やノウハウが要求されるから、ベテランがいなくなると厳しいわけだ。そこで今のうちにエキスパートシステムを構築して、若い技術者ばかりになっても対応できるようにしておこうということなんだ」

「それが生産技術エキスパートシステムですか」

「そういうことだ。生産技術部とシステム開発部が共同で開発した。あれはもうワークステーションに組み込まれていて、利用可能なはずだったな」成田が、他の三人に顔を向けて訊いた。

「使えるはずです」と誠が答えた。「技術情報検索のパスワードを持っていることが条件ですけど」

技術情報には社外秘の内容が多く含まれているため、従業員でもパスワード取得には特別な申請が必要だった。誠たち特許部員たちは、特許情報を検索する必要性から、全員が取得済みだった。

「さてと、説明はここまでだ」成田は座り直し、声を低くした。「ここまでの話だったら俺たちにはあまり関係がない。というより殆ど無関係だ。生産技術エキスパートシステムは、社内でのみ使用されることを前提としている以上、特許とは基本的に無縁だからな」

「何かあったんですか」と別の社員が訊いた。

成田は小さく頷いた。

「つい今しがたシステム開発部の人間がやってきた。連中の話によると、現在いくつかの中堅メーカーの間に、あるコンピュータソフトが出回っているらしい。そのソフトというのは、金属加工エキスパートシステムと呼んでもいいような代物だそうだ」

彼の言葉に、後輩たちは顔を見合わせた。

「そのソフトに何か問題が？」と誠は訊いた。

成田は少し前に乗り出した。

「たまたまそれを手に入れる機会があったので、システム開発部と生産技術部とでその内容を検討した結果、うちの生産技術エキスパートシステムの金属加工に関する部分と極めてデータが似ているということがわかった」

「じゃあ、うちのシステムのプログラムが外部に漏れたということですか」誠より一つ上の先輩が訊いた。

「まだ断言はできないが、その可能性は否定できないだろうな」

「ソフトの出所は不明なのですか」と誠は訊いた。

「いや、わかっている。都内にあるソフト開発会社だ。そこが宣伝用に配ったらしい」

「宣伝用？」

「そのソフトは、いわばお試し版といった程度のもので、ごくかぎられた情報しか入っていない。それを使ってみて気に入ったら、本物の金属加工エキスパートシステムを買ってくれということだ」

なるほど、と誠は納得した。化粧品などの試供品と同じらしい。

「問題は」成田は続けていった。「万一、うちの生産技術エキスパートシステムの内容が外に漏れて、それに基づいてこういったものが作られているのだとしたら、それをどうやって証明するか、ということだ。さらに、証明できたなら、法的な手段で製造販売を中止させられるか、ということだ」

「それを我々が調べるというわけですね」

誠の質問に、成田は頷いた。

「コンピュータプログラムが著作権の対象になることは、すでに判例が出ている。ただし、その中身が盗用されたものであることを証明するのは、それほど簡単じゃない。小説の盗作と同じだ。どこまで似ていたら犯罪なのかという線引きが難しい。しかしまあ、何とかやってみよう」

「だけど」と山野が口を開いた。「もしうちのエキスパートシステムの内容が漏れたのだとしたら、どうしてそんなことになったんでしょうね。技術情報はすべて厳重に管理されているはずなのに」

すると成田はにやりと口元を緩めた。

「ひとつ面白い話をしてやろう。ある会社が新型のターボチャージャーを極秘開発した時のことだ。部品の一つ一つを作っていって、ようやく試作品第一号が完成した。その二時間後――」成田は山野のほうに顔を近づけた。「ライバル社のターボエンジン開発担当課長の机の上に、全く同じターボチャージャーが置いてあった」

えっ、といって山野はきょとんとした。

成田はにやにやした。「それが開発競争というものなんだよ」

「……そうなんですか」

依然として腑に落ちない顔をしている後輩を見て、誠は苦笑した。かつて自分も同じ話を聞かされた経験があるからだった。

2

この日、誠が成城にあるマンションに帰ったのは、午後八時を少し過ぎた頃だった。例のエキスパートシステムに関する調査が始まったため、早速残業を強いられたのだ。

　だが自宅のドアを開けた時、もう少し仕事をしてきてもよかったな、と彼は思った。室内が真っ暗だったからだ。

　玄関、廊下、そしてリビングという順番に、彼は明かりのスイッチを押していった。四月とはいえ、一日中火の気のなかった部屋の床の冷たさは、スリッパを履いていても十分に伝わってくる。

　誠は上着を脱ぎ、ソファに腰を下ろしてネクタイを緩めた。テーブルの上のテレビ用リモコンを手に取り、スイッチを押す。数秒後、三十二インチの大型画面に、潰れた列車車両が映し出された。もう何度も見た映像だった。先月起きた中国の上海《シャンハイ》郊外での列車正面衝突事故の様子だ。番組は、その後の経過を伝えているようだった。事故に遭った列車には、私立高知学芸高校の修学旅行一行百九十三人らが乗っていて、引率教師一名と生徒二十六人が死亡していた。

　犠牲者の補償をめぐって日中間で交渉が続けられているが依然難航している、という意味のことを、番組のレポーターは話していた。

　誠は野球中継を見ようと思ってチャンネルを変えたが、今日が月曜日だということを思い出し、スイッチを切った。すると、テレビをつける前よりも一層静寂が深くなったような気がした。彼は壁の時計を見た。結婚祝いに贈られた花柄の文字盤のついた時計は、八時二十分をさしていた。

　誠は立ち上がり、ワイシャツのボタンを外しながらキッチンを覗いた。システムキッチンは奇麗に片づいていた。シンクの中に汚れた食器などは一つもなく、使い勝手がいいように並べられた調理器具は、すべて新品のように光を放っていた。

　しかしこの時彼が知りたかったことは、キッチンの掃除が行き届いているかどうかではなく、今夜の夕食を妻がどうするつもりなのか、ということだった。外出前に夕食の支度を済ませておいたのか、それとも帰ってから始めるつもりなのかを知りたかった。キッチンを見たかぎりでは、今夜は後者のようだ。

　彼はまた時計を見た。先程から二分だけ長針が動いていた。

　彼はリビングボードの引き出しからボールペンを取り出すと、壁に貼ったカレンダーの今日の日付に大きく×印をつけた。自分のほうが先に帰宅したということを示す印だ。今月から付け始めた。だがこの印の意味を妻には話していない。何かの機会に話そうと思っていた。こういう行為は陰険だと自覚していたが、何らかの形で今の状況を客観的に記録しておく必要があると彼は考えていた。

×印は、すでに十個を越えていた。まだ月半ばだというのに、である。

やはり仕事することを認めたのは失敗だったかな、と何度目かの後悔を誠はする。同時に、そんなふうに考えることについて、度量の小さい男だと自己嫌悪も感じた。

雪穂と結婚して、二年半が過ぎていた。

彼女は誠が思ったとおり、妻として完璧な女だった。何をやらせても手際がよく、しかも出来映えも申し分なかった。特に料理の腕前の素晴らしさに彼は感激した。フレンチでもイタリアンでも、そして和食でも、プロの料理人かと思うほどの品を作り上げるのだ。

「こんなことはいいたくないが、おまえは本当に今世紀最高のラッキー男だよ。あれだけの美人を嫁さんにした以上は、美人ってことだけで満足してなきゃいけないはずなんだ。ところがこんなに料理上手ときてる。全く、おまえと同じ世界に生きていると思うと、ほとほと自分がいやになるね」こういったのは、結婚後にここに招いた友人グループの一人だ。他の者も、大いに同感といった様子で、妬みの台詞を連発した。

無論誠も、彼女の料理を褒めた。結婚当時は、殆ど毎日褒めていたといってもいい。

「母が、一流といわれる店に、しょっちゅうあたしを連れていってくれたの。若いうちにおいしいものを食べておかないと、本当の味覚は備わらないといってね。値段が高いだけで少しもおいしくない店に喜んで行ったりするのは、子供の頃においしいものを食べてない証拠ですって。おかげであたし、舌に関しては少しだけ自信があるの。でもあなたに喜んでもらえて、本当にうれしい」

誠の言葉に対して、雪穂はこんなふうにいって喜んだ。少し恥ずかしそうにする様子に、彼はいつも抱きしめたくなる衝動に駆られた。

しかし彼女の手料理に舌鼓を打っていればいいだけの生活は、二か月ほどで終わった。そのきっかけとなったのは、彼女のこの一言だった。

「ねえあなた、株を買ってもいい？」

「カブ？」

この時、誠の頭に株という文字が頭に浮かばなかったのは、それまでの雪穂の日常と、あまりにかけ離れた世界の話だったからだ。

株式のことをいっているのだとわかった時には、驚くというよりも戸惑ってしまった。

「君、株のことなんかわかるのかい？」

「わかるわよ。だって、勉強したもの」

「勉強?」

雪穂は何冊かの本を、本棚から取り出した。いずれも株式売買の入門書や解説書だった。日頃あまり本を読まない誠は、リビングルームに置かれたアンティーク調の書架に、そういう本が並んでいることに全く気づかなかった。

「どうして株をやりたいんだ?」誠は質問の方向を変えた。

「だって、家にいて家事をしているだけじゃ、時間が余って仕方がないんだもの。それに今、株はとてもいいのよ。たぶんこれからもっとよくなる。銀行なんかに預けておくより、ずっと有利なんだから」

「でも、損することだってあるんだぜ」

「それは仕方ないわよ。ゲームだもの」雪穂は爽やかに笑った。

この「ゲームだもの」という台詞で、誠は初めて雪穂に対して不快なものを感じた。何かが裏切られたような気がした。

さらに次の彼女の言葉で、それは一層くっきりとしたものになった。

「大丈夫、絶対に損しない自信がある。それに、あたしのお金を使うだけだから」

「君のお金って……」

「あたしだって、少しは蓄えがあるわよ」

「そりゃあ、あるだろうけどさ……」

あたしのお金、という考え方に、彼は抵抗を覚えていた。夫婦なんだから、どちらの金でもいいじゃないかと思っていた。

「やっぱり、だめ?」雪穂は夫を上目遣いに見た。誠が黙っていると、小さく吐息をついた。「そうよね、やっぱりだめよね。まだあたし、主婦としても半人前だし、ほかのことに目を奪われてる場合じゃないわよね。ごめんなさい。もういいません」そして肩を落とし、株式関係の参考書を片づけ始めた。

その細い背中を見ていると、誠は自分がどうしようもなく心の狭い男に思えてきた。彼女がこれまでに無理な頼み事をしたことは一度もない。

「条件がある」雪穂の後ろ姿に向かって彼はいった。「深みにはまらないこと、借金だけは絶対にしないこと。これを守れるかい?」

雪穂が振り向いた。その目は輝いていた。「いいの?」

「約束、守れるな?」

「絶対に守る。ありがとう」雪穂は彼の首に抱きついてきた。

しかし誠は彼女の細い腰に両手を回しながら、何となくいやな予感を抱いていた。

結論からいうならば、雪穂は彼との約束を守り続けた。彼女は株によって、順調に資産を増やし続けたのだ。彼女の最初の資金がいくらであったのか、そしてどの程度の売買を行っているのか、誠は全く知らない。だが証券会社の担当者からかかってくる電話での受け答えを聞いていると、彼女が一千万以上の金を動かしているのは確実のようだった。

当然彼女の生活は、株式を中心に動くものとなった。状況を常に詳しく把握しておかねばならないから、一日に二度は証券会社に足を運ぶ。いつ担当者から連絡が入るかわからないから、めったに外出はしない。やむをえず外に出た時でも、一時間ごとに電話を入れる。新聞は最低六紙読む。そのうちの二紙は経済新聞と工業新聞だった。

「いい加減にしろよ」ある日、誠は思い余っていった。雪穂が証券会社からの電話を切った直後だった。その電話は、朝から鳴り続けていたのだ。いつもは誠は会社にいるので気にならないが、この日は会社の創業記念日だった。「せっかくの休みが台無しだ。株の売買に追われて、夫婦で外出もできないじゃないか。まともな生活もできないんなら、そんなものやめちまえ」

大声を出したのは、交際期間を含めても初めてのことだった。結婚式を挙げてから八か月が経っていた。

驚いたのか、それともショックだったのか、雪穂は茫然とした様子で立ち尽くしていた。青ざめた顔を見て、誠はすぐにかわいそうになった。

しかし彼が詫びの言葉をいう前に、「ごめんなさい」と彼女は呟いていた。

「あたし、あなたのことをないがしろにする気なんて、全然なかったの。それだけは信じてね。でも、ちょっとばかりうまくいってるからって、調子に乗りすぎてたみたい。ごめんなさい。こんなんじゃ、妻失格よね」

「いや、そういうことをいいたいわけじゃない」

「いいの。わかってる」そういうと雪穂は受話器を取り上げた。彼女がかけた先は証券会社だった。彼女はその場で、すべての株を処分するよう担当者に命じた。

電話を切った後、彼女は誠のほうを振り返った。「投資信託だけは、すぐにはどうにもできないの。でもこれで許して……」

「いいのか？」

「いいのよ。こうしたほうがすっきりするから。あなたに迷惑をかけてきたと思うと、あたし、申し訳なくって……」

雪穂はカーペットの上に正座し、うつむいた。その肩が細かく震えていた。彼女の手の甲に、涙がぽたりと落ちた。

「もうこの話はやめようぜ」誠は彼女の肩に手を置いた。

その翌日から、株に関する資料は、完全に部屋から消えた。雪穂も株のことは口にしなくなった。

だが彼女は明らかに元気をなくしていた。手持ち無沙汰そうでもあった。外出しないから化粧もしなくなり、美容院にもあまりいかなくなった。

「あたし、何だかブスになっちゃったみたい」時折鏡を見ながら、彼女は力無く笑った。

　カルチャースクールにでも通ったらどうだ、といってみたこともある。しかし彼女は、習い事にはあまり関心がないようだった。茶道に華道、そして英会話を子供の頃から習ってきたらしいから、その反動かもしれないなと誠は想像していた。

　子供を作るのが一番いいということはわかっていた。子育ては、雪穂が持て余している時間をすべて奪うに違いないからだ。ところが子供はできなかった。避妊していたのは結婚後半年間だけだったが、それ以後も雪穂が妊娠する気配は全くなかった。

　誠の母の頼子は、子供は若いうちに作ったほうがいいという考えなので、息子夫婦がいつまでも二人きりでいるのを不満に思っているようだった。避妊してないのにできないのなら、一度病院に行ったほうがいいという意味のことを、機会あるごとに誠にいう。

　じつは彼にも、病院に行って調べてもらいたいという気持ちはあった。事実それを雪穂に提案したこともある。だがその時彼女は、珍しく強硬にそれを拒んだ。理由を問うと、少し目を赤くしながらこういった。

「だって、もしかしたらあの時の手術が原因で出来ないのかもしれないでしょ。そうだとしたら、あたし、悲しくて生きていけない」

　あの時の手術とは、中絶のことをいっているのだ。

「だから、それをはっきりさせたほうがいいんじゃないか。治療すれば治るかもしれないわけだし」

　誠がこういっても、彼女はかぶりを振り続けた。

「不妊治療なんて、現実にはあまりうまくいってないのよ。出来ないってことを、はっきりなんかさせたくない。それに、もし出来ないなら、それでもいいじゃない。それとも誠さん、子供が産めないような女とは一緒にいたくない？」

「いや、そんなことはないよ。子供なんか、どうだっていいんだ。わかった、もうこの話はしない」

　子供ができないことについて女性を責めることがどれほど残酷なことであるかは、誠もわかっているつもりだった。実際、このやりとりがあって以来、彼のほうから子供の話を出すことは殆どなくなった。そして母の頼子には、病院に行って検査は受けた、双方とも異常はないと診断された、と嘘の説明をしておいた。

　しかし時折、雪穂が独り言のように呟くことがあった。なぜあたしたちには子供ができないのかしら、と。そしてその呟きの後には、必ずといっていいほど次の台詞が続いた。「やっぱり、あの時堕ろさなければよかったのかな……」

　誠としては、黙って聞いているしかなかった。

3

　玄関の鍵が外される音がした。ソファに横になり、ぼんやりしていた誠は、身体を起こした。壁の時計は九時ちょうどを示していた。

　廊下を歩く足音がして、ドアが勢いよく開けられた。

「ごめんなさい、すっかり遅くなっちゃった」

　モスグリーンのスーツを着た雪穂が入ってきた。両手に荷物を持っている。右手には紙袋が二つ、そして左手にはスーパーの袋が二つだ。おまけに黒のショルダーバッグを肩から提げていた。

「おなかすいたでしょ？　今すぐに支度するから」

　スーパーの袋をキッチンの床に置き、彼女は寝室に入っていった。彼女が通った後には、香水の甘い匂いが残っていた。

　数分後に部屋から出てきた彼女は普段着に着替えていた。手にエプロンを持っている。それをつけながらキッチンに入った。

「すぐに食べられるものを買ってきたから、そんなに待たなくてもいいわよ。スープの缶詰もあるし」やや息を弾ませた声が、キッチンの中から聞こえてきた。

　新聞を読みかけていた誠だったが、不意に不快感がこみあげてきた。何が気に障ったのか、自分でもよくわからない。強いていえば、彼女の元気そうな声、ということになるだろうか。

　誠は新聞を置き、立ち上がっていた。支度を始める音がするキッチンに向かっていった。「結局、出来合いのものを食べさせるわけか」

「えっ、なに？」雪穂が大声を出した。換気扇の音が邪魔で、彼の声が聞こえなかったらしい。そのことが一層彼を苛立たせた。

　誠はキッチンの入り口に立った。ガスレンジで湯を沸かそうとしていた雪穂が、彼を見て不思議そうに顔を傾けた。

「これだけ待たせて、結局手抜き料理なのかっていってるんだよ」

　あっ、という形で彼女の口は開けられた。それから換気扇のスイッチを切った。たちまち空気の流れが止まり、室内全体が静かになった。

「ごめんなさい、気に入らなかった？」

「たまになら、文句なんかいわない」誠はいった。「だけど、このところ毎晩じゃないか。毎晩遅くなって、挙げ句の果てに出来合いの料理を出す。その繰り返しじゃないか」

「ごめんなさい、だけど、あなたを待たせちゃ悪いと思って……」

「待ったさ。飽き飽きするぐらいね。インスタントラーメンでも食おうかと思っていたところさ。だけど結局出来合いの惣菜を食べさせられるわけだから、大した違いはなかったということだ」

「すみません。あの……言い訳にはならないと思うけど、本当にこのところ忙しくて……迷惑かけて、悪いと思ってる」

「商売繁盛で結構なことだね」自分の口元が醜く歪むのを、誠は自覚した。

「そんな言い方しないで。ごめんなさい。これから気をつけます」雪穂はエプロンの上に手を置き、頭を下げた。

「何度も聞いたよ、その台詞」ポケットに両手を突っ込み、誠は吐き捨てた。

雪穂はうなだれたまま黙っている。反論のしようがないからだろう。だが最近誠は、こういう時にふと感じることがある。こんなふうに俯いて、嵐が過ぎ去るのをただじっと待っていればいいと思っているのではないか、と。

「もう、やめたらどうだ」誠はいった。「やっぱり無理なんだよ、主婦業との両立なんて。君だって、大変だろう」

雪穂は何もいわない。この件について議論するのを避けているのだ。

彼女の肩が小刻みに震え始めた。彼女はエプロンの裾を両手で摑み、目を押さえた。その手の間から嗚咽が漏れた。

ごめんなさい、と彼女はもう一度いった。「だめよね、あたし。本当に情けない。あなたに迷惑ばかりかけて……。好きなことをやらせてもらっているのに、全然お返しができない。だめよね、だめな人間だよね。誠さん、あたしなんかと結婚しなけりゃよかったかもしれないね」涙で声を途切れさせ、時にしゃくりあげた。

ここまで反省の弁を並べられると、誠としては、これ以上責められなくなる。むしろ、些細なことで怒りを露にする自分のほうが了見が狭いのかと思ってしまう。

「もういいよ」結局、彼はここで矛をおさめることになった。雪穂が何ひとつ言い返してこないから、喧嘩にならないのだ。

誠はソファに戻り、新聞を広げた。その彼に雪穂が声をかけてきた。「あの……」

「何だ？」彼は振り返って訊いた。

「今夜の夕食は……どうする？　何か作るとしても、材料がないんだけれど」

「ああ……」誠は全身に鈍い疲労感を覚えた。「今夜はいいよ。買ってきたものを食べればいい」

「いいの？」

「だって仕方がないんだろ？」

「ごめんなさい。今すぐ支度しますから」雪穂はキッチンに消えた。

　換気扇が再び回り始める音を聞きながら、誠は釈然としないものを感じていた。


　仕事をしてもいいか、と雪穂が突然いいだしたのは、結婚一周年を一か月後に控えたある日のことだった。全く予想していなかった話なので、誠は少なからず面食らった。

　彼女によると、アパレル業界にいた友人が独立して店を開くことになったのだが、その店の共同経営者にならないかと雪穂に持ちかけてきたらしい。店とは、輸入服を扱う店だった。

　やりたいのかと誠が訊くと、やってみたい、と雪穂は答えた。

　株をやめて以来、すっかり輝きを失っていた彼女の目が、久しぶりにきらきらと光を放っていた。それを見ていると、だめだとはいえなくなった。

　無理しないように、とだけいって、誠は許可した。雪穂は胸の前で指を組み、様々な言葉を使って喜びを表現した。

　彼女たちが始めた店は南青山にあった。誠も何度か行ったことがあるが、店の壁全体をガラス張りにした、華やかな感じのする店だった。通りから、たくさんの輸入婦人服や雑貨が眺められるのだ。後に誠が知ったことだが、この店のリフォームの費用は、すべて雪穂が出したものだった。

　雪穂の相棒は田村紀子という女性だった。顔も身体も丸く、どこか庶民的な雰囲気を持っていた。その外観から想像できるとおり、こまめに動くことを苦にしないタイプのようだった。見ていると、客の相手は雪穂の仕事、洋服を出したり勘定を計算したりという作業は田村紀子の仕事という具合に、役割分担がなされているらしかった。

　店は完全予約制をとっていた。つまり客は自分が行く日を、予《あらかじ》め連絡しておくのだ。そうすれば雪穂たちは、その客のサイズや好みに合わせて商品を揃えておくことができる。無駄に商品スペースをとらなくてもいい、合理的な手法といえた。

　問題は彼女たちがどれだけの人脈を持っているかということにかかっていたが、開業以来、客足が途絶えるということはないようだった。

　店の経営に夢中になり、家のことがおろそかになるのではないかと誠は少し心配していたが、この時点ではまだそういうことはなかった。たぶん雪穂としても、そんなふうに思われることを一番おそれたのだろう。店を始めてからは、それまでよりも一層家事に力を入れるようになった。料理で手抜きをすることなど全くなかったし、誠よりも遅く帰るということも、その頃はなかった。

　店を始めて二か月ほどが経った頃のことだ。またしても雪穂が思わぬことをいいだした。今度は誠に、店のオーナーになってくれないかというのだった。

「オーナー？　僕が？　どうして？」

「大家さんが、相続税を払うために、至急お金が必要になっちゃったらしいの。それで、あたしたちに買わないかっていってこられたのよ」

「買いたいのかい」

「というより、絶対に買ったほうが得だと思う。あの場所なら、これから値下がりすることは絶対にないもの。今いってくれている値段は、破格といってもいいのよ」

「もし僕が買わないといったら？」

「その時は仕方がないわね」雪穂は吐息をついた。「あたしが買います」

「君が？」

「あの場所なら、銀行もお金を貸してくれると思うもの」

「借金するわけか」

「そうよ」

「そんなに欲しいのか」

「それもあるけど、買わないとまずいことになるような気がする。うちが買わない以上、大家さんはたぶんどこかの業者に話を持っていくと思うのよね。そうなると下手をしたら、立ち退きを迫られるかもしれない」

「立ち退き？」

「あたしたちを立ち退かせて、更地にしてもっと高い値段で売るわけよ」

　誠は小さく唸り、考え込んだ。

　買えないわけではなかった。高宮家では、成城に土地をいくつか持っている。すべて将来誠が受け継ぐものだ。あれを処分すれば済む話だった。話をうまく持っていけば、母の頼子も反対はしないだろう。今持っている土地は、実質上は殆ど使っていない状態なのだ。

　雪穂が借金を抱えるというのは賛成できなかった。そうなると彼女の全神経が仕事に奪われそうに思えたからだ。また、彼女が彼女名義の店を持つという状況にも、何か割り切れないものを感じるのだった。
　二、三日考えさせてくれ、と誠は雪穂にいった。だがこの時点で、ほぼ気持ちは固まっていたといえるだろう。
　一九八七年になって間もなく、南青山の店は誠のものになった。そして雪穂たちの稼ぎの中から彼の口座に、賃料が振り込まれるようになった。

　それから少しして、雪穂の考えの正しかったことを誠は思い知った。

　東京都心部のオフィスビル需要の高まりから、法外な価格による地上げが横行し、その結果、短期間で二倍増、三倍増は当たり前という異常な地価暴騰が起きたのだ。誠のところにも、南青山の店と土地を売らないかという話がひっきりなしに来るが、その言い値を聞くたびに、これは本当に現実の話なのかと思ってしまうのだった。

　雪穂に対して、淡い劣等感のようなものを抱き始めたのも、ちょうどこの頃からだった。生活力、経営力、さらに大胆さといった点において、自分はこの女にとてもかなわないのではないかと思うようになった。彼女が仕事の面で、どれほどの成果を上げているのか、彼は正確には知らない。しかし順調に業績を伸ばしていることは確実だった。現在彼女は、二軒目の店を代官山にオープンする計画を立てている。

　それに比べて自分はどうだ、と誠は思い、憂鬱になる。自分で何かを始める勇気など、まるでない。人に使われているほうが性に合っているとかいって、会社にしがみついているだけだ。せっかく受け継いだ土地を有効に活用することもできず、親からあてがわれたマンションに住んでいる。

　さらに彼を情けない気持ちにさせていることがある。それは昨今の株ブームだ。昨年二月にＮＴＴ株が売り出され、それが異常に高騰したことに引っ張られるように、平均株価が上昇を始めた。世間では、金があるなら株をやらない手はない、とまでいわれている。

　ところが高宮家に関しては株とは無縁だ。理由は無論、以前それで雪穂を非難したことにある。彼女もあれ以来、株の話はしない。だがこの空前の株ブームを、彼女がどういう思いで眺めているのかを想像すると、誠としては何とも居心地の悪い気がするのだった。

4

　この夜、寝る前に、雪穂が意外なことをいいだした。

「ゴルフ教室？」セミダブルのベッドの中から、ドレッサーに映る妻の顔を見ながら誠は訊いた。新婚時から、ベッドは別々だった。ただし雪穂のほうはシングルである。

「そう。土曜日の夕方なら、一緒に行けるんじゃないかと思って」雪穂は一枚のパンフレットを誠の前に置いた。

「ふうん、NGF認定ゴルフスクール……か。前からゴルフをやってみたいと思っていたのかい」

「少しね。だって今、女の人でもやる人が増えているでしょ。ゴルフなら、年をとってからでも夫婦で出来るし」

「年をとってから……ねえ。そんな先のことは考えたことがなかったな」

「ねえ、始めましょうよ。一緒に行ったら楽しいじゃない」

「そうだな」

誠は、死んだ父がゴルフ好きだったのを覚えている。休みのたびに、大きなキャディバッグを車のトランクに積んで出かけていくのだ。その時の父の顔は、ふだんと比べてずっと生き生きとしていた。婿養子ということで、家の中では萎縮していたのかもしれない。

「次の土曜日に説明会があるそうよ。とりあえず行ってみない？」肌の手入れを終えた雪穂が、自分のベッドに入りながらいった。

「いいよ、行ってみよう」

「よかった」

「それはともかく、こっちに来ないか」

「あ、はい」雪穂は自分のベッドから抜け出て、するりと誠のほうに滑り込んできた。

誠は枕元のスイッチを操作し、明かりの光量を絞った。それから彼女のほうに身体を寄せ、白いネグリジェの胸元に手を入れた。彼女の乳房は柔らかく、見た目よりもずっと量感があった。

今日こそ大丈夫だろうな、と彼は思った。じつはこのところ、ある理由から、うまくいかないことが多かったのだ。

しばらく乳房を揉んだり、乳首を吸ったりした後、彼はゆっくりとネグリジェをたくし上げ、雪穂の頭から抜いた。そして自分もパジャマを脱ぎ始めた。彼のペニスは、もう十分に勃起していた。

全裸になってから、改めて雪穂の身体を抱いた。弾力のある身体だった。腰のあたりを撫でると、彼女は少しくすぐったそうにした。抱いたまま、首筋に口づけしたり、乳首を噛んだりした。

誠は彼女の下着に手を伸ばした。それを膝の下まで下げると、後は足を使って一気に脱がせた。いつもの手順だった。

それから彼は、ある期待を持って彼女の茂みに手を当て、ゆっくりと中指をその下にもぐりこませていった。

　軽い失望が、彼の胸に広がった。彼のペニスを受け入れてくれるべき部分が、全く濡れていなかった。彼はクリトリスを愛撫することにした。だがどんなに優しく指先を動かしても、潤滑液は殆ど分泌されなかった。

　誠としては、自分のやり方に問題があるとは思えなかった。少し前までは、これで十分に潤いが生じていたのだ。

　やむなく彼は膣口に中指を入れてみようとした。しかしそこは固く閉ざされていた。それでも無理にこじ入れようとしたところ、「痛っ」と雪穂が漏らした。顔をしかめているのが、薄闇の中でもわかった。

「ごめん、痛かったかい」

「大丈夫。気にしないで入れちゃって」

「だけど、指でもこんなに痛がってるのに」

「平気。我慢するから。ゆっくり入れるとかえって痛いから、一気に入れて」雪穂は先程までよりも心持ち足を大きく開いた。

　誠は彼女の足の間に身体を入れた。それから自分のペニスを持ち、先端を彼女の膣口に添えると、腰を前に突き出した。

　あっ、と雪穂が声を出した。歯を食いしばっているのが見えた。誠は、それほど強引なことをしているつもりはないので、戸惑うしかなかった。まだ先端さえも入っていないのだ。

　しばらくそんなことを繰り返しているうちに、雪穂が妙な唸り声をあげ始めた。

「どうしたんだ」と誠は訊いた。

「おなかが……痛くなってきちゃった」

「おなかって？」

「だから、子宮のあたり……」

「またか」誠はため息をついた。

「ごめんなさい。でも大丈夫、すぐによくなるから」

「いいよ、もう。今夜はやめよう」誠はベッドの下に落ちていたパンツを拾うと、穿き始めた。さらにパジャマを着ながら、「今夜は」じゃなくて、「今夜も」だなと考えていた。このところ、いつもこうなのだ。

　雪穂も下着を身に着けた。そしてネグリジェを持って、自分のベッドに入った。

「ごめんね」と彼女はいった。「あたし、どうしちゃったのかな」

「やっぱり、医者に診てもらったほうがいいんじゃないか」

「うん、そうしてみる。ただ……」

「なんだ？」

「子供を堕ろしたら、こんなふうになることもあるって聞いたわ」
「濡れなくなったり、子宮が痛くなったりするのか」
「うん」
「僕は聞いたことがないな」
「あなたは男だから……」
「それは、まあね」

あまりいい方向に話題が進みそうになかったので、誠は彼女と反対側に身体を向け、布団をかぶった。ペニスはすでに萎えていたが、性欲は消えていなかった。セックスができないなら、せめて口や手を使って愛情を表現してほしかったが、雪穂は決してそういうことをしない女だった。誠としても、要求はしにくかった。

やがてすすり泣きが聞こえてきた。

誠は、彼女を慰めるのも何だか面倒になり、布団の下に顔を沈め、聞こえないふりをした。

5

イーグルゴルフ練習場は、四角く区画分けされた住宅地の真ん中に造られていた。『全長二百ヤード　最新式ボール供給マシン完備』という看板が出ている。緑色のネットの内側では、白く小さなボールがひっきりなしに飛び交っていた。

誠たちのマンションからだと、車で二十分ほどのところだった。四時過ぎに自宅を出た二人は、四時半には到着していた。教室の説明会は五時からだとパンフレットには書いてある。

「やっぱり早すぎた。だから、もっとゆっくり出ればいいといったんだ」ＢＭＷのハンドルを操作しながら誠はいった。

「渋滞するかもしれないと思ったのよ。でも、人が打っているのを見ていればいいじゃない。参考になるかもしれないし」助手席の雪穂が答える。

「素人が練習しているところなんか、いくら見ても同じだと思うけどね」

ゴルフブームに加えて、土曜日ということもあり、かなり客が入っているようだった。駐車場がほぼ満車の状態なのを見ても、それはわかった。

何とか空きスペースを見つけて車を止めると、二人は車から降りて、入り口に向かった。途中、電話ボックスがあった。その手前で雪穂は立ち止まった。

「ごめんなさい、一件だけ電話してもいいかしら」そういって彼女はバッグから手帳を取り出した。

「じゃあ、先に中を覗いているよ」

「そうして」といった時には、彼女はもう受話器を取り上げていた。

ゴルフ練習場の玄関は、ファミリーレストランのように明るく派手なものだった。ガラスの自動ドアをくぐり、誠は建物の中に入った。グレーのカーペットが敷かれたロビーには、手持ち無沙汰そうにしている客が何人もいた。入ってすぐ左にカウンターがあり、カラフルな制服を着た若い女性従業員二人が客の応対をしている。

「申し訳ありませんが、ここにお名前を書いていただけますか。空きましたら、順番にお呼びいたしますから」一方の従業員がしゃべっている。相手は、スポーツとはあまり縁がなさそうな太った中年男だった。傍らに、黒いキャディバッグを置いていた。

「なんだ、かなり混んでるの？」中年男が不機嫌そうに尋ねる。

「そうですねえ、二、三十分ほどお待ちいただいておりますが」

「ふうん、仕方ないなあ」不承不承といった感じで男は名前を書き始めた。

どうやらロビーで退屈そうにしている連中は、順番待ちをしているようだ。ゴルフブームというのは本当らしいと誠は再認識した。接待と無縁なせいか、彼の職場にはゴルフをする人間はあまりいない。

誠はカウンターに近づき、スクールの説明会に出たいのだがといった。女性従業員の一人が、「アナウンスいたしますから、ここでお待ちになっていてください」と笑顔で答えた。

その時雪穂が入ってきた。誠を見つけるとすぐに駆け寄ってきたが、その顔つきは先程までと少し違っていた。

「ごめんなさい、まずいことになっちゃった」

「どうしたんだ」

「お店でトラブルがあったようなのよ。あたしが行かないとまずいみたい」雪穂は唇を噛んだ。

彼女の店は日曜日は休業だが、土曜日は田村紀子とアルバイトの女性とで営業しているのだ。

「今すぐにか」誠は訊いた。声が露骨に不機嫌なものに変わってしまった。

うん、と雪穂は頷いた。

「じゃあどうするんだ、ゴルフスクールのほうは。説明会には出ないのか」

「悪いけど、あなた一人で出てくれない？　あたしはここから、タクシーで店に行きますから」

「僕一人でか」誠はため息をついた。「仕方がないな」

「ごめんなさい」雪穂は顔の前で手を合わせた。「説明会を聞いていて、つまらなかったらすぐに帰ってもいいから」

「もちろんそうするさ」

「本当にごめんなさい。じゃあ、あたし、行きますから」雪穂は小走りに玄関から出ていった。

彼女の後ろ姿を見送ってから、誠はもう一度小さくため息をついた。怒りがこみあげてくるのを、何とか抑えようとした。その怒りを増殖させると結局自分が惨めになるだけだと理解していたからだ。そういう経験を、これまで何度繰り返してきたことか。

誠はロビーの一画に作られたゴルフショップを覗くことにした。店内には、ゴルフクラブや備品、アクセサリーといったものが並べられていた。それらを眺めているだけでは、ゴルフに対する興味は深まってこなかった。じつは誠は、ゴルフについては殆ど何も知らなかった。基本的なルールと、一般ゴルファーの当面の目的が百を切ることだというのを辛うじて知っているだけだ。しかしその百というスコアが、どれほどのものなのかは、全く想像できなかった。

視線を感じたのは、アイアンのセットを見ている時だった。すぐそばにパンツルックの女性の足元があった。その女性は、誠のほうを向いて立ち止まっているように見えた。

彼はちらりと視線を上げた。その女性と目が合った。

あっと彼が声を発するまでに、一、二秒の空白があった。相手の女性が誰であるかを認識し、その女性がこんなところにいるはずがないと思い直し、やはり彼女に違いないと決定するまでの時間だった。

そこに立っていたのは、三沢千都留だった。髪を切り、少し雰囲気が変わっていたが、間違いなかった。

「三沢さん……どうしてこんなところに?」誠は訊いた。

「ゴルフの、練習に……」千都留は手に持っていたクラブケースを見せた。

「ああ、そりゃそうだよね」誠は痒《かゆ》くもないのに、頬を掻いた。

「高宮さんも、ですよね。当然……」

「あ、うん、まあね」彼女が自分の名前を覚えていてくれたことを、誠は内心喜んでいた。

「一人?」

「ええ。高宮さんは?」

「一人だよ。ええと、座ろうか」

順番待ちをしている客によってロビーの椅子は殆ど塞がっていたが、壁際に都合よく二つ並んで空席があった。二人はそこに腰を下ろした。

「驚いたなあ、こんなところで会えるなんて」

「そうですね。あたしも一瞬、人違いかと思っちゃいました」

「今、どこにいるの?」

「下北沢《しもきたざわ》です。仕事先は、新宿にある建築会社なんですけど」

「やっぱり派遣社員として行ってるわけ？」

「そうです」

「うちの会社との契約が切れた後は、札幌の実家に帰るようなことをいってたと思うんだけど」

「よく覚えてるんですね」千都留は微笑んだ。健康そうな白い歯が覗いた。なるほど短い髪のほうがよく似合う、と誠に思わせるような笑顔だった。

「札幌には帰らなかったの？」

「一旦帰りました。でも、すぐに戻ってきちゃったんです」

「そうだったのか」誠はいいながら腕時計を見た。四時五十分になっていた。五時になれば説明会が始まる。軽い焦りを覚えた。

　二年数か月前の、あの日のことが脳裏に蘇った。雪穂との結婚式を翌日に控えた、あの夜だ。誠は、あるホテルのロビーにいた。そこに千都留が現れるはずだった。

　彼は彼女に恋をしていた。すべてを犠牲にしてでも、自分の気持ちを打ち明けたいと思い詰めていた。三沢千都留こそ、運命の糸で結ばれた女性だと、あの瞬間は信じていた。

　だが千都留は現れなかった。理由はわからない。誠にわかったのは、彼女とは結ばれる運命になかったのだ、ということだけだった。

　誠はこうして再会してみて、あの時の炎が完全には消えていなかったことを自覚した。千都留のそばにいるだけで、心が浮き立つのだ。久しく抱いたことのない、甘美な高揚感だった。

「高宮さんは、今どちらに？」千都留のほうから尋ねてきた。

「僕は成城なんだ」

「成城……そういえば、前にそんなふうにおっしゃってましたよね」何かを思い出す目をして彼女はいった。「もうあれから二年半……ですよね。お子さんは？」

「いや、まだなんだ」

「作らないんですか」

「作らないというか、できないというか……」誠は苦笑して見せた。

「あ、そうなんですか」千都留は戸惑ったような顔をした。気の毒そうにすべきかどうか、迷ったのだろう。

「三沢さんは結婚したの？」

「いえ、まだ一人です」

「ふうん。予定はある……とか？」彼女の表情を窺いながら誠は訊いた。

　千都留は笑ってかぶりを振った。「相手がいませんから」

「へえ、そうなのか」

自分の中に安堵する気持ちがあることを、誠は自覚していた。しかし一方で、彼女が独身だからどうだというのだと、もう一人の自分が問いかけていた。

「ここにはよく来るの？」と彼は訊いた。

「週に一度は来ます。ここのスクールに通っているんです」

「えっ、ゴルフスクールに？」

「はい」千都留は頷いた。

彼女によれば、二か月前から通い始めたということだった。毎週土曜日午後五時からの初心者コースらしい。つまり、誠たちがこれから受講しようと思っているものだ。

自分もそのコースの説明会を聞きに来たのだと誠はいった。

「そうだったんですか。ここは二か月ごとに受講生を募集しますものね。じゃあ、これから毎週お会いできるわけですね」

「そうなるね」と誠は答えた。

だが彼は、この偶然に関しては、複雑な思いで受けとめていた。ここへは雪穂も一緒に来るからだ。彼は、自分の妻を千都留には会わせたくなかった。また、妻も一緒にスクールに通うつもりなのだ、ともいえなかった。

この時、場内にアナウンスが流れた。ゴルフスクールの説明会に参加する人はカウンター前に集まってください、というものだった。

「じゃあ、あたしはスクールのほうに行きますから」クラブケースを持って、千都留は立ち上がった。

「あとで見学に行くよ」

「ええー、いやですよ、恥ずかしい」鼻の上に皺を寄せ、彼女は笑っていった。

6

誠がマンションに帰ると、玄関に雪穂の靴があった。奥からは何かを炒めるような音が聞こえてくる。

彼はリビングルームに入っていった。キッチンの中には、エプロンをつけて料理をしている雪穂の姿があった。

「お帰りなさい。ずいぶん遅かったのね」フライパンを動かしながら、大声で彼女はいった。時刻は八時半を回っている。

「君は何時頃帰ってきたんだ」キッチンの入り口に立って誠は訊いた。

「一時間ぐらい前。夕食の支度をしなきゃと思って、急いで帰ってきたのよ」

「そうだったのか」

「もうすぐできるから、そこで待ってて」

「あのさあ」手際よくサラダを作っていく雪穂の横顔に彼はいった。「今日、向こうで昔の知り合いに会ったんだ」

「あら、そう。あたしの知らない人？」

「まあね」

「ふうん。それで？」

「久しぶりだったんで、食事でも一緒にどうかってことになって、近くのレストランで軽く済ませてきちゃったんだ」

雪穂の手が止まった。その手を首筋のあたりにもっていった。「そうなの……」

「君はどうせ遅くなると思ってさ。何だか厄介なことが店であったみたいだから」

「それはすぐに片づいたんだけど」雪穂は首筋を擦《さす》った。そして力のない笑みを浮かべた。「そうよねえ、あたしのことなんか、あてにできないものねえ」

「ごめん、何とかして連絡すればよかったな」

「気にしないで。じゃあ、一応作っちゃうから、もしおなかがすいたら食べて」

「そうするよ」

「それで、どうだった。ゴルフスクールのほうは」

ああ、と誠はとりあえず曖昧に頷いた。

「まあ、別にどうってことないよ。カリキュラムってものがあって、それに沿ってきちんと教えますっていうだけのことだ」

「気に入った？」

「うーん、そうだなあ」

どう説明すればいいだろう、と誠は考えた。三沢千都留があのスクールに通っている以上、雪穂を連れて行きたくはなかった。やむなく彼は、スクールに入るのは断念する決心をしていた。問題は、雪穂をどうやって説得するかだ。

「あのねえ」彼が言葉を探していると、雪穂のほうが口を開いた。「あたしがいいだして、今さらこんなことをいうのはとても申し訳ないんだけど、ちょっとまずい状態なの」

「えっ？」誠は彼女の顔を見返した。「まずいって、どういうこと？」

「今度新しく二号店をオープンするでしょ？　それで、店員を募集しているんだけど、なかなかいい人が見つからなくて困ってるの。最近はほら、企業の就職も完璧な売り手市場だっていうじゃない。うちみたいなところには、なかなか来てくれないのよね」

「それで？」

「今日紀子さんと相談したんだけど、これからはあたしも、出来るだけ土曜日も出るしかないみたいなの。毎週でなくてもいいとは思うんだけど……」

「じゃあ、確実に休めるのは日曜だけか」

「そういうこと」雪穂は肩をすくめ、上目遣いに誠を見た。明らかに彼が怒りだすのを恐れていた。

　しかし彼は怒りはしなかった。彼の頭の中は、全く別のことで占められていた。

「そうすると、ゴルフスクールどころじゃないな」

「そうなの。だから、あたしからいいだしたのに申し訳ないって謝ってるのよ。ごめんなさい」雪穂は前で手を揃え、深く頭を下げた。

「君は、行けないというわけだな」

　うん、と彼女は小さく頷いた。

「そうか」誠は腕組みをし、その格好のままソファのほうに移動した。「じゃあ仕方がないな」どっかりと腰を下ろした。「ゴルフスクールは僕一人で入ることにするよ。せっかく説明会にも出たんだし」

「怒らないの？」夫の態度が、雪穂には意外だったようだ。

「怒らないよ。僕はもう、そういうことでは怒らないことにしたんだ」

「よかった。また怒られるんじゃないかと思って、はらはらしてたの。だけど、人手不足だけはどうにもならないし……」

「いいよ、もう。この話はこれで終わりだ。ただし、後から気が変わって、やっぱりゴルフスクールに入りたいといっても、もう遅いからな」

「うん、そんなことはいいません」

「それならいい」

　誠はテーブルの上からテレビのリモコンを取り、スイッチを入れた。そしてチャンネルを野球中継に合わせた。王監督率いる巨人軍は、今年完成した東京ドームで、中日相手に苦戦していた。しかしテレビを見ながら彼が考えていることは、昨年引退した江川投手の穴を誰が埋めるかということでも、原選手は今度こそ本塁打王を取れるかということでもなかった。

　いつなら、雪穂に聞かれることなく電話をかけられるか、ということだった。

　この夜、誠はなかなか寝つかれなかった。三沢千都留と再会したことを思い出すと、身体が妙に熱くなってしまう。彼女の笑顔がちらつき、彼女の声が耳の奥で聞こえていた。

　説明会では、実際の講習の模様を見学するというプログラムがあった。誠は、千都留たちがインストラクターに教わりながらボールを打つのを、後ろから眺めた。彼がいることに気づいた千都留は、固くなったのか、何度もミスをした。そのたびに彼のほうを振り返り、ピンク色の舌を唇から覗かせた。

　それが終わった後、誠は思い切って彼女を食事に誘ってみた。

「帰っても食べるものがないから、元々外食して帰るつもりだったんだ。でも、一人で食べるのもつまらないからさ」こんなふうに言い訳した。

　彼女はほんの少し逡巡の気配を見せたが、「じゃあ、お付き合いします」と笑顔で答えた。誠の目には、義理で仕方なくいっている、というふうには見えなかった。

　千都留は電車と徒歩でゴルフ練習場に通っていた。それで誠はＢＭＷの助手席に彼女を乗せて、何度か入ったことのあるパスタ専門店に行った。その店には雪穂を連れていったことがなかった。

　照明を絞った店内で、誠は千都留と向き合って食事をした。考えてみれば、同じ会社にいた頃は、二人だけで喫茶店に入ったこともなかったのだ。誠は、とてもくつろいだ気分になっていた。彼女と過ごすのが、身体に合っているように思えた。彼女といると、じつに滑らかに話題が湧いてくる。まるで自分が話し上手になったような気さえした。彼女はころころとよく笑い、その合間にしゃべった。様々な会社を渡り歩いている彼女の体験談の中には、誠がはっとするほど示唆に富んだものがあった。

「ゴルフを始めたのはどうして？　美容のため？」途中、誠が質問した。

「何となくです。強いていえば、自分を変えるため、かな」

「変える必要があるの？」

「変えたほうがいいかなって思うことがあるんです。こんなふうに、浮き草みたいな生活をしていちゃいけないのかなって」

「ふうん」

「高宮さんはどうして始める気になったんですか」

「えっ、僕かい？」誠は答えに詰まった。妻に勧められて、とはいえない。「まあ、運動不足解消だよ」

　千都留はこの答えで納得したようだ。

　店を出た後、誠は彼女を家まで送っていくことにした。当然彼女は一旦辞退した。しかし嫌がっているようには見えなかったので、誠はさらに強く申し出た。すると、今度はすんなりと受け入れてくれた。

　意識的だったのかどうかは不明だが、食事の間、千都留は誠の結婚生活に触れた質問は一切しなかった。彼も無論、雪穂のことや、雪穂の存在を感じさせる話題は口にしなかった。だが車が走り出して少ししてから、千都留が一度だけこんな質問をした。

「今日は、奥様はお出かけだったんですか」

心なしか、口調が少し固くなったようだ。

「仕事をしているから、留守がちなんだ」

千都留は黙って小さく頷いた。それ以後、誠の妻のことを尋ねようとはしなかった。

彼女のマンションは、線路のそばに建っていた。こぢんまりとした、三階建てだった。

「ありがとうございました。じゃあ、また来週」車を降りる前に彼女がいった。

「うん……ただ、さっきもいったように、スクールには入らないかもしれない」誠はいった。この時点では、入らないつもりだった。

「そうなんですか、お忙しいんですね」千都留は残念そうな顔をした。

「まあ、でも、時々は会えると思うよ。電話してもいいよね」誠は訊いた。電話番号は、食事の時に聞き出してあった。

ええ、と彼女は頷いた。

「それじゃ」

「失礼します」

彼女が降りる時、その手を握りたい衝動に誠は駆られた。手を握り、引き寄せ、口づけしたいと思った。だがもちろんそれは想像だけに留めておいた。

彼女が見送ってくれるのをルームミラーで見ながら、彼は車を発進させた。

ゴルフスクールに入ることを知らせたら、彼女は喜んでくれるだろうか——枕に頭を埋めた姿勢で、誠は考えた。早く知らせたいと思った。今夜は結局電話をするチャンスがなかった。

これからは、毎週必ず彼女と会える。そう考えるだけで、少年のように心が弾んだ。土曜日が早くも待ち遠しくなった。

彼は寝返りを打った。気がつくと、隣のベッドから寝息が聞こえていた。

今夜は、妻を抱こうという気には、全くならなかった。

7

「ちょっと集まってくれ」

成田がE班のメンバーに声をかけたのは、七月に入ったある日のことだった。窓の外では梅雨特有の細い雨がしとしとと降っている。エアコンが利いているが、成田はワイシャツの袖を肘の上までまくりあげていた。

「例のエキスパートシステムのことだが、システム開発部から新しい情報が入った」メンバー全員が揃うのを確認してから、成田はいった。手に一枚の報告書を持っている。

「シス開では、もしデータが盗み出されたのだとしたら、不正にエキスパートシステムにアクセスした者がいるはずだと考えて、ずっと調査を続けていたらしいんだが、先日ついにその形跡を発見したそうだ」

「やっぱり盗まれてたんですか」誠よりも三つ先輩の社員がいった。

「昨年の二月、社内のワークステーションを使って、生産技術エキスパートシステム全体をコピーした者がいたらしい。そういうことをすると通常記録が残るんだが、その記録自体も書き換えてあったそうだ。そのため、今まで見つからなかったらしい」声を落として係長はいった。

「じゃあやっぱり、うちの会社の人間が、データを持ち出したということですか」誠も、周囲に気を配りながらいった。

「そういうことになるだろうな」成田は厳しい顔つきで頷いた。「もう少し調べた上で、警察に届けるかどうかを決めるそうだ。もっとも、だからといって、例の出回っているエキスパートシステムが、うちがパクられたものだと断言することはできない。あくまでも内容を慎重に調査してからのことだ。しかし、可能性は高まったといえるだろうな」

あのう、と新人社員の山野が手を上げた。

「社内の人間とはかぎらないんじゃないですか。休日なんかに忍び込んで、ワークステーションの端末を操作できればいいわけでしょう？」

「ＩＤが必要だろう。パスワードも」誠がいった。

「いや、じつはその点なんだが」成田が一層声をひそめた。「山野がいったことをシス開でも考えているようだ。というのは、かなりコンピュータの技術に長けた人間でないと、この犯行は難しいらしい。はっきりいってプロの仕事だそうだ。だから可能性としては、二つ考えられる。一つは、社内の人間が犯人を手引きしたということ。もう一つは、何らかの理由で、犯人が誰かのＩＤとパスワードを手に入れたということだ。俺もそうだけど、この二つの記号の重要性をみんなあまり認識していないからな。そうした隙をつかれたのかもしれない」

誠は尻のポケットに入れた財布の感触を確かめていた。彼の場合、その中に従業員証を入れている。そしてその従業員証の裏に、ワークステーションの端末を使用する時のＩＤとパスワードをメモしてあるのだ。

その二つを迂闊に人目につくところに書かないこと――初めてパスワードをもらった時に注意されたのを誠は思い出した。これは消しておいたほうがいいかもしれないと思った。

「ふうん、東西電装でも、そんなことがあったんだ」コーヒーの入った紙コップを手に、千都留は興味深そうに頷いた。

「というと、ほかの会社でもあることなのかい」誠は訊いた。

「最近は多いわよ。とにかくこれからは、情報がお金になる時代だもの。どこの会社もコンピュータに情報を貯えるようになってきたでしょ？　でもそれは、情報を盗もうと思っている人間にとっては、すごく都合のいいことなのよね。だって今までだったら膨大な量の書類だったものが、フロッピー一枚に入ってしまうんだもの。おまけに、自分が必要な部分を、キー操作一つで検索できるときてる」

「なるほどね」

「東西電装で使われているのは、基本的にはまだ社内ネットワークだけでしょ。でも、中には、それを社外のネットワークと繋いでいる会社も増えてきているのよね。そうなると、外から侵入することもできるわけだから、もっと厄介な事件も起きるかもしれない。アメリカじゃ、もう何年も前からそんなことが起きているの。勝手によそのコンピュータに侵入して悪戯する人のことを、ハッカーというのよ」

「ふうん」

さすがに千都留はいろいろな会社を渡り歩いているだけに、この手の知識が豊富だった。考えてみれば、誠の会社の特許情報をマイクロフィルムからコンピュータに移しかえたのも彼女だったのだ。

午後五時になろうとしていた。誠は空の紙コップをそばのゴミ箱に捨てた。イーグルゴルフ練習場のロビーは、相変わらず順番待ちの客がたくさんいた。誠たちはとうとう空いた椅子を見つけることができず、壁際で立ち話をしているのだった。

「ところで、その後アプローチショットの練習はしたの？」誠は話をゴルフに移した。

千都留は首を振った。「結局、練習に来る暇がなくて。高宮さんは？」

「僕も先週の教室以来クラブを握ってないんだ」

「でも高宮さんは上手だもの。あたしのほうが先に習い始めたのに、今ではあたしよりも難しいことを教わってるものね。やっぱり運動神経が違うのかなあ」

「要領がいいだけさ。少し不器用なぐらいのほうが、結果的には上達するっていうよ」

「それって、慰めてくれてるの？　なんか、あまり嬉しくないなあ」そういいながらも千都留は楽しそうに笑った。

誠がゴルフスクールに入ってから、三か月が経とうとしていた。その間彼は一度も休んだことがなかった。思った以上にゴルフが面白かったこともあるが、千都留に会える喜びのほうが、その何倍も大きかった。

「ところで、今日の練習の後、どこへ行こうか」誠は訊いた。ゴルフスクールの後、二人で食事に行くのは、すでに習慣のようになっていた。

「あたしはどこでも」

「じゃあ、久しぶりにイタリアンにしようか」

うん、と千都留は頷いた。甘えたような表情だった。

「あのさあ」誠は少し周囲を気にしながら低い声でいった。「今度一度、別の日に会えないかな。たまには時間を気にせず話をしたいしさ」

迷惑に思われることはない、という自信はあった。問題は、千都留がどれだけ躊躇《ためら》いを感じるかということだった。他の日に会うということは、ゴルフの練習の帰りに食事をすることとは、全く意味が異なるのだ。

「あたしはいいけど」千都留はあっさりと答えた。あるいは、そう見せかけただけなのかもしれなかったが、口調に不自然さはなかった。口元の笑みも保たれたままだ。

「じゃあ、だいたいの日にちが決まったら連絡するよ」

「うん。早めにいってくれれば、仕事の調整はきくから」

「わかった」

たったこれだけのやりとりで、誠は気持ちを高ぶらせていた。大きな一歩を踏み出したような感覚があった。

8

千都留とデートする日は、七月第三週の金曜日と決まった。次の日が休みのほうがゆっくりとできるし、その日ならば千都留も会社を早めに出られるといったからだ。

しかも、もう一つ都合のいいことがあった。その前日から、雪穂が一週間イタリアに行くことになっていたのだ。ただし旅行ではなく、洋服の買い付けが目的だ。彼女は数か月に一度のペースでイタリアに行っていた。

雪穂が出発するさらに前日、つまり水曜日の夜——。

誠が家に帰ると、リビングルームでは雪穂がスーツケースを広げて、旅行の準備をしていた。「お帰りなさい」と彼女はいったが、顔は彼のほうではなく、テーブルの上に広げたシステム手帳に向けられたままだった。

「晩飯は？」と誠は訊いた。

「シチューを作ってあるから、適当に食べて。見ればわかると思うけれど、あたし今、ちょっと手が離せないのよ」こういった時も、雪穂は夫のほうを見ようとしなかった。

誠は黙って寝室に行き、Tシャツとスウェットに着替えた。

最近雪穂は変わった、と彼は感じていた。少し前までは、誠の世話を十分出来ないことに対して、涙を流すほど反省したものだ。それが今は、「適当に食べて」だ。口調もぶっきらぼうになってきている。

仕事がうまくいっていることによる自信が、夫に対してもそういう態度に表れるのだろう。しかしそれ以上に、亭主があまりうるさくいわなくなったからだろう、と誠は思った。今までは、気に入らないことがあるとすぐに怒ったものだが、最近は声を荒らげたことがない。無難に毎日が過ぎていけば、それでいいと思っている。

三沢千都留との再会が、すべてを変えたのだ。あの日以来、誠は雪穂に対して関心を持たなくなったし、関心を持たれたくもなくなってしまった。心が離れていくとはこういうことを指すのだろうなと自己分析していた。

誠がリビングルームに戻ると、「ああ、そうだ」と、雪穂がいった。

「今夜、ナツミちゃんをうちに泊めてあげることにしたの。明日、一緒に出たほうが都合がいいから」

「ナツミちゃん？」

「会ったことない？　一番最初から、うちの店にいる子よ。今回は彼女と二人で行くの」

「ふうん、どこで寝てもらうんだ？」

「小さいほうの洋室を片づけたわ」

何もかも決めてあるわけだな、と嫌味をいいたいのを誠はこらえた。

ナツミという女は、十時過ぎになってやってきた。二十歳過ぎと思われる、整った顔立ちをした女だった。

「ナツミちゃん、あなた、まさかその格好で行くつもりじゃないでしょうね」赤いTシャツにジーンズという出で立ちを見て、雪穂は訊いた。

「明日はスーツに着替えます。これは荷物の中に入れていきます」

「Tシャツもジーンズも必要なし。遊びに行くんじゃないんだから。ここに置いていきなさい」雪穂の声は、誠が聞いたことのない厳しいものだった。

はい、とナツミは小声で答えた。

彼女たちがリビングルームで打ち合わせを始めたので、その間に誠はシャワーを浴びた。バスルームから出た時は、二人の姿はなかった。別室に移動したらしい。

誠はリビングボードからグラスとスコッチのボトルを出し、冷蔵庫の氷でオンザロックを作った。そしてテレビの前に座って飲み始めた。彼はビールはあまり好きではなかった。一人でゆっくり飲む時には、スコッチのオンザロックと決めていた。それが毎夜の楽しみでもあった。

た。

　ドアが開き、雪穂が入ってきた。だが誠は彼女のほうは見なかった。彼の目は、スポーツニュースに釘付けだった。

「あなた」雪穂がいった。「もう少しテレビの音を小さくして。ナツミちゃんが眠れないから」

「あっちの部屋までは聞こえないだろう」

「聞こえるわよ。聞こえるからいってるんじゃない」

　棘のある言い方だった。それが癇《かん》に障ったが、誠は黙ってリモコンを手にし、ボリュームを落とした。

　雪穂は立ったままだった。彼女の視線を誠は感じた。何かいいそうな気がした。三沢千都留のことだろうか、という考えがふっと頭をかすめた。しかしそんなはずはない。

　雪穂が吐息をついた。「あなたはいいわねえ」

　えっ、と彼は雪穂を見ていた。「何がいいんだ?」

「だって、毎日毎日、そんなふうにしていられるんだもの。お酒を飲んで、プロ野球ニュースを見て……」

「それのどこがいけないんだ」

「別にいけないなんていってないわよ。いいわねえといっただけよ」雪穂は寝室に向かいかけた。

「ちょっと待てよ、どういう意味だ。何がいいたいんだ。いいたいことがあるなら、はっきりいえよ」

「大きな声出さないでよ。聞こえちゃうじゃない」雪穂は眉を寄せた。

「喧嘩を売ってるのはそっちだぜ。何がいいたいんだと訊いてるんだ」

「別に……」といってから雪穂は誠のほうを向いた。「あなたには夢ってものがないのかなと思ったのよ。野心だとか、向上心といったものがね。自分を磨く努力というものを一切しないで、そんなふうに毎日毎日同じことを繰り返しながら年をとっていくつもりなのかなって」

　さすがにこの台詞は誠の神経を刺激した。全身がかっと熱くなるのを彼は感じた。

「自分には野心も向上心もあるといいたそうだな。ビジネスウーマンの真似事をしてるだけじゃないか」

「あたしはちゃんとやってるわ」

「誰の店でだ。俺が買ってやった店だぞ」

「家賃は払ってるでしょ。それに、親から貰った土地を売ったお金で買ったんじゃない。威張らないで」

　誠は立ち上がり、雪穂を睨みつけた。彼女も険しい目で見返してきた。

「あたし、もう寝る。朝が早いから」彼女はいった。

「あなたも、もう寝たほうがいいんじゃない? お酒はほどほどにして」

「ほっとけよ」

「じゃ、おやすみなさい」片方の眉をぴくりと動かし、雪穂は寝室に消えた。

　誠はソファに座り直すと、スコッチのボトルを摑んだ。そしてもうあまり氷の残っていないグラスにどぼどぼと注いだ。

　ごくりと飲むと、いつもよりも苦い味がした。


　目を覚ました途端、ひどい頭痛が襲ってきた。誠は顔をしかめ、かすんだ目をこすった。ドレッサーの前で化粧をしている雪穂の後ろ姿が見えた。

　彼は目覚まし時計を見た。そろそろ起きてもいい時刻だった。だが身体は鉛のように重かった。

　雪穂に声をかけようと思ったが、言葉が思いつかなかった。彼女の姿が、なぜかひどく遠くにあるように感じられた。

　だがドレッサーに映る彼女の顔を見て、おや、と思った。片方の目に眼帯をつけているのだ。

「どうしたんだ、それ」と彼は訊いた。

　口紅をひきおえ、化粧ポーチを片づけていた雪穂の手が止まった。「それって？」

「左目だよ。眼帯してるじゃないか」

　雪穂はゆっくりと振り返った。能面のように表情がなかった。「ゆうべのあれよ」

「あれ？」

「覚えてないの？」

　誠は黙った。昨夜の記憶を呼び覚まそうとした。雪穂と口論になり、その後少し多めに酒を飲んだところまでは覚えている。だがその後どうしたのか、思い出せなかった。ひどく眠くなったことは、おぼろげに記憶している。しかしその時の状況は、まるっきりわからなかった。頭痛が記憶の回復を妨げてもいた。

「おれ、何かしたのか」と誠は訊いた。

「ゆうべあたしが寝ていたら、突然布団をはがして……」雪穂は唾を飲み込んでから続けた。「何か怒鳴ってから、あたしのことを殴ったのよ」

「えっ」誠は目を剝いた。「そんなこと、してない」

「何いってるの、殴ったじゃない。頭だとか顔だとか……。だからこんなことになったのよ」

「……全然覚えてない」

「酔ってたみたいだものね」雪穂は椅子から立ち上がり、ドアに向かって歩きだした。

「待ってくれ」誠は彼女を呼び止めた。「本当に覚えてないんだ」

「そう。でも、あたしは忘れないから」

「雪穂」彼は息を整えようとした。頭の中が混乱していた。「もしそれを僕がやったのだとしたらあやまるよ。すまん……」

雪穂は立ったまましばらく俯いていたが、「来週の土曜日に帰ります」というと、ドアを開けて出ていった。

誠は枕に頭を沈めた。天井を見つめ、もう一度記憶を辿ろうとした。

しかし、やはり何も思い出せなかった。

9

千都留の持つタンブラーの中で、氷がからからと鳴った。彼女は少し目の下を赤くしていた。

「今日は本当に楽しかったわ。いろいろと話もできたし、おいしいものも食べられたし」千都留は歌うように首を左右にゆっくりと振った。

「僕も最高に楽しかった。こんなにいい気分を味わったのは久しぶりだよ」カウンターに肘を置き、彼女のほうに身体を向けた姿勢で誠はいった。「君のおかげだ。今日は付き合ってくれて本当にありがとう」誰かに聞かれたら赤面しそうな台詞だったが、幸いバーテンダーはそばにはいなかった。

赤坂にあるホテルのバーに二人はいた。フレンチレストランで食事した後、ここへ来たのだ。

「お礼をいうのは、あたしのほう。何だか、ここ何年間かのもやもやが、いっぺんに消えたみたい」

「何か、もやもやするようなことがあったの？」

「そりゃあ、あたしだっていろいろと悩みはあるもの」

そういって千都留はシンガポールスリングを飲んだ。

「僕はね」シーバスリーガルの入ったロックグラスを揺らしながら誠はいった。「君と会えたことを、本当に喜んでいるんだ。神様に感謝したいぐらいだよ」

聞きようによっては大胆な告白だった。千都留は微笑んだまま、少し目を伏せた。

「君に打ち明けたいことがある」

彼がいうと、千都留は顔を上げた。その目は少し潤んで見えた。

「三年ほど前、僕は結婚した。だけどじつは結婚式の前日、僕はある重大な決心をして、ある場所に行ったんだ」

千都留は首を傾げた。その顔からは笑みが消えていた。

「その内容について、君に打ち明けたい」

「はい」

「ただし」と彼はいった。「それは二人きりになれる場所で」

はっとしたように目を見張った彼女の前に、誠は開いた右手を出した。その手の上にはホテルのキーが載っていた。

千都留は下を向き、黙りこんだ。心の揺れが、誠には手に取るようにわかった。

「その、ある場所というのは」彼はいった。「パークサイドホテルだ。あの夜君が泊まるはずだった、あのホテルだ」

再び彼女は顔を上げた。今度はその目は赤く充血していた。

「部屋に、行こう」

千都留は彼の目を見つめたまま、小さく首を縦に動かした。

部屋に向かいながら、これでいいんだと誠は自分にいいきかせていた。自分はこれまで間違った道を歩いてきた。今ようやく、正しい道標を見つけたのだ。

部屋の前で立ち止まると、鍵穴にキーを差し込んだ。

10

相談者の名前は高宮雪穂といった。女優にしてもおかしくないぐらい、奇麗な顔をした女性だった。ただしその表情は、他の相談者と同様に暗かった。

「すると、旦那さんのほうから離婚してくれといってきているわけですね」

「そうです」

「ところがその理由については、はっきりしたことをいってくれないわけですね。ただ、あなたとはやっていけないというだけで」

「はい」

「あなたには何も心当たりがないのですか」

この質問に対し、相談者は少し迷いを見せてから口を開いた。

「ほかに好きな女性ができたようなんです。あの、ある人に調べてもらったんです」

彼女はシャネルのバッグから写真を数枚取り出した。そこには、様々な場所で密会している男女の姿が、はっきりと写っていた。髪を七・三に分けた生真面目な会社員に見える男性と、ショートカットの若い女性は、どちらもとても幸福そうに見えた。

「この女性について、御主人に尋ねましたか」

「いえ、まだです。とにかく一度こちらで相談してからと思いまして」

「そうですか。あなたのほうに、別れる意思はあるんですか」

「はい。もう、だめだと思います。だめだと思いました」

「何かあったんですか」

「この女性と付き合うようになってからだと思うんですけど、時々暴力を……。酒に酔った時ですけど」

「それはひどいですね。そのことを知っている人はいますか。証人という意味ですが」

「誰にも話してません。ただ、一度だけ、店の女の子が泊まりに来た時にもそういうことがありました。だから彼女なら覚えているはずです」

「わかりました」

女性弁護士はメモを取りながら、これなら攻め方はいくらでもあると考えていた。こういう一見人が好さそうでいながら、妻に対して横暴だというタイプを、彼女は最も嫌っていた。

「あたし信じられないんです。あの人がこんなことをするなんて。あんなに、前は優しかったのに」高宮雪穂は白い手で口元を覆い、すすり泣きを始めた。

第十章

1

駐車場に入ったところで今枝直巳《いまえだなおみ》は顔をしかめた。数十台分のスペースが殆ど埋まっていたからだ。バブルはもう弾けたんじゃなかったっけ、と彼は独り言を呟いた。

一番奥の駐車スペースに愛車のプレリュードを止め、今枝はトランクからキャディバッグを引っ張り出した。うっすらと埃をかぶっているのは、二年ほど部屋の隅に置きっぱなしだったからだ。職場の先輩に勧められてゴルフを始め、多少打ち込んだ時期もあったが、独立して一人で仕事をするようになってからは、クラブをキャディバッグから出すことさえなくなってしまった。忙しいからではなく、コースに出る機会がないからだ。一匹狼には向かないスポーツだと、つくづく思う。

安手のビジネスホテルを連想させるイーグルゴルフ練習場の正面玄関から中に入り、今枝は改めてうんざりした。ロビーでは、順番待ちのゴルファーたちが退屈そうにテレビを見ていた。その数は十人弱というところか。

　出直したい気分だったが、平日にでも来ないかぎり状況は変わらないだろう。仕方なく彼はフロントカウンターで順番待ちの手続きをした。

　空いているソファに腰掛け、今枝はぼんやりとテレビに目を向けた。相撲中継が流れていた。大相撲夏場所だ。まだ時間が早いので、画面に映っているのは十両の取組だった。しかし最近は相撲の人気が上がり、十両や幕内前半の取組にも注目するファンが増えた。若貴兄弟や、貴闘力、舞の海といった新スターが台頭してきたからだろう。特に貴花田は先場所史上最年少で三賞力士になったのに続き、今場所初日にはこれまた史上最年少金星を千代の富士から奪っている。千代の富士は、その二日後には貴闘力にも敗れ、それを最後に引退を決意した。

　時代は間違いなく変化しているのだなと今枝はテレビ画面を見ながら思った。マスコミは連日、バブル景気の終焉《しゅうえん》を伝えている。株や土地で大儲けしていた連中も、今後はその夢が泡の如く弾けていくのを見て、顔色を変えることになるだろう。これでこの国も少しは静かになるかもしれないなと今枝は期待していた。ゴッホの絵に百億円以上を支払うなんてのは、世の中が狂っている証拠だ。

　ただし若い女性のリッチぶりには変化がないらしいぞと、ロビーを見渡して感じた。一昔前は、ゴルフといえば男の遊びだった。しかもある程度の地位を築いた大人の男の楽しみだった。ところが最近では、すっかり若い女性たちにゴルフ場が占拠された形らしい。事実、順番待ちをしているゴルファーの半分は女性だった。

　もっとも、だからこそ俺も久しぶりにクラブを握ることになったのだが、と彼は心の中で苦笑する。学生時代の友人が電話をかけてきたのは四日前だ。ホステス二人をゴルフに連れていくことにしたのだが、一緒に行かないかと話を持ちかけてきたのだ。どうやら、一緒に行くはずだった男の都合がつかなくなったらしい。

　最近は運動らしいことを何もしていないなと思い、話に乗ることにした。もちろん若い女性が一緒と聞いて、下心が芽生えたのも事実だ。

　一つ気になることは、しばらくクラブを握っていないことだった。それでここに練習場があったことを思い出し、やってきたというわけだった。コースに出るのは二週間後だ。それまでに恥をかかない程度には勘を取り戻しておきたいと考えていた。

　タイミングがよかったのか、三十分ほど待っただけで今枝の名前がアナウンスされた。フロントカウンターで打席番号を書いた札と玉出し用のコインを受け取り、レンジに出ていった。

指定された打席は一階の右サイドにあった。近くのボール貸出機にコインを入れ、とりあえず二籠分ほどボールを出した。

軽く柔軟体操らしきものをしてから打席についた。久しぶりなので、かつて得意にしていた七番アイアンから始めることにした。しかもフルスイングではなく、コントロールショットだ。

最初少し戸惑ったが、次第に感覚が蘇ってきた。二十球ほど打った頃には、大きく振れるようになっていた。体重移動もスムーズだし、フェースのスウィートスポットでボールを捉えている感覚がある。目測したところでは、七番アイアンで百五、六十ヤードは飛んでいそうだ。なんだ、ブランクがあっても結構大丈夫なものだなと、今枝は悦に入った。ゴルフに熱中していた頃は、知り合いのレッスンプロに教わっていた。

クラブを五番アイアンに換えて何球か打った頃、斜め横からの視線を感じた。今枝のすぐ前の打席で打っていた男が、椅子に座って休憩しているのだが、どうやら先程から彼のショットを見ているようなのだ。悪い気はしないが、打ちにくいのも事実である。

今枝はクラブを取り換えながら男のほうをちらりと見た。若い男だった。三十歳にはなっていないかもしれない。

おや、と今枝は小さく首を傾げた。どこかで会ったような気がしたからだ。彼はもう一度、横目で盗み見た。やはりそうだ。見覚えがある。どこで会ったのだろう。しかし男の様子を見たかぎりでは、向こうは今枝のことを知らないようだった。

思い出せぬまま、今枝は三番アイアンの練習を始めた。程なく、前の男も打ち始めた。なかなかの腕前だった。しかもフォームもいい。ドライバーを使っているが、二百ヤード先にあるネットに、真っ直ぐぶつかっていく。

男が顔を少し右に回した時、首の後ろに二つ並んだ黒子《ほくろ》が見えた。それを見て今枝は、あっと声を出しそうになった。男が誰だったかを不意に思い出したのだ。

高宮誠だった。東西電装株式会社特許ライセンス部所属――。

ああそうか、と今枝は合点した。この男とここで会うのは、偶然でも何でもなかった。ゴルフの練習をしようと思って、すぐにこの練習場を思い出したのは、三年前の件があったからだ。そして高宮のことも、あの時に知ったのだ。

高宮のほうは今枝のことを知っているはずがない。それは当然のことだった。

あの後、どうなったのだろうなと今枝は思った。あの女性とは、今も付き合っているのだろうか。

三番アイアンがどうしてもうまくいかないので、今枝はひと休みすることにした。自動販売機でコーラを買うと、椅子に腰掛け、高宮が打つのを眺めた。高宮はピッチングショットの練習をしている。狙いはどうやら五十ヤード程先にある旗のようだ。ハーフショットされたボールが、ふわりと上がって旗のそばに落ちていく。見事なものだった。

視線を感じたのか、高宮が振り返った。今枝は目をそらし、缶コーラに口をつけた。

高宮が今枝のほうに近づいてきた。

「それ、ブローニングですよね」

えっ、と今枝は顔を上げた。

「アイアンです。ブローニングじゃないですか」高宮は今枝のキャディバッグの中を指していった。

「ああ」今枝はアイアンのヘッドに刻印されたメーカー名を確認した。「そうみたいですね。よく知らないんですけど」

ふらりと立ち寄ったゴルフショップで衝動買いしたものだった。そこの店主が、お奨めの品だといって出してきたのだ。このクラブがどう優れているかを延々と述べた後、あんたのような細めの体形の人に向いているともいった。だが今枝が買う気になったのは、その講釈を信じたからではなく、ブローニングというメーカー名が気に入ったからだ。彼は以前、銃に凝っていた時期があった。

「ちょっと見せてもらっていいですか」高宮は訊いた。

「どうぞ」と今枝はいった。

高宮は五番アイアンを抜き取った。

「友人で急にうまくなった奴がいましてね、そいつがブローニングを使っているんです」

「へえ。でもそれは、その人の腕がいいということでしょう」

「でもアイアンを換えてから急にうまくなったんですよ。それで僕も、自分に合ったものを探し直したほうがいいかなと思いましてね」

「なるほど。でも、十分にお上手じゃないですか」

「いや、本番になるとだめなんです」そういいながら高宮は、構えたり、軽く振ったりした。「ふうん、グリップが少し細いんだな……」

「何でしたら、打ってみたらどうですか」

「いいですか」

「どうぞどうぞ」

では、といって高宮は今枝のクラブを持ったまま打席に入った。そして一球二球と打ち始めた。いかにもスピンのよくきいていそうなボールが、勢いよく上がっていく。

「素晴らしいですね」と今枝はいった。お世辞ではなかった。

「いい感じです」と高宮も満足そうにいった。

「どうぞお好きなだけ打ってください。私はウッドを練習しますから」

「そうですか。ありがとうございます」

高宮は再び打ち始めた。ミスショットが殆どない。それはクラブのおかげではなく、彼のフォームがしっかりしているからだ。やはりスクールに通っていただけのことはあると今枝は思った。

そう、高宮はここのゴルフスクールに通っていたのだ。そしてそこで一緒だった女性と付き合っていた。

少し考えてから今枝は彼女の名前を思い出した。三沢千都留という名前だった。

2

三年前、今枝は東京総合リサーチという会社にいた。企業や個人に関する調査全般を請け負う会社で、全国に十七の事務所を持っていた。今枝が勤務していたのは目黒事務所だった。その会社の特徴は、企業からの依頼が多いことだった。依頼内容は、取引を考慮中の会社について実績や経営の実態について調べてくれというものから、自分のところのある社員にヘッドハンターが近づいている可能性があるので探ってほしいというものまで様々だ。若社長がどの女子社員と関係を持っているかを調べてくれという依頼が来たこともある。役員室付きの女子社員四人全員が若社長のお手つきだと判明した時には、調査に当たっていた今枝たちも苦笑したものだ。

東西電装株式会社の関係者と名乗る男が持ってきた話も奇妙なものだった。ある会社の、ある製品について調べてほしいというのだ。ある会社とは、メモリックスという名のソフトウェア開発の会社だった。そしてある製品とは、そこが売り出し中の金属加工エキスパートシステムというソフトのことだった。

つまりそのソフトの開発経緯や、中心になって開発した人間の略歴、交際範囲などを調査するというのが依頼内容だった。

調査の目的について、その依頼人は詳しいことを話さなかった。だがいくつかの言葉の断片から、漠然とではあるが窺い知ることはできた。どうやら東西電装では、そのソフトを自社開発ソフトの内容を盗用したものと睨んでいるらしい。だが製品を比べただけでは立証は困難と判断し、誰が盗んだのかを明らかにしようと思ったわけだ。コンピュータソフトを盗むには東西電装内に共犯者が必要なので、メモリックスの開発担当者の周辺を探れば、どこかに東西電装関係者との接点が見つかるのではないかというのが、依頼人たちの考えのようだった。

　東京総合リサーチ目黒事務所には約二十人の調査員がいた。そのうちの半数が、この仕事にあてられた。今枝もその一人だった。

　調査を始めて二週間ほどで、メモリックスという会社の実態はほぼ明らかになった。設立は一九八四年で、元プログラマーの安西《あんざい》徹《とおる》という男が社長だ。アルバイトを含め、十二名のシステムエンジニアを抱えている。主にメーカーから依頼を受け、様々なシステム開発を行うことで実績を伸ばしていた。

　だが問題の金属加工エキスパートシステムには、たしかに不可解な点が多かった。その最大のものは、金属加工に関する膨大なノウハウやデータを、どこから入手したのかということだった。一応ソフト開発にあたり、ある中堅の金属材料メーカーが技術協力をしたことにはなっている。しかし今枝たちが詳しく調査してみると、先にすでに開発されたソフトがあり、金属材料メーカーでは確認作業をしただけのようなのだ。

　一番考えられるのは、これまでの顧客から得たデータを流用したということだった。メモリックスはいろいろな会社と協同で仕事をする関係から、相手会社の技術情報に接する機会がある。当然それらの中には金属加工に関する情報も含まれていただろう。

　しかしやはりこれは考えにくかった。情報管理については、顧客との間で細かい契約がいくつも交わされており、メモリックスの人間が無断で情報を社外に持ち出したり、それを外部に漏らしたことが発覚した場合には、メモリックスに厳重なペナルティが科されることになっているのだ。

　それだけに東西電装のソフトが盗まれたというのは、ありそうな話に思われた。メモリックスは東西電装とは全く接点がない。しかも東西電装のソフトは社外には出ていない。仮にソフトの内容に酷似したところがあったとしても、メモリックスとしては偶然の一致を主張できるわけだ。

　調査を続けるうち、やがて一人の男が浮かびあがってきた。メモリックスの主任開発員という肩書きを持つ男で、名前を秋吉雄一といった。

　この男がメモリックスに入ったのは一九八六年だ。その直後から、突然メモリックスで金属加工エキスパートシステムの研究が始まっている。さらに翌年には、ほぼ開発が終わっている。常識ではとても考えられないスピードだ。ふつうならば短くても三年はかかる研究だった。

　秋吉雄一は、金属加工エキスパートシステムのベースになる情報を手土産にメモリックスに入ったのではないか——それが今枝たちの立てた推論だった。

ところがこの秋吉については、殆ど何もわからなかった。

住んでいたのは豊島区内の賃貸マンションだが、住民登録をしていなかった。そこで今枝たちはマンションの管理会社にあたり、秋吉の入居前の住所を調べてみた。それは何と名古屋になっていた。

早速調査員がその場所に行ってみた。だがそこに建っていたのは、煙突のように背の高いビルだけだった。調査員は近所の人間に尋ねてまわった。しかしそのビルが建つ前に秋吉という人間が住んでいたという話を聞くことはできなかった。区役所で調べた結果も同じだった。秋吉雄一は住民登録などしていなかったのだ。また秋吉が部屋を借りる際、彼の保証人になった人物も名古屋に住んでいるはずだったが、その住所の場所には誰もいなかった。

どうやら部屋を借りる際に秋吉が管理会社に提出した書類は、偽造されたものである可能性が高かった。つまり秋吉雄一という名前も、本名ではないかもしれないのだ。

秋吉とは一体何者なのか。それを明らかにするため、最も基本的な調査が行われた。すなわち行動を見張り続けたわけだ。

豊島区のマンションには、秋吉の留守中に盗聴器が仕掛けられた。部屋での会話を聞くものと、電話を盗聴するものの二つだ。また彼のところに届く郵便物は、書留や速達を除き、殆どすべて開封して中を調べた。調べた後は、封を閉じ直して郵便受けに戻しておく。もちろんこれらの手段で得られた情報は、たとえば裁判などでは使えない。だがとにかく彼の正体を暴くことが先決だった。

秋吉は会社と自宅とを往復するだけの生活をしているように見えた。部屋に訪ねてくる者もなく、電話の内容も特に意味のありそうなものはなかった。というより、殆ど電話はかかってこなかった。

「あいつは一体何が楽しくて生きているんだろうな。まるで孤独じゃないか」今枝とコンビを組んでいた男が、モニターに映る部屋の窓を見ながらいったことがある。クリーニング店のバンに見せかけた車の中でのことだ。カメラは車の屋根に備え付けてあった。

「何かから逃げているのかもしれないぜ」と今枝はいった。「だから正体を隠している」

「人を殺したとか？」相棒がにやりと笑った。

「かもしれない」今枝も笑って応じた。

秋吉に、連絡を取るべき相手が最低一人は存在することがわかったのは、それから少し経ってからだった。彼が部屋にいる時、けたたましく電子音が鳴りだしたのだ。ポケットベルの音だった。今枝は緊張し、ヘッドホンに神経を集中させた。秋吉がどこかに電話すると思ったからだ。

ところが秋吉は部屋を出てしまった。そしてマンションからも出て、歩きだした。今枝たちは急いで尾行した。秋吉は酒屋の表にある公衆電話の前で立ち止まり、どこかに電話をかけた。無表情のまま何かを話している。話している間も、周囲に視線を配ることを忘れない。だから今枝たちも近づけなかった。

こんなことが何度か続いた。ポケットベルが鳴った後には、必ず秋吉は電話をかけに外に出る。決して部屋の電話を使わないことから、盗聴器に気づいているのだろうかとも思ったが、それならば早々に取り外してしまうはずだった。おそらく秋吉は、重大な電話をかける時には外の電話を使う習慣を身につけていたのだろう。その公衆電話にしても、一箇所に決めず、その時によって違う場所の電話を使う徹底ぶりだった。

ポケットベルを鳴らしてくるのはどこの誰か。それが当時の最大の謎だった。

しかしその謎が解けぬまま、事態は別の方向に動きだした。秋吉が不可解な行動をとり始めたのだ。

まず、ある木曜日に秋吉は、会社が終わった後で新宿に出た。珍しいというより、今枝たちが調査を開始して以来初めてのことだった。秋吉は新宿駅西口のそばの喫茶店に入った。

そこで彼は、ある男と会った。年齢は四十代半ば、痩せて小柄で、能面のように表情の読みにくい顔をしていた。今枝はその男を一目見て、胸騒ぎのようなものを感じた。

秋吉は男から大型封筒を受け取っていた。彼は中身を確かめると、交換するように小さな封筒を渡した。男が封筒から出したのは現金だった。それを手早く数え、上着の内ポケットに入れると、一枚の紙を秋吉に差し出した。

領収書だな、と今枝は思った。

秋吉と男はその後数分言葉を交わし、同時に立ち上がった。今枝は相棒と二手に分かれ、二人を尾行した。今枝がつけたのは秋吉のほうだった。秋吉はその後真っ直ぐに自宅に帰った。

相棒が尾行していた男は、都内に事務所を構える探偵事務所の所長だった。所長といっても、他には妻という名の助手がいるだけだ。

やはり、と今枝は合点した。あの男からは、同業者特有の臭いのようなものが発せられていたのだ。

秋吉が探偵を使って何を調べたのかを知りたかった。

東京総合リサーチと何らかの繋がりのある興信所ならば、手段がないわけではない。だが秋吉が雇った探偵は、全くのフリーで商売をしている男だった。下手に接触して、自分たちの調査内容を探られでもしたら、取り返しのつかないことになる。

とりあえず秋吉をマークし続けようということになった。

その週の土曜日、秋吉が再び動きを見せた。

例によって今枝たちがマンションを見張っていると、ブルゾンにジーンズというラフな格好をした秋吉が出てきた。今枝は相棒と共に彼の後をつけた。この時今枝には、ある予感があった。単なる外出とは思えない不穏な気配が秋吉の背中には漂っていた。

秋吉は電車を乗り継ぎ、下北沢の駅に降り立った。鋭い視線を常に周囲に向けてはいたが、尾行に気づいている様子はなかった。

彼は小さなメモのようなものを手に持ち、時折住所表示を見ながら、駅の周辺を歩いていた。どこかの家を探しているらしいと今枝は見当をつけた。

やがて彼の足が止まった。線路脇にある三階建ての小さな建物の前だ。独身者用のワンルームマンションといった感じだった。

秋吉はその建物には足を踏み入れず、向かい側の喫茶店に入っていった。今枝は少し迷ってから、一緒にいた相棒を喫茶店に入らせた。もしかすると秋吉はここで誰かと待ち合わせをしているのかもしれないと思ったからだ。自分は近くの書店で待つことにした。

一時間後、相棒は一人で店から出てきた。

「待ち合わせじゃねえな」と彼はいった。「あれは張り込んでるんだ。あそこに住んでる誰かを見張ってるんだろう」顎で向かいのマンションを示した。

今枝は探偵のことを思い出していた。秋吉はこのマンションに住んでいる人間のことを調べさせていたのではないか。

「すると俺たちも、ここでじっとしてなきゃならないわけか」今枝はいった。

「そういうことだ」

今枝はため息をつき、公衆電話を探した。事務所に連絡して、車を持ってきてもらうためだった。

だがその車が到着しないうちに秋吉が店から出てきた。今枝がマンションのほうを見ると、一人の若い女が駅のほうに歩きだしたところだった。手にゴルフのクラブケースを持っていた。秋吉はその女から十数メートル離れてついていく。その秋吉を、今枝たちが尾行した。

女の行き先はイーグルゴルフ練習場だった。秋吉も中に入っていったので、今度は今枝が後を追うことにした。

見張っていると、女はゴルフ教室に参加していた。秋吉はそれを確認するように見送ると、ゴルフ教室に関するパンフレットを一枚取り、出ていった。そしてその日はもうイーグルゴルフ練習場には戻ってこなかった。

女について調査してみた。身元はすぐに判明した。人材派遣会社に籍を置く、三沢千都留という人物だった。今枝たちはその会社に問い合わせ、彼女がかつて東西電装に派遣されていたことを突き止めた。つまり、とうとう秋吉と東西電装とが繋がったわけだ。

今枝たちは勢い込んで、引き続き秋吉をマークすることにした。いずれ三沢千都留と接触する時が来ると信じていた。

ところが事態は意外な方向に傾いていった。

しばらく目立った動きを見せなかった秋吉が、ある土曜日に再びイーグルゴルフ練習場に足を向けた。ちょうど三沢千都留が参加しているゴルフ教室の始まる時間帯だった。

だが秋吉は三沢に近づこうとはしない。相変わらず、陰から彼女を見張っていた。

やがて別の男が三沢千都留の横に座り、親しげに話し始めた。二人はまるで恋人同士のように見えた。

そして秋吉は、それを見届けることが目的だったかのようにゴルフ練習場を後にした。

結果的に、秋吉が三沢千都留に接近したのはこの時が最後になった。その後彼は一度もイーグルゴルフ練習場には足を向けなかったのだ。

今枝たちは、三沢千都留と一緒にいた男のことを調べた。男は高宮誠という名前で、東西電装の社員だった。所属は特許ライセンス部だ。

当然、何かあると思った。二人の関係や、秋吉との繋がりについて調査を行った。

だがソフト盗用に関連しそうな手がかりは、何ひとつ得られなかった。判明したのは、妻のある高宮誠が三沢千都留を相手に不倫をしているらしい、ということだけだった。

そのうちに依頼人のほうから調査の打ち切りを要請してきた。調査費がかさむばかりで有益な情報が少しも得られないのでは無理もない話だった。東京総合リサーチでは、分厚い調査報告書を依頼人に渡したが、それがどの程度活用されたかは不明だ。たぶん即座にシュレッダーにかけられたのだろうと今枝は推測している。

3

奇妙な金属音がして今枝は我に返った。顔を上げると高宮誠が呆然とした顔で立ち尽くしていた。

「あ、ああ……」高宮は持っていたクラブの先を見て、口を大きく開いた。クラブの先端がぽっきりと折れていた。

「あっ、折れちゃいましたか」今枝は周囲を見回した。高宮がいる場所から三メートルほど先に、クラブのヘッドが落ちていた。

　周りの客たちも事態に気づいたらしく、打つのをやめて高宮を見ている。その間に今枝は前に出ていき、折れたクラブヘッドを拾った。

「あっ、どうもすみません。どうしてこんなことになっちゃったんだろう」高宮は先端のないクラブを握ったまま、途方にくれた様子でいった。顔が青ざめている。

「金属疲労というやつでしょう。この五番アイアンは、かなり酷使しましたからね」今枝はいった。

「申し訳ありません。ちゃんと打ってたつもりなんですけど……」

「ええ、わかっています。昔、私がちゃんと打たなかったことのツケが、今日こういう形で出たということでしょう。私が打っていても折れていたはずです。どうか気にしないでください。それより怪我はありませんか」

「はい、それは大丈夫です。あの……これは僕に弁償させてください。折ったのは僕ですから」

　高宮がいったが、今枝は顔の前で手を振った。

「そんな必要はありません。どうせ時間の問題で折れていたものなんですから。弁償なんかしてもらったら、こっちが恐縮します」

「でもそれでは僕の気が済みませんから。それに弁償するといっても、僕の懐が痛むわけではないんです。保険を使うんです」

「保険？」

「ええ。ゴルファー保険に入っているんですよ。しかるべき手続きをすれば、全額保険金で賄えるはずです」

「でもこれは私のクラブだから、保険は使えないんじゃないのかな」

「いや、たぶん使えるはずです。ここのプロショップで訊いてみましょう」

　高宮が折れたクラブを手にロビーのほうに向かったので、今枝も後を追った。

　プロショップはロビーの一画に作られていた。高宮は顔馴染みらしく、日焼けした顔の店員が彼を見て挨拶した。高宮は折れたクラブを見せて事情を説明した。

「ああ、それなら大丈夫です。保険金は出ますよ」店員は即座にいった。「保険金を請求するのに必要なのは、破損があった場所の証明書と、折れたクラブの写真、それから修理代金の請求書だったと思います。そのクラブが本人のものかどうかなんてことは証明できませんものね。うちのほうで必要な書類は揃えますから、高宮さんは保険屋さんに連絡しておいてください」

「よろしくお願いします。あの、それで修理には何日ぐらいかかりますか」

「そうですね。同じシャフトを見つけなきゃいけないから、二週間ぐらいはかかるかもしれません」

「二週間……」高宮は困った顔で今枝のほうを振り返った。「それでかまいませんか」

「ええ、平気です」今枝は笑いながらいった。二週間後となると、次のラウンドには間に合わないかもしれなかったが、クラブの一本ぐらいなくてもスコアにさほどの違いが出るとは思えなかった。何より、これ以上この男に気を遣わせたくなかった。

その場でクラブの修理を依頼し、今枝たちは店を出た。

「あら、誠さん」

二人が再び練習場に向かおうとした時、誰かが高宮に声をかけてきた。声の主を見て、今枝は思わず口元を引き締めた。知っている顔だった。三沢千都留だ。彼女の後ろに長身の男が立っていたが、こちらは知らない顔だ。

「よお」と高宮は二人にいった。

「もう練習は終わったの？」と千都留は訊いた。

「いや、それがちょっとしたアクシデントがあってね。こちらの方に大変な迷惑をかけちゃったんだ」

高宮は事情を千都留たちに話した。聞いているうちに彼女の顔は曇っていった。

「そうなんですか。どうもすみませんでした。クラブを借りるだけでも厚かましいのに、折っちゃうなんて……」千都留は今枝に頭を下げた。

「いや、本当にいいんです」今枝は手を振ってから、「ええと、奥さんですか」と高宮に訊いた。

ええまあ、と高宮は少し照れを滲ませた顔で答えた。すると不倫は無事に成就したわけか、珍しいこともあるものだと今枝は思った。

「怪我をした人はいないのかな」千都留の後ろに立っていた男が訊いた。

「それは大丈夫だ。あ、それより、名刺をお渡しするのを忘れていました」高宮はゴルフスラックスのポケットから財布を出し、そこに入れてあった名刺を今枝のほうに差し出した。「高宮といいます」

「あ、これはどうも」

今枝も財布を出した。彼もそこに名刺を入れていた。だが一瞬迷った。どの名刺を渡せばいいだろうかと考えたのだ。彼は常時数種類の名刺を持ち歩いている。いずれも名前や肩書きが違うのだ。

結局彼は本物の名刺を渡すことにした。ここで偽名を使っても無意味だし、今後高宮たちが顧客になってくれないともかぎらないからだ。

「へえ、探偵事務所の方だったんですか」今枝の名刺を見て、高宮は不思議そうな顔をした。

「何かありましたら、是非ご用命を」今枝は軽く頭を下げた。

「浮気調査とかなさるんですか」千都留が訊いてきた。

「ええ、それはもう」今枝は頷いた。「一番多い仕事といえるでしょうね」

　彼女はくすりと笑い、高宮にいった。「じゃあそのお名刺、あたしが預かっておいたほうがよさそうね」

「かもしれないな」高宮は、にやにやして応じた。

　今枝は、そうですよ、特に今の時期が一番危険だから注意したほうがいいですよ、と千都留にいいたい気分だった。

　彼女の下腹部は、大きくせり出していたのだ。

4

　今枝直巳の事務所兼住居は西新宿にある。細い道路に面した五階建てビルの二階だ。すぐそばにバスの停留所があり、新宿駅からは数分で来られる。しかしそれでも客にとっては便利とはいえないらしい。電話で道順を教えた途端、彼等は決まって憂鬱そうな声を出す。何とか足を運んでもらおうと、今枝は懸命に愛想よく受け答えをするが、電話を切った後には、いつもどっと疲れが出た。

　駅のそばに移れば有利なのはわかっている。依頼人は大抵、あれこれ迷いながら探偵事務所に向かっているものだ。バスに乗っている数分間に、やはり探偵なんかを雇うのはやめようと心変わりすることも、大いにありうることだった。

　しかし地価高騰に伴い、家賃も異常に上昇していた。今枝は狭い事務所一つを借りるために、毎月目の飛び出るほどの大金を払う気にはとてもなれなかった。賃貸料は結局調査費の値上げに繋がる。なるべくリーズナブルな値段で依頼人の期待に応えたいというのが、この仕事を始めた時からの彼の考えだった。

　その事務所に篠塚一成から電話がかかってきたのは、七月を間近にした水曜日のことだった。窓の外では、糸のように細い雨が降り続いていた。だから今日も客は来ないかもしれないなと諦めていた時でもあった。

　電話の主が篠塚とわかった瞬間、仕事の話だなと今枝は直感した。依頼人の声には、独特の響きがあるのだ。

　案の定彼は、折り入って話があるのでこれから行ってもいいですか、と訊いてきた。待っています、と今枝は答えた。

電話を切ってから、今枝は首を傾げた。篠塚一成は独身のはずだ。ということは単なる浮気調査ではないかもしれない。また彼は、恋人の浮気を察知したとしても、その確認を他人に任せるような男には見えなかった。

高宮誠とゴルフ練習場で偶然出会ったあの日、高宮の妻となった千都留の後ろに立っていたのが篠塚一成だった。あの日彼等は三人で食事をするつもりで、ゴルフ練習場で待ち合わせたらしい。さすがに今枝はその食事にまでは付き合わなかったが、練習場のロビーで紙コップに入ったインスタントコーヒーを飲みながら、三人と少し会話を楽しんだ。篠塚の名刺も、その時に貰った。

その後、今枝は彼とゴルフ練習場で二度ほど会った。篠塚もゴルフの腕前はなかなかのものだった。

今枝の仕事についても、少し話をしたことがある。篠塚はあまり関心があるように見えなかったが、あの時すでに考えるところがあったのかもしれない。

今枝はマルボロの箱から煙草を一本抜き取り、使い捨てライターで火をつけた。乱雑に書類を置いた机に足を載せ、椅子に大きくもたれて一服した。灰白色の煙が薄暗い天井で漂った。

篠塚一成はただのサラリーマンではない。伯父が社長をしている篠塚薬品の幹部候補生だ。となると企業に関係した調査依頼である可能性もなくはない。

そんなふうに想像した途端、今枝は全身の血の流れが速まるのを感じた。久しぶりに味わう感覚だった。

今枝が東京総合リサーチを辞めて独立したのは二年前だった。安い給料で人にこき使われるのが嫌になったし、一人でやっていけるという自信もついたからだ。各方面へのコネクションも、かなり構築できた。

実際経営状態は悪くなかった。男一人が食べていける程度には、安定して仕事の依頼が来る。少しは貯金もしているし、月に一度ゴルフを楽しむ程度の余裕はある。

ただ満足度は低かった。現在の彼の仕事の大半は浮気調査だ。東京総合リサーチにいた頃にはしょっちゅうあった企業絡みの調査依頼など、皆無といえた。来る日も来る日も、男と女の愛憎の臭いを嗅いでまわっている。それが嫌なのではない。ただ以前のようには緊張していない自分に、今枝は気づいていた。

かつて彼には警察官になろうとした時期があった。試験に合格し、警察学校にまで入ったのだ。しかしそこでの無意味としか思えない規律の厳しさに嫌気がさし、途中で退学した。二十代前半の話だ。

その後アルバイトをいくつか経験し、ある日新聞で東京総合リサーチの社員募集広告を見つけた。警察がだめなら探偵になるか、そんな半分冗談のような気持ちで面接を受けに行った。採用にはなったが、最初はアルバイト待遇だった。それが半年続いて正社員になった。

調査員をしてみて、この仕事が自分に向いていることを発見した。映画やドラマに出てくる私立探偵のような派手さは全くない。孤独で地味な作業の繰り返しだ。警察のような権力を持っていないから、どんな世界にも正面玄関から入っていくわけにはいかない。加えて依頼人の秘密を守る義務がある。調査した形跡を可能なかぎり残さず、それでいて調査に漏れがあってはならない。しかし苦労の末に目的の情報を手に入れた時の喜びと達成感は、ほかでは味わえなかった。

あの興奮を取り戻せるのではないか――篠塚の電話を受け、今枝はそんなふうに期待し始めていた。良い予感があるのだった。

だが彼は首を振り、煙草を灰皿の中で潰した。やめておけ、下手に期待してもがっかりするだけだ。どうせまた女の素行調査さ。そうに決まっている――。

コーヒーを淹れようと彼は立ち上がった。壁の時計は二時を指していた。

5

篠塚一成は二時二十分頃にやってきた。薄いグレーのスーツを着ており、雨にもかかわらずヘアスタイルもぴしりと決まっていた。ゴルフ練習場にいる時よりも、四、五歳は年上に見えた。エリートの貫禄というやつかなと今枝は思った。

「最近はあまり練習場で会わないですね」椅子に座ってから篠塚はいった。

「コースに出る予定がないと、つい面倒くさくなって」今枝はコーヒーを出しながらいった。例のホステスたちとのラウンド以来、一度しか練習場に行っていない。その一度にしても、修理の終わった五番アイアンを受け取りにいったついでのことだった。

「それなら今度一緒に回りませんか。いくつか融通のきくコースがあるんですが」

「いいですね。是非誘ってください」

「じゃあ、高宮にも声をかけておきましょう」そういって篠塚はコーヒーカップを口元に運んだ。しぐさや口調に依頼人特有の固さがあることに、今枝は気づいていた。

篠塚はカップを置き、吐息を一つついてから口を開いた。「じつは妙なことをお願いしたいんです」

今枝は頷いた。「ここに来られる方は大抵、自分の依頼は妙なものだと思っておられるようです。どういったことですか」

「ある女性のことです」と篠塚はいった。「ある一人の女性について調べていただきたいのです」

「なるほど」小さな落胆を今枝は感じた。やっぱり女の話か。「篠塚さんの恋人ですか」

「いえ、自分とは直接関係のない女性なんですが……」篠塚はスーツの内側に手を入れ、写真を一枚取り出してきた。それを机の上に置いた。「この女性です」

「拝見します」今枝は手を伸ばした。

そこに写っているのは奇麗な顔だちをした女だった。どこかの屋敷の前で撮ったものらしい。コートを着ているところを見ると、季節は冬だろう。白い毛皮のコートだ。カメラに微笑みかけてくる表情はじつに自然で、プロのモデルだといわれてもおかしくはない。「美人ですね」今枝は、まずそう感想を述べた。

「僕の従兄が現在交際している女性です」

「いとこさん……というと、篠塚社長の？」

「息子です。今は常務のポストについてます」

「おいくつですか」

「四十五……だったかな」

今枝は肩をすくめた。その年齢で大手製薬会社の常務になることなど、ふつうのサラリーマンでは考えられないことだ。

「奥さんはいらっしゃるんでしょう」

「いえ、今はいないんです。六年前に飛行機事故で亡くなりました」

「飛行機事故？」

「日航ジャンボ機の墜落事故です」

「ああ」今枝は頷いた。「あの飛行機に乗っておられたんですか。それはお気の毒でしたね。ほかにお身内で亡くなられた方はいらっしゃるんですか」

「いえ、身内で乗っていたのは彼女だけでした」

「お子さんはいらっしゃらなかったのですか」

「二人います。男の子と女の子です。でも幸い例の飛行機には乗っていなかったんです」

「不幸中の幸い、というわけだ」

「まあそうです」と篠塚はいった。

今枝は改めて写真の女性を見た。大きく少しつり上がり気味の目は猫を連想させた。

「奥さんがお亡くなりになっているのなら、その従兄さんが女性と交際すること自体には何も問題はないわけですよね」

「もちろんそうです。僕たち親戚としても、できるだけ早く良い相手と巡り合ってほしいと願ってはいるんです。何しろ彼は、近い将来うちの会社を背負って立つ人物ですから」

「すると」今枝は写真のすぐ横を、とんとんとんと指先で叩いた。「この女性に何か問題があるわけですか」

篠塚は椅子に座り直し、身を乗り出してきた。

「はっきりいいますと、そういうことです」

「へえ」今枝は再び写真を手に取った。見れば見るほど美人だ。肌などは、陶器で作られたかのように白くて滑らかそうだ。「どういうことですか。差し支えなければ教えていただけませんか」

　篠塚は小さく頷き、机の上で指を組んだ。

「じつは、この女性は過去に結婚歴があるんです。でももちろんそんなことは問題ではありません。問題なのは、結婚していた相手です」

「誰なんですか」今枝も、つい声をひそめていた。

　篠塚は一度ゆっくり呼吸をしてからいった。

「あなたもよく知っている人物です」

「はあ？」

「高宮です」

「えっ」今枝は背中をぴんと伸ばした。そしてしげしげと篠塚の顔を見た。「高宮さんって、あの高宮さんですか」

「そうです。あの高宮誠です。彼の奥さんだったんです」

「それはまた、なんと……」今枝は写真を見て、首を横に振った。「驚きました」

「でしょうね」篠塚は微苦笑を浮かべた。「お話ししたかもしれませんが、僕と高宮とは大学のダンス部で一緒だったんです。で、この写真の女性は、うちと合同練習をしていた女子大ダンス部の部員でした。二人はそれをきっかけに交際し、結婚したんです」

「離婚したのは？」

「八八年だから……三年前になるかな」

「離婚の原因は千都留さん？」

「詳しいことは聞いていませんが、まあそういうことなのだろうと思います」篠塚は唇の端を微妙に歪めた。

　今枝は腕組みをし、三年前のことを回想した。すると彼等が調査を打ち切った直後に、高宮は妻と別れたらしい。

「それで、この高宮さんの元奥さんが、今度はあなたの従兄さんと交際しているわけですね」

「そうです」

「それは偶然だったのですか。つまりあなたの全く知らないところで従兄さんと高宮さんの前の奥さんが出会い、付き合い始めたわけですか」

「いや、偶然とはいえません。結果的には、やっぱり僕が従兄と彼女を引き合わせてしまったということになります」

「といいますと？」

「僕が従兄を彼女の店に連れていったんです」

「店？」

「南青山にあるブティックです」

篠塚によると、この唐沢雪穂という名前の女性は、高宮と結婚していた頃からいくつかのブティックを経営しているらしい。その頃篠塚は一度も行ったことがなかったが、彼女が高宮と離婚してしばらくした頃、特別セールの招待状が来たのを機に、初めて足を運んだのだという。その理由について彼は、「高宮から頼まれたんですよ」と説明した。「別れたとはいえ、かつては妻だった女性が一人で生きていこうとするのを、陰ながら少しでも後押ししてやろうと思ったようです。離婚の原因はどうやら彼のほうにあったようですから、詫びる気持ちもあったんじゃないですか」

今枝は頷いた。よくある話ではあった。こういう話を聞くたびに、つくづく男というのはお人好しな生き物だと思う。時には、離婚の原因が妻のほうにあったにもかかわらず、別れた後も何かと力になってやろうとする男さえいる。ところが女のほうは、仮に自分に非があったとしても、別れた男のその後の人生には全く無関心だ。

「僕も彼女のことは多少気になっていましたからね、元気にしているかどうかを確かめる目的で行ってみることにしたんです。ところがその話を従兄にしてみたら、自分も行ってみたいといいだしたんです。ちょっとしゃれた普段着を探している、というような理由だったと思います。それで一緒に行ったわけです」

「そして運命の出会いがあったわけだ」

「どうやらそういうことのようです」

篠塚は、その康晴《やすはる》という従兄が唐沢雪穂に強くひかれたことには、全く気づかなかったという。しかし後に康晴から、「恥ずかしい話だが一目惚れだった」と告白されたらしい。自分にはこの女性しかいない、とまで思ったそうだ。

「その唐沢雪穂という女性が、あなたの親友の前妻だということは御存じないのですか」

「いえ、知っています。初めてブティックに連れていく前に話しておきました」

「それでもひかれてしまったわけだ」

「そうなんです。元々従兄は情熱家でしてね、思い込んだら、誰が何をいってもブレーキがきかないんです。僕は全く知らなかったんですが、初めて連れていって以来、従兄は彼女のブティックに通い詰めのようです。着もしない服がずいぶん増えたと、お手伝いさんがぼやいていました」

篠塚の話に、今枝は軽く吹き出した。

「目に浮かぶようだ。それは大変ですね。で、康晴さんのアタックは実ったわけですか。交際していると、先程おっしゃったようですが」

「従兄のほうは結婚を望んでいます。ところが彼女のほうが、はっきりとした答えを出してくれないみたいです。従兄は、年齢差と子持ちということが、彼女を迷わせていると思っているらしいですが」

「それもあるでしょうが、一度結婚に失敗しているから慎重になっているんでしょう。無理もない話です」

「そうかもしれません」

「それで」今枝は腕組みをほどき、机に両手をのせた。「この女性の何を調査すればいいのですか。今伺ったかぎりでは、あなたはこの唐沢雪穂という女性について、かなりよく知っておられるようですが」

「ところがそうでもないんです。はっきりいって謎だらけです」

「そりゃあ、あなたにとっては他人なのだから、謎だらけなのは当然でしょう。それじゃあいけませんか」

　すると篠塚はゆっくりとかぶりを振った。

「謎の質の問題です」

「謎の質？」

　篠塚は唐沢雪穂の写真をつまみあげた。

「僕はね、従兄がそれで本当に幸せになれるというなら、この女性と結婚したらいいと思うんです。友人の前の奥さんだというのはちょっと抵抗があるけれど、時間が経てば馴れるだろうとも思いますしね。ただ――」彼は写真を今枝のほうに向けて続けた。「この女性を見ていると、何だか得体の知れない不気味さを感じてしまうんです。この女性が単に健気なだけの女性だとは、とても思えないんです」

「健気なだけの女性なんて、この世にいるんですかね」

「彼女は一見すると、そんなふうに見えます。苦しいことや辛いことをじっと我慢して乗り越えて、懸命に笑顔を作っている、そういう印象を人に与えます。従兄も、彼女の美貌以外に、内面から来る輝きにひかれたのだといっています」

「その輝きが偽物だと、あなたはいいたいわけだ」

「それを調べてほしいんです」

「難しいな。あなたがそんなふうに疑いの目でその女性を見る具体的な理由が、何かあるんですか」

　今枝が訊くと、篠塚はいったん俯いて少し黙り込んだ後、また顔を上げた。

「あります」

「何ですか」

「金です」

「ほう」今枝は椅子にもたれた。改めて篠塚の顔を眺める。「どういうことですか」

　篠塚は軽く息を吸った。

「高宮が不思議がっていたことなんですが、どうも彼女の資産には不透明なところが多いようなんです。たとえばブティックの開業に関して、高宮は全く援助していないというんです。当時彼女は株に凝っていたという話ではあるんですが、素人投資家が、短期間にそれほど稼げるとはとても考えられません」

「実家が金持ちとか？」

一応今枝はいってみた。だが篠塚は首を振った。

「高宮から聞いたかぎりでは、そういうことはなさそうです。実家ではおかあさんが茶道を教えているということですが、年金と合わせて、何とか食べていけるという状態だという話でした」

今枝は頷いた。興味が湧いてきた。

「篠塚さん、するとあなたはどういう可能性を疑っているんですか。その唐沢雪穂という女性のバックに、パトロンでもいるとお考えですか」

「わかりません。結婚していながらパトロンと繋がりを持っていたというのは解せないですし……ただ彼女には裏の顔があるような気がしてならないんです」

「裏の顔、ね」今枝は小指の先で鼻の横を掻いた。

「それからもう一つ気になることがあります」

「もう一つ？」

「彼女と深く関わった人間は」篠塚は声を落としていった。「皆何らかの形で不幸な目に遭っているんです」

「えっ？」今枝は彼の顔を見返した。「まさか」

「一人は高宮です。現在彼は千都留さんと結ばれて幸せになってはいますが、離婚というのは、やはり一つの不幸な結末だと思います」

「原因は彼のほうにあったわけでしょう」

「見かけ上はね。でも真相はわからない」

「ふうん……まあいいでしょう。ほかに不幸な目に遭った人というのは？」

「僕の恋人だった女性です」そういって篠塚は唇をぎゅっと結んだ。

「ははあ……」今枝はコーヒーを一口含んだ。すっかりぬるくなっていた。「どんなことがありましたか。差し支えなければ……」

「ひどい目に遭ったんです。女性として、とても辛い目にね。そのことが原因で僕たちは別れることになってしまいました」

だから、といって彼は続けた。「僕もまた、不幸な目に遭った一人ということになります」

6

薄汚れたプレリュードは、店から少し離れた路上に止めた。新車に買い換える余裕もないことが見抜かれれば、せっかく篠塚から高級スーツや腕時計を借りてきた意味がない。「ねえ、マジで何も買ってくれないわけ？　安いものがあってもだめ？」横を歩いている菅原絵里《すがわらえり》が訊いた。彼女も一応、手持ちの中で一番いい洋服を着て来ている。

「安いものなんてないな、たぶん。どれもこれも目が飛び出るような値段がついているはずだ」

「ええーっ、欲しくなっちゃったらどうしよう」

「絵里が自分の金で買う分にはかまわんさ。だけど俺は関知しないからな」

「ちぇっ、ケチ」

「文句いうなよ。バイト代は払うといってるだろ」

　やがて二人はブティック『R&Y』の前に着いた。店の前面はガラス張りで、店内いっぱいに婦人服やアクセサリー類が置かれているのが見える。

「ひゃあ」今枝の隣で、絵里が感嘆の声をあげた。「やっぱ、高そうなもんばっか」

「言葉遣いに気をつけろよ」彼は絵里の脇腹を肘で突いた。

　菅原絵里は、今枝の事務所のそばにある居酒屋で働いている。昼間は専門学校に通っているというが、何を勉強しているのかは今枝もよく知らなかった。ただ信用できる娘なので、カップルで活動したほうが都合のいい場合などは、彼女にバイト代を払って手伝ってもらうことが時々ある。絵里のほうも、今枝の仕事を手伝うのは好きらしい。

　ガラス製のドアを開け、今枝は店内に足を踏み入れた。空調が適度に利いている。下品でない程度に、香水の匂いが漂っていた。

「いらっしゃいませ」奥から若い女が出てきた。白いスーツを着て、スチュワーデスのように型にはまった笑顔を浮かべている。唐沢雪穂ではなかった。

「予約しておいた菅原ですが」

　今枝がいうと、「お待ちしておりました」といって女は頭を下げた。

　絵里が一緒の時には、なるべく菅原を名乗ることにしている。別の名字を使った場合、人に呼ばれても絵里が反応しないことがあるからだ。

「今日はどういったものをお探しでしょうか」白いスーツの女は訊いてきた。

「彼女に似合いそうな服を」今枝はいった。「夏から秋にかけて着られそうな服で、お洒落で、しかも会社に着ていっても浮き立たない程度に華美でないものがいい。何しろ彼女は社会人一年目だから、変に目立つといじめられるそうなんだ」

「ああ」白いスーツの女は納得した顔で頷いた。「じゃあ、ちょうどいいのがございます。今お持ちいたします」

女が背を向けると同時に、絵里が今枝のほうを振り向いた。彼は小さく頷いて見せた。その直後、奥からもう一人誰かが現れた。今枝はそちらに目を向けた。

唐沢雪穂が洋服の間を縫うように、ゆっくりと近づいてくるところだった。唇に微笑を浮かべている。しかもそれは作られたものには見えなかった。彼女の目にも、優しさに満ちた柔らかい光が宿っていたからだ。この店を訪れた客を精一杯もてなそうとする気持ちが、オーラのように全身から溢れていた。

「いらっしゃいませ」彼女は軽く会釈しながらいった。その間も目は今枝たちに向けられたままだった。

今枝は黙って頷き返した。

「菅原様ですね。篠塚様のご紹介と伺っておりますが」

「そうです」今枝はいった。予約を入れる際、紹介者を訊かれたのだ。

「篠塚……一成様の？」雪穂はわずかに顔を傾けた。

「ええ」頷いてから、なぜ康晴ではなく一成の名前が先に出るのだろうと今枝は思った。

「今日は奥様のお召し物を？」

「いや」今枝は笑って手を振った。「姪なんです。社会人になったお祝いを、まだあげてなかったものですから」

「ああ、さようでございますか。どうも失礼いたしました」雪穂は微笑んだまま、長い睫を伏せた。その時前髪がはらりと顔に落ちた。それを彼女は薬指で上げた。その動作はじつに優雅で、今枝は古い外国映画で見た貴族の女性を思い出した。

唐沢雪穂は二十九歳になったばかりのはずだった。その年齢で、どうやってこの雰囲気を身につけたのだろうと不思議に思った。今枝は、篠塚康晴という人物が一目惚れした心境が理解できた。男ならば大抵の者がひかれるに違いない。

白いスーツの女が何着かの洋服を持って戻ってきた。このあたりなんかはいかがでしょう、と絵里に勧めている。

「せいぜい相談に乗ってもらって、似合うのを選ぶといい」今枝は絵里に声をかけた。

絵里は彼のほうを振り返り、眉をぴくりと動かし、奇妙な笑みを浮かべた。どうせ買ってくれる気なんかないくせに——目がそう語っていた。

「篠塚様はお元気にしておられますでしょうか」雪穂が訊いてきた。

「ええ、相変わらず忙しい男ですがね」

「失礼ですが、篠塚様とはどういった御関係で？」

「友人です。ゴルフ仲間ですよ」

「ああ、ゴルフの……そうなんですか」彼女は頷いた。アーモンド形の目が、今枝の手首に向けられた。「素敵な時計ですね」

「えっ？　ああ……」今枝は腕時計を右手で隠していた。「人から贈られたものです」

　雪穂はまた頷いた。だが唇に浮かぶ微笑の種類が変わったような気がした。篠塚から借りたものだということがばれたのだろうかと一瞬今枝は思った。しかしこれを貸してくれる時に篠塚は、「大丈夫、この時計を彼女の前でつけていたことは一度もないはずだから」といったのだ。ばれるはずがなかった。

「それにしてもいい店ですね。これだけ一流の品物だけを揃えるとなると、かなりの経営手腕が必要でしょう。お若いのに大したものだ」店内を見回して今枝はいった。

「ありがとうございます。でも、なかなかお客様の御要望にお応えしきれなくて苦労しております」

「ご謙遜を」

「本当なんです。あ、それより何か冷たい物をお持ちしましょうか。アイスコーヒーとかアイスティーとか。もちろん温かい物もございますけど」

「そうですか。ではコーヒーをいただきます。温かいほうを」

「かしこまりました。ではあちらでお待ちになっていてください。すぐにお持ちいたします」雪穂はソファやテーブルの置かれた一画を掌で示しながらいった。

　今枝はイタリア製と思われる猫脚のついたソファに腰を下ろした。テーブルは陳列台を兼ねたもので、ガラス製の天板の下には、ネックレスやブレスレットなどのアクセサリーが奇麗に並べられていた。値札はついていないが、もちろん売り物だろう。洋服選びに疲れた客が、ひと休みする間にでも目を留めてくれれば、という計算らしい。

　今枝は上着のポケットからマルボロのパッケージとライターを出した。ライターも篠塚から借りたものだ。それを使って煙草に火をつけ、肺いっぱいに煙を吸い込んだ。凝り固まっていた神経が、徐々にほぐれていく感覚がある。なんということだ、俺は緊張していたらしいぞと今枝は気づいた。たかがあんな女一人を前にしただけで――。

　あの女の気品や優雅さはどこから来るのだろうと彼は考えた。一体どのようにして形成され、なおかつ磨きをかけられていったのだろう。

　今枝の脳裏に、古びた二階建てのアパートが浮かんだ。吉田ハイツ。築年はなんと三十年だ。建っているのが不思議になるような代物だった。

今枝は先週、その吉田ハイツに行ってきた。そこが唐沢雪穂の住んでいた場所だからだ。篠塚の話を聞き、彼はまず、彼女の生い立ちから追ってみようと思ったのだ。

アパートの周辺には、戦前からあったと思われるような小さくて古い家がいくつも建っていた。そして住民の中には、吉田ハイツ一〇三号室に住んでいた母子のことを覚えている人も何人かはいた。

母子の姓は西本といった。西本雪穂が、彼女の生まれた時の名前だ。

父親が早く亡くなったため、実母の文代と二人暮らしをしていた。文代はパートに出たりして収入を得ていたという。

その文代が死んだのは雪穂が小学六年生の時だ。ガス中毒死だったらしい。一応事故ということになってはいるが、「自殺じゃないかという噂もあった」と近所に住む主婦が教えてくれた。

「西本さんは薬を飲んでたらしいんです。ほかにもいろいろとおかしいことがあったそうです。急に旦那さんに死なれて、ずいぶんと苦労されてたみたいでしたしねえ。でもまあはっきりしたことは結局わからなくて、事故死ということで落ち着いたみたいですけど」その地に三十年以上住んでいるという主婦は、声をひそめていった。

改めて吉田ハイツの前を通る時、今枝は少し近づいてみた。裏に回ると、ひとつの窓が全開されていて、中の様子がよく見えた。

台所のほかには狭い和室が一つあるだけの間取りだった。古い箪笥《たんす》、傷んだ籐の籠などが壁際に並べられ、和室の中央には、卓袱台代わりにしていると思われるこたつの台が置いてあった。台の上には眼鏡と薬袋が載っている。今ではあのアパートに住んでいるのは老人ばかりだと近所の主婦がいっていたのを今枝は思い出した。

目の前にある部屋で、小学生の女の子と、おそらく三十代後半だったであろう母親が暮らしていた情景を彼は想像した。女の子はこたつの台を机代わりにして学校の宿題をしていたかもしれない。そして母親は疲れきった様子で晩御飯の支度をする――。

胸の奥にある何かが締めつけられたような感覚を、その時今枝は味わった。

この吉田ハイツ周辺の聞き込みで、彼はもう一つ妙な話を摑んでいた。

殺人事件の話だ。

文代が死ぬ一年ぐらい前に、近くで殺人事件が起こり、彼女も警察から取り調べを受けていたというのだ。殺されたのは質屋の店主で、西本文代もしょっちゅう出入りしていたということで容疑者リストに加えられたらしい。無論、逮捕されなかったわけだから、疑いはすぐに晴れたのだろう。

「けど、取り調べを受けたという噂は、あっという間に広がってしもたからね、その影響で働き口がなくなって、余計に苦労することになったんやないかなあ」この話をしてくれた近くの煙草屋の老人は、気の毒そうにいった。

この殺人事件について、今枝は新聞の縮刷版で探してみた。文代が死ぬ一年前というと一九七三年である。しかも秋だったとわかっている。

記事はさほど苦労せずに見つかった。それによると死体が見つかったのは大江にある未完成ビルの中で、身体に数箇所の刺傷があったらしい。凶器は細いナイフのようなものと推定されているが、発見はされなかったようだ。殺されていた桐原洋介は、前日の昼間に出ていったきり帰らず、妻から警察に届けが出されていたという。その時に所持していたはずの現金約百万円がなくなっていることから、金目当ての犯行、それも桐原洋介が大金を所持していることを知っていた人間によるものではないかと警察では見たようだ。

この事件が解決したという記事のほうは、今枝が探したかぎりでは見つからなかった。あれはたしか犯人が捕まらなかったはずだ、と煙草屋の主人もいっていた。

もし本当に西本文代がその質屋にしばしば通っていたとしたら、警察が目をつけるのも無理はなかった。顔見知りであれば質屋店主のほうも気を許していただろうから、女であっても隙を見て刺し殺すことはできるだろう。

しかし一度でも警察に呼ばれるようなことになれば、世間の見る目は当然変わってしまう。その意味では西本母子も、その事件の被害者といえなくもなかった。

7

すぐそばに人の立つ気配があり、今枝は我に返った。続いてコーヒーの香りが鼻孔をかすめた。エプロンをつけた二十歳過ぎに見える女性が、トレイにコーヒーカップを載せて運んできてくれたところだった。エプロンの下には、身体の線がくっきりと出るTシャツを着ていた。

「これはどうも」といって今枝はコーヒーカップに手を伸ばした。こういう場所にいると、コーヒーの香りまでもが重厚に感じられた。「この店は三人でやっておられるんですか」

「ええ、大抵は。唐沢は、もう一つの店に行っていることも多いですけど」エプロンの娘はトレイを持ったまま答えた。

「もう一つというのは……」

「代官山です」

「ふうん。しかしすごいな。あの若さで二軒も店を持っているなんて」

「今度、自由が丘に子供服の専門店を出す予定なんです」

「三軒目を？　そいつは参った。唐沢さんは金のなる木でも持っているのかな」

「社長はすごくよく働きますから。いつ寝ているのかと思うぐらい」小声でそういってから彼女は奥のほうをちらりと見た。それから、「どうぞごゆっくり」といって下がっていった。

今枝はコーヒーをブラックで飲んだ。下手な喫茶店よりも旨いコーヒーだった。

もしかすると唐沢雪穂という女は、見かけ以上に金に執着するタイプなのかもしれないなと今枝は思った。そうでないタイプの人間は、まず商売では成功しないからだ。そして雪穂のそういう特性は、間違いなくあの吉田ハイツに住んでいた頃に形成されたのだろうと彼は踏んだ。

実母をなくした雪穂は、近くに住んでいた唐沢礼子に引き取られた。彼女は雪穂の父親の従姉だった。

今回今枝は、その唐沢家のほうも見てきた。小さな庭のある上品な日本家屋だった。茶道裏千家と書かれた札が、玄関に出ていた。

その家で雪穂は、養母から茶道、華道、その他女性として身につけておいて損のない技術を、いくつか教わったらしい。現在の雪穂が全身から醸し出す女らしさの源は、その時期に萌芽したのだろう。

唐沢礼子がまだ住んでいることもあり、その周辺の聞き込みはあまり思うようにはできなかった。しかし唐沢家に引き取られてからの雪穂の生活は、さほど特殊なものではなかったようだ。地元の住民たちにしても、「奇麗で、おとなしそうな女の子がいた」という程度の記憶を持っているだけだった。

「おじさん」

声をかけられ、顔を上げた。菅原絵里が黒いベルベットのワンピースを着て立っていた。裾がどきりとするほど短く、形のいい足が露出している。

「それ、会社に着ていけるかい？」

「やっぱり無理かな」

「こちらなんかはいかがでしょうか」白いスーツの女が、別の洋服を見せた。地がブルーで、襟だけが白いジャケットだった。「スカートでもキュロットでも合わせられるようになっているんですけど」

「うーん」と絵里は唸った。「よく似ているのを持っているような気がするのよね」

「じゃあだめだな」と今枝はいった。そして時計を見た。そろそろ引き上げ時だ。

「ねえおじさん、出直しちゃだめ？　あたし、今自分がどんな服を持っているのか、よくわかんなくなっちゃったの」打ち合わせ通りに絵里がいった。

「仕方がないな。じゃあそうしようか」

「ごめんなさいね、いっぱい見せてもらっちゃったのに」絵里が白いスーツの女に謝った。

いいえ、かまわないんですよ、と女は愛想笑いをしながら答えている。

今枝は立ち上がり、絵里が自分の服に着替えるのを待った。すると、奥からまた唐沢雪穂が現れた。

「姪御さんのお気に召すものがなかったようですね」

「どうもすみません。気まぐれで困ります」

「いいえ、お気になさらないでください。自分に合ったものを探すというのは、とても難しいことですから」

「そのようですね」

「洋服や装身具というのは、その人の内側にあるものを隠すものではなく、むしろ引き立たせるためのものだと考えています。ですからお客様の服を選ぶ時でも、その人の内面も理解しないといけないと思っています」

「なるほど」

「たとえば、本当に育ちのいい人が着ると、どういうものでも気品に溢れて見えるものなんです。もちろん――」雪穂は真っ直ぐに今枝の目を見て続けた。「その逆もございます」

今枝は小さく頷き、顔をそむけた。

俺のことをいっているのか、と考えた。スーツが似合っていなかったのか。それとも絵里のほうが不自然だったのか。

その絵里が着替えを終えて戻ってきた。

「お待たせ」

「案内状をお送りいたしますから、こちらに御連絡先を書いていただけますか」雪穂が一枚の紙を絵里に渡した。

絵里は不安げな目で今枝を見た。

「君のところがいいんじゃないか」

彼がいうと、絵里は頷き、ボールペンを受け取って書き込みはじめた。

「本当に素敵な時計ですね」雪穂がいった。また今枝の左手首を見ていた。

「この時計が気に入られたようですね」

「ええ。カルティエの限定品です。その時計を持っている人は、ほかには一人しか知りません」

「へえ……」今枝は左手を後ろに隠した。

「またのご来店を、心よりお待ちしております」雪穂はいった。

是非近いうちに、と今枝は答えた。

店を出た後、今枝は車で絵里をアパートまで送った。

バイト代は一万円だ。

「高級品を身につけて一万円だ。悪くないバイトだろ」

「蛇の生殺しだよ。この次は何か買ってもらうからね」

「この次があればな」そういって今枝はアクセルを踏んだ。この次はたぶんないだろうと彼は考えていた。調査のためではなく、唐沢雪穂という人物に直に会っておきたくて、今日わざわざ行ったにすぎない。

それに――。

あの店に近づくのは危険だと思った。唐沢雪穂は思った以上に油断のならない相手かもしれない。

自分の部屋に戻ってから、篠塚に電話をした。

「どうでした」電話をかけてきたのが今枝だと知ると、即座に彼はこう訊いてきた。

「あなたのおっしゃってた意味が少しわかりましたよ」

「どういうことですか」

「たしかに得体の知れない女性です」

「そうでしょう」

「でもすごい美人だ。従兄さんが惚れたのもわかる」

「……まあね」

「とにかく調査を続けてみます」

「よろしくお願いします」

「ところで、一つ確認しておきたいんですがね、お借りした腕時計のことです」

「何ですか」

「この時計、本当に彼女の前では一度もはめてませんか。はめてないにしても、この時計のことを彼女に話したことはあるんじゃありませんか」

「いやあ、ないはずだけどなあ……何かいわれましたか」

「いわれたというほどではないんですが」今枝は店でのことをかいつまんで話した。篠塚は唸り声をあげた。

「彼女が知っているはずはないんだけどなあ」そういってから篠塚は、「ただ……」と小声で続けた。

「何ですか」

「厳密なことをいえば、彼女のいる場所ではめていたことはあります。でも彼女からは絶対に見えなかったと思うし、仮に見たとしても記憶に残るような局面ではなかったと思うんですが」

「どこでの話ですか」

「披露宴会場です」

「披露宴？　どなたの？」

「彼等のです。高宮と雪穂さんの結婚披露宴に、その時計をはめていきました」

「あっ……」

「でも僕は高宮のそばにはいきましたけれど、彼女には殆ど近づかなかった。一番接近したのは、キャンドルサービスの時じゃなかったかな。だから彼女が僕の時計を覚えているなんてことは、ちょっと考えられないんです」

「キャンドルサービス……じゃあやっぱり気のせいなのかな」

「だと思いますよ」

受話器を持ったまま今枝は頷いた。篠塚は頭の悪い男ではない。彼がそういうからには、記憶違いということはないだろう。

「面倒なことをお願いして申し訳ありません」篠塚が詫びてきた。

「いえ、これも仕事ですから」それに、と今枝は続けた。「個人的にも、あの女性に興味が湧いてきました。といっても誤解しないでください。惚れたという意味ではありません。あの女性には何かがある、そう感じるんです」

「探偵の勘、ですか」

「まあ、そういうところです」

電話の向こうで篠塚が沈黙した。その勘の根拠について考えているのかもしれない。

やがて彼はいった。「では、ひとつよろしく」

「ええ、がんばってみます」そういって今枝は電話を切った。

8

二日後、今枝は再び大阪に来ていた。その目的の一つは、ある女性に会うことだった。その女性のことは、前回唐沢家の近所で聞き込みをした時に偶然知った。

「唐沢さんのお嬢さんのことやったら、モトオカさんのところの娘さんが知ってはるかもしれませんわ。清華女子に通ってたと聞いたことがありますから」こう教えてくれたのは、小さなパン屋のおばさんだった。

今枝はその女性の年齢を訊いてみた。パン屋のおばさんはさすがに首を捻った。

「唐沢さんのお嬢さんと同い年ぐらいやないかと思うんですけど、はっきりしたことはちょっと……」

元岡邦子《くにこ》というのが、その女性の名前だった。そのパン屋に時々来るという。大手不動産会社と契約しているインテリアコーディネーターだということまで、おばさんは知っていた。

東京に帰ってから、彼はその不動産会社に問い合わせてみた。いくつかの手順が必要だったが、最終的には元岡邦子と電話で話ができた。

今枝は自分のことをフリーライターだといった。ある女性向け雑誌に載せる記事の取材をしているのだと説明した。

「じつは今度、名門女子校出身者の自立度、という特集を組もうということになったんです。それで東京や大阪の女子校出身で、現在ばりばりと仕事をこなしておられる方を探していたところ、ある人が元岡さんのことを教えてくださったんです」

元岡邦子は電話口で意外そうな声をあげた。そんなあたしなんか、と謙遜の言葉を漏らした。しかしまんざらでもない様子が伝わってきた。

「一体誰があたしのことを？」

「申し訳ありませんが、それはいえないんです。約束でしてね。それよりええと、元岡さんは清華女子学園を何年に御卒業ですか」

「あたしですか？　高等部を出たのが五十六年ですけど」

今枝は心の中で歓声を上げた。期待通り、唐沢雪穂とは同級生ということになる。

「すると唐沢さんを御存じじゃないですか」

「カラサワさん……唐沢雪穂さん？」

「そうです、そうです。御存じなんですね」

「ええ、同じクラスになったことはありませんけど。彼女が何か？」元岡邦子の声になぜか警戒の色が表れた。

「あの方のことも取材する予定なんですよ。唐沢さんは現在東京でブティックを経営しておられましてね」

「そうなんですか」

「ええとそれで」今枝は声に力を込めていった。「小一時間ほどで結構ですから、一度お目にかからせていただくわけにはいきませんか。現在のお仕事を含めて、ライフスタイルなどについて、お話を聞かせていただけるとありがたいのですが」

元岡邦子は少し迷ったようだが、仕事に支障のない時ならば構わないと答えた。


元岡邦子の勤務先は、地下鉄御堂筋線本町《ほんまち》駅から徒歩で数分のところにあった。俗に船場《せんば》と呼ばれる大阪市の中央部である。問屋街、金融街で知られるだけあって、ビジネスビルが林立している。バブルが弾けたなどといわれているが、歩道を行くビジネスマンやウーマンたちは、誰も皆一秒を惜しむように早足だった。

不動産会社が所有するビルの二十階が、『デザインメイク』という会社の事務所になっていた。今枝は地下一階にある喫茶店で元岡邦子を待った。

ガラス製の掛け時計が午後一時五分を示した時、白いジャケットを着た女性客が入ってきた。やや大きめの眼鏡をかけている。女性にしては身長が高い。電話で聞いていた特徴を、すべて満たしていた。おまけに足が細く、なかなかの美人でもあった。

今枝は立ち上がり、彼女を迎えた。そして挨拶しながらフリーライターの肩書きがついた名刺を差し出した。名前も無論偽名である。

その後で東京で買った菓子の包みを出した。元岡邦子は恐縮しながら受け取った。

彼女はミルクティーを注文してから席についた。

「お忙しいところをすみません」

「いいえ。それより、あたしのことなんか取材する価値があるんですか」元岡邦子は釈然としない様子で訊いた。当然のことながら、アクセントは関西弁だ。

「ええ、もう、いろいろな方のお話を聞きたいと思っているんです」

「その記事って、実名が出るんですか」

「原則的には仮名を使います。もちろん実名が御希望ならばそういうふうにも……」

いいえ、と彼女はあわてて手を振った。「仮名で結構です」

「では早速ですが」

今枝は筆記具を取り出し、『名門女子校出身者の自立度を検証する』という記事にふさわしそうな質問を始めた。新幹線の中で考えてきたものだ。元岡邦子は嘘の取材とも知らず、一つ一つ真面目に答えてくれた。その様子を見ていると今枝は何だか申し訳なくなり、せめて真剣に聞くことにした。ユーザーがインテリアコーディネーターを利用するメリットについての話や、不動産会社が彼女らの働きによって得る副次的利益は意外に少なくないことなどは、聞いていて損のない内容ではあった。

約三十分で一通りの質問は終わった。元岡邦子のほうも、一息つくといった感じでミルクティーを口元に運んだ。

今枝は、唐沢雪穂の話題を出すタイミングを計っていた。先日の電話で伏線は張ってある。だが不自然になってはいけなかった。

すると元岡邦子のほうからこんなことをいいだした。

「唐沢さんのことも取材するとおっしゃってましたよね」

「ええ」意表をつかれた思いで今枝は相手の顔を見返した。

「ブティックを経営しているとか」

「はい。東京の青山でね」

「ふうん……がんばってるんですね」元岡邦子は目をあらぬ方向にそらせた。少し表情が固くなっている。

今枝の頭の中で直感が働いた。この女性は唐沢雪穂に対して、あまりいい印象を持っていないのではないか、というものだった。ならば好都合だった。昔の雪穂について尋ねるにしても、本音を語ってくれそうにない相手では意味がない。

　彼は上着のポケットに手を入れながら、「あの、煙草を吸わせていただいてもよろしいでしょうか」と訊いた。

ええ、どうぞ、と彼女はいった。

　マルボロをくわえ、ライターで火をつけた。ここからは雑談だ、というポーズを示しているつもりだった。

「唐沢さんのことですがね」今枝はいった。「ちょっと問題が出てきまして、頭を悩ませているんです」

「何か？」元岡邦子の表情に変化があった。明らかに関心を持っている。

「大したことではないのかもしれないのですが」今枝は灰皿に灰を落とした。「人によっては、あの人のことをあまり良くいわない場合があるんです」

「良くいわないって？」

「まあ、あの若さで店を何軒か経営しているわけですからね、人に妬まれることはあると思うんですよ。それに実際、そうそう上品なことばかりをしてきたわけでもないでしょうしね」今枝は、ぬるくなったコーヒーを一口飲んだ。「要するにまあ、お金に汚いとか、商売のためには平気で人を利用するとか、そういったことなんですけどね」

「へええ」

「こちらとしては若き女性実業家ということで取り上げたいんですがね、人間的にあまり評判が良くないとなると、見合わせたほうがいいんじゃないかという声も編集部内で出てくるわけです。それで悩んでいるところでして」

「雑誌のイメージにもかかわりますしね」

「そうです、そうです」今枝は頷きながら元岡邦子の表情を観察した。かつての同級生のことを悪くいわれて不快に感じている、というふうには見えなかった。

　今枝は短くなった煙草を灰皿の中で揉み消し、すぐにまた新しい煙草に火をつけた。煙が相手の顔にかからぬよう気をつけながら吸った。

「元岡さんは、彼女とは中学と高校が同じなんでしたね」

「そうです」

「ではその頃の記憶で結構なんですけど、どうなんですかね、あの方は」

「どう、といわれますと？」

「つまり、そういうところがありそうな人でしたか。これは記事にはしませんから、率直な御意見をお聞かせいただきたいんですけど」

「さあ」元岡邦子は首を傾げた。自分の腕時計をちらりと見る。時間を気にしているようだ。「電話でもいいましたけど、あたしは彼女とは同じクラスになったことがないんです。ただ、唐沢さんは有名人でした。他のクラスの人間もそうですけど、別の学年の人たちも、彼女のことは知っていたんじゃないかと思います」

「どうして有名だったのですか」

「そりゃあ」といって彼女は瞬きをした。「あの容姿だから、やっぱり目立つでしょう？　ファンクラブみたいなのを作ってた男の子たちもいるし」

「ファンクラブねえ」

　考えられないことではないなと今枝は雪穂の顔を思い出していた。

「成績も、かなり優秀だったみたいですよ。中学時代に彼女と同じクラスだった友達がいってましたから」

「才媛というわけですね」

「でも性格とか人間性については知りません。話したことも、たぶんないと思うし」

「彼女と同じクラスだったというお友達の評価はどうなんですか」

「その子は特に唐沢さんの悪口はいってませんでした。あんなふうに美人に生まれたらラッキーだって、冗談半分に妬みみたいなことをいってたことはありますけど」

　元岡邦子の台詞に微妙なニュアンスが込められていたのを今枝は聞き逃さなかった。

「その子は……とおっしゃいましたね」彼はいった。「ほかの人で、彼女のことをあまり良くいってない人がいるのですか」

　言葉尻を捉えられたことが不本意そうに、元岡邦子はかすかに眉を寄せた。だが今枝は、それが決して彼女の本音でないことを見破っていた。

「中学時代、彼女について妙な噂が流れたことがあります」元岡邦子はいった。声が極端に低くなっていた。

「どういう噂ですか」

　彼が訊くと、彼女は一旦疑わしそうな目を向けてきた。

「本当に記事にはしませんよね」

「もちろん」彼は深く頷いた。

　元岡邦子は一つ息を吸ってから口を開いた。

「彼女は経歴詐称をしている、という噂でした」

「経歴詐称？」

「本当はひどい家庭で生まれ育ったくせに、そのことを隠してお嬢様ぶっている、というわけです」

「ちょっと待ってください。それは彼女が小さい頃、親戚の女性の養女になったことを指しているわけですか」

　それならば大したことではない、と今枝は思った。すると元岡邦子はほんの少し身を乗り出した。

「そうなんですけど、問題は生まれ育った家のほうなんです。噂によれば彼女の実のお母さんは、男性と特別な関係になることでお金を稼いでいた、ということでした」

「ははあ……」今枝は敢えて大げさには驚かないでいた。

「誰かの愛人だったということですか」

「かもしれません。でも相手は複数だったということです。噂によれば、ですけど」

噂、という部分を元岡邦子は強調した。

しかも、と彼女は続けた。「相手の男性の一人が殺されたそうなんです」

えっ、と今枝は声を出していた。「本当ですか」

彼女はこっくりと頷いた。

「それで唐沢さんの実のお母さんも警察の取り調べを受けたということでした」

今枝は返事をするのを忘れ、じっと煙草の先端を見つめた。

例の質屋殺しだ、と思った。警察が西本文代に目をつけたのは、単に彼女が質屋の馴染み客だったからだけではないらしい。その噂が真実であったならば、だが。

「あたしがこんな話をしたことは、誰にもいわないでくださいね」

「いいません。大丈夫です」今枝は彼女に笑いかけた。だがすぐ真顔に戻った。「でもそんな噂が流れたら、結構大騒ぎになったんじゃないんですか」

「いいえ、それはさほどでもありませんでした。噂といいましたけど、実際にはごく限られた範囲だけで広まった話ですから。噂を流した張本人もわかっていましたし」

「えっ、そうなんですか」

「その人は、知り合いが唐沢さんの生まれ育った家のすぐ近所に住んでいたとかで、今いったようなことを知ったそうです。あたしはその人とはあまり親しくないんですけど、友達を通じて聞いたんです」

「その人も清華女子学園の……」

「同級生でした」

「何という方ですか」

「それはちょっと……」元岡邦子は下を向いた。

「そうですね。失礼しました」今枝は煙草の灰を落とした。あまり詮索して不審に思われることは避けたかった。「でもそういう噂を流すというのは、どういうことなんでしょうね。本人の耳に入ることは考えてなかったのかな」

「その人は当時、唐沢さんに対して敵対心を持ってたみたいです。その人も才媛と呼ばれてましたから、ライバル視したのかもしれません」

「女子校らしいエピソードですね」

今枝がいうと、元岡邦子は白い歯を覗かせた。

「今から考えると本当にそうですね」

「その二人のライバル関係は結局どうなったのですか」

「それが……」といった後、彼女は少し沈黙し、徐に口を開いた。「ある事件がきっかけで仲良くなってしまったんです」

「ある事件、といいますと？」

元岡邦子は周囲を見回すように視線を動かした。彼等の周りのテーブルには客がいなかった。

「その噂を流した女の子が襲われたんです」

「襲われた？」今枝は身を乗り出していた。「と、いいますと？」

「その子が長い間学校を休んでいたことがあるんです。交通事故に遭ったという話でしたけど、実際には学校の帰りに襲われて、それで心身のショックから立ち直れなくて休んでいたそうです」

「それは、あの、暴行されたということですか」

元岡邦子は首を振った。

「詳しいことはわかりません。レイプされたらしいという噂も流れましたけど、未遂だったという話もあるんです。ただ襲われたのは事実のようです。事件現場近くに住んでいた人が、警察が来ていろいろと調べていたのを見たといってましたから」

何かが今枝の頭の中で引っかかった。聞き流すべき話ではないと思った。

「その事件をきっかけに、その人と唐沢さんが親しくなったとおっしゃいましたね」

元岡邦子は頷いた。

「倒れている彼女を発見したのが、唐沢さんだったんです。その後も唐沢さんはお見舞いに行ったりして、いろいろと面倒をみていたらしいです」

唐沢雪穂が――。

今枝の思考を刺激するものがあった。平静を装っていたが、全身が熱くなるのを感じていた。

「発見したのは、唐沢さんお一人だったんでしょうか」

「いえ、お友達と二人だったと聞きましたけど」

元岡邦子の答えに、今枝は唾を飲み込みながら頷いた。


夜は梅田駅のそばにあるビジネスホテルに泊まることにした。今枝はマイクロカセットレコーダーから聞こえる元岡邦子の話を、レポート用紙にまとめていった。彼女は、彼が上着の内ポケットにレコーダーを仕込んでいたことには気づかなかったようだ。

今日からしばらくの間、元岡邦子は自分の話が載るはずの女性雑誌を買い続けるかもしれないな、と今枝は思った。少し気の毒だが、ささやかな夢を与えたと思うことにした。一区切りしたところで彼はナイトテーブル上の電話に手を伸ばした。手帳を見ながら番号ボタンを押す。

呼び出し音が三回鳴った後、相手が出た。

「もしもし、篠塚さんですか。……ええ、そうです、今枝です。今、大阪に来ているんですよ。……はい、例の調査でね。じつは、どうしても会っておきたい人物がいるので、連絡を取ろうと思うんです。それで、あなたに連絡先を教えていただこうと思いまして」

その人物の名前を今枝はいった。

9

玄関のチャイムが鳴ったのは、乾燥機から洗濯物を取り出し始めた時だった。江利子は両手に抱えていたシーツと下着をそばの籠にほうりこんだ。

インターホンの受話器はダイニングの壁に取り付けられていた。それを取り上げ、「はい」と返事した。

「手塚さんですか。私、東京から来ました前田といいます」

「あっ、はい。今行きます」

江利子はエプロンを外し、玄関に向かった。中古で買ったばかりのこの家の廊下は、ところどころぎしぎし鳴るところがあった。早く直してほしいと前々からいっているが、夫の民雄《たみお》はなかなか動いてくれない。ややものぐさなところが彼の欠点だった。

チェーンをつけたままドアを開けた。半袖のワイシャツにブルーのネクタイという出で立ちの男が立っていた。年齢は三十過ぎというところか。

「突然申し訳ございません」男はその場で頭を下げた。奇麗に整髪された頭だった。「あの、おかあさまのほうから話は聞いておられますか」

「はい、聞いております」

「そうですか」男は安堵したような笑みを浮かべ、名刺を出してきた。「こういう者です。よろしくお願いいたします」

その名刺には、『ハート結婚相談センター調査員　前田和郎』とあった。

「ちょっとすみません」江利子は一旦ドアを閉め、チェーンを外してから改めて開けた。しかし知らない男を家に上げる気にはなれなかった。「あの……家の中は散らかっているので……」

いやいや、と前田は手を振った。

「ここで結構です」そういってワイシャツの胸ポケットから手帳を取り出した。

結婚問題専門の調査員が訪ねてくるということは、今朝、母親からの電話で知った。どうやら調査員は、まず江利子の実家に行ったらしい。

「唐沢さんのことを聞きたいいて、いうてはったよ」

「雪穂のこと？　あの子は離婚したはずやけど」

「せやからよ。どうも、また縁談の話があるらしいわ」

その縁談相手の依頼で、調査員は雪穂のことを調べているようだと母はいった。

「昔の友達から話を聞きたいということで、うちに訪ねてきはったみたいやけど、江利子は結婚してここにはいませんていうたら、嫁ぎ先を教えてもらうわけにいきませんかていいはるんよ。教えてもかめへんやろか」

その調査員を待たせた状態で電話をしてきたらしかった。

「それは別にかめへんけど」

「それで、よかったら今日の午後にでも訪ねていきたいていうてはるんやけど」

「ふうん……ええよ、あたしは」

「そしたら、そう答えるからね」

調査員の名前は前田だと母は教えてくれた。

いつもならば、そういうわけのわからない相手と会うのはいやだから断ってくれと頼むところだった。そうしなかったのは、相手の調べている人間が唐沢雪穂だったからだ。江利子は江利子なりに、現在彼女がどうしているのかを知りたかった。

それにしても、結婚相手の調査というのは、もっと密かに行われるものだと思っていた。調査員が堂々と名乗って訪ねてくるというのは意外だった。

前田は半開きのドアに身体を挟むように立ったまま、江利子と雪穂のこれまでの付き合いについて質問してきた。清華女子学園中等部の三年時に同じクラスになったことをきっかけに親しくなり、大学も同じところに行ったことなどを彼女はかいつまんで話した。調査員はボールペンで手帳にメモしていった。

「あの……お相手はどういう方なんですか」質問が一段落したところで江利子から訊いてみた。

前田は虚をつかれた顔をした後、苦笑いを浮かべて頭を掻いた。

「申し訳ないんですが、今はそれをお教えするわけにはいかないんですよ」

「今はって……」

「この話が正式に進められれば、いずれあなたの耳にも入ると思います。でも、残念ながら現段階では、その前にこの話が消えてしまう可能性もありますからね」

「その相手の方の花嫁候補は、何人かいらっしゃるということですか」

前田は少し迷った様子を見せてから頷いた。「そのように解釈していただいて結構です」

どうやら相手は、かなり格式ある家の人間らしい。

「こんなふうに質問を受けたことは、唐沢さんには内緒にしておいたほうがいいでしょうね」

「ええ、そのようにしていただけると助かります。自分のことを調べられたと知って、いい気分になる人はいませんからね。ええと、唐沢さんとは今でも交流があるのですか」

「今は殆どありません。年賀状をやりとりする程度です」

「ははあ。失礼ですが、手塚さんが御結婚されたのはいつですか」

「二年前です」

「その結婚式に唐沢さんは出席されなかったのですか」

　江利子は首を振った。

「式は挙げましたけど、大げさな披露宴はせず、内輪だけのパーティで済ませたんです。だから彼女には招待状を出さず、結婚報告の通知だけを送りました。彼女は東京だし、それに何というか、ちょっとタイミングが悪くて、招待しにくかったものですから……」

「タイミング？」といってから前田は合点したように首を大きく縦に動かした。「唐沢さんは離婚された直後だったんですね」

「その年にもらった年賀状に、別れたということだけ簡単に書いてありました。それでちょっと気を遣ってしまったんです」

「なるほど」

　離婚のことを知った時には、電話して事情を知りたいと江利子は思った。だがあまりにも無神経な気がして、結局かけないでおいたのだ。いずれ彼女のほうから何か連絡があるかもしれないとも思っていた。しかし連絡はなかった。だから何が原因の離婚なのか、よく知らないままだった。年賀状には、『これでまたスタートラインに逆戻り。再出発です。』とだけ書いてあった。

　大学二年まで、江利子は中学時代や高校時代と同様に、雪穂と一緒にいることが多かった。買い物に行く時も、コンサートに行く時も、彼女に付き合ってもらった。一年生の時に起きた忌まわしい事件の影響で、見知らぬ男性と付き合うのは無論のこと、新しい知り合いを増やすことにさえも臆病になっていたから、雪穂だけが頼りだった。いわば彼女は江利子と外社会を結ぶパイプだった。

　しかしその状態をいつまでも続けられるはずがなかった。そのことは江利子が一番よくわかっていた。また、雪穂を巻き込んではいけないという思いもあった。もちろん彼女が不平らしきものを漏らしたことなど一度もない。だが彼女がダンス部の先輩である高宮と交際していることを江利子は知っていた。彼と一緒にいる時間を長く持ちたいと考えるのは当然のことだった。

　さらにもう一つ本音がある。雪穂が高宮と交際を始めたことで、江利子はある男性のことを思い出すことが多くなってしまった。その男性とは篠塚一成だ。

　雪穂は江利子の前で高宮のことを話したりはしなかったが、何気ない言葉の断片は、恋人の存在を浮かび上がらせた。そのたびに江利子は胸に灰色のベールがかかるのを自覚した。深い闇の底まで心が落ち込んでいくのを止められなかった。

　大学二年の半ば頃から、江利子は意識的に雪穂と会う頻度を減らすよう努力した。雪穂は戸惑っていたようだが、次第に彼女のほうからも接触してこなくなった。頭のいい女性だから、江利子の意図を察したのかもしれない。今のままでは江利子がいつまでも自分の足で立てないと思ったのかもしれない。

　友人関係を白紙にしたわけではないから、連絡が全く絶えたわけではない。会えばおしゃべりをするし、時には電話をかけ合ったりもした。しかしそれは他の友人と比べて際立ったものではなかった。

　大学を卒業し、二人の交際はさらに疎遠になった。江利子は親戚の世話で地元の信用金庫に就職し、雪穂は上京して高宮と結婚したからだ。

「これはあなたの印象で結構なのですが」前田が質問を続けた。「唐沢さんはどういったタイプの女性でしょうか。内向的で神経質であるとか、勝ち気で大雑把だとか、そういった言い方でいいんですけど」

「難しいですね、そういう言い方をするのって」

「ではあなたの言葉で結構です」

「一言でいうと」江利子は少し考えてからいった。「強い女性です。特に活動的というわけではないんですけど、そばに近づくとパワーが放射されているような気がします」

「オーラみたいに？」

「そうです」江利子は真顔で頷いた。

「ほかには？」

「ほかには……そうですね、何でも知っている女性、かな」

「ほほお」前田は目を少し見開いた。「それはおもしろいですね。何でも知っている女性。物知りというわけですか」

「単に知識が豊富というんじゃなくて、人間の本質だとか世の中の裏を知っているという感じがするんです。だから彼女といると、その、とても」迷ってから言葉を継いだ。「勉強になりました」

「勉強にね。それほど物事をよく知っている女性が、結婚には失敗した。そのことをどうお考えになられますか」前田は矢継ぎ早に質問してきた。

　江利子は調査員の目的を理解した。結局、雪穂が離婚していることにこだわっているのだなと察知した。その本質的な原因が彼女にあったのではないかと心配しているわけだ。「あの結婚に関しては、彼女は間違いを犯したかもしれません」

「といいますと」

「彼女には珍しく、雰囲気に流されるみたいに結婚を決めてしまったような気がするんです。彼女がもっと自分の意思を通していたら、結婚しなかったんじゃないかと思います」

「すると相手の男性のほうが強引に結婚を決めてしまったというわけですか」

「いえ、強引だったというわけではないんですけど」江利子は慎重に言葉を選んだ。「恋愛結婚の場合には、お互いの気持ちの高ぶりが、やっぱりある程度バランスのとれた状態でないといけないと思うんです。その点でちょっと……」

「高宮さんに比べて、唐沢さんのほうの気持ちはさほどでもなかった、ということですか」

　前田は高宮の名前を出してきた。雪穂の前夫について調べていないわけはないから、これは驚くことではなかった。

「うまくいえないんですけど……」江利子は表現に迷った。迷いながら話していた。「最愛の人ではなかった、と思うんです」

「ははあ」前田が目を見張った。

　直後に江利子は後悔した。つまらないことをいってしまった。安易に口にすべきことではなかった。

「すみません。今のはあたしの勝手な想像です。気にしないでください」

　なぜか前田は黙り込み、彼女の顔を見つめていた。やがて何かに気づいたように、はっとした顔を見せた。それからゆっくりと笑みを取り戻した。

「いいんですよ。さっきも申し上げたでしょう。あなたの印象を話してくださって結構なのです」

「でも、もうやめておきます。いい加減なことをいって、彼女に迷惑をかけたくないですから。あの、もういいですか。彼女のことなら、もっとほかによく知っている人がたくさんいると思いますよ」

　江利子はドアノブに手を伸ばしかけた。

「待ってください。最後にひとつだけ」前田は人差し指を立てた。「中学時代のことで、教えていただきたいことがあるんです」

「中学の時？」

「ある事件についてです。あなた方が三年生の時、一人の生徒さんが襲われたそうですね。それを発見したのが唐沢さんとあなただったというのは本当ですか」

江利子は自分の顔から血の気が引くのを感じた。「それが何か……」

「その頃の唐沢さんについて、何か印象に残っていることはありませんか。彼女の人となりを示すようなエピソードが」

相手が話し終える前に、江利子は激しくかぶりを振っていた。

「何もありません。あの、お願いですから、これぐらいにしてください。あたしも忙しいですから」

その剣幕に圧倒されたのか、調査員はあっさりとドアから身体を離した。

「わかりました。どうもありがとうございました」

それに対してろくに返事もせず、江利子はドアを閉めた。動揺を見せてはいけないと思いつつも、平静を装えなかった。

彼女は玄関マットの上に腰を下ろした。鈍い頭痛がする。右手で額を押さえた。

どす黒い記憶が胸に広がり始めていた。もう何年も経つというのに、心の傷は殆ど癒されていない。ただそこに傷があることを忘れていただけだ。

あの調査員が藤村都子のことをいいだしたせいもある。しかしじつはその前から、あの忌まわしい出来事が脳裏に蘇る気配はあった。

雪穂について話をしていた時からだ。

ある時期から江利子は、一つの想像を胸に秘めるようになった。それは最初、単なる思いつきにすぎなかったが、次第にストーリーを持ったものへと発展していった。

だがそれを決して口に出してはいけなかった。その想像を邪悪なものと思っていたから、胸に抱いていることを気づかれてもいけなかった。自分でも、何とかそんな馬鹿げた妄想を振り払おうとした。

ところがそれは彼女の心の中に定着し、決して消えなくなった。そのことで彼女は自己嫌悪に陥った。優しく接してくれる雪穂と一緒にいる時など、自分はなんと卑しい人間だろうと思った。

しかし一方で、その想像を吟味している自分もいるのだった。本当に想像に過ぎないのだろうか、真理ではないのだろうか――。

雪穂から離れようとした最大の理由は、そこにあるというべきだった。江利子は自分の中に広がる疑惑と自己嫌悪の重みに耐えられなくなったのだ。

江利子は壁に摑まって立ち上がった。全身がひどくだるい。身体の中に澱《おり》が溜まっていくようだった。

顔を上げると玄関ドアの鍵があいたままになっていた。彼女は手を伸ばして施錠し、ドアチェーンもしっかりとかけた。

第十一章

1

約束の店は銀座中央通りに面していた。時刻は午後六時十三分前。会社帰りと思われる男女と、買い物客らしき人々が混在している。皆それなりに満ち足りた表情をしていた。バブルが弾けた影響は、まだ一般市民にまでは及んでいないのかもしれないな、と今枝は感じた。

前を若い男女が歩いている。二十歳を辛うじて越えたというところだろう。男が羽織っている夏用ジャケットはアルマーニか。つい先程この男女が、路上駐車したBMWから降りるのを今枝は目撃していた。あの車も好景気に乗じて買ったものだろう。尻の青いガキが高級外車に乗る時代など、早いところ去ってくれたほうがいい。

一階がケーキ売場になっている店の階段を上がる時、彼の腕時計は六時十分前を指した。予定よりも少し遅れていた。約束の時刻よりも十五分から三十分は先に着いておくというのが、彼の信条だった。それは心理的に相手よりも優位に立つためのテクニックでもあった。もっとも今日彼が会う相手は、そういう駆け引きを必要としない人物だった。

店内をさっと見渡したところ、篠塚一成はまだ来ていなかった。今枝は中央通りを見下ろせる窓際の席に落ち着いた。客の入りは五十パーセントというところだった。

東南アジア系の顔立ちをしたウェイターが注文を取りにきた。バブル景気で人件費が高騰した際、外国人を雇う経営者が増えた。この店もそうして生き残ってきたくちなのかもしれない。威張りながら働いているような日本の若者を使うよりは余程いい。そんなことを瞬時に考えながらコーヒーを注文した。

マルボロをくわえ火をつけてから通りを見下ろした。この数分間で、一層人が増えたようだ。各業界で接待費が削られつつあるといわれているが、一部の話なのだろうかと疑問に感じた。それともろうそくが消える前の最後の輝きか。

通りを行き来する人混みの中から一人の男を今枝は見つけた。ベージュのスーツの上着を手に持ち、大股で歩いている。時刻は六時五分前。やはり一流の人間は遅刻をしないものだと再認識した。

浅黒い顔のウェイターがコーヒーを運んでくるのと、篠塚一成が片手を上げながらテーブルに近づいてくるのがほぼ同時だった。篠塚は座りながらアイスコーヒーを注文した。「暑いですね」篠塚は掌を団扇《うちわ》代わりにして顔をあおいだ。

「全く」今枝も同意した。

「今枝さんたちの仕事に、お盆休みとかはあるんですか」

「特にありません」今枝は笑いながらいった。「仕事のない時には休んでいるようなものですからね。それにお盆というのは、ある種の調査に適しているともいえます」

「ある種の調査とは？」

「浮気です」そういって今枝は頷いた。「たとえば夫の浮気調査を依頼していた女性に、こんなふうに提案します。お盆にどうしても実家に帰らなければならなくなったと旦那さんにいってください。もし旦那さんが難色を示したら、あなたの都合が悪いのなら一人で行ってきます、といってみてください――」

「なるほど、もし旦那さんに愛人がいるのなら……」

「この機会を逃すはずはありませんよね。奥さんが実家でやきもきしている間に、私は旦那さんが愛人と一泊二日のドライブに出かけているところを撮影するというわけです」

「実際にそういう経験が？」

「あります。何度かね。亭主が罠にかかった率は百パーセントです」

篠塚は声をたてずに笑った。どうやら少し緊張がほぐれたようだ。喫茶店に入ってきた時には、顔が何となく強張っていた。

ウェイターがアイスコーヒーを運んできた。篠塚はストローを使わず、またガムシロップもミルクも入れずにがぶりと飲んだ。

「それで、何かわかりましたか」先程からずっと口にしたくてたまらなかったはずの台詞を彼はいった。

「いろいろと調べました。あなたが期待するような報告書にはなっていないかもしれませんが」

「とにかく見せていただけますか」

「わかりました」

今枝は書類鞄の中からファイルを取り出し、篠塚の前に置いた。篠塚はすぐにそれを開いた。

依頼主が報告書に目を通す様子を、今枝はコーヒーを飲みながら観察した。唐沢雪穂の生い立ち、経歴、そして現在について調査するという目的は、ほぼ達せられているはずだという自負はある。

やがて篠塚は報告書から顔を上げた。

「彼女の実の母親が自殺しているとは知らなかったな」

「よく読んでください。自殺とは書いていません。自殺とも考えられたが、決定的な証拠は見つからなかったんです」

「でも自殺をはかったとしてもおかしくないような境遇だったわけだ」

「そのようです」

「意外だったな」そういってから篠塚はすぐに続けた。「いや、そうでもないか」

「というと？」

「いかにも生まれも育ちもお嬢さんという雰囲気ではあるんですが、時折見せる表情やしぐさに、何といったらいいか……」

「育ちの悪さが滲み出ている？」今枝はにやにやしてみせた。

「そこまではいいません。単に上品なだけではないもの、隙のなさのようなものを感じることがあるんです。今枝さんは猫を飼ったことがありますか」

いえ、と今枝は首を振った。

「僕は子供の頃、猫を何匹か飼ったことがあるんです。血統書付きではなく、すべて拾った猫でした。ところが同じように接しているつもりでも、拾った時期によって猫の人間に対する態度は大きく違ってくるんです。赤ん坊の時に拾った猫というのは、物心ついた時からずっと家の中にいて人間の庇護の下で暮らしているわけだから、人間に対して警戒心をあまり持っておらず、無邪気で甘えん坊です。ところがある程度大きくなってから拾った猫というのは、なついているようでいても、じつは警戒心を百パーセント解いてはいないんです。餌をくれるからとりあえず一緒に暮らしてはいるが、決して油断をしてはならない――そんなふうに自分にいいきかせているようなふしがあります」

「唐沢雪穂さんには、それと同じ雰囲気があると？」

「自分が野良猫にたとえられたと知ったら、彼女はそれこそ猫のように怒るでしょうが」篠塚は口元を綻《ほころ》ばせた。

「でも」今枝は唐沢雪穂の猫を連想させる鋭い目を思いだしながらいった。「その特性が逆に魅力になっている場合もある」

「おっしゃるとおりです。だから女は恐ろしい」

「同感です」今枝はグラスの水を一口飲んだ。「ところで、株取引に関する報告文はお読みになりましたか」

「ざっと目を通しました。よく証券会社の担当がわかりましたね」

「高宮さんのところに少し資料が残っていたんです。そこから突き止めました」

「高宮のところに」篠塚は顔をかすかに曇らせた。様々な懸念が脳裏をよぎっている表情だ。「今回の調査について彼にはどのように説明を？」

「ざっくばらんに事情を話しました。唐沢雪穂さんとの結婚を望んでいる男性の家族から依頼されて調査しているのだとね。いけませんでしたか」

「いや、それでいいです。もし結婚ということになれば、いずれわかることですから。彼はどんな様子でした？」

「彼女にいい相手が見つかったのならよかったとおっしゃっていました」

「僕の身内だとは話さなかったのですね」

「話しませんでしたが、あなたからの依頼ではないかと薄々感づいてはおられるようでした。当然でしょうね。全くの他人が、多少なりとも高宮さんと面識のある私のところに、たまたま唐沢雪穂さんの調査を依頼してきたなんてのは、話ができすぎている」

「そうですね。じゃあ機会を見て、僕のほうから高宮に話したほうがいいかもしれない」篠塚は独り言のようにいってから再びファイルに目を落とした。「この報告書によると、彼女は株でかなり稼いだようですね」

「ええ。残念ながら彼女の担当だった女性はこの春に寿退社をしていたので、その人の記憶に頼るしかなかったのですが」

もっとも退社していなければ顧客の秘密を他人に話すようなことはしないだろうがと今枝は思った。

「去年あたりまでは素人投資家でも結構儲けていたと聞いていますが……リカルドの株に二千万もつぎ込んだってのは本当なんですか」

「本当らしいです。担当の女性も強く印象に残っているといっていました」

株式会社リカルドは元来半導体メーカーである。そのリカルドがフロンの代替物質を開発したと発表したのは約二年前だ。一九八七年九月に国連でフロンガス規制が採択されて以来、国内外で繰り広げられている開発競争で、リカルドがついに頭ひとつ抜け出したわけだ。一九八九年五月には、今世紀中にフロン全廃をうたったヘルシンキ宣言が採択され、以後リカルドの株は伸び続けた。

担当者が驚くのは、唐沢雪穂が株を買った時点では、リカルドの開発状況は全く公開されていなかったということである。それどころかリカルドがそういう研究をしていることさえ、業界でも殆ど知られていなかった。国内有数のフロンメーカーであるパシフィック硝子で長年フロンガス開発に携わってきた技術者数名が引き抜かれていたと判明するのは、代替物質開発に関する記者会見が終わってからのことだった。

「同様のケースがほかにもいろいろあるようです。どういう根拠に基づいているのかは不明だが、唐沢雪穂さんが株を買った会社は、しばらくすると必ずといっていいほどヒットを飛ばす。その確率は殆ど百パーセントだったと担当者はいっています」

「インサイダー？」篠塚は声を落としていった。

「――を担当者も疑っていたようです。唐沢さんの旦那さんはどこかのメーカー勤務らしいが、特殊なルートで他社の開発状況を知ることができるのだろうか、とね。もちろん唐沢さん本人に訊くようなことはしなかったそうですが」

「高宮の部署はたしか……」

「東西電装株式会社の特許ライセンス部。たしかに他企業の技術に通暁する環境ではありますが、あくまでも公開された技術に関してだけです。未公開の、しかも開発途中にある技術の情報など得られるはずがない」

「すると単に株式に関して勘がいいということなのかな」

「勘もいいようです。その担当者の話では、株を手放すタイミングも絶妙だったということですから。まだ少し上がりそうな気配を残している段階で、すぱっと次に切り替えてしまう。それが素人投資家にはなかなかできないのだといってました。でもね、やはり勘だけでは株はやっていけませんよ」

「彼女の背後に何かある……ということなのかな」

「わかりません。しかしそんな気はします」今枝は肩をちょっとすくめて見せた。「これこそ勘にすぎないといわれそうですが」

篠塚はもう一度ファイルに目を走らせた。首をわずかに傾げる。

「ほかに気になることが一つあるんですが」

「何ですか」

「この報告書によると、彼女は昨年あたりまで結構頻繁に株の売り買いをしていたようですね。現在も手を引いたわけではなさそうだ」

「ええ。たぶん店のほうが忙しいからでしょうが、今では一時ほど力を入れてはいないらしいです。しかし手堅い株をいくつかは持っているようです」

篠塚は、また首を小さく捻った。「変だな」

「どうかしましたか。何か報告に落ち度がありましたか」

「いや、そうじゃないんです。高宮から聞いた話と少し違うなあと思いまして」

「高宮さんから？」

「彼等がまだ結婚していた頃、雪穂さんが株に手を出したという話は知っています。しかし家事がおろそかになるという理由で、彼女が自分の意思ですべて売り払ったと聞いているんです」

「売り払った？　すべて？　それは高宮さんが確認されたんでしょうか」

「さあ、そこまでは知りません。確認はしていないんじゃないかな」

「私が担当者から聞いたかぎりでは、唐沢雪穂さんが株から手を引いた時期はなかったようです」

「どうやらそうらしいですね」篠塚は不快そうに唇を結んだ。

「このように、彼女の資金運用については一応把握することができました。ただ、肝心な疑問は残ったままなんです」

「元々の資金はどこから出たか……ですか」

「そのとおりです。具体的な資料がないので正確に遡るのは難しいのですが、担当者の記憶をもとに推測していきますと、彼女は最初からかなりまとまった額の資金を持っていたことになります。それは主婦の小遣い程度の額ではありません」

「数百万レベルということですか」

「たぶんそれ以上でしょう」

篠塚は腕を組み、低く唸った。「高宮も、彼女の財布の中身については見当がつかないといったことがあります」

「以前あなたもおっしゃっていましたが、彼女の養母である唐沢礼子さんには大した資産はないようです。少なくとも、何百万もの金を用立てるのは簡単ではないでしょう」

「それをなんとか調べられませんか」

「調べてみるつもりです。ただ、もう少し時間をいただきたいのですが」

「わかりました。お任せします。このファイルはいただいても？」

「どうぞ。コピーは手元にありますから」

篠塚は薄いアタッシェケースを持っていた。そこにファイルをしまった。

「そうだ。これをお返ししておかなきゃいけなかった」

今枝は自分の書類鞄から紙の包みを取り出した。開くと腕時計が入っている。それをテーブルに置いた。「先日お借りした時計です。服のほうは宅配便で送りましたから明日にでも届くと思います」

「時計も一緒に送ってくださってよかったんですよ」

「そういうわけにはいきません。事故があった場合、弁償してもらえませんから。カルティエの限定品だそうですね」

「そうだったかな。貰い物なんですが」腕時計の文字盤をちらりと見てから篠塚は上着の内ポケットにしまった。

「彼女がそういったんですよ。唐沢雪穂さんが」

「へえ」篠塚は一瞬視線を宙にさまよわせてからいった。

「まあ、ああいう仕事をしているぐらいですから、そういったことにも詳しいんでしょう」

「それだけではないと思いますが」今枝はわざと意味深長な言い方をした。

「どういう意味です」

今枝は尻の位置を少し前にずらし、テーブルの上で指を組んだ。

「唐沢雪穂さんはあなたの従兄さんのプロポーズに対して、なかなか色好い返事をしてくれないということでしたね」

「ええ。それが何か」

「その理由について、一つ思いついたことがあるんです」

「何ですか。是非聞きたいですね」

「彼女には」今枝は篠塚の目を見つめていった。「ほかに好きな男性がいるのではないかと思うんです」

篠塚の顔から、すっと笑みが消えた。代わりに冷静な学者のような表情が表れた。何度か頷き、口を開いた。

「それは僕も考えないではありませんでした。単なる思いつきではありますがね。でもあなたがそんなことをおっしゃるところをみると、その相手の男性にも心当たりがあるということなんでしょうか」

「ええ」今枝は頷いた。「あります」

「誰です？　僕の知っている人間ですか。いや、もし差し障りがあるということでしたら、おっしゃらなくて結構ですが」

「差し障りはないと思います。まあ、あなた次第ですが」今枝はグラスの水を飲み、真っ直ぐに篠塚を見ていった。「あなたです」

「えっ？」

「彼女が本当に好きなのはあなたの従兄さんではなく、あなたではないかと思うんです」

奇妙なことでも聞かされたように篠塚は眉を寄せた。それから肩をぴくりと上げ、薄く笑った。軽く首も振る。

「冗談はやめてください」

「私だってあなたほどではないが、それなりに忙しいんです。つまらない冗談で時間を無駄にしようとは思いません」

今枝の口調で、篠塚も表情を引き締めた。彼にしても本当のところは、探偵がいきなり気の利かない冗談をいったとは思っていなかったはずだ。あまりにも突飛すぎて、どう対応していいかわからなかったのだろう。

「なぜそんなふうに思うんですか？」篠塚は訊いた。

「直感だといったら笑いますか」

「笑ったりはしませんが、信用もしません。ただ聞き流すだけです」

「そうでしょうね」

「直感でおっしゃってるんですか」

「いや、根拠はあります。一つにはその時計です。唐沢雪穂さんは明らかにそれの持ち主を覚えていました。あなたの記憶にも残らないようなごく短い瞬間ちらりと見ただけで、今まで忘れずにいたのです。それはその持ち主に対して特別な感情を抱いていたせいだとはいえませんか」

「だからそれは彼女の職業からくる習性なんですよ」

「あなたがその時計を彼女の前でつけていた時、彼女はまだブティックのオーナーではなかったはずです」

「それは……」といったきり篠塚は口を閉じた。

「さらにもう一つ、私がブティックに行った時、紹介者を訊かれて篠塚さんだといったところ、彼女は真っ先にあなたの名前を出したんです。ふつうならば従兄さん――篠塚康晴とおっしゃいましたね――その方の名前が先に出るものじゃありませんか。康晴さんのほうがあなたよりも年上だし、会社での地位も上らしい。しかも最近ではかなり頻繁に店を訪れておられるという話ですから」

「たまたまでしょう。康晴の名前を出すのに照れがあったんじゃないですか。何しろ結婚を申し込まれている相手ですから」

「彼女はそういうタイプの女性ではありませんよ。もっとビジネスに関してはシビアです。失礼ですが、あなたは彼女の店に何回行かれましたか」

「二回……かな」

「最後に行かれたのは？」

今枝の質問に篠塚は黙り込んだ。さらに「一年以上は前でしょう」と訊いてみると、小さく頷いた。

「現在彼女の店にとって篠塚さんといえば上得意客の篠塚康晴さんのことであるはずなんです。もし彼女があなたに対して特殊な感情を持っていなければ、あの場面であなたの名前が出てくることなどないはずです」

「それはちょっと」篠塚は苦笑した。

今枝も頬を緩めてみた。「強引すぎますか」

「そう思います」

今枝はコーヒーカップに手を伸ばした。一口飲み、いったん後ろにもたれかかる。ため息を一つついて、またさっきと同じように身体を起こした。

「大学時代からの知り合いだとおっしゃいましたね、唐沢さんとは」

「ええ、ダンス部の練習で」

「その頃のことをいろいろと思い出してみて、何か思い当たることはありませんか。つまり彼女があなたに好意を持っていたと解釈できそうなエピソードです」

ダンス部のことが話題に上ったので、何か思いついたことがあるようだ。篠塚の顔が少し険しくなった。

「やはり彼女に会いに行ったんですか」瞬きして続けた。「川島江利子さんのところへ」

「行きました。でも御心配なく。あなたの名前は一切出していませんし、怪しまれないように振る舞いましたから」

篠塚はため息をついた。小さく頭を振る。「彼女は元気でしたか」

「お元気そうでした。二年前に結婚しています。相手は電気工事会社に勤める事務屋さんです。見合い結婚だそうです」

「元気ならよかった」篠塚は頷いていってから顔を上げた。「彼女が何か?」

「高宮さんは唐沢雪穂にとって最愛の人ではなかったのではないか――それが川島さんの見解です。つまり最愛の人は別にいたというわけです」

「それが僕だというんですか。ばかばかしい」篠塚は笑いながら顔の前でひらひらと掌を振った。

「でも」今枝はいった。「川島さんはそう思っておられるようです」

「まさか」一瞬にして篠塚の笑いが消えた。「彼女がそういったのですか」

「いえ、それは彼女の様子から私が感じとったことです」

「感覚だけで判断するのは危険ですよ」

「わかっています。だから報告書には書いていないのです。でも確信は持っています」

高宮は唐沢雪穂にとって最愛の男ではない――そのことを口にした時の川島江利子の表情を今枝は覚えている。明らかに、大きな後悔が彼女を襲っていた。彼女は何かを恐れていた。今枝は彼女と対峙していて、その理由に気づいた。彼女は、「では唐沢雪穂の最愛の人とは誰だったのか」という質問を恐れていたのだ。そう思った途端、いくつかのパズルの断片が組み合わさった。

ふっと息を吐き、篠塚はアイスコーヒーのグラスを摑んだ。一気に半分ほど飲む。からり、と氷の動く音がした。

「そういわれても思い当たることなんか何もないです。彼女から何か告白されたこともないし、誕生日のプレゼントもクリスマスプレゼントも貰った覚えがない。辛うじて貰ったといえばバレンタインデーの義理チョコぐらいかな。だけどそれは男性部員全員が貰ったんです」

「あなたのチョコレートにだけ、特別な思いがこめられていたかもしれない」

「ないです。絶対にない」篠塚はかぶりを振った。

今枝はマルボロの箱に指を突っ込んだ。最後の一本が入っていた。それをくわえ百円ライターで火をつけた。マルボロの空き箱は左の掌で握りつぶした。

「これもまた先程の報告書には書かなかったことですが、彼女の中学時代のエピソードで、一つ気になることがありました」

「何ですか」

「レイプ事件です。いや、レイプされたかどうかは不明ですが」

今枝は雪穂の同級生が襲われたこと、それを発見したのが雪穂と川島江利子であったこと、被害者は元々雪穂に敵対心を持っていたことなどを話した。予想通り篠塚の顔は微妙に強張っていった。

「その事件が何か」と彼は訊いた。声も固くなっていた。

「似ていると思いませんか。あなたが学生時代に体験した事件と」

「似ているからどうなんですか」篠塚の口調には、はっきりと不快感が表れている。

「その事件では、結果的に唐沢雪穂はそのライバルを懐柔することに成功したわけです。そのことを覚えていた彼女が、今度は自分の恋のライバルを蹴落とすために、同様の事件を起こした――そういう可能性もあるわけです」

篠塚は今枝の顔を見つめてきた。睨むと表現したほうがふさわしい視線だった。

「空想にしても、あまり楽しいものじゃないですね。川島さんと彼女は親友だったはずですよ」

「川島さんはそう思っていた。しかし果たして唐沢雪穂のほうもそう考えていたかどうか。私はね、中学時代の事件も彼女が仕組んだものじゃないかとさえ疑っているんです。そう考えたほうがすべてに辻褄が合う」

篠塚は顔の前で右手の掌を広げた。

「やめましょう。僕が欲しいのは事実だけです」

今枝は頷いた。「わかりました」

「この次の報告を待っています」

篠塚は腰を浮かし、テーブルの端に置かれた伝票を取ろうとした。だがその前に今枝はその伝票を手で押さえた。

「もし、今の話が単なる空想でなく事実だと証明できる何かを私が発見したら、そのことを従兄さんに話す勇気がありますか」

すると篠塚はもう一方の手で今枝の手を退かし、伝票を摘み取った。ゆっくりとした動作だった。

「もちろんありますよ。それが事実ならばね」

「よくわかりました」

「では、次の報告を待っています。事実の報告を」

篠塚は伝票を手に歩きだした。

2

菅原絵里から電話がかかってきたのは、篠塚と銀座で会った二日後の夜だ。今枝は別の仕事で夜十一時過ぎまで渋谷のラブホテルを張り込んでいて、部屋に帰ったのは午前零時を回ってからだった。服を脱ぎ、シャワーを浴びようと思った時に電話が鳴りだしたのだった。

ちょっと妙なことがあったので電話したのだと絵里はいった。口調に冗談の響きは含まれていなかった。

「留守番電話にさ、何もいわないで切っただけっていうのがいくつも入ってるの。なんだか気味が悪くってさあ。今枝さんじゃないよね」

「無言電話をする趣味はないな。居酒屋の客で絵里に入れ揚げてる男がかけてきたんじゃないのか」

「そんな男いないよ。大体、客に電話番号を教えたりしないもん」

「電話番号なんて、簡単に調べられるものだぜ」

たとえば郵便受けを開けてＮＴＴからの請求書をこっそり盗み見するとか、と自分のテクニックの一つを今枝は思い浮かべる。もっとも、今は絵里を怖がらせるだけだから口には出さない。

「それからもう一つ気になることがあるんだけど」

なんだ、と今枝は訊いた。

「気のせいかもしれないんだけど」絵里は声を低くした。「なんだか、この部屋に誰かが入ったような気がする」

「なに……」

「さっきバイトから戻ってきて、部屋のドアを開けた瞬間にそう感じたんだ。おかしいなって」

「具体的に変なことがあるのか」

「うん。まずサンダルが倒れてた」

「サンダル？」

「ヒールの高いサンダル。玄関に置いてあったんだけど、それの片方が倒れてた。あたし、靴を倒れたままにしておくのは絶対に嫌なんだよね。だからどんなに急いでる時でも、必ずきちんと立てておくの」

「それが倒れてたわけか」

「うん。それからこの電話」

「電話がどうした」

「置いてある角度が変わってた。あたしは座ったまま左手ですぐに受話器を取れるよう、台に対してちょっと斜めに置くんだけど、どういうわけか台と平行になってる」

「それは絵里がやったことじゃないのか」

「違うと思う。こんなふうに置いた覚えないもん」

一つの考えがすぐに今枝の頭に浮かんだ。しかしここでも彼はそれを話さなかった。

「わかった。いいか絵里、よく聞くんだ。これから俺がそっちへ行こうと思うけれど、かまわないか」

「えっ、今枝さんが来るの？　ええと……まあいいけど」

「心配しなくても狼に変身したりしないよ。次に、俺が行くまでは絶対に電話を使うな。わかったか」

「わかったけど……どういうこと？」

「それは行ってから説明する。それからもう一つ。俺はドアをノックするが、必ず俺だということを確かめてからドアを開けるんだ。いいな」

「うん、わかった」絵里は電話をかけてきた時以上に不安そうな声で答えた。

　今枝は電話を切ると服を着て、スポーツバッグに手早くいくつかの道具を放り込んだ。スニーカーを履き、部屋を出た。

　外は小雨が降っていた。傘を取りに戻ろうかと一瞬思ったが、結局彼はそのまま走りだした。絵里のアパートまでなら数百メートルの距離だ。

　アパートはバス通りから一本中に入ったところに建っていた。向かい側に月極の駐車場がある。外壁に罅《ひび》の入ったアパートの外階段を駆け上がり、二〇五号室のドアをノックした。ドアが開き、絵里の憂鬱そうな顔が覗いた。

「どういうこと？」と彼女は訊いた。眉間に皺を寄せていた。

「俺にもわからんよ。絵里の思い過ごしであってくれることを祈っている」

「思い過ごしじゃない」絵里はかぶりを振った。「電話を切った後、ますます気持ちが悪くなってきた。自分の部屋じゃないみたい」

　それこそ気持ちの問題だと思ったが、今枝は黙って頷き、ドアの隙間から身体を滑り込ませた。

　玄関には三足の靴が出しっぱなしになっていた。一つはスニーカー、一つはパンプス、そして残る一つがサンダルだ。なるほどサンダルのヒールは高い。これならちょっと触れただけでも倒れてしまうだろう。

　靴を脱ぎ、今枝は部屋に上がり込んだ。小さな流し台がついているだけのワンルームだ。それでも入り口から中が丸見えにならないよう、途中にカーテンを吊してある。カーテンの向こうにはベッドとテレビとテーブルが置かれている。古いエアコンは彼女の入居時から付いていたものか。大きな音をたてながらも、一応冷風を送っている。

「電話は？」

「そこ」絵里はベッドの横を指した。

天板がほぼ正方形をした小さな棚があり、その上に白い電話機が載っていた。最近流行のコードレスではない。この部屋では不必要だからだろう。

今枝はバッグから黒く四角い装置を取り出した。上部にアンテナがついていて、表面には小さなメーターとスイッチ類が並んでいる。

「何それ？　トランシーバー？」絵里が訊いた。

「いや、ちょっとしたおもちゃだよ」

今枝はパワースイッチを入れた。さらに周波数調整のつまみを回す。やがて百メガヘルツ周辺でメーターに変化が表れた。感知を示すランプも点灯した。その状態で電話に近づけたり、逆に電話から遠ざけたりする。メーターは如実に反応した。

彼は装置のスイッチを切った。電話機を持ち上げて裏を見た後、バッグから今度はドライバーセットを取り出した。プラスドライバーを手にし、電話機のカバーを留めているプラスネジを外していく。思った通り、ネジを緩めるのに大きな力はいらなかった。一度誰かが外したせいだ。

「何やってるの？　電話機を壊しちゃうの？」

「いや、修理だよ」

「えっ？」

ネジをすべて取ると、慎重に裏カバーを外した。電子部品の並んだ基盤が見える。彼はすぐに、テープで取り付けられた小さな箱に目をつけた。指でつまみ、取り除いた。

「何それ？　取っちゃってもいいの」

絵里の質問には答えず、今枝は箱についている蓋をドライバーでこじあけた。水銀ボタン電池が入っていた。それもまたドライバーの先でほじくり出した。

「よし、これでオーケーだ」

「何なのよ、それ。教えてよお」絵里が喚いた。

「別にどうってことない。盗聴器だ」電話のカバーを元に戻しながら今枝はいった。

「えーっ」絵里は目を剝いて、取り外された箱を手に取った。「どうってことあるよ。どうしてあたしの部屋に盗聴器なんかが仕掛けられてるわけえ？」

「それはこっちが訊きたいね。どこかの男につきまとわれてるんじゃないのか」

「だからそんな奴いないって」

今枝は再び盗聴器探知機のスイッチを入れ、周波数を変えながら室内を歩き回った。今度はメーターは全く反応しなかった。

「二重三重に仕掛けるほど凝ったことはしていないようだな」スイッチを切り、探知機をドライバーセットと共にバッグにしまった。

「どうして盗聴器が仕掛けられてるってわかったの？」

「それより何か飲ませてくれよ。動き回ったんで暑くなった」

「あ、はいはい」

絵里は腰の高さほどしかない小さな冷蔵庫から缶ビールを二つ出してきた。一つをテーブルに置き、一つは自分がプルトップを引いた。

今枝は胡座をかき、ビールをまず一口飲んだ。ほっとすると同時に全身から汗が出た。「一言でいうと経験からくる直感だよ」缶ビールを片手に彼はいった。「誰かが入った形跡がある、電話機が動かされている、となれば何者かが電話に細工したと考えるのが妥当じゃないか」

「あっ、そうか。意外と簡単」

「——といわれると、そうでもないんだがといいたくなるが、まっいいだろう」さらに一口ビールを飲み、口元を手の甲でぬぐった。「本当に心当たりはないんだな」

「ない。本当。絶対」ベッドに腰かけて、絵里は大きく頷いた。

「ということは、狙いはやっぱり俺……かな」

「狙いが今枝さん？　どういうこと？」

「無言電話が留守電にたくさん入っていたといってただろ。それで絵里は気味悪がって俺のところに電話してきた。だけどそれはもしかしたら犯人の計略だったかもしれない。つまり犯人は、絵里に電話をさせるのが目的だった。そんなものが留守電に入っていたら、とりあえず心当たりにかけてみるというのが人情だからな」

「あたしに電話させてどうするの？」

「君の交際範囲を把握する。親友は誰か、いざという時に頼るのは誰か」

「そんなものを知ったって、一円の得にもならないと思うけどな。第一、知りたいなら教えてやるよ。盗聴器なんか仕掛ける必要ない」

「絵里には気づかれずに知りたいということだろう。さて以上のことを整理するとこういうことになる。犯人はある人物の名前と正体を知りたい。手がかりは絵里だ。たぶん犯人は、ある人物が絵里と親しいということだけを知っていた」今枝はビールを飲み干し、空き缶を掌の中でつぶした。「そういった状況に何か心当たりは？」

絵里はうつむき、缶ビールを持っていない右手親指の爪を噛んだ。

「この間の、南青山のブティック？」

「御明察」今枝は頷いた。「あの時絵里は連絡先を店に書き残してきた。だけど俺は何も残していない。俺の正体を知るには君から辿るしかない」

「あの店の人が今枝さんのことを調べようとしたってい

うの？　どうして？」

「まあそれはいろいろとあるんだよ」今枝はにやりと笑った。「大人の話だ」

彼の頭の中では篠塚の時計の一件が引っかかっていた。唐沢雪穂は明らかにあの時計が篠塚のものであることを見抜いていた。大事な時計を借りてまで店にやってきたこの男は何者だろうと考えたとしても不思議ではない。そこで今枝と同業の人間を雇い、菅原絵里のセンから調べることにした——大いにありうることだった。

今枝は先程の電話で絵里と交わした会話を振り返ってみた。彼女は彼のことを今枝さんと呼んでいた。盗聴器を仕掛けた人物は、時間の問題でこのアパートのそばに今枝直巳という男の経営する探偵事務所があることを突き止めるだろう。

「でもあたし、そんなに正確な住所は書かなかったよ。お金持ちのお嬢さんっていう設定なのに住所がコーポ山本じゃまずいと思ってさ。電話番号も少し変えておいた」

「本当かい」

「本当だよ。あたしだって探偵の助手をするぐらいなんだから、少しは考えてるって」

今枝は唐沢雪穂のブティックに行った時のことを回想した。どこかに落とし穴はなかっただろうか。

「あの日、財布は持ってたか」今枝は訊いた。

「持ってたよ」

「当然、バッグの中に入れてたんだろうな」

「うん」

「あの時、やたら取っ換え引っ換え服を着ていたようだけど、その間バッグはどこに置いていたんだ」

「ええと……フィッティングルームだったと思うけど」

「置きっぱなしだったわけだ」

うん、と絵里は頷いた。表情が心細そうなものに変わっていた。

「その財布、ちょっと見せてくれ」今枝は左手を出した。

「えー、お金は大して入ってないよお」

「金なんかどうでもいい。金以外のものを見るんだ」

絵里はベッドの角に引っかけてあったショルダータイプのバッグを開け、中から黒い財布を取り出した。長細い形をしている。グッチのマークが入っていた。

「ずいぶん高級な品物を持ってるじゃないか」

「貰ったの。店長から」

「あのちょび髭の店長か」

「そう」

「ふうん。それはそれは」今枝は財布を開き、カードを入れるためのポケットを調べていった。デパートや美容院のカードと一緒に免許証も突っ込んであった。それを引き抜き内容を確かめた。住所はこのアパートのものになっている。

「えっ、それを勝手に見られたっての？」絵里が驚いていった。

「かもしれない、ということだ。確率は六十パーセント以上だな」

「ひどーい、そんなことするかなあふつう。だったら何、最初からあたしたちは疑われてたってこと？」

「そういうことだ」腕時計を見た時から唐沢雪穂は疑っていたのだ。財布の中身を調べる程度のこともあの女なら平然とやってのけるかもしれない。猫のような目を脳裏に浮かべながら今枝はそう思った。

「でもそれなら店を出る前に、どうしてあたしに住所と名前を書かせたのかな。案内状を送るからとかいっちゃってさ」

「それはたぶん確認のためだろう」

「何の？」

「絵里が本当の住所氏名を書くかどうかだよ。で、結局本当の住所は書かなかったわけだな」

絵里は申し訳なさそうに頷いた。「番地をちょっと違えて書いちゃった」

「それによって彼女は確信したわけだ。こいつらは服を買いに来たんじゃないってな」

「ごめん。下手な小細工しないほうがよかったんだね」

「まあいいさ。どうせ疑われてたんだ」今枝は立ち上がり、バッグを持った。「戸締まりに気をつけろよ。思い知っただろうけど、プロの手にかかればこんなアパートの鍵なんてついてないも同然なんだ。部屋にいる時は必ずチェーンをかけること」

「うん、わかった」

「じゃあな」今枝はスニーカーに足を突っ込んだ。

「今枝さん、大丈夫かな。誰かが襲ってきたりしない？」

絵里の言葉に今枝は吹き出した。

「それじゃあまるで００７の世界だな。心配しなくていい。せいぜい人相の悪い殺し屋が訪ねてくる程度だ」

「えーっ」絵里は顔を曇らせた。

「それじゃあおやすみ。戸締まり、きちんとしろよ」今枝は部屋を出てドアを閉めた。しかしすぐには歩きださなかった。鍵のしまる音とドアチェーンがかけられる音を確認してからその場を離れた。

さて、どんなやつがやってくるか――。

今枝は空を見上げた。小雨は降り続いていた。

3

翌日、小雨は本降りの雨に変わった。そのせいで気温も幾分下がり、猛暑続きの八月の中にあって、わりと過ごしやすい朝となった。

今枝は午前九時過ぎに寝床から這い出すと、Tシャツにジーンズという出で立ちで部屋を出た。骨が一本曲がっている傘をさし、マンションの向かい側にある『ボレロ』という名の喫茶店に入った。木製ドアの上には小さな鐘がついていて、開閉するとからんからんと音がした。ここでスポーツ新聞を読みながらモーニングセットを食べるのが毎日の習慣になっている。

『ボレロ』はテーブル席が四つとカウンターがあるだけの小さな店だ。テーブルは二つが塞がり、カウンターには客が一人座っていた。頭の禿げたマスターが、カウンターの中から今枝に向かって会釈した。

今枝はちょっと迷ったが、結局一番奥のテーブル席についた。この時間帯、これから客が押し寄せてくるとは思えなかった。どうしてもテーブル席が足りなくなれば、その時カウンターに移ればいい。

今枝は特にオーダーをしない。黙っていれば数分後には、太いソーセージを挟んだホットドッグとコーヒーをマスターが運んできてくれるはずだった。ホットドッグには炒めたキャベツも挟んであるだろう。

すぐそばのマガジンラックには、新聞が何紙か畳んで入れてある。カウンター客がスポーツ新聞を読んでいるから、残っているのは一般紙と経済紙だけだ。今枝は諦めて朝日新聞を抜き取った。読売新聞もあったが、それは彼が購読している。

椅子に座り直し、新聞を開こうとした時、からんからんと音がした。反射的にドアのほうを見る。男性客が一人入ってきたところだった。

男の年齢は六十歳近くに見えた。五分刈りにした頭には白髪が混じっている。体格はいい。白い開襟シャツを着た胸は厚く、半袖から出た腕も太かった。背は百七十センチ以上あるだろう。おまけに昔の侍のように姿勢がよかった。

しかし最も今枝の気をひいたのはそうした外見ではなく、男が店に足を踏み入れるなり、まず今枝のほうに鋭い視線を向けてきたことだった。まるでそこに彼がいることを、店に入る前から知っていたようだった。

だがじつはそれも一瞬のことだ。男はすぐに視線を無関係な方向に移動させた。同時に男自身も動いていた。

男はカウンター席に座った。

「コーヒーをください」男がマスターにいった。

その一言を聞いて、新聞に目を戻しかけていた今枝は、また顔を上げた。男のアクセントが関西なまりのものだったからだ。意表をつかれたような感じがした。

その時男がまた今枝のほうを見た。一瞬二人の視線が合致した。

男の目は他人を威嚇するようなものではなかったし、何らかの邪念を含んでいるものでもなさそうだった。しかし人間の憎悪や歪みを知り尽くした目だった。真の冷徹さともいうべき鈍い光が宿っていた。今枝は背中にぞくりとした冷たいものを感じた。

だが二人が目を合わせていたのは、本当に短い時間だった。一秒にも満たなかったかもしれない。どちらからともなく目を外した数秒後には、今枝は新聞の社会面の見出しを読んでいた。大型トレーラーが高速道路で事故を起こしたという記事だった。しかし今枝は男のことを完全に意識から追い出せたわけではなかった。あの男は何者だろうという思いが、糸くずのように意識の端にまとわりついていた。

マスターがホットドッグとコーヒーのセットを運んできた。今枝はホットドッグにケチャップとマスタードをたっぷりかけ、かぶりついた。前歯がウインナーの皮を破る感覚が好きだった。

ホットドッグを食べている間、今枝は男のほうを見ないようにした。見ればまた視線が合いそうな気がしたからだ。

最後の一切れを口の中に押し込んだ後、コーヒーカップを口元に運びながら、今枝はちらりと男の様子を窺った。男はちょうど首を動かし、前を向いてコーヒーを飲もうとしているところだった。

たった今まで俺のほうを見ていたのだ――今枝はそんなふうに直感した。

彼はコーヒーを飲み干し、立ち上がった。ジーンズのポケットに手を突っ込み、千円札を取り出してカウンターの上に置いた。マスターは無言で釣り銭の四百五十円を返してきた。

その間男は殆ど姿勢を変えない。ぴんと背筋を伸ばした体勢でコーヒーを飲んでいた。機械仕掛けのように同じリズム、同じ動きだった。今枝のほうには見向きもしない。

今枝は店を出ると、傘をささずに走って道路を渡った。そしてマンションの階段を駆け上がった。部屋に入る前に『ボレロ』を見下ろしたが、あの初老の男は出てこなかった。

今枝はスチール製の棚に置いてあるミニコンポのスイッチを入れ、CDプレーヤーを動かした。プレーヤーにはホイットニー・ヒューストンのCDが入ったままになっている。ほどなく壁に取り付けた二つのスピーカーから迫力のある歌声が流れてきた。

　彼はTシャツを脱いだ。シャワーを浴びるためだった。昨夜は結局あれからシャワーを浴びずに眠ったのだ。おかげで髪もべとついている。

　ジーンズのジッパーを下ろした時、玄関のチャイムが鳴った。

　いつも聞き慣れているはずのチャイム音が、今日は意味ありげに聞こえた。インターホンに答えないでいると、もう一度鳴った。

　今枝はジッパーを上げ、脱いだばかりのTシャツをもう一度着た。一体いつになったらシャワーを浴びられるんだろうと思いながら玄関に出ていき、鍵を外してドアを開けた。

　あの初老の男が立っていた。

　ふつうならば驚くような局面だったが、今枝は殆ど動じなかった。最初のチャイムを聞いた時から、何となく予感していたことだったのだ。

　男は今枝を見て、薄い笑いを浮かべていた。左手に傘を、右手に集金係が持つような黒のセカンドバッグを持っていた。

「何か？」と今枝は訊いた。

「今枝さんですね」男はいった。やはり関西風のアクセントだった。「今枝直巳さん……ですね」

「そうですが」

「ちょっとお尋ねしたいことがあるんです。お時間、いただけますか」腹に響くような低い声だ。眉間を中心に彫刻刀で刻んだように皺が顔面に走っている。その中の一本が刃物による切り傷だということに今枝は気づいた。

「失礼ですが、あなたは？」

「ササガキといいます。大阪から来ました」

「それは遠くからわざわざ。でも申し訳ないんですが、これから仕事でしてね、すぐに出かけなきゃいけないんです」

「時間はそんなにとらせません。二、三、質問に答えてくれはったらええんです」

「日を改めてください。本当に急いでるんです」

「そのわりには喫茶店で呑気《のんき》に新聞を読んではりましたな」男は口元の端を曲げた。

「私が私の時間をどう使おうとあなたには関係ないはずだ。帰ってください」今枝はドアを閉めようとした。だが男はドアの隙間に、持っていた傘を差し込んだ。

「仕事熱心なのは結構ですな。しかしこっちも仕事でしてね」男は灰色のズボンのポケットに手を入れた。出してきたのは黒い手帳だった。大阪府という文字が見えた。

　今枝は吐息をつき、ドアのノブを引く力を緩めた。

「警察なら警察と、最初からいえばいいのに」

「玄関先で名乗られるのを嫌う人もおるんですわ。ちょっと話を訊かせてもらえますか」

どうぞ、と今枝はいった。

依頼者のための椅子に男を座らせ、今枝は自分の席についた。じつは依頼者用の椅子は少し低くしてある。それだけの工夫で、仕事に関する話し合いをする時、微妙に優位に立てるものなのだ。だがその神通力もこの男には無力かもしれないなと、皺だらけの顔を見て思った。

今枝は名刺の提示を求めた。持っていないと男はいった。嘘に決まっていたが、そんなことで口論する気はなかった。先程の警察手帳をもう一度見せてくれといった。

「その権利はあるはずですよ。あなたが本物という証拠はどこにもないし」

「もちろん権利はあります。なんぼでも見てやってください」男は手帳を開き、身分証の頁を見せた。名前は笹垣潤三となっていた。写真の顔は少し細いが、同一人物らしい。

「信じてもらえましたか」笹垣は手帳をしまった。「今は西布施警察署というところにおります。刑事課の一係です」

「一係の刑事さん？　ということは殺人事件の捜査ですか」意外だった。今枝としては予想していなかった。

「まっ、そんなとこです」

「どういうことかな。私の周りで殺人事件が起きたという話は聞いていませんが」

「そら、事件にもいろいろあります。話にのぼる事件もあれば、誰も話題にせん事件もあります。けど事件には変わりがない」

「いつ、どこで、誰が殺された事件ですか」

笹垣は笑った。顔の皺が複雑な模様を描いた。

「今枝さん、まずこっちの質問に答えてもらえませんか。それを答えてもらえたら、私のほうも礼はさせてもらいます」

今枝は刑事を見た。大阪から来た老刑事は、椅子の上でかすかに身体を揺らしていた。だがその表情にはいささかの揺れもなかった。

「いいでしょう。あなたのほうから先に質問してください。何が訊きたいんですか」

笹垣は傘を身体の前で立て、その柄の上に両手をのせた。

「今枝さん、あんた、二週間ほど前に大阪に行ってきはりましたな。生野区の大江のあたりをうろついてきはった。違いますか」

今枝はいきなり急所をつかれたような気がした。大阪府警と聞いた時から、大阪行きのことを頭に思い浮かべていたのだ。同時に彼は、あの時に布施という駅を利用したことを思い出した。

「どうです？」笹垣は重ねて訊いてきた。だが答えを知っている顔だった。

「行ってきました」今枝は認めるしかなかった。「よく御存じですね」

「あのあたりのことやったら、どこの野良猫が孕《はら》んでるかということまで知ってますがな」笹垣は口を開け、しかし声は出さずに笑った。空気の漏れる奇妙な音がした。その口を一旦閉じてからいった。「何しに行きはりました？」

今枝は高速で頭を回転させながら答えた。「仕事です」

「ほう、仕事。どういう仕事ですか」

今度は今枝が笑って見せた。少しは余裕を示しておきたい。

「笹垣さん。私の職業を知らないわけじゃないでしょう？」

「面白そうな仕事をやってはりますな」笹垣はファイルがぎっしりと詰まったスチール棚を眺めた。「私の友人でも大阪で店を開いてるのがおります。儲かってるのかどうかは知りませんけど」

「つまりこの仕事のために大阪に行ったんです」

「大阪で、唐沢雪穂のことを調べるのが仕事やったわけですか」

やはりそのセンから俺を追ってきたのかと今枝は合点した。どうやって自分に辿り着けたのだろうと考え、昨日の盗聴器事件のことが思い出された。

「何のために唐沢雪穂の生い立ちやら育った環境やらを調べたか、そこのところを話していただけるとありがたいんですけどねえ」笹垣は三白眼で今枝を見た。糸をひくように粘りけのある口調だった。

「御友人がこの仕事をしておられるなら事情はおわかりでしょう。我々は依頼人の名前を明かすことはできないんです」

「つまりどなたかに頼まれて唐沢雪穂のことを調べたとおっしゃるんですな」

「そういうことです」答えながら今枝は、この刑事が唐沢雪穂のことを呼び捨てにしている理由について考えた。余程親しい仲ということか、それとも刑事という職業からくる習慣か。あるいは――。

「縁談絡みですか」笹垣がいきなりいった。

「えっ？」

「唐沢雪穂には縁談の話が持ち上がってるそうですな。先方の家の者としたら、山師みたいな女を嫁にする以上は、十分に身元を調べておきたいと思うのが当然でしょうな」

「何の話です」

「せやから縁談の話です」笹垣は口元に不気味な笑みを浮かべたまま今枝を見た。その視線を机の上に移動させた。「吸うてもかまいませんか」灰皿を指して訊いた。

どうぞ、と今枝は答えた。

笹垣は開襟シャツの胸ポケットからハイライトの箱を取り出した。箱は平たくつぶされていた。箱から抜き取った煙草は少し曲がっていた。それをくわえ、紙マッチで火をつけた。『ボレロ』で貰ったマッチのようだ。

自分にはいくらでも時間があるのだと示すように、刑事はゆったりと煙草を吸った。吐き出された煙は揺れながらのぼっていき、空気に溶け込んだ。

刑事は明らかに今枝に考える猶予を与えようとしていた。手持ちのカードを何枚か示し、相手の出方を見るというやり方が得意技なのかもしれない。喫茶店でわざと存在を示したのも、俺はおまえのことをずっと見張っていたのだと仄めかすことで、手持ちカードをより強力なものに見せようという計算があったのだろう。無表情で煙を追う刑事の目には、底知れぬ狡猾さが秘められているようだった。

そのカードの中身を、今枝は猛烈に知りたかった。なぜ殺人を扱う刑事が唐沢雪穂を追っているのか。いや、追っているというのは正確ではない。この男が現在の彼女に関する情報をかなりたくさん持っていることは確実だ。

「唐沢さんに結婚話が持ち上がっているというのは、私も知っています」考えた末に今枝はいった。「だけどそのことと私の調査が関係あるのかと訊かれても、あるともないとも答えるわけにはいきません」

煙草を指に挟んだ格好で笹垣は頷いた。満足そうな表情だった。

笹垣は短くなった煙草を、灰皿の中でゆっくりもみ消した。

「今枝さん、マリオは覚えてはりますか」

「マリオ？」

「スーパーマリオブラザーズ。子供のおもちゃです。もっとも近頃では大人が夢中になってるという話ですけど」

「ファミコンの。ええ、もちろん覚えています」

「数年前、えらいブームがきましたな。おもちゃ屋の前に列ができるぐらいの」

「そうでしたね」戸惑いながら今枝は相槌を打った。どこに行き着く話か先が見えない。

「大阪に、あのおもちゃの偽物を売ろうとしてた男がおりましてね。実際偽物は完成してて、後は売りさばくだけの段階でした。ところがぎりぎりのところで警察が摘発したんです。偽物は押収しました。けど、その男は見つかりません。行方不明なんです」

「逃げたわけだ」

「警察内でも、そう思われてました。いや、今もそう思われてます。指名手配中です」笹垣はセカンドバッグを開け、中から折り畳んだチラシのようなものを取り出した。広げて今枝のほうに見せる。この顔にピンときたら、という馴染みの言葉の下に、髪をオールバックにした五十歳ぐらいの男の顔があった。名前は松浦勇とある。

「一応訊きますけど、この顔をどこかで見たことはありませんか」

「いや、ありません」

「そうでしょうな」笹垣は紙を畳み、再びバッグに入れた。

「あなたはその松浦という男を追っているんですか」

「そうですな。そういう言い方もできます」

「そういう言い方？」今枝は笹垣の顔を見直した。大阪から来た刑事は意味ありげに唇の端を曲げた。

　今枝はその瞬間はっと気づいた。殺人を扱う刑事が、単なるゲームソフト偽造の犯人を追いかけているだけのはずがない。笹垣はその松浦という男が殺されたと睨んでいるのだ。彼が探しているのは、松浦の死体であり、松浦を殺した犯人なのだ。

「その男と唐沢雪穂さんとどういう関係があるんですか」今枝は訊いてみた。

「直接の関係はない、かもしれませんな」

「それならどうして……」

「松浦と一緒に消えた男がおるんです」笹垣はいった。「その男もスーパーマリオの偽造に関わってた可能性が大いにあります。で、その男がたぶん……」刑事は言葉を選ぶように少し黙ってから改めて口を開いた。「唐沢雪穂の周りのどこかにおるはずなんです」

「周りのどこか？」今枝は問い直した。「どういう意味ですか」

「言葉のとおりです。どこかに隠れとるはずなんです。テッポウエビっていう海老、御存じですか」刑事がまた先の読みにくい話をし始めた。

「テッポウエビ？　いいえ」

「テッポウエビはね、穴を掘ってその中で生活するらしいです。ところがその穴に居候しとるやつがおる。魚のハゼです。そのかわりにハゼはふだん穴の入り口で見張りをしとって、外敵が近づいたら尾ひれを動かして中のテッポウエビに知らせるそうです。見事なコンビネーションや。相利共生というらしいですな」

「ちょっと待ってください」今枝は小さく左手を出した。「唐沢雪穂さんには、そんなふうに共生している男がいるとおっしゃるんですか」

　だとしたら大変なことだが今枝は信じられない。これまで調べたかぎりでは、そういう男の存在など全く摑めなかった。

　笹垣はにやりと笑った。「私の想像です。証拠なんか、何もありません」

「でも何か根拠があるから、そんなふうに想像するわけでしょう？」

「根拠といえるほどのことはありません。おいぼれた刑事の勘です。せやから当然、外れてる可能性もある。あてにはなりませんわ」

　嘘だ、と今枝は思った。岩のように動かせない根拠があるはずなのだ。でなければ、こんなふうに一人で上京してきたりはしないだろう。

　笹垣は再びバッグを開け、中から一枚の写真を取り出した。

「この男の顔に見覚えはありませんか」

　机の上に置かれた写真に今枝は手を伸ばした。正面を向いた男の顔が写っていた。免許証の写真だろうか。年齢は三十前後ぐらい。顎が尖っている。

　どこかで見た顔だ、とまず思った。それを表情に出さぬよう気をつけながら今枝は自分の記憶を探った。彼は人の顔を覚えることを得意としていた。必ず思い出せるという自信があった。

　写真を見つめているうちに霧が突然晴れた。写真の男をどこで見たのかを、彼は鮮やかに思い出すことができたのだ。フルネーム、職業、住んでいた場所、そのすべてが瞬く間にプリントアウトされた。同時に声をあげそうになった。あまりにも意外な人物だったからだ。その驚きをこの場で表現したかった。だが彼はその欲望を辛うじてこらえた。

「この人物が唐沢雪穂さんの共生相手ですか」声の調子をそれまでと変えずに訊いた。

「さあどうでしょうな。で、見覚えは？」

「あるような、ないような」今枝は写真を手に唸ってみせた。「ちょっと確認したいことがあるんですが、隣の部屋に行ってもいいですか。資料と照合したい」

「どういう資料ですか」

「ここに持ってきますよ。少し待っていてください」今枝は笹垣の返事を待たずに立ち上がり、急いで隣の部屋に入って鍵を閉めた。

　元来は寝室だが、じつは暗室として使うこともあった。白黒写真の現像ならここでできる。彼は棚に並んでいる写真関連の器具の中から、接写のできるポラロイドカメラを手に取った。現像後にネガとポジペーパーをはがす、ピールアパート方式の写真機だ。

今枝は笹垣の写真を床に置き、カメラを手に持った。ファインダーを覗きながら距離を調整することで焦点を合わせる。レンズのほうを調整していると時間がかかるからだ。

十分にピントが合ったと思われる位置でシャッターを押した。ストロボが光った。

フィルムを引き出し、カメラを元の場所に戻した。そのフィルムを軽く振りながら、もう一方の手で本棚から分厚いファイルを取り出した。そこには唐沢雪穂の調査のために撮影した写真がまとめられている。その中身をぱらぱらと眺め、笹垣に見せても問題がないことを確認した。

ちらりと腕時計を見て撮影から数十秒が経過していることを確認し、彼はフィルムのポジペーパーをはがした。見事に接写ができていた。オリジナルの写真の細かい汚れまでコピーされている。

その写真をそばの引き出しに入れ、オリジナルの写真とファイルを持って今枝は部屋を出た。

「すみません、手間取っちゃいまして」今枝はファイルを机の上に置いた。「見たことがあるような気がしたのは勘違いだったようです。残念ながら、見当たりません」

「このファイルは？」笹垣が訊く。

「唐沢雪穂さんに関する調査資料です。でも大した写真はありません」

「見せてもらっていいですか」

「どうぞ。ただし、どういう写真かは解説できませんのでそのつもりで」

笹垣はファイルされた写真を一枚一枚調べていった。その中身は、唐沢雪穂の実家周辺を撮影した写真や、証券会社の担当者を隠し撮りした写真だった。

最後まで見たところで刑事は顔を上げた。

「面白そうな写真が並んでますな」

「気に入ったものでもありましたか」

「単なる縁談相手の調査にしては妙やと思いますな。たとえば、何のために唐沢雪穂が銀行に出入りする写真まで撮っておかなあかんのか、理解に苦しみます」

「それはまあ、何なりと想像してください」

じつはその銀行には唐沢雪穂の貸金庫があるのだった。尾行することでそのことを突き止めた。銀行に入る前と、銀行から出た後の姿を撮影してあるのは、彼女の身なりに変化がないかどうかを確認するためだ。たとえば入る時にはなかったはずのネックレスが出てきた時にはつけられていたとしたら、それは貸金庫に預けられていたということになる。地道だが、財産をチェックする手段の一つだ。

「今枝さん、一つ約束してもらえませんかねえ」

「何でしょう」

「おたくが今後調査を続けていくうちにこの男――」そういって先程の写真を摘み上げた。「この写真の男を見つけるようなことがあったら、是非知らせてほしいんです。それも早急に」

今枝は写真と笹垣の皺だらけの顔を見比べた。

「では、一つ教えてほしいことがあります」と彼はいった。

「何ですか」

「名前です。その男の名前を教えてください。それから最後に住んでいた場所の住所も」

今枝の要求に、笹垣は初めて逡巡する顔つきになった。

「もしもこの男を見つけてくれはったら、その時にはこの男についての情報をうんざりするほどさしあげますよ」

「私は今、その男の名前と住所が欲しいんですよ」

笹垣は今枝を数秒見つめてから頷いた。机の上のメモ用紙を一枚ちぎり、備え付けのボールペンで何か書いて、今枝の前に置いた。

『桐原亮司　大阪市中央区日本橋2―×―×　MUGEN』

「きりはらりょうじ……ムゲンって何です」

「桐原が経営してたパソコンの店です」

「へえ」

笹垣はもう一枚何か書いた。それもまた今枝の前に置いた。笹垣潤三という名前と電話番号らしき数字が並んでいた。ここに連絡しろという意味だろう。

「さてと、えらい長居をしてしまいました。これから仕事やというてはりましたな。どうもお邪魔してすみませんでした」

「いえ」仕事の予定がないことなど見抜いていたくせにと今枝は思った。「ところで、唐沢雪穂のことを調べているのが私だと、どうやって知ったんですか」

笹垣は薄笑いをした。「そういうことはまあ、歩きまわってるうちにわかります」

「歩きまわっているうちに？　ラジオを聞いたんじゃないんですか」今枝はツマミを回すしぐさをした。盗聴器の受信機の意味だ。

「ラジオ？　何のことです」笹垣は怪訝そうな顔をした。芝居にしてはあまりにストレートな演技だった。だからこそとぼけているのではないらしいと今枝は察した。

「いや、何でもありません」

笹垣は傘を杖のようにつきながらドアに向かった。だがそれを開ける前に振り返った。「余計なお世話ですけど、おたくに唐沢雪穂の調査を依頼しはった人に一言いいたい気分ですな」

「どういうふうにです」

　すると笹垣は口元を曲げていった。

「あの女はやめたほうがよろしい。あれはふつうの女狐やない」

「ええ」今枝は頷いた。「知っています」

　笹垣も頷き、ドアを開けて出ていった。

4

　何かのカルチャースクールの帰りと思われる女性グループが、二つのテーブルを占拠していた。場所を変えたいところだったが、待ち合わせの相手はすでに事務所を出ているはずだった。仕方なく今枝は、女性グループから一番離れたテーブルに向かった。女性たちの平均年齢は四十歳前後というところだ。テーブルの上には飲みものの入れ物以外に、サンドウィッチやスパゲティなどの皿も載っていた。時刻は午後一時半。昼休みが終わった直後だから喫茶店もすいていると踏んだのだが、とんだ誤算だった。彼女たちはカルチャースクールが終わった後、ここで昼食をとりながら延々とおしゃべりするのを、最大の楽しみにしているに違いなかった。

　今枝がコーヒーを二口ほど飲んだ時、益田《ますだ》均《ひとし》が店に入ってきた。一緒に仕事をしていた頃よりは少し痩せたようだ。半袖シャツを着て、紺色のネクタイを締めていた。手に大判の封筒を持っている。

　益田はすぐに今枝を見つけて近づいてきた。

「久しぶりだな」そういって向かいの席についたが、注文を取りにきたウェイトレスには、「俺はいいよ、すぐに出るから」といった。

「相変わらず忙しいみたいだな」今枝はいった。

「まあな」益田はぶっきらぼうにいった。明らかに機嫌がよくなかった。ハトロン紙の封筒をテーブルに置いた。

「これでいいのか」

　今枝は封筒を取り、中身を調べた。A4のコピー用紙が二十枚以上入っている。その内容にさっと目を通し、大きく頷いた。見覚えのあるものだった。中には今枝自身が書いた書類のコピーもある。

「これでいい。悪かったな」

「いっておくが、もう二度とこんなことは頼まないでくれよ。事務所の資料を部外者に見せるというのがどういうことを意味するか、おまえだって何年も探偵をやってるんだからわからんわけじゃないだろう」

「すまん。本当にこれっきりだ」

　益田は立ち上がった。しかしすぐには出口に向かわず、今枝を見下ろして訊いた。

「今頃になってそんなものを欲しがるとはどういうことだ。尻切れ蜻蛉《とんぼ》の尻尾でも見つけたのか」

「そんなんじゃない。ちょっと確かめたいことがあっただけだ」

「ふうん。まっ、いいけどさ」益田は歩きだした。今枝の言葉を信じているはずはなかった。しかし仕事でもないことに首を突っ込みたくはないようだった。

　益田が店から出ていくのを見届けて、今枝は改めて書類に目を通した。三年前の日々がたちまち蘇る。東西電装株式会社の関係者という人物から依頼された、例の調査報告書をコピーしたものだ。

　あの時調査が頓挫した最大の原因は、メモリックス社の秋吉雄一という人物の正体を最後まで暴けなかったことだ。本名も経歴も、どこから来た人間なのかということもわからなかった。

　ところがつい先日、全く思いがけないところから秋吉の正体を知ることになった。笹垣刑事が見せた写真の男、桐原亮司は、かつて今枝が散々見張り続けた秋吉雄一に間違いなかった。

　パソコンショップを経営していたという経歴も、秋吉にはふさわしいものだし、桐原が大阪から姿を消したという時期は、秋吉がメモリックスに入社した時期と合致しそうだった。

　最初今枝は単なる偶然だと思った。以前追っていた人物の正体が、数年後全く別の調査をしていてひょいとわかるということも、長年こういう仕事をしていれば起こりうることなのかもしれないと解釈していた。

　だが頭の中で整理するうちに、それがとんでもない錯覚だということに気づいた。偶然でも何でもなく、東西電装から依頼された調査と今回の調査は、じつは根っこの部分で繫がっているのではないかと思えてきた。

　そもそも今回の唐沢雪穂に関する調査を篠塚から依頼されたきっかけは、ゴルフ練習場で高宮誠と会ったことだ。ではなぜあのゴルフ練習場に行ったかというと、三年前、秋吉を尾行していて、訪れたことがあったからだ。高宮のことも、その時に知っていた。高宮は、秋吉が追いかけていた三沢千都留という女性と親しくしていたのだ。そして高宮誠の当時の妻こそ、唐沢雪穂だった。

　笹垣刑事は桐原亮司のことを、唐沢雪穂と相利共生する存在のようにいっていた。あの老刑事がそのようにいうからには、何らかの根拠があるに違いなかった。そこで実際に桐原と唐沢雪穂の間に密接な関係があると仮定して、三年前の調査を振り返ってみる。するとどうなるか。

　何のことはない。答えはすぐに出る。雪穂の夫は東西電装特許ライセンス部に勤務している。社内の技術情報を管理する立場の人間だ。それはトップシークレットに関与できるということを意味する。コンピュータから極秘情報を呼び出すＩＤやパスワードも与えられているだろう。無論それは決して人に見せてはならないものだ。高宮もその規則を守っていたに違いない。しかし妻に対してはどうだったか。彼の妻ならば、ＩＤやパスワードを知り得たのではないか。

　三年前、今枝たちは秋吉雄一と高宮誠の繋がりを見つけだそうとした。しかし何も見つからなかった。見つからないはずだ。ターゲットにすべきは高宮雪穂のほうだったのだ。

　さてそうなると今枝としては、もう一つ気になることが出てくる。三沢千都留と高宮誠のことだ。秋吉すなわち桐原は、一体何のために千都留を見張っていたのか。

　雪穂に頼まれて、彼女の夫の浮気を調べていたという推理も成り立たないではない。しかしそう考えるには、腑に落ちないことが多すぎた。まずなぜそれを桐原に頼むのかということだ。浮気調査ならば探偵を雇えばいい。それにもし高宮誠の浮気を調べるということであれば、高宮を見張るのがふつうではないか。三沢千都留を見張っていたということは、すでに彼女が高宮の愛人であることは確認済みだからだろう。ならばそれ以上の調査は不要のはずだ。

そんなことを考えながら今枝は益田から受け取ったコピーを読んでいった。やがて奇妙なことに気づいた。

　桐原が三沢千都留を尾行して最初にイーグルゴルフ練習場に行ったのは、三年前の四月はじめのことだ。その時ゴルフ練習場に高宮誠は現れていない。その二週間後、再び桐原はゴルフ練習場に行った。そこで初めて高宮誠が今枝たちの前に姿を見せる。彼は三沢千都留と親しそうに話していた。

　その後、桐原は二度とゴルフ練習場には足を運んでいない。だが今枝たちは引き続き三沢千都留と高宮誠の様子を探っていた。彼等の仲の深まっていく様子が、当時の記録を辿るとよくわかる。調査が打ち切られる八月上旬時点で、二人は完全に不倫関係に入っている。

　奇妙なのはここだ。二人の仲が深まっていくというのに、雪穂は何の手も打たなかったのだろうか。何も知らなかったとは思えない。桐原から情報が入っていたはずだ。

　今枝はコーヒーカップを口元に運んだ。コーヒーはすっかりぬるくなっていた。こんなふうに冷めたコーヒーを、つい最近も飲んだことを思い出した。篠塚と銀座の喫茶店で会った時だ。

　この瞬間、不意に一つの考えが今枝の頭に浮かんだ。全く別の角度からの発想だった。

雪穂が高宮誠と別れたがっていたとしたらどうだ――。考えられないことではない。川島江利子の言葉を借りれば、高宮は最初から彼女にとって最愛の男ではなかったはずなのだ。

別れたいと思っていた夫が、うまい具合にほかの女に気持ちを寄せ始めた。ならばそれが不倫に発展するまで待ってみよう。そんなふうに雪穂は考えたのではないか。

いや、と今枝は心の中でかぶりを振る。あの女は、そういう成りゆき任せの生き方をする人間ではない。

三沢千都留と高宮との出会いやその後の進展が、すべて雪穂の計画通りだったとしたら――。

まさか、と思う。だが同時にあるいは、とも思う。そんなことはありえないと簡単には否定できない何かが、唐沢雪穂という女にはある。

しかし人間の心をそう簡単にコントロールできるものだろうかという疑問は残る。三沢千都留がこの世で最高の美女だったとしても、万人が恋に落ちるとはかぎらない。

ただし以前から恋心を抱いていた相手ならば話は別だ。

今枝は喫茶店を出ると、公衆電話ボックスを見つけて中に入った。手帳を見ながら番号ボタンを押す。かけた先は東西電装東京本社だ。高宮誠を呼び出してもらう。

しばらく待たされた後、高宮の声が聞こえた。「高宮ですが」

「もしもし、今枝です。お仕事中すみません」

ああ、と少し戸惑った声がした。探偵というのは、あまり職場には電話をかけてきてほしくない相手なのだろう。

「先日はお忙しいところ申し訳ありませんでした」唐沢雪穂の証券について尋ねた時のことを詫びた。「じつはもう一つお尋ねしたいことがありまして」

「どういったことですか」

「それはお会いしてからお話ししたいんです」あなたと今の奥さんの馴れ初めに関することだ、とは電話ではなかなかいえなかった。

「今日か明日の夜は、あいてませんか」

「明日ならいいですが」

「そうですか。じゃあ、明日もう一度お電話します。それでいいですか」

「いいですよ。ああそうだ、今枝さんに一ついっておかなきゃいけないことがあります」

「何ですか」

「じつは」と彼は声を落とした。「数日前に、僕のところに刑事が来たんです。かなり年輩の大阪の刑事でした」

「それで？」

「最近前の奥さんのことで誰かから質問を受けたことはないかと訊かれたので、今枝さんの名前を出してしまったんです。いけなかったでしょうか」

「あっ、そうでしたか……」

「やはりまずかったですか」

「いや、それはまあ、いいです。あの、私の職業のこともお話しになったんですか」

　ええ、と高宮は答えた。

「そうですか。わかりました。ではそのつもりをしておきます」失礼します、といって電話を切った。

　このセンがあったかと今枝は舌打ちしたい気分だった。笹垣は全く苦労せずに今枝に行き着いたのだ。

　するとあの盗聴器は、どこの誰が仕掛けたものなんだ——。


　今枝が自分のマンションに戻ったのは、この日の夜遅くになってからだった。別口の仕事であちこち回った後、久しぶりに菅原絵里が働いている居酒屋に寄ったからだ。

「あれからはもう部屋にいる時は絶対にチェーンをしてるから」と彼女はいった。誰かに忍び込まれた気配も、彼女が感じるかぎりではないという話だった。

　マンションの前に、見慣れない白のワンボックスバンが止まっていた。それをよけるように歩き、建物の中に入った。そのまま階段を上がる。身体が重く、足を運ぶのも億劫だ。

　部屋の前まで来て、鍵をあけようとポケットを探っている時、廊下に台車と折り畳まれた段ボール箱が立てかけてあるのが目に留まった。段ボール箱は洗濯機が入りそうなほど大きなものだった。誰が置いたのかなと一瞬思ったが、さほど気に留めなかった。このマンションの住民はマナーが悪く、廊下にゴミ袋が出したままになっていることもざらだ。今枝にしても、優等生の店子《たなこ》では決してない。

　キーホルダーを取り出し、部屋の鍵を鍵穴に差し込んだ。右に捻ると、かちゃりと外れる感触があった。

　この時ふと、彼は違和感を抱いた。鍵の具合に、いつもと違うものを感じたような気がしたのだ。一、二秒考えてから、彼はドアを開けた。気のせいだろうと決めつけていた。

　明かりをつけ、室内を見渡す。特に変わったことはない。部屋はいつものように殺風景で、いつものように埃っぽかった。男臭さを消すために、芳香剤の香りをやや強めにしてあるのも、いつものことだった。

　彼は荷物を椅子に置き、トイレに向かった。ほどよく酔っている。少し眠く、少しだるい。

　トイレの明かりのスイッチを入れる時、換気扇のスイッチが入ったままになっていることに気づいた。おかしいな、と思った。こんな不経済なことをしただろうか。

ドアを開ける。洋式トイレの蓋が、ぴったりと閉じられていた。これもまた、一瞬妙だと思った。蓋を閉じる習慣などなかった。たいてい蓋も便座も上げたままだ。

ドアを閉じ、彼は蓋を開けた。

その瞬間、全身の警報機が鳴りだした。

とてつもない危険が自分の身に襲いかかってくるのを彼は感じた。蓋を閉じようとした。一刻も早くここから出なければ——。

ところが身体は動かなかった。声も出せなかった。それ以前に呼吸ができなくなっていた。肺が自分のものではなくなっている。

ぐらり、と視界が回転した。身体が何かにぶつかるのを感じた。しかし痛みはない。すべての感覚が一瞬のうちに奪い取られていた。懸命に手足を動かそうとする。だが指先一本にすら、自分の意思を伝えられない。

誰かがそばに立っている気がした。それは気のせいだったかもしれない。視界が闇に包まれていった。

第十二章

1

九月の雨は梅雨よりもしつこい。夜になれば晴れると天気予報ではいっていたが、粉のように細かい水滴が街全体を包みこんでいた。

栗原典子は西武池袋線練馬駅の前の商店街を歩き始めた。商店の前の歩道には屋根がついている。駅からアパートまで徒歩で約十分だ。

途中電器屋の前を通ると、通りに面して置かれたテレビからチャゲ&飛鳥の『ＳＡＹ　ＹＥＳ』が流れていた。人気番組の主題歌で、ＣＤも大ヒットしているという話だ。そういえば今日が最終回だというようなことを同僚たちが話していたのを典子は思い出した。彼女はテレビドラマは殆ど見ない。

商店街が途切れると雨を防いでくれるものはなくなった。ブルーとグレーのチェック柄のハンカチを取り出し、それを頭に載せて典子は再び歩きだした。少し行くとコンビニエンスストアがあった。彼女はその店に入り、豆腐と葱を買った。ビニール傘も買いたかったが、値段を見て我慢した。

アパートは西武池袋線のそばに建っていた。２ＤＫで家賃八万円だ。独り暮らしならば、もっと狭くてもよかった。しかし部屋を探していた頃、彼女はある男と一緒に住むつもりでいた。実際、その男は何度か彼女の部屋で寝泊まりした。だがそれだけだった。その「何度か」が過ぎてしまうと彼女は一人になった。広い部屋は不要になった。しかし引っ越す気力もなく、そのまま住み続けてきた。

引っ越さなくてよかったと、今の彼女は思っている。

古いアパートの壁は、雨に濡れて泥のような色に変わっていた。その壁に服を触れさせぬよう気をつけながら、彼女は外階段を上がった。建物の一階と二階に四つずつ部屋がある。典子の部屋は二階の一番奥だった。

鍵を外し、ドアを開けた。相変わらず、室内は薄暗い。入ってすぐの台所も、奥の和室も、明かりがついていなかった。

「ただいま」声をかけながら、台所の明かりをつけた。留守でないことは、玄関の沓《くつ》脱ぎを見ればわかる。薄汚れたスニーカーが脱ぎ捨てられている。『彼』はほかには靴を持っていない。

奥には和室のほかにドアのついた洋室がある。そのドアを彼女は開いた。その部屋もやはり薄暗かったが、光を発しているものがあった。窓際に置かれたパソコンのモニターだ。その前で『彼』が胡座をかいている。

「ただいま」典子は男の背中に向かって、もう一度声をかけた。

キーボードを叩いていた男の手が止まった。彼は身体を捻ると、本棚に置いた目覚まし時計を見てから彼女のほうに顔を向けた。

「遅かったな」

「居残りさせられちゃった。おなかすいたでしょ。今すぐ晩御飯にするからね。今日も湯豆腐だけど、構わない？」

「何でもいい」

「じゃ、ちょっと待ってね」

「典子」

台所に戻ろうとする彼女を、男は呼び止めた。彼女は振り返った。男は立ち上がり、近づいてきた。彼女の首筋に掌を当てた。

「濡れたのか」

「少しだけ。でも大丈夫」

彼女の声は男の耳には入っていないようだった。彼は手を彼女の首筋から肩に移動させた。ニットの生地を通し、典子は強い握力を感じた。

　そのまま彼女は抱きすくめられた。男は彼女の耳の下を吸った。彼は彼女が感じる部分を熟知している。唇と舌を荒々しく、そして巧みに操った。典子は背中に電気が走るのを感じた。立っているのが辛くなった。

「立って……られないよ」喘ぎながら彼女はいった。

　それでも男は答えない。座り込もうとする彼女を、強い力で支えていた。

　やがて彼は腕の力を緩めると、くるりと彼女の身体を後ろ向きにさせた。そのままスカートをまくりあげ、ストッキングと下着を引き下げた。膝下までずらした後は、右足で踏むようにして一気に下げた。

　男が腰を抱いているので、典子はしゃがむこともできなかった。彼女は身体を前に折り曲げ、ドアのノブを両手で摑んだ。ドアの金具が軋み音をたてた。

　彼は左手で彼女の腰を拘束したまま、最も敏感な部分を愛撫し始めた。快感のパルスが典子の中心を突き抜けた。彼女は身体をのけぞらせた。

　男が慌ただしくズボンと下着を下ろす気配があった。固く熱いものがあてがわれるのを典子は感じた。圧力を受けると同時に、鋭い痛みが広がった。歯をくいしばって耐える。この姿勢ですることを男が好むことを彼女は知っている。

　男のものが完全に挿入された後も、痛みはまだ去らない。男が動き始めると、その痛みは一瞬増幅された。しかし苦痛のピークはそこまでだった。典子がぐっと奥歯を噛みしめた後、急速に快感が迫ってきた。痛みは嘘のように消えている。

　男は彼女のニットをたくしあげた。ブラジャーを上にずらし、乳房を両手で揉んだ。指先で乳首を弄んだ。典子は彼の息づかいを聞いた。彼が息を吐き出すたび、首のあたりが暖かくなるような感じがした。

　やがて遠くから雷鳴が近づくように絶頂の予感が迫ってきた。典子は四肢を突っ張った。男の律動が激しさを増した。その動きと快感の周期が、彼女の体内で共鳴を始めた。そして雷が典子の中心を貫いた。彼女は声を上げ、全身を痙攣させた。平衡感覚が狂い、視界がぐるりと回転した。

　典子はドアのノブから手を離した。立っているのは、もう無理だった。足ががくがくと震えた。

　男は彼女の膣からペニスを抜いた。典子は床に崩れ落ちた。両手を床につき、肩で息をした。頭の中で耳鳴りがしていた。

　男は下着とズボンを一緒に引き上げた。彼のペニスはまだ屹立したままだったが、それに構わず彼はズボンのファスナーを閉めた。そして何事もなかったかのように、パソコンの前に戻っていった。胡座をかき、キーボードを叩く。そのリズムからは、些かの狂いも感じられない。

典子はのろのろと身体を起こした。ブラジャーを戻し、ニットを下ろす。そして下着とストッキングを右手に摑む。

「晩御飯の支度、しなきゃ」壁に寄り掛かりながら、彼女は立ち上がった。


男の名前は秋吉雄一といった。ただしそれが本名なのかどうか、典子は知らなかった。本人がそう名乗っている以上、彼女としてはそれを信じるしかなかった。

典子が秋吉と出会ったのは、今年の五月半ばだ。少し肌寒い日だった。彼女がアパートの近くまで帰ってくると、男が道端でうずくまっていた。三十歳前後と思われる、痩せた男だった。黒いデニムのパンツを穿き、黒い革のジャンパーを羽織っていた。

「どうかしたんですか」彼女は男の様子を覗き込みながら訊いた。男の顔は歪み、前髪の垂れた額には脂汗が浮かんでいた。

男は右手で腹を押さえていた。もう一方の手を、大丈夫だ、というように振った。しかしとても大丈夫そうには見えなかった。

腹を押さえる手の位置から類推すると、どうやら胃が痛んでいるらしかった。

「救急車、呼びましょうか」

ここでも男は手を振った。首も一緒に横に振った。

「時々、こういうことがあるんですか」彼女は訊いた。

男は首を振り続ける。

典子は少し迷った後、「ちょっと待っててくださいね」といって、アパートの階段を上がった。そして自分の部屋に入ると、ポットの湯を一番大きいマグカップに入れ、水を少し足した後、それを持って再び男のところへ戻った。

「これ、飲んでください」彼女はマグカップを男の顔の前に差し出した。「とにかく胃の中を奇麗にすることが先決だから」

男はマグカップに手を伸ばそうとはしなかった。そのかわりに意外なことをいった。

「酒、ないかな」

「えっ？」と彼女は訊き返した。

「酒……ウイスキーがあると一番いい。ストレートで飲めば、たぶん痛みはなくなる。前に一度、そんなふうにして治った」

「馬鹿なことといわないでよ。そんなことしたら、胃がびっくりしちゃうわよ。とにかく、これを飲みなさい」典子は再びマグカップを差し出した。

男は顔をしかめたままマグカップを見つめていたが、とにかく何もしないよりはましだとでも思ったか、渋々といった調子でマグカップに手を伸ばした。そして中の白湯を一口飲んだ。

「全部飲みなさい。胃の中を洗うんだから」

典子がいうと、男はげんなりした顔を作った。だが文句はいわず、マグカップの中のぬるま湯を一気に飲み干した。

「気分はどう？　吐き気は？」

「少しする」

「じゃあ、吐いたほうがいい。吐ける？」

男は頷き、ゆっくりと立ち上がった。腹を押さえながら、アパートの裏に回ろうとしている。

「ここで吐いていいよ。大丈夫、あたしはそういうの見るの、慣れてるから」

典子の言葉が耳に届いていないはずはなかったが、男は黙ってアパートの裏に消えた。

彼はしばらく出てこなかった。呻き声が時折聞こえた。典子はほうっておくわけにもいかず、その場で待っていた。

やがて男が出てきたが、先程までよりは幾分楽になったような顔をしていた。置いてあったゴミ箱の上に腰をのせた。

「どう？」と典子は訊いてみた。

「少しましになった」と男は答えた。ぶっきらぼうな口調だった。

「そう、よかった」

男は相変わらず顔をしかめていたが、ゴミ箱に座ったまま足を組むと、ジャンパーの内ポケットに手を入れた。取り出したのは煙草の箱だった。一本を口にくわえ、使い捨てライターで火をつけようとした。

典子は急ぎ足で彼に近づき、その口から素早く煙草を奪った。男はライターを持ったまま、意外なものを見る目で彼女を見た。

「自分の身体が大事だったら、煙草なんか吸わないほうがいいわよ。煙草を吸うと胃液の分泌が通常の何十倍にもなるってこと知ってる？　満腹すると煙草を吸いたくなるのは、そのせいよ。でも胃に食べ物が入ってない状態だと、胃壁そのものを傷めることになるの。その結果、胃潰瘍になる」

典子は男から取り上げた煙草を二つに折った。それからそれを捨てるところを探した。それが男の尻の下にあることに気づいた。

「ちょっと立って」

男を立たせ、彼女はゴミ箱に煙草を捨てた。それから男のほうを向き、右手を出した。「箱を出して」

「箱？」

「煙草の箱」

男は苦笑を浮かべた。それから内ポケットに手を入れ、箱を取り出した。典子はそれを受け取り、ゴミ箱に放り込んだ。蓋を閉め、ぱんぱんと両手をはたいた。

「どうぞ。座っていいわよ」

典子がいうと、男は再びその上に腰掛けた。彼女に少し関心を持った目をしていた。

「あんた、医者かい？」と彼は訊いた。

「まさか」彼女は笑った。「でも、当たらずとも遠からずってやつ。医者じゃなくて薬剤師」

「なるほど」男は頷いた。「納得した」

「家はこの近く？」

「近くだ」

「そう。自分で歩いて帰れる？」

「帰れる。おかげで、もう痛みはなくなった」男はゴミ箱から立ち上がった。

「時間があったら、病院できちんと診てもらったほうがいいわよ。急性胃炎というのは、案外怖いんだから」

「病院はどこだ？」

「そうね。この近くなら、光が丘の総合病院がいいと思うけど」

典子が話している途中で男は首を振った。

「あんたの勤めている病院だ」

「ああ」典子は頷いた。「帝都大付属病院。荻窪《おぎくぼ》にある……」

「わかった」男は歩きだした。だが途中で立ち止まり、振り返った。「ありがとう」

お大事に、と典子はいった。男は片手を上げ、再び歩きだした。今度はそのまま夜の街に消えていった。

その男と、もう一度会えるとは、彼女は考えていなかった。それでも次の日から、病院にいる間も、何となく彼のことが気になって仕方がなかった。まさか本当に病院に来ることはないだろう。そう思いながらも、彼女は時折内科の待合室を覗きに行ったりした。薬局に回ってくる処方箋が胃の病気に対応するもので、患者が男性だったりすると、調剤しながら、あれこれ想像を膨らませた。

だが結局、男は病院には現れなかった。彼が彼女の前に姿を見せたのは、最初に会ったのと同じ場所でだった。ちょうど一週間が経っていた。

この日、彼女がアパートに帰ったのは、夜の十一時を少し過ぎた頃だった。典子の職場では日勤と夜診がある。この時は夜診に当たっていた。

男は前と同じようにゴミ箱に座っていた。暗かったので、それが彼だとは最初気づかず、典子は無視して通り過ぎようとした。率直にいえば、気味が悪かった。

「帝都大付属病院は人使いが荒いようだな」男が声をかけてきた。

その声を典子は覚えていた。彼女は彼を見て、驚きの声をあげた。

「どうしてこんなところにいるの？」

「あんたを待っていた。この間の礼をしようと思ってな」

「待ってたって……いつから？」

「さあ、いつからだったかな」男は腕時計を見た。「ここへ来たのは六時頃じゃなかったかな」

「六時？」典子は目を見開いた。「じゃあ、五時間も待ってたの」

「前にあんたと会ったのが、六時頃だったからな」

「先週は日勤だったから」

「日勤？」

「今週は夜診なの」典子は自分の職場には二つの勤務時間が存在することを説明した。

「そうか。まあ、無事に会えたんだから、どうでもいいことだ」男は腰を上げた。「飯でも食いに行こう」

「このあたり、もう食事のできる店なんかないわよ」

「新宿ならタクシーで二十分もあれば着く」

「遠くには行きたくない。疲れてるの」

「そうか。それなら仕方がないな」男は両手を小さく上げた。「またそのうちにってことにしよう」

じゃ、といって男は歩き始めた。その後ろ姿を見て、典子は軽い焦りを覚えた。

「待って」彼女は男を呼び止めていた。振り向いた彼にいった。「あそこなら、まだ大丈夫よ」道路を挟んで向かい側にある建物を指差した。

その建物には『デニーズ』の看板が上がっていた。

ビールを飲みながら、ファミリーレストランに入るのは五年ぶりぐらいだと男はいった。彼の前にはソーセージやフライドチキンを盛った皿が並んでいる。典子は和風のセットメニューを注文した。

秋吉雄一というのは、この時彼がいった名前だ。彼が出してきた名刺にも、その名前が印刷されていた。だからこの時には彼が偽名をかたっている可能性など、典子は全く考えなかった。

名刺にはメモリックスという社名が入っていた。コンピュータのソフト開発の会社ということだったが、その会社名を典子は当然知らなかった。

「要するにコンピュータ専門の下請け業者だ」

秋吉が自分の会社や仕事について典子に語った内容は、これだけだった。その後、彼はこういった話題については、一切口にしなくなった。

逆に彼は典子の仕事の内容について、細かく知りたがった。勤務形態、給与、手当、そして日々の仕事内容などだ。こんな話は退屈だろうと思うのだが、話を聞いている間、彼の目は真剣な光を放っていた。

典子にしても男性と交際した経験がないわけではない。しかしそれまでの相手とのデートでは、彼女は専ら聞き役だった。どういう話をすれば相手が喜ぶのかまるでわからなかったし、元来話し下手でもあった。ところが秋吉は彼女に話すことを要求した。またどんな話をしても、強い関心を示してくれた。少なくともそのように見えた。

「また連絡する」帰り際に彼はいった。

実際、その三日後に秋吉は電話をかけてきた。今度は新宿に出た。カフェバーで酒を飲みながら、典子はまたしても彼相手にいろいろな話をすることになった。彼が次々に質問してくるからだった。故郷のこと、生い立ち、学生時代。

「あなたの実家はどこなの」典子のほうから訊いてみた。

彼の答えは、「そんなものはない」だった。少し不機嫌になっていた。それで彼女はこのことに触れるのはよそうと思った。ただ、彼が関西の出身だということは、言葉のアクセントからわかっていた。

店を出た後、秋吉は典子をアパートまで送ってくれた。アパートが近づくにつれ、迷いが彼女の心の中を駆けめぐっていた。このままふつうに挨拶して別れるべきか、彼を部屋に上げるべきか、だった。

その決断のきっかけは、秋吉が与えてくれた。アパートのそばまで来たところで、彼は自動販売機の前で立ち止まった。

「喉が渇いたの？」と彼女は訊いた。

「コーヒーが飲みたいんだ」

彼は硬貨を機械に投入した。ディスプレイを一瞥した後、缶コーヒーのボタンを押そうとした。

「待って」と彼女はいった。「コーヒーなら、あたしがいれてあげるから」

彼の指先がボタンの手前で止まった。彼は特に驚いた顔もせず、一つ頷いてから硬貨の返却レバーを捻った。からんからん、と硬貨の戻る音がした。彼は何もいわず返却口から硬貨を取った。

部屋に入ると、秋吉はじろじろと室内を眺めた。コーヒーをいれながら、典子は気が気でなかった。「前の」男の痕跡を彼が発見するのではないかと思ったからだ。

典子がいれたコーヒーを彼はおいしそうに飲んだ。そして部屋が奇麗に片づいていることを褒めた。

「でも最近、あまり掃除をしてないの」

「そうか。本棚の上の灰皿に埃がかぶっているのも、そのせいかな」

彼の台詞にぎくりとした。典子はその灰皿を見上げた。それは前の男が使っていたものだった。彼女は煙草を吸わない。

「あれは……掃除をしてないせいじゃない」

「ふうん」

「二年ぐらい前まで、付き合っていた人がいて」

「そういう告白は、特に聞きたくもない」

「あ……ごめんなさい」

秋吉が椅子から立ち上がった。それで帰るのかなと思い、典子も腰を浮かせた。その直後、彼の腕が伸びてきた。声を出す暇もなく、彼女は抱きすくめられていた。

しかし彼女は抵抗しなかった。彼が唇を寄せてくると、身体の力を抜いて目を閉じたのだった。

2

オーバーヘッドプロジェクタの光が、発表者の横顔を斜め下から照らしていた。発表者は海外直納部に所属する男性社員だ。年齢は三十代前半、係長の肩書きを持っている。

「――というわけで、高脂血症治療剤『メバロン』につきましては、米国食品医薬品局の製造認可を受けられることが確実となっております。したがいまして、お手元の資料にありますとおり、米国での販売を進めていきたいと考えております」やや固い口調で発表者はいい、背筋を伸ばして会議室内を見渡した。彼が唇を舐めるのを、篠塚一成は見逃さなかった。

篠塚薬品東京本社内にある二〇一会議室で、新薬の海外展開に関する会議が行われていた。出席者は十七名。殆どが営業本部の人間だが、開発部長や生産技術部長の姿もある。出席者の中で最も地位が高いのは常務の篠塚康晴だ。四十五歳の常務取締役は、コの字形に並べた会議机の中央に座り、射るような目を発表者に向けていた。一言一句聞き逃してなるものかという気迫に満ちている。やや力みすぎだなと一成などは思うのだが、それも仕方のないことかもしれなかった。親の七光で常務の席に納まっているにすぎないという陰口を本人が知らないはずがなく、こうした場で欠伸の一つでも漏らすことの危険性も、十分に承知しているに違いなかった。

その康晴が徐に口を開いた。

「スロットルマイヤー社へのライセンスアウトの契約日程が、前回会議で報告された時よりも二週間も遅れていますね。これはどういうことでしょう？」資料から顔を上げ、発表者を見た。メタルフレームの眼鏡のレンズが、きらりと光った。

「輸出形態に関して、少し確認に手間取ったところがありまして」答えたのは発表者ではなく、前のほうに座っている小柄な男だった。声が少しうわずっていた。

「原末の形で輸出するんじゃないんですか。ヨーロッパへの輸出と同様」

「はい、そうです。その原末の扱いについて、少し行き違いがございまして」

「聞いてないなあ。それに関する報告書は、私のところに回してくれましたか」康晴は自分のファイルを開いた。こんなふうに、自分のファイルを会議に持ち込む取締役は少ない。というより、一成の知る限りでは康晴だけだった。

小柄な男は焦った様子で隣の男や発表者と何やらひそひそ言葉を交わした後、常務のほうを向いた。

「すぐに関連資料をお届けします」

「そうしてください。大至急」康晴はまた自分のファイルに目を落とした。「『メバロン』についてはわかりましたが、抗生物質と糖尿病治療薬のほうはどうなっていますか。米国での販売申請は終わっているはずでしたが」

これについては発表者が答えた。

「抗生物質『ワナン』、糖尿病治療薬『グルコス』共、現在治験段階です。来月はじめには、レポートが届くことになっております」

「うん、それもなるべく急いだほうがいいですね。他社でも、新薬を開発して海外からの工業所有権収入を増やそうという動きが活発のようですから」

はい、と発表者を含め、何人かが頷いた。

会議は一時間半ほどで終わった。一成が自分の荷物を片づけていると、康晴が近づいてきて耳元でいった。

「後で部屋に来てくれないか。話がある」

「あ……はい」と一成は小声で答えた。

康晴は即座に離れていった。従兄弟関係ではあるが、だからこそ社内では私的な会話は慎むようにと、双方の父親から厳しくいわれている。

一成はいったん企画管理室の席に戻った。彼の肩書きは副室長だった。もともとこの職場に副室長というポストはない。つまり彼のために作られたものだ。一成は去年まで営業本部、経理部、人事部といった職場を渡り歩いてきた。様々な職場を経験した後、企画管理室に入るというのは、篠塚一族の男の標準的なコースだった。一成としては、各部署を総合的に監督する現在の職場よりも、他の若い社員と同じように実務にあたりたかった。実際そのように父親たちに希望したこともある。しかし篠塚一族の血を受け継いでいる以上それは無理だということは、会社に入って一年も経つ頃には理解できていた。複雑なシステムを円滑に機能させるためには、上司にとって使いづらい歯車が存在してはいけないのだ。

一成の机のすぐ横に、黒板式の行先表示板が置いてある。その内容を二〇一会議室から常務室に書き換え、改めて部屋を出た。

　常務室のドアをノックすると、「はい」という低い声で返事があった。一成はドアを開けた。康晴は机に向かって本を読んでいるところだった。

「やあ、わざわざすまん」康晴は顔を上げていった。

「いいえ」といいながら一成は室内を見回す。ほかに人がいないことを確認したのだ。といっても、机とキャビネットと簡単な応接セットを置いてあるだけの、決して広いとはいえない部屋だ。

　康晴はにやりと笑った。「さっき、海外直納部の連中、あわててたな。俺がライセンス契約の日程まで覚えているとは思わなかったんだろう」

「そうでしょうね」

「責任者の俺に、あんな大事なことを報告しないとは、奴等もいい根性をしている」

「若い常務を甘く見てはいけないと少しは思い知ったんじゃないですか」

「だといいがな。ま、しかし、それも一成のおかげだ。礼をいうよ」

「いや、そんなことはいいです」一成は苦笑して手を振った。

　ライセンス契約の日程変更のことを康晴に教えたのは、たしかに一成だった。彼は海外直納部にいる同期生から聞き出したのだ。時折このようにして各部署の細かい情報を康晴に流すのも彼の仕事の一つだった。あまり楽しい仕事ではないが、若い常務の手足になってほしいと現社長つまり康晴の父親からも頼まれている。

「で、ご用というのは？」一成は訊いた。

　康晴は顔をしかめた。

「二人きりの時には、そういう堅苦しい話し方はやめてくれといってるじゃないか。それに、話というのは仕事のことじゃないんだ。プライベートなことだ」

　いやな予感がした。一成は思わず右手を握りしめていた。

「まあちょっと、そこへ座ってくれ」康晴が立ち上がりながらソファを勧めた。

　それでもまず康晴がソファに座るのを見届けてから、一成も腰を下ろした。

「じつは今、これを読んでいたんだ」康晴が一冊の本をテーブルに置いた。表紙に『冠婚葬祭入門』というタイトルが印刷されている。

「何かおめでたいことでも？」

「それならいいんだが、反対だよ」

「じゃあ悪いほうですか。どなたかお亡くなりに？」

「いや、まだ亡くなっちゃいない。そのおそれがあるということだ」

「どなたですか。差し支えなければ……」

「黙っていてくれれば差し支えはないよ。彼女のお母さんだ」

「彼女というと……」訊くまでもないと思ったが、一成は確認していた。

「雪穂さんだ」康晴は幾分照れ臭そうに、しかしきっぱりとした口調でいった。

やはり、と一成は思った。意外でも何でもなかった。

「彼女のお母さん、どこか悪いんですか」

「昨日、彼女から連絡があってね、大阪の家で倒れたそうだ」

「倒れた？」

「いわゆるクモ膜下出血というやつだ。彼女のところへは、昨日の朝連絡があったらしい。電話してきたのは茶道のお弟子さんで、お茶会の打ち合わせをするつもりで家に行ったところ、庭で雪穂さんのお母さんが倒れているのを見つけたということだ」

唐沢雪穂の母親が大阪で独り暮らしをしているということは一成も知っていた。

「すると今は病院に？」

「すぐにそのまま病院に運ばれたらしい。雪穂さんは病院から俺のところに電話してきたんだ」

「なるほど。それで、容体のほうは？」一成は訊いたが、無意味な質問だった。順調に回復しているのであれば、康晴が『冠婚葬祭入門』などを読んでいるはずがなかった。

予想通り康晴は小さく首を振った。

「さっきもちょっと連絡をとってみたんだが、ずっと意識が戻らないということだ。医者も、あまりいい話はしてくれないみたいだな。危ないかもしれないと彼女も電話でいっていた。珍しく気弱な声を出していたな」

「年齢はおいくつなんですか」

「ええと、もう七十歳ぐらいという話だったんじゃないかな。彼女はほら、本当の娘じゃないだろう？　だから、年齢が離れているわけだよ」

一成は頷いた。そのことなら知っている。

「それで、どうして常務がこういうものをお読みになっているんですか」テーブルの上の『冠婚葬祭入門』を見ながら尋ねた。

「常務、というのはやめろよ。少なくともこういう話をしている間だけでも」康晴は、うんざりした顔を見せた。

「康晴さんが彼女のお母さんの葬式の心配までする必要はないんじゃないかな」

「それは、まだ亡くなってもいないのに、葬式のことを考えるのは気が早すぎるという意味かい？」

一成はかぶりを振った。「康晴さんがすべきことではないという意味だよ」

「どうしてだ」

「康晴さんが彼女にプロポーズしたのは知ってるよ。でも彼女のほうからは、まだ何も返事をしてきてないわけだろう。つまり現時点では何というか……」一成は言葉を選ぼうとし、結局思いついたままをいった。「彼女はまだ赤の他人ということだ。そんな人の母親が亡くなったからといって、天下の篠塚薬品の常務取締役がばたばたと動くのは問題だといっているわけだよ」

赤の他人と聞いた瞬間、康晴は大きく後ろにのけぞった。そのまま天井を見上げ、声を出さずに笑い顔を作った。やがてその顔を一成に向けた。

「赤の他人とは驚いたな。たしかに彼女のほうからイエスという返事はもらっていない。だけどノーという返事も聞いてはいないんだ。脈がないなら、すでにふられているはずじゃないかな」

「その気があるなら、すでに答えているよ。イエスとね」

康晴は首と一緒に掌もひらひらと振った。

「一成はまだ若いし結婚したことがないから、そんなふうに思うんだ。俺もそうだが彼女にしても、すでに結婚経験がある。そういう人間の場合、もう一度改めて所帯を持つとなると、どうしても慎重になってしまうものなんだ。特に彼女は、前の旦那さんとは死別したわけじゃない」

「それはわかっているけど」

「第一だ」康晴は人差し指を立てた。「自分の母親が危ないということを、赤の他人に知らせてくるか？　辛い時に彼女が俺を頼ったというのは、一つの回答でもあるかなと、俺は考えているんだけどね」

それで先程から機嫌がいいのかと、一成は合点がいった。

「何より、知人が困っている時に手を差し伸べてやるのは当然のことじゃないのかな。これは社会人としてだけでなく、人間として」

「彼女は困っているわけかい。困って、康晴さんに電話してきたのかい」

「もちろん気丈夫な彼女だから、泣き言なんかはいわなかったし、俺に助けを求めたりもしなかった。彼女は単に状況を報告してきただけだ。だけど困っていることは簡単に想像がつく。考えてもみろ、故郷とはいえ、大阪には身寄りもないんだぞ。もしお母さんがこのまま亡くなったりしたら、悲しい上に葬式の準備やら何やらで、さすがの彼女もパニックになってしまうかもしれない」

「葬式というのはね」一成は従兄の顔を見つめていった。「その準備段階も含めて、遺族が悲しんだり嘆いたりする暇がないようにプログラムされているんだ。彼女は葬儀屋に一本電話をすればいい。それだけで、あとはすべてプロがやってくれる。彼女はプロにいわれるまま、書類にサインしたり、金を用意したりするだけでいいんだ。そうして少し暇ができれば遺影に向かって泣けばいい。どうということはないさ」

康晴は、理解できない、というように眉を寄せた。

「よくそんな言い方ができるな。雪穂さんはおまえの大学の後輩でもあるんだろ」

「大学の後輩じゃない。ダンス部で合同練習をしていたというだけのことだ」

「細かいことはどうだっていい。どっちにしろ、彼女を俺に会わせたのはおまえなんだぞ」康晴は一成を見据えていった。

だからそのことを後悔している、といいたいのを一成は我慢して黙り込んだ。

「とにかく」康晴は足を組み、ソファにもたれた。「こんなことをあまり手回しよく準備するのもよくないだろうが、彼女のお母さんにもしものことがあった場合のことを、俺としては考えておきたい。だけどさっき一成もいったように、俺には俺の立場というものがある。お母さんがなくなったからといって、すぐに大阪に飛んでいけるかどうかはわからない。そこでだ」そういって彼は一成の顔を指差した。「場合によっては、一成に大阪へ行ってもらいたい。おまえなら土地鑑がある。雪穂さんも気心が知れていて安心だろう」

話を聞くうちに、一成は顔をしかめていた。

「康晴さん、それは勘弁してくれ」

「どうして？」

「それは公私混同というものだよ。ただでさえ、篠塚一成は常務の個人秘書だと陰口を叩かれている」

「役員の補佐をするのも、企画管理室の業務のはずだぞ」康晴は睨みつけてきた。

「これは会社とは関係のないことだろ」

「関係があるかないかなんてことは、後から考えればいい。おまえが考えるべきことは、誰に命令されているのかということだけだ」そういってから康晴はにやりと口元を緩め、一成の顔を覗き込んだ。「違うか？」

一成はため息をついた。二人きりの時には常務と呼ぶなといったのは誰だっけ、といいたいところだった。

自分の席に戻ると、一成は受話器を取り上げた。もう一方の手で机の引き出しを開け、システム手帳を取り出す。アドレスノートの一番最初のページを開いた。氏名欄に今枝と書いてあるところを目で探す。

電話番号を確認しながら番号ボタンを押し、受話器を耳にあてて待った。呼び出し音が一回、二回と鳴る。右手の指先で机の表面をこつこつと叩いた。

呼び出し音が六回鳴ったところで電話の繋がる気配があった。だが一成は、だめだな、と思った。今枝の電話機は、呼び出し音六回で留守番機能が作動するようにセットされているのだ。

予想通り、この後受話器から聞こえてきたのは、今枝の低い声ではなかった。コンピュータで合成された、鼻がつまったような女性の声だった。ただ今出かけております、御用の方は、発信音の後、お名前、電話番号、御用件をお話しください――一成は発信音が聞こえる前に受話器を置いた。

思わず舌打ちをした。その音がやけに大きかったせいか、すぐ前の席に座っている女性社員がぴくりと首を動かした。

どういうことだ、と彼は思った。

今枝直巳と最後に会ったのは八月の半ばだ。あれから一か月以上が経つというのに、何の連絡もない。何度か一成のほうから電話してみたが、いつも留守なのだ。留守番電話には、二度ほどメッセージを吹き込んである。連絡してほしい、という内容だ。ところが今枝からは電話一本かかってこない。

旅行にでも出ているのだろうかと一成は考えた。だとしたら、ずいぶんといい加減な仕事のやり方をする探偵だ。こまめに連絡することは、最初に仕事を依頼した時から頼んでおいたことだった。

あるいは、と一成は思った。あるいは唐沢雪穂を追って大阪に行っているのか。その可能性もなくはないが、それにしても依頼主に連絡してこないのはおかしかった。

机の端に書類が一枚載っているのが目に入った。彼はそれを手に取った。二日前に行われた会議の議事録が回ってきているのだ。物質の化学構造を自動的に決定するコンピュータシステムの開発についての会議だった。興味ある研究で一成も会議に出たのだが、今は機械的に目を通しているだけだ。頭の中では全く別のことを考えている。康晴のこと。そして唐沢雪穂のこと。

彼女の店に康晴を連れていったことを一成は心底悔やんでいた。高宮誠に頼まれ、一度だけ覗いてみる気になったのだが、ごく軽い気持ちで康晴を誘ってみた。それが間違いだった。

康晴がはじめて雪穂と会った時のことを、一成は鮮明に覚えている。あの時の康晴の様子は、とても恋に落ちたようには見えなかった。むしろ不機嫌そうでさえあった。雪穂から話しかけられても、無愛想な受け答えしかしていなかった。しかし後から考えてみると、あれこそが心を激しく揺さぶられた時に康晴が見せる反応だったのだ。

　無論彼に好きな女性ができること自体は喜ばしいことだった。まだ四十五歳だというのに、子供二人を抱えて一生独身を通さねばならぬ理由などどこにもない。適当な相手がいれば再婚すべきだと一成は思っている。

　だがとにかく相手が気に食わなかった。

　唐沢雪穂のどこが気に食わないのか、じつをいうと彼自身にもよくわからなかった。今枝に話したように、彼女の周りに得体の知れない金の動きがあることはたしかに不気味だ。しかしどちらかというとそれも、後から付けた理由だったようにも思える。やはり、大学のダンス練習場で初めて彼女を見た時の印象が、そのまま残っているのだとしかいえなかった。

　一成は、彼女との結婚だけは見合わせてほしいと思っている。だが康晴を説得するには、それなりの理由が必要だった。あの女は危険だ、やめたほうがいい、と何度いったところで、彼はとりあってはくれないだろう。いや、たぶん怒りだすに違いなかった。

　それだけに一成は、今枝の調査に期待していた。彼が唐沢雪穂の正体を暴いてくれることに、すべてを賭けているといってもよかった。

　つい先程、康晴から頼まれたことが脳裏に蘇った。万一の時には、一成は大阪に行かねばならない。しかも唐沢雪穂を助けるために。

　冗談じゃない。彼は心の中で呟いた。そして一方で、いつか今枝からいわれたことを思い出していた。

　彼女が本当に好きなのはあなたの従兄さんではなく、あなたではないか——。

「冗談じゃない」今度は小さく声を出して彼はいった。

3

「二、三日留守にする」

　秋吉が突然いいだした。典子が風呂から上がり、ドレッサーに向かっている時だった。

「どこに行くの？」と彼女は訊いた。

「取材だ」

「行き先ぐらい教えてくれたっていいでしょ」

　秋吉は少し迷ったようだが、面倒臭そうに答えた。

「大阪だ」

「大阪？」

「明日から行く」

「待って」典子はドレッサーの前を離れ、彼のほうを向いて座った。「あたしも行く」

「仕事があるだろ」

「休めばいいだけのことよ。あたし、去年から一日も休んでないのよ」

「遊びで行くんじゃない」

「わかってる。あなたの邪魔はしない。あなたが仕事をしている間は、あたし一人で大阪見物をしているから」

秋吉は眉間に皺を寄せてしばらく考えていた。明らかに困惑している様子だった。いつもの典子なら、これほど強硬な態度には出なかっただろう。だが大阪と聞いた途端、どうしても行かねばならないと思った。一つには彼の故郷を見たいという気持ちがあった。実家については何ひとつ教えてくれないが、どうやら大阪で生まれたらしいということは、これまでの会話から察せられた。

しかしそれ以上に、典子には一緒に行きたい理由があった。そこに彼のことを知るための何かがあるに違いないと直感したのだ。

「きちんとした計画を立てて行くわけじゃない。どんなふうに予定が変わるかわからない。極端なことをいえば、いつ帰るかも決めてないんだぞ」

それでもいい、と典子は答えた。

「じゃ、好きにしろ」彼は面倒臭そうにいった。

パソコンに向かう彼の背中を見つめながら、典子は息苦しいほどの胸騒ぎを感じていた。取り返しのつかないことになるのではないかという気がした。しかし、何とかしなければ、という思いのほうが強かった。このままでは二人の仲はだめになる——同棲を始めてまだ二か月ほどしか経っていないのに、典子はその強迫観念に苦しんでいた。

二人が一緒に住むことになったきっかけは、秋吉が会社を辞めたことだった。

はっきりとした理由を彼の口から聞くことはできなかった。ちょっと休みたくなっただけだ、彼はそういった。

「貯金があるから、しばらくは食っていける。後のことは、また考える」

この男が、おそらく誰にも頼ることなく生きてきたのだろうということは、これまでの付き合いでわかっていた。それにしても、自分にさえも何も相談してくれないのだなと典子は寂しさを感じた。だからこそこれからは力になれればと思った。彼にとって必要な存在でありたかった。

同棲を提案したのは典子のほうだ。秋吉は最初あまり乗り気ではないようだった。だが結局一週間後に彼は引っ越してきた。パソコン関連の一式と段ボール箱六個が彼の荷物だった。

愛する男性と二人で暮らせるという、典子が夢見た生活が始まった。朝起きた時、隣に彼がいるのを確認し、この幸せがいつまでも続いてほしいと思った。

　結婚ということにはこだわらなかった。それを望んでいないといえば嘘になる。だがそのことをいいだすことで、二人の間に何らかの変化が生じることが怖かった。

　ところが不吉な風は、間もなくやってきた。

　いつものように薄い布団の上で交わった時のことだ。典子は二度、絶頂を迎えた。その後、秋吉が達する、というのが彼等のセックスのパターンだった。

　秋吉は最初の時からコンドームを使わなかった。激しく動いた後、彼女の膣からペニスを抜き、ティッシュペーパーの中に射精するというのが彼のやり方だった。それについて彼女が何かいったことは一度もない。

　その時なぜそのことに気づいたのか、彼女にはうまく説明できない。直感としかいいようがなかった。強いていえば、彼の表情から察知したということになるだろうか。

　事を終えた後、彼はごろりと横になった。その彼の股間に典子は手を伸ばした。ペニスに触れようとした。

「よせよ」といって彼は身体を捻った。彼女に背中を向けた。

「雄一さん、あなた……」典子は上体を起こし、彼の横顔を覗き込んだ。「あなた、出してないんじゃないの？」

　彼は答えなかった。表情も変えなかった。ただ瞼を閉じただけだ。

　典子は布団から出て、ゴミ箱に手を伸ばした。彼が捨てたティッシュの塊を探そうとした。

「やめろ」ぶっきらぼうな声が聞こえた。典子が振り向くと、彼も身体を彼女のほうに向けた。「くだらないことをするな」

「どうして？」と彼女は訊いた。

　彼は答えず、頬を掻いた。ふてくされているように見えた。

「いつから？」

　これに対しても答えはなかった。

　典子は、はっとした。「最初から……今までずっと、そうだったの？」

「どうだっていいだろ」

「よくないわよっ」彼女は全裸のまま、彼の前に座った。「どういうこと？　あたしじゃだめってこと？　あたしなんかが相手じゃ、ちっともよくないってこと？」

「そういうことじゃない」

「じゃあ、どうしてなの？　説明してよ」

　典子は本気で腹を立てていた。馬鹿にされているような気がした。惨めであり、悲しくもあった。そして同時に、ひどく恥ずかしかった。これまでの彼とのセックスを思い出すと、顔を覆いたくなった。ヒステリックな声を出したのは、一種の照れ隠しでもあった。

　秋吉が、ふっと息を吐いた。それから小さく首を振った。

「典子に対してだけ特別というわけじゃない」

「えっ」

「今まで、女の身体の中に出したことは一度もない。出そうと思っても、出せないんだ」

「遅漏……ってこと？」

「それのひどい症状ってことだろう」

「信じられない。冗談をいってるんじゃないのね」

「納得したかい」

「医者には診てもらったの？」

「いいや」

「どうして行かないの」

「これでいいと思っているからだ」

「いいわけないじゃない」

「うるさいな。俺がいいといってるんだ。ほっといてくれ」彼は再び彼女に背を向けた。

　もしかすると、もうセックスをすることはないかもしれないと典子は思ったが、その三日後に彼のほうから求めてきた。彼女はされるがままになっていた。彼が達しないのなら自分も感じないでおこうと思ったが、肉体を騙すことはできなかった。恥ずかしさと悲しさが彼女を包んだ。

「これでいいんだ」彼は珍しく優しい声でいい、彼女の髪を撫でた。

　それでも一度だけ、口と手を使ってみてくれないかと彼のほうからいったことがある。もちろん彼女はいわれたようにした。濃密に舌を絡ませ、指を蠢《うごめ》かした。ところが彼のペニスは勃起しても、一向に射精する気配を示さなかった。

「もういい。やめてくれ。すまなかった」彼はいった。

「ごめんなさい」

「典子のせいじゃない」

「どうしてだめなのかな……」

　秋吉は答えなかった。彼のペニスを握った彼女の手を見つめていた。

　やがて彼がぽつりといった。「小さいんだな」

「えっ？」

「手だ。典子は手が小さい」

　彼女は自分の手元を見た。同時に、はっとした。

　誰かと比べられたのではないかと思った。こんなふうに彼のペニスを愛撫する女性がほかにいて、その女性の手と比較されたのではないか。

　そして――。

　その女性の手と口ならば、彼も射精するのではないか。

彼のペニスは典子の掌の中で、すっかり萎えてしまっていた。

そんなことがあり、典子の中で不安と疑惑が渦巻き始めた頃だ。秋吉が思いもかけぬことをいいだした。

青酸カリが手に入らないか、というのである。

小説のためだ、と彼はいった。

「ミステリ小説を書こうと思っている。ぶらぶらしていても仕方がないからな。で、その中に青酸カリを登場させる。だけどこの目で見たことがないし、性質もよく知らない。それで実物が手に入らないかと思ってね。典子のところのような大きな病院なら、置いてるんじゃないか」

意外な話だった。彼が小説を書くことなど想像もしなかった。

「それは……調べてみないとよくわからないけど」

とりあえずこういったが、じつは特殊な保管庫に入っていることを典子は知っていた。何かの治療に使うわけではなく、研究用のサンプルとして置いてあるのだ。その保管庫に近づけるのは、病院内でもごく一部の人間だけである。

「見るだけでいいのね」

「ちょっと貸してくれればいい」

「貸すって……」

「まだどういうふうにするかは決めていない。とにかく実物を見てからだ。何とか手に入れてほしい。もちろん、典子がどうしても嫌だというなら無理強いはしない。その場合は別のルートを当たる」

「別のルートなんてあるの」

「前の仕事柄、いろいろな会社と繋がりがある。そのコネを使えば、何とかならないこともない」

この別ルートという話を聞かなければ、もしかすると典子は拒否したかもしれない。だが、そういう危険なものの授受を他人とはしてほしくないという思いから、結局承諾してしまった。

薬局から持ち出した青酸カリの瓶を彼の前に差し出したのは、八月半ばのことだ。

「本当に何かに使うわけじゃないんでしょ。ちょっと見るだけでいいんでしょ」彼女は何度も念を押した。

「そうだ。何も心配することはない」秋吉は瓶を手にした。

「蓋は決して取らないで。見るだけなら、そのままでもいいでしょ」

彼女の言葉に、彼は答えなかった。瓶の中の無色の粉末を見つめていた。

「致死量はどれぐらいだ」彼が訊いてきた。

「百五十ミリグラムから二百ミリグラムといわれてるけど」

「わかりにくいな」

「耳かき一杯とか二杯とか、まあそのぐらいよ」

「猛毒だな。水には溶けるんだろう」

「溶けるけど、たとえばジュースに仕込んで飲ませるというような方法を考えているんだとしたら、耳かき一杯とか二杯じゃだめだと思うわよ」

「どうして？」

「ふつうなら、一口飲んで変だと思うからよ。舌を刺激するような味なんだって。あたしは飲んだことないけど」

「その最初の一口で絶命するぐらい、たっぷり入れておかなきゃだめだということか。しかしそうするとさらに味がおかしくなるから、被害者は飲み込まずに吐き出すかもしれない」

「それに独特の臭いがあるから、鼻のいい人だと飲む前に気づくかもしれない」

「アーモンド臭というやつだな」

「といってもアーモンドナッツの臭いじゃないわよ。アーモンドの実の臭いってこと。アーモンドナッツはその種」

「青酸カリの水溶液を切手の裏に塗っておくという手が小説にあったが……」

典子は首を振り、苦笑した。

「非現実的ね。そんなわずかな水溶液じゃ、致死量には遠く及ばないもの」

「口紅に混ぜておくという手もあった」

「それもやっぱり致死量にはならないわね。あまり濃くしちゃうと、青酸カリは強アルカリだから、皮膚がただれちゃうんじゃないかな。第一その方法じゃ、青酸カリが胃の中に入らないから、毒性を発揮できないわね」

「というと」

「青酸カリ自体は安定した物質なのよ。それが胃に入ると、胃酸と反応して青酸ガスを発生させる。それで中毒症状が起きるわけ」

「飲ませなくても、青酸ガスを吸わせればいいんだな」

「そうだけど、現実にはやり方が難しいわよ。犯人自身も死んじゃうおそれがある。青酸ガスは皮膚呼吸によっても吸収されてしまうから、息を止めていたぐらいじゃだめかもしれない」

「なるほど」

それならば少し考えてみよう、と秋吉はいった。

実際それから二日間ほど、彼はパソコンの前に座って考え事をしていた。

「殺したい相手の家のトイレが洋式だったとする」夕食

の最中に彼がいった。「その相手が帰宅する直前、部屋に忍び込み、便器に青酸カリと硫酸を放り込み、蓋を閉める。即座にトイレを出れば、犯人が中毒を起こすことはないんじゃないか」

「大丈夫でしょうね」と典子はいった。

「そこへターゲットが帰ってくる。トイレに入る。便器の中では化学反応が起きて、大量の青酸ガスが発生し続けている。それを知らずに蓋を開ける。青酸ガスが一気に溢れだし、ターゲットはそれを吸い込んでしまう――こういうのはどうだ」

少し考えてから、悪くないんじゃない、と典子は答えた。

「基本的にはいいと思う。どうせ小説なんだから、その程度でいいんじゃない。細かいことをいったらきりがないものね」

この言葉が秋吉は気に食わなかったようだ。彼は箸を置き、メモ用紙とボールペンを持ってきた。

「俺はいい加減なことはしたくない。何か問題があるのなら、きっちりと教えてくれ。そのために相談しているんだ」

典子は頬をぱちんと叩かれたような気がした。彼女は座り直した。

「問題があるというほどではないの。あなたのいった方法でうまくいくかもしれない。でも下手をしたら、相手は死なないかもしれない」

「なぜだ」

「青酸ガスが漏れ出ると思うからよ。便器に蓋をするといっても、きっちりと密封できるわけじゃないでしょう。漏れ出た青酸ガスはトイレに満ちて、次第にトイレの外にも出ていくと思う。そうすると、狙われた相手はトイレに入る前に異常に気づくかもしれない。ううん、気づくというのは適切じゃないわね。わずかな青酸ガスを吸って、何らかの中毒症状を示すかもしれない。それで死んでくれればいいわけだけど……」

「青酸ガスそのものが微量だから、死には至らない可能性があるというわけか」

「あくまでも推論だけど」

「いや、そのとおりかもしれない」秋吉は腕組みをした。「便器の蓋の密閉度を高める工夫が必要だな」

「さらに換気扇を回しておけばいいかもしれない」彼女はいってみた。

「換気扇？」

「トイレの換気扇よ。そうすれば漏れ出た青酸ガスは排出されるから、ドアの外には漏れないんじゃないかな」

秋吉は黙って考え込んでいたが、やがて典子の顔を見て頷いた。

「よし、それでいこう。典子に相談してよかった」

「いい小説が書けるといいね」と典子はいった。

一抹の不安を抱きながら青酸カリを病院から持ち出したのだが、この時にはその不安も消えていた。彼の役に立ったらしいという手応えを感じ、素直に喜んでいた。

ところがその一週間後のことだ。典子が病院から帰った時、秋吉の姿がなかった。どこかへ飲みにでも行ったのかと思ったが、深夜になっても帰らず、連絡もなかった。彼女は心配になり、行方を捜そうとした。だが心当たりといえるものが何ひとつないことに彼女は気づいた。秋吉の知人というものを誰一人知らなかったし、立ち寄りそうな場所についても見当がつかなかった。彼女が知っている秋吉という男は、いつも部屋でパソコンに向かっているだけだったのだ。

明け方になって彼は帰ってきた。それまで典子は起きていた。化粧も落とさず、食事もとっていなかった。

「今までどこに行ってたの？」玄関で靴を脱ぐ彼に、典子は尋ねた。

「小説の取材をしていた。生憎公衆電話のないところで、連絡できなかった」

「すごく心配したのよ」

秋吉はTシャツにジーンズという出で立ちだった。その白いTシャツがひどく汚れていた。彼は提げていたスポーツバッグをパソコンの横に置き、Tシャツを脱いだ。身体が汗で光っていた。

「シャワー、浴びたいな」

「ちょっと待ってくれたら、お風呂を沸かすけど」

「シャワーでいい」彼は脱いだTシャツを持って、バスルームに入った。

典子は彼のスニーカーを揃えようとした。その時、スニーカーもずいぶん汚れていることに気づいた。さほど古くはなかったはずなのに、縁に土がべったりと付着している。まるで山の中を歩き回ったようだ。

一体どこへ行っていたのだろう。

典子は、秋吉が今夜の行き先については話してくれないような気がしていた。またそれを尋ねにくい雰囲気が彼にはあった。小説の取材なんてきっと嘘だと直感していた。

彼が提げていたバッグが気になった。あの中を調べれば、どこに行っていたかがわかるのではないか。

バスルームからはシャワーの音が聞こえてくる。ためらっている時間はなかった。彼女は奥の部屋に入ると、彼がさっき置いたスポーツバッグを開いた。

まず目に入ったのは、数冊のファイルだった。典子はそのうちの一番分厚いものを取り出した。ところが中身は空っぽだった。他のファイルを調べてみたが、いずれも同じだった。ただ、一冊のファイルには、次のように書かれたシールが貼られていた。

今枝探偵事務所――。

何だろう、と典子は首を傾げた。なぜ探偵事務所のファイルを秋吉が持っているのか。しかも中身のないファイルを。それとも何か理由があって、中身を処分したのか。

典子はさらにバッグの中を調べてみた。一番下に入っているものを見て、彼女は一瞬息をのんだ。それは例の青酸カリの瓶だった。

おそるおそるそれを取り出した。瓶の中には白い粉末が入っている。ところがその量は、前に見た時の半分ほどに減っていた。

胸騒ぎがし、気分が悪くなった。心臓の鼓動も激しくなる。

その時、シャワーの音が止まった。彼女はあわてて瓶やファイルを元に戻し、バッグを閉じた。

思った通り、秋吉はその夜の行き先について、何ひとつ典子には話してくれなかった。バスルームから出た後は、窓のそばに座り、いつまでも外を眺めていた。その横顔には、それまで典子が見たことのない暗さと険しさが滲んでいた。

また典子にしても、質問することはできなかった。質問すれば、きっと彼は何らかの答えを述べてくれるだろうとは思った。しかしそれが明らかに嘘とわかる説明であることを彼女は恐れた。この人はあの青酸カリを何に使ったのだろう。それを想像すると、足がすくむような恐怖に襲われた。

この後、秋吉は突然典子の身体を求めてきた。それまでにない荒々しさだった。まるで何かを忘れ去りたいかのようだった。

もちろんその時も彼は射精しなかった。二人のセックスは、典子が達しないかぎり終わらない。

その日典子は、初めて快感に身をよじる演技をした。

4

その男から電話がかかってきたのは、雪穂の母のことで康晴から相談を受けた三日後のことだった。一成が営業会議から戻って席につくなり、電話が鳴りだした。電話機に並んだ小さなランプの一つが、それが外線であることを示していた。

ササガキ、と男は名乗った。全く聞いたことのない名だ。年配という印象を、一成は声から受けた。アクセントは明らかに関西弁のものだった。

さらに一成を戸惑わせたのは、男が大阪府警の刑事だということだった。

「篠塚さんのお名前は、高宮さんから伺ったんです。それで、お仕事中申し訳ないと思いましたが、お電話させていただきました」男はやや粘着質な口調でいった。

「どういった御用件でしょうか」一成は訊いた。声が少し固くなった。

「ある事件の捜査のことで、ちょっとお話を伺いたいんです。三十分でいいですから、お時間、いただけませんか」

「ある事件というのは？」

「それはお会いしてからお話しするということで」

低い笑い声のようなものがかすかに聞こえた。大阪の、いかにも狡猾そうな中年男のイメージが、一成の頭の中で膨らんだ。

どういう事件に関係していることか、気になった。大阪から刑事が来るからには、些細なことではないのだろう。

そんな彼の内心を見透かしたように男はいった。

「じつは今枝さんに関することでもあるんですわ。今枝直巳さん、御存じでしょう？」

一成は受話器を握る手に力を込めた。緊張感が足元から這いあがってきた。同時に不安な思いが胸に広がる。

なぜこの男が今枝のことを知っているのか。いや、今枝と自分の関係を知っているのだろうか。ああした職業に携わっている人間が、仮に警察官に尋ねられたとしても、容易に依頼人の名前を明かすとは思えなかった。

一つだけ考えられることがある。

「今枝さんに何かあったのですか」

「さあ、そこです」と男はいった。「それも含めてお話があるんです。是非お目にかからせていただけませんか」男の声は、先程よりも幾分凄みを増したようだった。

「今、どちらにいらっしゃいますか」

「おたくの会社のすぐそばです。白い建物が見えます。七階建て、みたいですな」

「受付で、企画管理室の篠塚一成に会いたいとおっしゃってください。それでわかるようにしておきます」

「企画管理室……ですか。わかりました。すぐに伺います」

「お待ちしています」

いったん電話を切った後、一成は再び受話器を上げた。今度は内線だ。正面玄関の受付に電話し、ササガキという人物が来たら、七番来客室に通すよう命じた。そこは取締役たちが主に私的な用件で使うための部屋だった。

七番来客室で一成を待っていたのは、年齢のわりに体格のいい男だった。髪は短く刈り込まれていたが、それでも白いものが混じっていることが遠目にもわかった。

一成がドアを開ける前にノックしたからか、男は立ち上がっていた。まだ蒸し暑い日が続いているにもかかわらず、茶色の背広を着て、ネクタイも締めていた。関西弁で話す口調から、一成は図々しく無神経な人物を漠然とイメージしていたのだが、少し訂正する必要があるかもしれないと思った。

「お忙しいところ、すみません」男は名刺を出してきた。

一成も自分の名刺を出し、男と交換した。だが手にした名刺を見て、少し戸惑った。そこには警察署名もなければ、所属も肩書きも記されていなかった。ただ笹垣潤三とあり、住所と電話番号が印刷されているだけだ。住所は大阪府八尾市となっていた。

「余程のことがないかぎり、警察の名前が入った名刺は使わん主義なんです」笹垣は笑いで顔の皺を一層深くしていった。「昔、そういう名刺を人に渡したところ、悪用されたことがありましてね。それ以来、個人的な名刺を使うようにしてます」

一成は黙って頷いた。隙を見せることを許されない世界に生きているということなのだろう。

笹垣は背広の内ポケットに手を入れ、手帳を出してきた。写真の貼ってある身分証明書のページを開き、一成のほうに見せた。「御確認ください」

一成は一瞥してから、「どうぞおかけになってください」といってソファのほうを掌で示した。

どうも、といって刑事は腰を下ろした。膝を折る一瞬、彼は顔を少ししかめた。初老に入っていることを示した瞬間だった。

二人が向き合って座った直後、ドアをノックする音がした。入ってきたのは女子社員だった。トレイに湯飲み茶碗を二つ載せている。それをテーブルに置き、一礼してから出ていった。

「立派な会社ですな」笹垣はそういいながら湯飲み茶碗に手を伸ばした。「立派な会社は、応接室も立派ですな」

「おそれいります」一成はいった。だがじつのところ、この来客室はさほど立派でもないと思っていた。取締役専用とはいえ、ソファやテーブルなどは他の来客室と同じものである。ここを取締役専用にしてあるのは、防音工事を施してあるからだった。

それで、といって一成は刑事の顔を見た。

「お話というのはどういったことでしょうか」

ふむ、と頷いて、笹垣は湯飲み茶碗をテーブルに置いた。

「篠塚さん、あなた、今枝さんに仕事を依頼されましたね」

一成は軽く奥歯を嚙んだ。なぜこの男が知っているのか。

「警戒されるのも無理ないと思います。けど、正直に答えていただきたいんです。私は今枝さんからあなたのことを聞いたわけやないです。じつは今枝さん、行方不明なんです」

「えっ」思わず一成は声を漏らした。「本当ですか」

「本当です」

「いつから？」

「さあ、それが……」笹垣は白髪混じりの頭を掻いた。「それがはっきりせんのです。ただ、先月の二十日に高宮さんのところに、今日か明日会いたいという内容の電話があったそうです。高宮さんは、明日ならいいとお答えになりました。それで今枝さんは、明日もう一度電話するとおっしゃったらしいです。ところが結局次の日、高宮さんのところに電話はかかってこなかったという話です」

「ということは、二十日か二十一日以後、行方がわからないと……」

「今のところ、そういうことです」

「そんな……」一成は腕組みをした。知らぬ間に唸り声を漏らしていた。「どうして彼が行方不明なんかに……」

「じつは私、それより少し前にあの人と会っているんです」笹垣はいった。「ある事件の捜査で訊きたいことがあったんです。その後、もう一度連絡を取ろうとしていたんですけど、何回電話しても誰も出えへん。それでおかしいと思いましてね、昨日上京して、今枝さんの事務所を訪ねてみたんですわ」

「誰もいなかったわけですか」

一成の問いに、笹垣は顎を引いた。

「郵便受けを覗いてみたら、郵便物が結構溜まってました。それでおかしいと思って、管理人に頼んで部屋を開けてもろうたわけです」

「部屋の中はどうなってました？」一成は身を乗り出した。

「どうもなってませんでした。何か事故らしきことが起きた形跡もありません。一応地元の警察に知らせておきましたけど、今のままでは積極的に今枝さんを捜すということはないかもしれませんな」

「彼は自分の意思で姿をくらましたということですか」

「そうかもしれません。けど」笹垣は自分の顎をこすった。「そのセンは薄い、と私は見てます」

「といいますと」

「今枝さんの身に何かが起きた、と考えたほうが妥当やないかと思うわけです」

一成は唾を飲み込もうとした。だが口の中はからからに渇いていた。彼は湯飲み茶碗を取り、茶を啜った。

「何か危険な仕事でもしていたんでしょうか」

「問題はそこですな」笹垣は再び内ポケットに手を入れた。「ええと、煙草を吸うてもかまいませんか」

「ああ、どうぞ」彼はテーブルの端に寄せられていたステンレス製の灰皿を笹垣の前に置いた。

笹垣が取り出したのはハイライトだった。今時珍しい、と白地に青のパッケージを見ながら一成は思った。

刑事は煙草を指にはさみ、濃い乳白色の煙を吐き出した。

「私が前回今枝さんに会《お》うた時の感触では、このところの主な仕事は、ある女性に関する調査やったと思うわけです。その女性というのが誰か、篠塚さん、もちろんあなたも御存じですね」

たった今まで人の良ささえ醸し出していた笹垣の目が、突然爬虫類を思わせる鈍い光を放った。その視線はねっとりと一成の身体にからみついてくるようだった。

ここでとぼけても無意味だと一成は感じた。そしてこう感じさせるところが、いわゆる刑事の持つ迫力というものなのだろうと解釈した。

彼はゆっくりと頷いた。「ええ、知っています」

結構、というように頷き、笹垣はステンレスの灰皿の中にハイライトの灰を落とした。「唐沢雪穂さん……に関する調査を依頼されたのはあなたですね」

それには敢えて答えず、一成は少し自分のほうからも質問してみることにした。

「私の名前は高宮からお聞きになったとおっしゃいましたね。そのあたりの繋がりが、どうもよく把握できないのですが」

「なあに、そう難しいことやないです。あまり気にされる必要はありません」

「でもそれがはっきりしないことには」

「質問に答えにくい？」

ええ、と一成は頷いた。数々の修羅場を経験してきたに違いない刑事を睨みつけても何の効果もないだろうが、せめて真っ直ぐに目を見つめた。

笹垣は唇を緩め、煙草を吸った。

「ある事情があって、私も唐沢雪穂という女性に強い興味を持ってるわけです。ところが最近になって、彼女のことを調べ回っている人間がおることに気づきました。当然、どこの誰がそんなことをしているのか気になりますわな。それで、唐沢雪穂さんの前の夫である高宮さんに会いにいきました。今枝さんの名前を聞いたのは、その時です。唐沢雪穂さんには縁談話が進んでいて、今枝さんは相手の男性の家族から彼女に関する調査を依頼されたらしいと、高宮さんはおっしゃってました」

高宮には率直に本当のことを話したと今枝がいっていたのを一成は思い出した。

「それで？」と彼は先を促した。

すると笹垣は傍らに置いていた古い鞄を膝の上に置き、ファスナーを開いた。中から出てきたのは小さなテープレコーダーだった。彼は意味ありげな笑いを浮かべ、それをテーブルの上に置いて再生ボタンを押した。

ピーという発信音が雑音混じりにまず聞こえた。その後に声が続いた。

「……ええと、篠塚です。唐沢雪穂の調査の件、その後どうなっていますか。連絡を待っています」

笹垣がストップボタンを押した。そのままテープレコーダーを鞄に戻した。

「昨日今枝さんの電話機から拝借してきたんですわ。これを吹き込んだのは篠塚さん、あなたですね」

「たしかに、今月のはじめ頃、こういうメッセージを留守電に入れました」一成はため息混じりに答えた。ここでプライバシーのことをいっても始まらないと思った。

「これを聞いて、改めて高宮さんに連絡したわけです。篠塚という人に心当たりはありませんかと尋ねてみました」

「すると彼は即座に、私のことをあなたに話したわけだ」

「そういうことです」笹垣は頷いた。「さっきもいうたとおりでしょう。難しいからくりなんか、何もありません」

「なるほどね。おっしゃるとおりだ。難しくない」

「改めて訊きますが、唐沢雪穂さんの調査を依頼されましたね」

ええ、と一成は頷いた。

「彼女と結婚することになっているのは……」

「親戚の者です。ただし結婚は決まっていません。本人がそう望んでいるだけです」

「その方のお名前を教えていただけますか」笹垣は手帳を開き、ボールペンを構えた。

「そんなことを知る必要があるんですか」

「それはわかりません。警察の人間というのは、どんなことでも一応知っておきたいんですわ。もし教えていただけんということになりますと、いろいろな人に尋ねて回ることになります。唐沢雪穂さんと結婚したがっているのは誰か、と」

一成は口元を歪めた。そんなことをされたらたまらない。

「従兄で、篠塚康晴といいます。康は健康の康、晴は晴天の晴」

笹垣はそれを手帳にメモしてから、「やっぱりこの会社で働いてはるんでしょうなあ」と訊いてきた。

常務取締役ですと一成がいうと、老刑事は目を見張り、首を小刻みに振った。そして手帳にそのことも記録した。

「いくつかわからないことがあるんですが、質問してもいいですか」一成はいった。

「どうぞ。もっとも、答えられるかどうかはわかりませんけど」

「あなたは先程、ある事情があって唐沢雪穂さんに興味を持っている、とおっしゃいましたよね。その事情とは何ですか」

　すると笹垣は苦笑いを浮かべ、首の後ろを二度叩いた。

「残念ながら、それを今ここで説明するわけにはいきませんな」

「捜査上の秘密、というわけですか」

「そう解釈してくださっても結構ですけど、一番大きな理由は、不確かな部分が多すぎて、とても口にできる段階ではないということです。何しろ、十八年近くも前の事件に関わる話です」

「十八年……」口にしてから、一成はその言葉が意味する時間の長さを頭に描いた。そんなはるか昔、一体何があったのか。「その十八年前の事件というのは、どういった種類の事件ですか。それも教えてはいただけませんか」

　彼がいうと、老練な刑事の顔に迷いの気配が浮かんだ。数秒後、刑事は瞬きを一つしていった。「殺人です」

　一成は背筋を伸ばしていた。ふうーっと長い息を吐き出した。「誰が殺されたんです？」

「そこまではご勘弁を」笹垣は一成のほうに掌を向けた。

「その事件に彼女……唐沢雪穂さんが関係しているわけですか」

「重大な鍵を握っている可能性がある、とだけ申し上げておきましょう」

「でも……」重大なことに一成は気づいた。「十八年なら殺人の時効は過ぎている」

「そうですな」

「それでもあなたはその事件を追っておられるのですか」

　刑事はハイライトの箱を取り上げた。指を突っ込み、二本目の煙草を出す。一本目の煙草をいつ灰皿の中でもみ消したのか、一成は覚えていなかった。

　笹垣は使い捨てライターで煙草に火をつけた。一本目の時より、ずいぶんとゆっくりとした動作だった。意識してそうしているのだろう。

「長い物語みたいなものです。それが始まったのが十八年前。けど、物語はまだ終わっとらんのですわ。決着をつけるには最初に戻らんといかん。ま、そういうことです」

「その物語全体を話していただくことは……」

「それはやめときましょ」笹垣は笑った。口から煙が吐き出された。「ここで十八年間の話をしてたら、時間がなんぼあっても足りません」

「じゃあ、いつかは話していただけますか。たっぷり時間をとれる時に」

「そうですな」刑事は彼の目を真正面から受けとめ、煙草を吸いながら頷いた。真顔に戻っていた。「いずれお話ししましょう。ゆっくりと」

一成は湯飲み茶碗を取ろうとし、それが空であることに気づいて手を止めた。見ると、笹垣も茶を飲み干していた。

「お茶のおかわりを持ってこさせましょうか」

「いえ、私は結構。それより、私のほうからも質問してよろしいですか」

「何でしょう」

「あなたが今枝さんに、唐沢雪穂さんのことを調べるよう依頼した、本当の理由を教えていただきたいんです」

「それはすでに御存じでしょう。本当も嘘もない。身内の人間が結婚を考えている相手のことを調査するというのは、世間ではよくあることじゃないですか」

「たしかにそういうことは多いでしょう。特にあなたがたみたいに、伝統のある家を引き継がなあかん立場の人が結婚する場合はね。けど、両親が調査を依頼したというならわかりますが、従弟が独断で探偵まで雇うというのは、ちょっと聞いたことがない」

「だからといって、いけないということはないでしょう」

「不自然な点はまだあります。そもそも、あなたが唐沢雪穂のことを調べようとすること自体が奇妙です。あなたと高宮さんは古くからの親友で、彼女はその親友の妻やったわけでしょう。もっと古いことをいうたら、大学のダンス部で一緒に練習した仲間やったそうやないですか。つまり今さら調べるまでもなく、あなたは唐沢雪穂のことを、かなりの程度知っているはずなんです。それなのに、なぜ探偵を雇う必要があったのか」

笹垣の声はいつの間にか少しトーンが高くなっていた。防音効果のある部屋にしてよかったと一成は頭の隅で考えていた。

「今、私は、あの女性のことを呼び捨てにしました。唐沢雪穂、とね」笹垣は一成の反応を確かめるように、ゆっくりといった。「けど、どうです、篠塚さん。あなたにしても、さほど不自然な感じはせえへんかったのと違いますか。特に違和感はなかったと思いますけど」

「さあ……あなたが何といったのか、大して気には留めませんでしたけど」

「彼女の名前を呼び捨てにすることについて、抵抗はないはずなんです。なぜかというと、篠塚さん、あなた自身がそうしてるからです」そういって笹垣は先程の鞄をぽんぽんと叩いた。「さっきのテープ、もう一回聞きますか。あなたはこうおっしゃってるんです。唐沢雪穂の調査の件、その後どうなっていますか、連絡を待っています」

　かつて彼女はクラブの後輩だったから、その時の癖が出たのだ、一成はそう説明しようとした。だが彼が声を発する前に笹垣のほうが口を開いた。

「唐沢雪穂と呼び捨てにしたあなたの口調には、何ともいえん警戒心みたいなものが込められてました。じつをいいますとね、これを聞いた時にぴんときたんです。刑事の直感というやつです。このシノヅカという人から話を聞く必要がある、と思いました」刑事は二本目の煙草を灰皿の中で消した。それから身を乗り出し、テーブルに両手をついた。「ほんまのことを話していただけませんか。今枝さんに調査を依頼した真意はどこにあるんです」

　笹垣の目には相変わらず凄みがあったが、威圧的な感じはしなかった。むしろ包容力を感じさせた。取調室で容疑者と向き合った時、こういう雰囲気を利用するのかもしれないと一成は思った。そして、要するにこの刑事は、今日これを訊きにきたのだと理解した。唐沢雪穂と結婚したがっているのが誰であろうと、おそらくどうでもいいのだ。

「笹垣さん、あなたのおっしゃっていることは半分は当たっています。でも残りの半分は的外れです」

　ほう、と笹垣は唇をすぼめた。「まず的外れというところからお聞きしたいですな」

「それは、私が今枝さんに彼女の調査を依頼したのは、純粋に従兄のためだということです。もし従兄が彼女との結婚を望んだりしなければ、彼女がどんな女性で、どんな人生を送っていようと、全く関心がありません」

「なるほど。で、当たっている部分というのは？」

「私が彼女のことを特別に警戒している、ということです」

「ははあ」笹垣はソファにもたれ、一成の顔を見つめてきた。「その理由は？」

「極めて主観的で、漠然としていますけど、構いませんか」

「構いません。そういうあやふやな話というのが大好きでして」笹垣はにやりと笑っていった。

　今枝に仕事を依頼する時にした説明とほぼ同じ内容を、一成は笹垣にも話した。金銭面などで唐沢雪穂の後ろに何か見えない力の存在を感じること、彼女と関わった人間が何らかの形で不幸を背負うことになっている印象を受けることなどだ。まさに主観的で漠然としていると一成自身が話しながら思ったが、笹垣は三本目の煙草を吸いながら、真剣な顔つきで聞いていた。

「お話、よくわかりました。話してくださって、感謝します」煙草を消しながら笹垣は五分刈りの頭を下げた。

「くだらない妄想だと思われたんじゃないですか」

「とんでもない」笹垣は何かを払うように、自分の顔の前で手を振った。「正直なところ、篠塚さんがあんまり的確に状況を把握しておられるんで、少々驚いているところです。いや、お若いのに大したもんです」

「的確……と思われますか」

「思いますな」笹垣は頷いた。「あの唐沢雪穂という女性の本質を、じつによく見抜いておられる。大抵の人間は、あなたほどの目は持ってないものです。かくいう私も、ずいぶん長い間、全く何も見えていなかったも同様なんです」

「私の直感は間違っていないとおっしゃるのですね」

「間違ってませんな」笹垣はいった。「あの女と関わると、ろくなことがない。それは、十八年間、追い続けてきた私の結論でもあります」

「従兄に笹垣さんを会わせたいですね」

「私も是非お会いして進言したい。しかし、まあ、相手にはされんでしょうな。じつをいいますと、ここまで包み隠さず話ができた相手は、あなたが初めてです」

「何とか決定的なものを摑みたいですね。だからこそ今枝さんの調査に期待していたのですが」一成は腕を組み直した。

「今枝さんからは、どの程度報告を受けてたんですか」

「それが、まだ調査が始まったばかりというところでした。彼女の証券取引の実績などは報告してもらいましたが」

　唐沢雪穂が本当に好きなのはあなただ、と今枝からいわれたことは、ここでは黙っていることにした。

「これは私の想像ですけど」笹垣が低い声でいった。「もしかすると今枝さんは、何か摑んでたのかもしれません」

「何か根拠でも？」

　ええ、と刑事は頷いた。「昨日、今枝さんの部屋をざっと調べてみたんですけどね、唐沢雪穂に関する資料はすべて消えてました。写真一枚残ってませんでした」

「えっ」一成は目を見張った。「それはつまり……」

「現在の状況で、今枝さんが篠塚さんに断りもなく行方をくらますはずがない。となると、考えられる最も妥当な答えは一つしかありません。今枝さんの失踪は何者かによって起こされた、いうことですわ。さらにいうなら、その何者かは、今枝さんの調査を恐れたということですな」

　笹垣がいっていることが何を意味するのか、無論一成にも理解できた。飛躍した考えでもないと認識できる。だがやはり非現実的な感覚が残った。

「まさか」と彼は呟いた。「まさかそこまでは……」

「それほどの悪女ではないと思いますか」

「失踪は偶然じゃないでしょうか。何か事故に巻き込まれたとか」

「いや、事故のセンはありません」笹垣はきっぱりといいきった。「今枝さんは新聞を二誌購読されてるんですけどね、販売店に確認したところ、先月の二十一日に、しばらく旅行に行くから配達を停止してほしいという連絡があったそうなんです。男の声で電話があったということでした」

「男の声……ということは、今枝さんが自分で電話した可能性もあるんじゃないですか」

「もちろんそうです。けど、私はそうではないと思います」笹垣は首を振った。「今枝さんの失踪を仕組んだ人間が、なるべく騒ぎが大きくならんよう、手を打ったんやと思います。配達された新聞が郵便受けの前に山積みにされてたら、近所の人間や管理人が、何かおかしいと思い始めますから」

「でも、もしあなたのいっていることが当たっているのだとしたら、その人物はとんでもない犯罪者ということになりますよ。だって、今枝さんが生きていない可能性もあるわけでしょう?」

　一成の言葉に、笹垣は能面のように表情をなくした。その感情をシャットアウトした顔でいった。

「生きている可能性は低い、と私は考えてます」

　ふっと息を吐き出し、一成はいったん横を向いた。神経がくたびれる会話だ。心臓の鼓動は、とっくの昔に速まっている。

「だけど男の声で新聞屋に電話があったのなら、唐沢雪穂とは無関係かもしれない」

　いいながら、妙なものだと自分で思った。彼女がふつうの健気なだけの女性でないことを証明したかったはずなのに、人の生き死にが関わるほどの展開になってくると、逆に弁護するような発言ばかりしている。

　笹垣がまたしても背広の内ポケットに手を入れた。だが今度はこれまでとは反対のポケットだった。彼が取り出してきたのは一枚の写真だった。

「この男を見たことはありませんか」

「ちょっと拝見」一成は写真を受け取った。

　そこに写っているのは、細い顔をした若い男だった。肩幅は広く、それで黒っぽい色の上着がよく似合っている。どこか冷徹な印象を受けた。

　一成の全く知らない男だった。笹垣にもそう答えた。

「そうですか。それは残念」

「誰なんですか」

「私が追い続けている男です。先程お渡しした名刺を、ちょっと貸してもらえますか」

　一成は笹垣潤三と印刷された名刺を彼に渡した。彼はその裏にボールペンで何か書き込んでから、どうぞ、と返してきた。一成は裏を見た。『桐原亮司　きりはらりょうじ』と書いてあった。

「きりはら……りょうじ。何者ですか」

「幽霊みたいなものです」

「幽霊？」

「篠塚さん、その写真の顔と、この名前を、どうか頭に叩き込んどいてください。そうして、もしもどこかで見かけることがあったら、どういう時であっても、すぐに私に連絡してほしいんです」

「そうおっしゃられても、一体どこにいるんですか、この男は。それがわからなければ、単なる指名手配と同じですよ」一成は小さく両手を広げた。

「現在どこにいるかは全く不明です。しかし、確実にこの男が現れるところがある」

「どこですか」

「それは」笹垣は唇を舐めて続けた。「唐沢雪穂の周辺です。ハゼはエビのそばにおると相場が決まってます」

　老刑事のいった意味が、一成はすぐには理解できなかった。

5

　田園風景が窓の外を流れていく。時折、企業名や商品名の入った看板が田畑に立っていたりする。単調で退屈な風景だ。町並みを眺めたいと思うが、新幹線がそういうところを走る時には防音壁に囲まれてしまって何も見えない。

　窓枠に肘をついたまま、典子は隣の席を見た。秋吉雄一は目を閉じたまま動かない。眠ってはおらず、何か考えごとをしているのだということに彼女は気づいていた。

　彼女は再び目を外に向けた。重苦しいような緊張感が、心をずっと圧迫し続けている。この大阪行きが、またしても不吉な風を呼ぶことになるのではないかという思いが頭から離れない。

　しかしこれが秋吉という男のことを知る、最後のチャンスではないかとも思う。振り返ってみれば、典子は彼のことを殆ど何も知らぬまま、今日まで来てしまった。彼の過去に興味がなかったわけではない。だが、そんなことはどうでもいい、大事なのは現在だという考えがあったのも事実だ。ほんの短期間で、彼は彼女にとってかけがえのない存在になっていた。

窓の外の風景が少し変わった。愛知県に入ったようだ。自動車関連メーカーの看板が増えている。典子は実家のことを思い出した。彼女は新潟の出身だった。彼女の家のそばにも、自動車部品を作っている小さな工場があった。

栗原典子が上京してきたのは十八の時だ。特に薬剤師になりたかったわけではない。自分に受かりそうなところをいくつか受験した結果、たまたま某大学の薬学部に合格したというだけのことだ。

大学卒業後は、知人の紹介があって、すんなりと今の病院での勤めが決まった。大学時代と、病院勤めが始まった五年間ほどが、自分が一番輝いていた時期ではなかったかと典子は思っている。

勤めて六年目、恋人ができた。同じ病院で事務をしている三十五歳の男だった。その彼とは真剣に結婚のことまで考えた。障害はあった。彼には妻と子供がいたのだ。きちんと別れるつもりだ――彼はそういった。その言葉を典子は信じた。信じたからこそ、今の部屋を借りた。離婚すれば彼には行き場がなくなる。彼が家を出た時、すぐに身体を休められる場所を与えてやりたかった。

だが多くの不倫がそうであるように、女が覚悟を決めると男は及び腰になった。彼は、会っている間中、いろいろと言い訳を漏らした。子供のことが気になる、今のままでは莫大な慰謝料を取られるだろう、時間をかけてじっくりと攻めるのが賢明――。そんな話を聞きたくてあなたと会っているんじゃないと、彼女は何度いったことか。

その男との別れは、じつに意外な形で訪れた。ある朝、病院に行ってみると、彼の姿がなかった。別の事務員に尋ねてみると、辞めたらしい、という答えが返ってきた。

「あの人、患者さんが支払ったお金を着服していたらしいの」女性事務員は声をひそめていった。ゴシップを楽しむ顔になっていた。彼女はその男と典子の関係を知らなかった。

「着服って……」

「患者さんの治療費とか入院費の計算とか入金結果は、全部コンピュータで管理されてるでしょ。ところがあの人は、打ち込みミスがあったみたいに操作して、入金記録を消しちゃって、その分のお金を自分の財布に入れてたわけ。ちゃんと支払ったはずなのに督促状が送られてきたっていう患者さんからの問い合わせが何件かあって、そのことが発覚したのよ」

「いつからそんなことを……」

「正確なところはわからないんだけど、どうやら一年以上も前からそういうことが行われていた形跡があるの。というのは、その頃から、患者さんの入金が遅れ気味になっているのよ。もう少し遅れれば督促状を発行するという期限ぎりぎりだったケースが、いくつもあるの。どうやら犯行がばれないように、次々に患者さんのお金をネコババしては、入金記録の穴を埋めていたらしいわね。もちろんその代わりに、別の新しい穴が生まれていたわけ。で、その新しい穴が雪ダルマ式に大きくなって、とうとう埋めようがなくなって、ばれちゃったってことよ」

楽しそうに話す女性事務員の赤い唇を、典子は放心状態で眺めていた。悪夢を見ているような気分だった。現実とは思えなかった。

「着服していた金額はいくらぐらいなの」必死で平静を装いながら典子は訊いた。

「二百万円ぐらいって聞いてるけど」

「そんなお金、何に使っていたのかしら」

「マンションのローンに回してたって話よ。あの人、よりによって、地価が一番高騰してる時に買ったみたいよ」女性事務員は目を輝かせて答えた。

病院側も警察沙汰にする気はないようだ、と彼女は教えてくれた。金さえ払ってもらえれば、穏便に済ませるつもりらしい。マスコミに取り上げられて、病院の信用に傷がつくことのほうを恐れているのだろう。

それから数日、彼からは何の連絡もなかった。その間、彼女は仕事がろくに手につかなかった。ぼんやりすることが増え、一緒に仕事をしている仲間たちから大いに訝《いぶか》しがられた。自宅に電話しようかとも思ったが、彼以外の人間が受話器を取った時のことを考えると、決心がつかなかった。

ある日の夜中、電話が鳴りだした。呼び出し音を聞いて、彼に違いない、と典子は思った。果たして、受話器の向こうから聞こえてきたのは、彼の声だった。ただしそれはひどくか細かった。

元気だったかい、と彼はまず訊いてきた。あまり、と彼女は答えた。だろうな、と彼。自嘲したような笑みが目に浮かんだ。

「話は聞いていると思うけど、もう病院には行けなくなった」

「お金、どうするの」

「払うよ。分割だけどね。そういうことで話がついた」

「返せるの」

「さあ……でも、返さなきゃ。いざとなれば、ここを売ってでも」

「二百万、だって？」

「ええと、二百四十万ほど、かな」

「それ、あたしが何とかしようか」

「えっ」

「あたし、少し貯金があるの。二百万円ほどなら、何とかしてあげられるけど」

「そう……」

「だから、それを払っちゃったら、あの……奥さんと……」

　離婚して、といいかけた時、彼はいった。

「いいよ、そういうのは」

　えっ、と今度は彼女が声を漏らした。「いいって、どういうこと？」

「君の世話になる気はないよ。自分で何とかする」

「だけど」

「女房の」と彼はいった。「父親から金を借りてるんだ。マンションを買う時に」

「いくら？」

「一千万」

　ずきん、と胸に衝撃を受けた。腋の下を汗が一筋流れた。

「離婚するとしたら、それを何とかしなきゃならない」

「でもあなた、これまで一度もそんなこといわなかったじゃない」

「君にいったって仕方ないだろ」

「奥さんは何といってるの？　今度のことについて」

「そんなこと聞いてどうするんだよ」男の声は不機嫌になっていた。

「気になるのよ。奥さんは怒ってないの？」

　今回の事件で彼の妻が腹を立て、もしかしたら離婚をいいだすのではないかという期待が典子の胸にはあったのだ。しかし彼の答えは意外なものだった。

「女房は謝ってくれたよ」

「奥さんが？」

「マンションを欲しいといいだしたのは女房なんだ。俺はあまり乗り気じゃなかった。返済計画にも少し無理があった。そのことが今度のことの原因だとわかっているんだろう」

「そうなの……」

「金を返すため、女房もパートに出るといっている」

　いい奥さんね、という台詞が喉元まで出かかった。それをこらえると、苦みが口の中に残った。

「じゃあ、当分は何の進展も望めないわけね。あたしとの関係については」

　辛うじてそういうと、男は一瞬黙り込んだ。それからため息が聞こえた。

「やめてくれよ、そういうの」

「そういうのって？」

「嫌味ったらしくいうのはって意味だよ。どうせ君だって、わかってたんだろ」

「何が？」

「俺が離婚するわけないってことだよ。君のほうだって、単なる不倫ごっこのつもりだったんだろ」

男の言葉に、典子は一瞬声を失った。あたしは本気だったわよ、と怒鳴りたかった。しかしその台詞を口にした瞬間、いいようのない惨めな思いが襲ってくることもわかっていた。彼女としては黙っているしかなかった。もちろんそうした彼女のプライドの高さを見越した上で、彼はそんなことをいったのだろう。

こんな夜中に誰と話してるのよ、と彼の後ろで声がした。彼の妻だろう。友達だよ、心配して電話してきてくれたんだ、と彼。

少ししてから、先程までよりも一層細い声で、「じゃあ、そういうことだから」と彼は典子にいった。

何が「そういうこと」なのか、と典子は問い詰めたかった。だが胸いっぱいに広がった虚しさは、彼女に声を出させなかった。男はそれで目的を果たしたと思ったか、彼女の返事を待たずに電話を切った。

いうまでもなく、それが彼と交わした最後の会話だった。それ以後彼は二度と彼女の前に姿を現さなかった。

典子は部屋に置いてあった彼の日用品を処分した。歯ブラシ、剃刀、シェービングクリーム、そしてコンドーム。

捨て忘れていたのは灰皿だ。それだけは本棚の上に置いたままになっていた。それが埃に覆われる様子は、心の傷口が塞がっていくのを示しているようだった。

それ以後、典子は誰とも付き合わなかった。しかし一人で生きていこうと決心したわけではなかった。むしろ、結婚願望は強まっていた。適当な相手と結婚し、子供を育て、平凡な家庭を築きたいと切実に思うようになった。

事務員と別れてからちょうど一年が経つ頃、彼女は結婚情報サービス会社を訪れた。コンピュータによって最適な相手を決定するというシステムにひかれたのだ。彼女は恋愛感情とは切り放された部分によって、人生の伴侶を決めようとしていた。恋愛はもうこりごりだった。

いかにも人当たりの良さそうな中年女性が、いくつかの質問をし、それに対する彼女の答えをコンピュータに入力していった。途中何度も、「大丈夫、きっといいお相手が見つかりますよ」という言葉をかけてくれた。

その言葉通り、そこの情報サービス会社は、次々と典子に合いそうな男性を紹介してくれた。彼女はその中から、通算して六人の相手と実際に会ってみた。しかしそのうちの五人は、最初に一度会ったきりだった。会うなり幻滅させられる相手ばかりだったのだ。写真と本人と全く似ていないという人物がいた。情報サービス会社には結婚経験なしと登録されているが、じつは子供が一人いるといきなり告白してきた男性もいた。

ある会社員とは三回デートを重ねた。年齢は四十を少し過ぎていたが、真面目そうだったので、典子も結婚を真剣に考えてみる気になっていた。ところが三回目のデートの時、老人性痴呆症の母親と二人暮らしであることを知らされた。「あなたなら僕たちの力になってくれると思って」と、その男性はいった。何のことはない。彼は母親の世話をしてくれる女性を探していたに過ぎないのだ。聞いてみると、彼は情報サービス会社に対して、「医療関係の仕事に従事している女性」という希望を出していたらしい。

「どうぞお大事に」という言葉を残し、典子はその男性と別れた。もちろん、それ以後は二度と会わなかった。馬鹿にしている、と思った。自分だけでなく、女性全体を。

六人と会った後、その結婚情報サービス会社との契約を解除した。ひどい時間の無駄をしたような気がした。

秋吉雄一と出会ったのは、それから約半年後のことだった。

大阪に着いたのは夕方だった。ホテルでチェックインを済ませた後、秋吉は典子に大阪の街を案内してくれた。一緒に行きたいと彼女がいった時には難色を示した彼だったが、今日はなぜか優しかった。生まれた場所に戻ってきたせいかもしれないと典子は想像した。

二人で心斎橋を歩き、道頓堀橋を渡り、たこ焼きを食べた。一緒に旅行らしきことをするのは初めてだった。これから何が起きるのか不安ではあったが、典子としてはそれなりに心浮き立つものがあった。彼女は大阪に来るのは初めてだった。

「あなたが生まれた家はここから遠いの？」道頓堀を見下ろせるビアホールでビールを飲みながら、典子は訊いてみた。

「電車で駅五つほどだ」

「近いのね」

「大阪は狭いからな」秋吉も窓を見ていた。グリコの巨大な看板が光っている。

「ねえ」少し迷ってから典子はいった。「今から連れていってくれない？」

秋吉が彼女を見た。眉間に皺ができていた。

「あたし、あなたが住んでた町を見てみたい」

「遊びはここまでだ」

「でも」

「俺には俺の予定がある」秋吉は目をそらした。明らかに機嫌が悪くなっていた。

「……ごめんなさい」典子はうつむいた。

二人で黙ってビールを飲んだ。典子は道頓堀を渡っていく人々の流れを眺めていた。時刻は八時を過ぎたところだ。大阪の夜は、まだ始まったばかりのようだ。

「どうってことのない町だ」不意に秋吉がいった。

典子は横を向いた。彼は窓の外に目を向けたままだった。

「くすんだ町だ。埃っぽくて、薄汚れていて、ちっぽけな人間たちが虫みたいに蠢いている。そのくせ連中の目だけはぎらぎらしている。隙を見せられない町だ」彼はビールを飲み干した。「そんなところに行きたいのか」

「行ってみたい」

秋吉は黙って何か考えていたが、ビールのグラスから手を離すと、ズボンのポケットに手を突っ込んだ。直に入れてあった一万円札を摑みだした。「支払いをしてきてくれ」

典子はその一万円を受け取り、レジに向かった。

店を出ると秋吉はタクシーを拾った。彼が運転手に告げた行き先は、典子には全くわからない地名だった。それよりも彼が大阪弁でしゃべったことのほうが興味深かった。それもまた典子にとっての初体験だった。

タクシーの中で秋吉は殆ど無言だった。じっと車窓の外を見つめていた。典子は、彼が後悔しているのではないかと思った。

タクシーは狭く薄暗い道に入っていった。途中から秋吉が道順を細かく指示した。それもまた大阪弁だった。

やがて車は止まった。公園のすぐそばだった。

車を降りると秋吉は公園の中に入っていった。典子も後に続いた。公園は、野球の試合ができる程度の広さがあった。ブランコ、ジャングルジム、砂場、昔ながらの公園だ。噴水はない。

「子供の頃、ここでよく遊んだ」

「野球をして？」

「野球もした。ドッジボールもした。サッカーも少ししたな」

「その頃の写真は？」

「ない」

「そう。残念」

「このあたりには、ほかに広い遊び場所なんかないから、この公園は貴重だった。だけど、この公園と同じぐらい貴重だったのが、ここだ」秋吉は後ろを振り返った。

典子もつられて振り向いた。すぐ後ろには古びたビルが建っていた。

「ビル？」

「ここも俺たちの遊び場だった」

「こんなところで遊べるの？」

「タイムトンネル」

「えっ？」

「俺が子供の頃、このビルは未完成だった。建築途中でほうり出されていたらしい。このビルに出入りするのは、どぶネズミと、俺たち近所のガキだけだった」

「危なくなかったの？」

「危なくなきゃ、ガキたちは集まってこない」秋吉はにやりと笑った。だがすぐに真顔に戻った。ため息を一つつき、改めてビルを見上げた。「ある日、ガキの一人が死体を見つけた。男の死体だった」

　殺されていた、と彼は続けた。それを聞いた瞬間、典子は胸に鈍い痛みを覚えた。

「知っている人だったの？」

「少しだけ」と彼は答えた。「金に汚い男だった。だからみんなに嫌われていた。俺も嫌いだった。殺されていい気味だと、たぶん誰もが思っただろう。警察は、この町に住んでいる人間全員を疑っていた」

　それから彼はビルの壁を指差した。「壁に何か描いてあるのが見えるだろう」

　典子は目をこらした。すっかり色あせて見えにくいが、たしかに灰色の壁に何か絵のようなものが描いてあった。どうやら裸の男女のイラストのようだった。絡み合い、愛撫し合っている。芸術的な壁画とはとても思えなかった。

「殺人事件が起きた後、このビルは完全に立入禁止になった。それから間もなく、そんな忌まわしいビルでも借り手がいたらしく、一階の一部分で工事が始まった。同時にビルの壁にビニールシートがかけられた。工事が終わった時、ビニールシートも外された。下から出てきたのが、この猥褻なイラストだった」

　秋吉は上着の内ポケットに手を入れ、煙草を一本取り出した。それを口にくわえ、先程のビアホールでもらったマッチで火をつけた。

「やがて胡散臭い男たちが集まってきた。こそこそと人目を気にしながらビルの中に入っていった。ビルの中に何ができたのか、俺は最初わからなかった。ほかのガキたちに訊いても、誰も知らなかった。大人たちも教えてくれなかった。だけどそのうちに、ガキの一人が情報を仕入れてきた。あそこは男が女を買う店らしい、とそいつはいった。一万円払えば女に対して何をしてもいい、ビルの壁に描いてあるようなことだってできる——そういう話だった。俺はすぐには信じられなかった。当時一万円は大金だったが、それでもやはり、そんなことを商売にする女がいるとは思えなかった」煙を吐き、秋吉は低く笑った。「純粋だったってことになるかな。何しろ俺はまだ小学生だった」

「小学生の時なら、あたしもショックを受けたと思う」

「俺は別にショックなんか受けちゃいなかったんだよ。ただ、学習した。この世で一番大切なものは何かってことをね」彼は、まだそれほど短くはなっていない煙草を地面に捨てた。それを踏みつぶした。「つまらない話を聞かせたな」

「ねえ」と典子はいった。「その犯人は捕まったの？」

「犯人？」

「殺人事件の犯人よ」

「ああ」秋吉は首を振った。「さあな。知らない」

「ふうん……」

「行くぞ」秋吉は歩きだした。

「どこへ行くの」

「地下鉄の駅が、この先にある」

　細くて暗い道を、彼と並んで典子は歩いた。古くて小さな民家が、びっしりと並んでいた。いわゆる棟割り住宅というものが多いようだ。おのおのの家の玄関ドアが、道路のすぐそばにある。この地には建蔽率《けんぺいりつ》の基準なんてないのかなとさえ思った。

　数分歩いたところで秋吉の足が止まった。彼は道の反対側にある家を見つめていた。それはこのあたりでは大きいほうに属する家だった。日本家屋の二階建てだ。ただし何か商売をしているのか、表の一部がシャッターになっていた。

　典子は何気なく家の二階を見上げた。古い看板が出ていた。『質きりはら』と書かれた文字が消えかけている。

「知っている家なの？」

「ちょっとだけな」と彼は答えた。「ほんのちょっとだけだ」そしてまた歩き始めた。

　質屋の前から十メートルほど行った時だった。一軒の家から五十歳前後の太った女が出てきた。その家の前には、小さな鉢植えが十個ほど並べてあった。そのうちの半分以上は道路にはみだして置いてある。女はそれらに水をやるつもりらしく、手に如雨露《じょうろ》を持っていた。

　くたびれたTシャツを着た女は、通りかかったカップルに興味が湧いたらしく、まずじろじろと典子の顔を見た。自分の目的のためには相手の不快感など意に介さない目つきだった。

　その蛇のような目が秋吉に向けられた。すると女は意外な反応を見せた。鉢植えに水をやろうと少し前屈みになっていたのだが、その身体をぴんと立てたのだ。

　彼女は秋吉の顔を見ながらいった。「リョウちゃん？」

　だが彼のほうは女のことなど見向きもしなかった。声をかけられたことにも気づかない様子だった。足の速度を変えることもなく、彼は真っ直ぐに進んだ。典子は後に続いていくしかない。やがて二人は女の前を通過した。女がいつまでも秋吉の顔を眺めていることに典子は気づいた。

「なんや、違うんかいな」通り過ぎてから、典子の背後で声がした。女が独り言をいったらしい。その声にも秋吉は全く反応しなかった。

しかし「リョウちゃん」といった女の声が、典子の耳からいつまでも離れなかった。それどころか共鳴するように、彼女の頭の中で大きく響いていた。


大阪での二日目は、典子は一人で過ごさねばならなくなった。朝食の後、いろいろと取材があるから今日は夜までホテルには戻らないといって、秋吉は出かけていったのだ。

ホテルにいても仕方がないので、前日秋吉に案内してもらった心斎橋などを、もう一度歩いてみることにした。銀座にある高級ブティックが、ここにも並んでいた。銀座と違うところは、そうした店と同じ並びに、パチンコ屋やゲームセンターがあることだ。大阪で商売をするには格好をつけていられないということかもしれない。

少し買い物をしたが、それでもまだ時間はたっぷりあった。彼女は昨夜のあの場所にもう一度行ってみようという気になった。あの公園、そしてあの質屋だ。

難波駅から地下鉄に乗ることにした。駅の名前は覚えている。駅からの道順も、たぶん記憶に残っているはずだった。

切符を買った後、ふと思いついて売店に寄り、使い捨てカメラを一つ買った。

典子は目的の駅で降り、前日秋吉の後をついて歩いた道を、逆に進んだ。町は夜と昼とでは大きく違っていた。商店がいくつも開いていたし、歩いている人の数が多い。そして商店主や通りかかる人々の目には力があった。無論、単に精力的なだけではない。誰かが隙を見せたらつけ込んでやろう、出し抜いてやろうという企みが、その目の光には宿っているようだった。彼のいうとおりだと再確認した。

道をゆっくりと歩き、時折気まぐれにカメラのシャッターを押した。秋吉の生まれ育った町を、自分なりに記録しておきたかったのだ。ただしこのことは彼にはいえないなと彼女は考えていた。

例の質屋の前に来た。だが店は閉まっていた。もうずっと営業していないのかもしれない。夜だと気づかないが、昼間見ると、どこか廃墟のような雰囲気があった。

そのさびれた家も彼女はカメラに収めた。

そしてあのビルである。公園では子供たちがサッカーをしていた。彼等の声を聞きながら、典子は写真を撮った。あの品のない壁画もきっちりと撮影した。その後でビルの正面に回ってみた。今はいかがわしい商売をしているようには見えなかった。バブル崩壊後に増えた、用途不明のビルと何ら変わるところがない。違うのは、ひどく古いことだけだ。

広い通りに出ると、タクシーを拾ってホテルに戻った。

夜の十一時過ぎになって秋吉は帰ってきた。ひどく不機嫌であり、ひどく疲れているようでもあった。

「仕事は無事に終わったの？」彼女はおそるおそる訊いてみた。

彼はベッドに身体を投げ出し、大きなため息を一つついた。

「終わった」と彼はいった。「何もかも終わった」

そう、よかったね、と典子は声をかけようとした。だがなぜか言葉にならなかった。

結局、殆ど言葉を交わすことなく、二人は別々にベッドに入った。

6

寝苦しい夜が続いていた。篠塚一成は寝返りをうった。先日笹垣と交わした会話が頭から離れない。自分はとてつもない状況に置かれているのかもしれないという思いが、現実感を伴って胸に迫ってくる。

明言はしなかったが、あの老刑事は今枝が殺されている可能性を示唆したのだ。行方不明であることや、部屋の状態を聞いたかぎりでは、その推測は妥当なもののように一成も思った。だが彼はどこかテレビや小説の話を聞いているような気持ちで相槌を打っていた。自分の周りで起きたことだと頭ではわかっていても、実感は乏しかった。だから笹垣が別れ際にいった、「あなたにしても、用心する必要はない、ということはないんですよ」という台詞にしても、他人事《ひとごと》のような気持ちで受けとめていた。

それが一人になり、部屋の明かりを消し、ベッドに横たわって瞼を閉じると、焦りに似た衝動が襲ってくる。全身から冷や汗が出る。

唐沢雪穂がただの女性でないことはわかっていた。だからこそ康晴との結婚に賛成できないでいる。しかし調査を依頼した今枝の身に危険が及ぶなどということは、考えもしなかった。

一体何者なのだろう、と改めて思った。あの女の正体は何なのか。

そして桐原亮司という男。

それがどういう男なのか、笹垣ははっきりとはいわなかった。彼はエビとハゼという表現を使った。彼等のように桐原と唐沢雪穂は共生しているのだ、と。

「けど、その巣がどこにあるのかがわからんのですわ。それを私は二十年近くも追い続けているということです」こういった時の刑事の顔には自嘲するような笑みが張り付いていた。

　一成は全くわけがわからなかった。二十年近く前に大阪で何があったにせよ、なぜそのことが自分たちにまで影響を及ぼしてくるのだろう。

　一成は闇の中で目をこらし、サイドテーブルに置いてあるエアコン用のリモコンを取った。スイッチを入れてしばらくすると、涼風が室内に満ちてきた。

　電話が鳴りだしたのはその時だった。彼は驚いてスタンドの明かりをつけた。目覚まし時計の針は午前一時を指そうとしていた。一瞬、家で何かあったのかなと思った。現在一成は三田で独り暮らしをしていた。２ＬＤＫのマンションは昨年買ったものだ。

　軽く咳払いをしてから受話器を取った。

「はい、もしもし」

「一成か。こんな時間に申し訳ない」

　声を聞いただけで、誰かわかった。同時に嫌な予感がした。予感というより、確信に近いものだった。

「康晴さん……何かあったんですか」

「うん、先日話した例のことだ。ついさっき、彼女から連絡があった」

　康晴の声が抑えられているのは、深夜だという理由からだけではないのだろう。一成はさらに確信を深めた。

「彼女のお母さんが？」

「うん。亡くなったそうだ。結局、意識は戻らなかったらしい」

「そうですか」

　お気の毒に、という言葉を一成は発していた。心から出たものではなく、条件反射のようなものだった。

「明日、大丈夫だな」康晴はいった。一成に何か否定的なことをいう余地を与えない口調だった。

　それでも一成は一応確認した。「大阪に行けという意味ですか」

「明日は、俺はどうしても動けないんだ。スロットルマイヤー社から人が来る。会わなきゃならん」

「それはわかっています。『メバロン』の件でしょ。俺も出席する予定になっています」

「その予定は変更だ。明日は会社に行かなくていい。朝、なるべく早い新幹線で大阪に行ってくれ。わかったな。幸い明日は金曜日だ。俺のほうは接待があるだろうから夜は無理としても、明後日の午前中には行けると思う」

「このことを社長には……」

「明日、俺から話しておく。こんな時間に電話で叩き起こされるのは、ご老体には辛いだろうからな」

社長すなわち篠塚総輔《そうすけ》の自宅は、康晴の家と同様に世田谷の住宅地にある。康晴は前に結婚した時、その家を出たのだ。

「唐沢雪穂さんを社長に紹介したことはあるんですか」

少し立ち入っているかと思ったが、一成は訊いてみた。

「いや、それはまだだ。だけど、結婚を考えている相手がいることは話してある。親父はあの通りの性格だから、大して関心はないようだった。まあ、四十五にもなった息子の結婚に口出しをするほど暇でもないんだろう」

篠塚総輔は磊落《らいらく》な人物だと世間ではいわれている。実際一成なども、プライベートなことなどであまり細かいことをいわれたことはない。しかしそれは単に、ビジネス以外のことには無関心という会社人間的性格を極端にした形にすぎないということに、彼はとうの昔に気づいていた。

篠塚家の名にひどい泥を塗るような女でなければ息子の再婚相手など誰でもいい、おそらくそんなふうに考えているのだろうと一成は想像した。

「明日、行ってくれるな」康晴が最終確認をしてきた。

断りたいところだった。笹垣の話を聞いた直後でもあり、唐沢雪穂とこれ以上関わり合いになるのは避けたかった。だが断るだけの理由が見当たらなかった。結婚を予定している相手の母親が死んだから、葬儀などの手配を手伝うため、自分の代わりに行ってほしい――康晴が頼んでいることは、ある意味ではふつうのことなのだ。

「大阪のどこへ行けばいいんですか」

「午前中は斎場で打ち合わせをしているだろうということだ。午後はいったんお母さんの家に戻るとかいっていた。両方の場所と連絡先をファクスで受け取っているから、これからそちらにも送る。ファクスの番号はこれと同じ番号でよかったな」

「ええ」

「じゃあいったん電話を切る。ファクスが届いたら、そっちから電話してくれるかい」

「わかりました」

「ではよろしく」電話が切れた。

一成はベッドから立ち上がった。レミーマルタンのボトルとブランデーグラスを、ガラス戸付きの書棚の中に置いてある。それを取り出し、グラスに一センチ半ほどブランデーを注いだ。立ったままグラスを傾ける。含んだブランデーを舌にのせ、その香りと味と刺激を堪能してから飲み込んだ。身体中の血が覚醒したような感覚がある。神経が鋭敏になっていくのがわかる。

康晴から唐沢雪穂への気持ちを告白されて以来、一成は何度か父の繁之《しげゆき》に相談しようと思った。彼女の得体の知れなさを話しておけば、いずれは繁之から総輔に伝わるのではないかと考えたのだ。しかし、将来は篠塚一族の最高権力者になる康晴の結婚に口出しするには、一成の持っている材料はあまりに曖昧で、具体性に欠けていた。あの女は怪しい、という程度の話を聞かされるだけでは、繁之にしても困惑するだけだろう。人のことよりも自分のことを心配しろと、逆に叱られる可能性のほうが強かった。それに繁之自身、篠塚薬品の系列である篠塚ケミカルの社長に昨年就任したばかりで、甥の再婚話に神経を遣う余裕などないに違いなかった。

二口目のブランデーを喉に流しこんだ時、電話が鳴りだした。一成は受話器をとらず、そのまま立っていた。電話と繋がっているファクス機が、白い紙を吐き出し始めた。

新大阪には正午少し前に到着した。ホームに降り立った瞬間、湿度と温度の違いを実感した。九月も半ばを過ぎているというのに、じわりと汗が滲む。そうだった大阪は残暑が厳しかったのだと一成は思い出した。

ホームから階段を下り、出札口を出た。すぐ前に建物の出口があり、その向こうにタクシー乗り場が見えた。彼はそれに向かって歩きだした。とりあえず斎場に行ってみようと考えていた。

その時だ。篠塚さん、と呼ぶ声がした。女の声だった。彼は立ち止まり、周囲を見回した。二十代半ばと思われる女性が小走りに近づいてくるところだった。濃紺のスーツを着ていて、その下はTシャツだった。長い髪をポニーテールにしている。

「遠いところ、お疲れさまです」彼の前に立つと、彼女は丁寧に頭を下げた。その縛った髪がまさに馬の尻尾のように跳ねた。

見たことのある女性だった。南青山のブティックで働いていた。

「ええと、君は……」

「ハマモトです」もう一度頭を下げ、名刺を出してきた。浜本夏美と書いてあった。

「僕を迎えに来てくれたわけ?」

「ええ」

「よく僕が来ることを知っていたね」

「唐沢からいわれて来たんです。たぶんお昼前にはお着きになるだろうといわれてたんですけど、車が混んでしまって遅れちゃったんです。どうもすみません」

「いや、それはいいんだけど……ええと、彼女は今どこに?」

「唐沢は葬儀会社の人と家で打ち合わせをしています」

「家というと？」

「唐沢の実家です。篠塚さんをそちらのほうにお連れするようにいわれています」

「あ、そう……」

　浜本夏美はタクシー乗り場に向かって歩きだした。一成はそのあとをついていった。

　自分が新幹線に乗っている間に、康晴と雪穂が電話で話したのだろうと彼は推測した。一成を行かせるから何でも命令してくれ、という程度のことを康晴はいったかもしれなかった。

　天王寺のほうに行ってください、と浜本夏美は運転手に命じた。天王寺区真光院町というのが唐沢礼子の家の住所だということは、昨夜康晴から送られてきたファクスによって一成も承知していた。ただしその場所が大阪のどのあたりにあるのかということは、殆ど把握していなかった。

「急なことで大変だね」タクシーが走りだしてから彼はいった。

　ええ、と彼女は頷いた。

「危ないかもしれないということで、あたしは昨日からこちらに来ていたんですけど、まさかすぐにこういうことになるとは思いませんでした」

「亡くなったのは何時頃なんだろう」

「病院から知らせがあったのは昨夜の九時頃です。その時はまだ亡くなったわけではなくて、容体が急に悪化したという連絡だったんです。でも、駆け付けた時にはもう息をひきとっておられました」浜本夏美は淡々と語った。

「彼女の……唐沢さんの様子はどうでしたか」

「それはもう」といって浜本夏美は眉を寄せ、首を振った。「見ているのが辛いほどでした。ああいう人ですから、大声を出して泣いたりはしなかったんですけど、御母様のベッドに顔を埋めたまま、いつまでも動こうとしないんです。悲しみに耐えようとしていたんだと思いますけど、肩に触れるのも気がひけました」

「じゃあ、昨夜はあまり眠ってないんだろうなあ」

「殆ど寝ていないと思います。あたしは唐沢の実家の二階に泊めてもらったんですけど、一度夜中に階段を下りていった時も、部屋からは明かりが漏れていました。かすかに声が聞こえていたんですけど、たぶん泣いてたんだと思います」

「なるほど」

　唐沢雪穂がどのような過去、どのような秘密を持っているにせよ、母親の死を悲しまないはずはないだろうなと一成は思った。今枝の調査によれば、唐沢礼子の養女になったことにより、雪穂は不自由のない生活や様々な教育を受ける機会を得たはずなのだ。

家が近づいてきたのか、浜本夏美が運転手に道順を指示し始めた。どうやら彼女が大阪の出身らしいということを、そのアクセントから一成は察した。唐沢雪穂が、たくさんいる部下の中から特に彼女を呼んだ理由が理解できた。

古い寺のそばを通り、静かな住宅地に入ったところでタクシーは止まった。一成は料金を払おうとしたが、浜本夏美が強硬に固辞した。

「篠塚さんに絶対払わせてはいけないといわれてますから」笑いながらも、はっきりとした口調でいった。

唐沢雪穂の実家は、板塀に囲まれた、古風な味わいのある日本家屋だった。小さいながらも腕木門がついている。学生時代、雪穂は毎日この門をくぐっていたわけだ。くぐりながら養母に、「行ってきます」と声をかけたかもしれない。その情景を一成は想像した。それはどこかに焼き付けておきたいと思うような美しい絵だった。

門にはインターホンがついていた。浜本夏美がボタンを押した。すぐに、「はい」という声がスピーカーから聞こえた。紛れもなく雪穂の声だった。

「篠塚さんをお連れしました」

「そう。じゃあ、そのまま御案内してちょうだい。玄関の鍵はあいているから」

はい、と返事してから浜本夏美は一成を見上げた。

「ではどうぞ」

彼女に続いて門をくぐった。玄関には引き戸が入っていた。一番最近に、こういう昔ながらの家を見たのはいつだったろうと一成は考えた。思い出せなかった。

浜本夏美に導かれるまま、彼は家の中に入り、廊下を歩いた。板張りの廊下は磨き上げられていた。ワックスなどによるものではなく、気の遠くなるような手作業の末に得られた光沢を放っていた。それは柱の一本一本についてもいえることだった。唐沢礼子という女性の人間性の一部を見たような気がした。そして同時に一成は思った。そういう女性に雪穂は育てられたのだ。

どこからか話し声が聞こえてきた。浜本夏美が足を止め、すぐ横の閉じられた襖に向かっていった。「社長、よろしいですか」

どうぞ、と声が聞こえた。

浜本夏美は襖を三十センチほど開けた。

「篠塚さんをお連れしました」

「入っていただいて」

浜本夏美に促され、一成は敷居をまたいだ。その部屋は和室ではあったが、洋風にしつらえてあった。畳の上に綿製と思われる緞通が敷かれ、そこに籐の応接セットが配置されていた。一方の長椅子のほうに二人の男女が座り、その反対側に唐沢雪穂がいた。もっとも彼女は一成を迎えるために立ち上がっていた。

「篠塚さん……遠いところをわざわざ来ていただいて、ありがとうございます」彼女が頭を下げた。濃いグレーのワンピースを着ていた。前に一成が会った時よりも、ずいぶん痩せて見えた。今回のことでやつれたのかもしれない。化粧気も殆どなかった。しかし疲れの色を浮かべた素顔には、それなりの魅力があった。つまりは真の美人ということなのだろう。

「このたびは大変だったね」

ええ、と彼女は答えたようだ。しかしその声は一成の耳には届かなかった。

向かいの椅子に座っている二人の男女が戸惑った顔をしていた。そのことに気づいたらしく雪穂は一成に、「葬儀会社の人たちです」と彼等のことをいった。さらに彼等には一成のことを、「仕事でお世話になっている方です」と紹介した。

よろしくお願いします、と一成は彼等にいった。

「助かりました。今、いろいろと打ち合わせをしていたところなんですけど、どのようにしていいかわからないことばかりで困っていたんです」腰を下ろしてから雪穂がいった。

「俺だって喪主の経験はないよ」

「でも、一人で決めるのはやっぱり不安ですから、相談できる人がそばにいるだけで心強いです」

「力になれればいいけどね」と一成はいった。

葬儀会社との細々とした打ち合わせが終わった時には二時近くになっていた。話を聞いているうちに、すでに通夜の準備が始まっていることを一成は知った。ここから車で十分ほどのところにある斎場で通夜も葬儀も行われるらしい。斎場は七階建てのビルだということだった。浜本夏美は葬儀会社の人間と共に、一足先に斎場へ行った。唐沢雪穂は、東京から荷物が届くのを待たねばならないといった。

「荷物というのは？」一成は訊いた。

「喪服です。店の女の子に頼んで、持ってきてもらうことにしたんです。もうそろそろ新大阪に着く頃だと思うんですけど」壁の時計を見ながら彼女はいった。

雪穂が大阪に来た時点では、まさか葬儀をすることになるとは予想していなかったのだろう。また養母の容体が一向に好転しなくても、やはり前もって喪服を送ってもらう気にはなれなかったに違いない。

「学生時代の友人らには知らせなくてもいいのかい」

「ああ……そうですね、知らせなくてもいいと思います。今は殆ど付き合いがありませんから」

「ダンス部の仲間たちも？」

一成の問いに、雪穂は一瞬目を見張った。心の死角をつかれたような表情だった。しかしすぐに元の顔に戻り、小さく頷いた。

「ええ、わざわざ知らせる必要はないと思います」

「わかった」一成は、新幹線の中でシステム手帳に書きこんだいくつかの葬儀準備のうち、『学生時代の知人友人への連絡』という項目を線で消した。

「いけない、あたしったら篠塚さんにお茶も出さないで」雪穂があわてた様子で立ち上がった。「コーヒーでいいですか。それとも何か冷たいものを？」

「気を遣わなくていいよ」

「すみません、ぼんやりしていたんです。ビールもありますけど」

「じゃあお茶でいいよ。冷たいのはあるかな」

「ウーロン茶があります」そういって彼女は部屋を出ていった。

　一人になると一成は椅子から立ち上がり、室内を見て回った。洋風の使い方をされてはいるが、部屋の隅には茶簞笥が置かれたりしている。だがそれはそれでぴったりと溶け込んでいた。

　いかにも作りがしっかりしていそうな木製の書棚には、茶道や華道に関する書籍が並んでいた。ところがそれらに混じって、中学生用の参考書やピアノの初級教本などが収められている。雪穂が使っていたもののようだ。この居間で勉強することもあったのだなと一成は想像した。ピアノは別の部屋にあるのかもしれない。

　入ってきた襖と反対側にある障子を彼は開けてみた。そこには小さな縁側があった。隅に古い雑誌が積み上げられている。

　彼は縁側に立ち、庭を見下ろした。さほど広くはないが、庭木とひなびた石灯籠により、素朴な和風庭園の雰囲気が作られていた。残念ながら、元は芝生が敷かれていたのかもしれないが、今はすっかり雑草に占拠されている。七十歳を過ぎた身で、この庭の美観を維持するのは困難だったろうと一成は思った。

　手前に小さな鉢植えがたくさん置いてあった。殆どがサボテンだった。球状をしたものが多い。

「ひどい庭でしょう？　全然手入れしていないから」後ろから声がした。雪穂がグラスを載せた盆を持って立っていた。

「少し手を加えれば奇麗な庭に戻るよ。あの灯籠なんか、なかなかのものだ」

「でも、もう誰も見る人がいないから」雪穂はウーロン茶の入ったグラスをテーブルに置いた。

「この家は、これからどうするんだい」

「さあ、そこまではまだ考えてません」彼女は泣き笑いのような顔をした。

「あ……そうだな」

「でも、手放したくはないんです。壊したくも……」彼女は襖の縁に手をかけた。そこにあった小さな傷を、いとおしそうに撫でた。それから、ふと何かに気づいたように一成を見上げた。「篠塚さん、本当にありがとうございます。あたし、来てくださらないんじゃないかと思っていたんです」

「どうして？」

「だって」いったん目を伏せてから、雪穂は改めて顔を上げた。その目は充血し、潤んでいた。「篠塚さんはあたしのこと、嫌っておられるでしょう？」

一成はどきりとした。動揺を隠すのに苦労した。

「なぜ俺が君のことを嫌うんだ？」

「それはあたしにはわかりません。誠さんと離婚したことを怒ってらっしゃるのかもしれないし、もっと別の理由があるのかもしれません。ただ、たしかに感じるんです。避けられている、嫌われているっていうことを感じるんです」

「気のせいだよ。そんなことはない」一成はかぶりを振った。

「本当ですか。信じていいんですか」彼女は彼のほうに一歩近寄った。それで二人の距離は、ほんのわずかになった。

「俺が君を嫌う理由なんかないじゃないか」

「よかった」

雪穂は瞼を閉じた。心底安心したように吐息を漏らした。甘い香りが一成の神経を一瞬麻痺させた。

彼女は目を開けた。その目はもう充血していなかった。何ともいえぬ深い色をした虹彩が、一成の心を引き込もうとしていた。

彼は目をそらし、彼女から少し離れた。そばにいると、見えない力で搦《から》め捕られてしまうような錯覚を抱いた。

「お母さんは」彼は庭を見ていった。「サボテンが好きだったんだね」

「この庭には不釣り合いでしょう？　でも昔から好きで、たくさん育てては人にあげたりしていたんです」

「このサボテンは、これからどうなるのかな」

「どうしたらいいでしょうね。あまり手間がかからないといっても、このままにしておくわけにはいかないし」

「誰かに引き取ってもらうしかないだろうね」

「そうですね。篠塚さん、鉢植えなんかはいかがですか」

「いや、俺は遠慮しておくよ」

「そうでしょうね」彼女はかすかに笑みを見せた。そして庭のほうを向いてしゃがみこんだ。「かわいそう、この子たち、主をなくしてしまって」

その直後だった。彼女の肩が小刻みに震え始めた。やがて彼女の身体全体が揺れるほど震えは大きくなった。嗚咽が漏れた。

「一人ぼっちなのは、この子たちだけじゃない。あたしも、もう誰もいなくなってしまった……」

絞り出すような声に、一成は心を大きく揺さぶられた。彼は雪穂の背後に立った。彼女の揺れる肩に、右手を載せていた。

そこに彼女が自分の白い手を重ねてきた。冷たい手だった。彼女の震えが徐々におさまっていくのを彼は感じた。

突然自分でも説明しようのない感情が湧き上がってきた。まるで心の奥底に封印されていたものが解き放たれたようだった。このような感情を自分が持っていたことさえ、彼は今初めて知った。それは衝動に変わりつつあった。彼の目は雪穂の白いうなじに注がれていた。

今まさに心の壁が決壊するという時、電話が鳴りだした。一成は我に返った。彼女の肩に置いた手を引いていた。

雪穂は何かを逡巡するように数秒間じっとしていたが、やがて素早く立ち上がった。電話は卓袱台の上に置いてある。

「もしもし、ああジュンちゃん。今、着いたの？……そう、大変だったわね。ごくろうさま。じゃあ悪いけれど、喪服を持って、今からいうところへ行ってくれないかしら。タクシーに乗ったらまず――」

はきはきとしゃべる彼女の声を、一成はぼんやりと聞いていた。

7

葬儀会場は五階にあった。エレベータを降りるとスタジオのような空間があり、奥にはすでに祭壇が作られていた。パイプ椅子も並べられ始めている。

広田淳子という若い女性がすでに到着していた。東京から、雪穂と浜本夏美の喪服を持ってきてくれたわけだ。すでに浜本夏美は着替えを終えていた。

「じゃああたし、ちょっと着替えてきますから」喪服を受け取ると、雪穂は控え室のほうに消えていった。

一成はパイプ椅子に腰掛け、祭壇を眺めた。「お金のことはいいですから、母がみじめにならないような立派なものにしてください」と雪穂はいっていた。今目の前にある祭壇がふつうのものとどう違うのか、一成にはわからなかった。

唐沢家でのことを回想すると、冷や汗が出そうになった。あの時電話が鳴らなければ、間違いなく雪穂を後ろから抱きすくめていた。なぜそんな気持ちになったのか、彼は自分でもわからない。あれほど警戒すべき相手だと自分にいいきかせてきたというのに、あの瞬間は心の鎧《よろい》を完全に脱ぎ捨てていたのだ。

気をつけねばならない、彼女の魔力に翻弄されてはならないと彼は自らを戒めた。だが一方で、もしかすると自分はとんでもない誤解をしているのかもしれない、という考えも抱き始めていた。彼女の涙、彼女の震えが、偽物だとは思えなかった。サボテンを見て嗚咽を漏らした彼女の姿は、これまで一成が抱いてきた彼女に対するイメージと、明らかにずれていた。

本質は——。

一成は思った。本質は先程の彼女の姿にこそあるのではないか。自分はこれまでそれを目にすることがなかったばかりに、歪んだ偶像を勝手に作りあげてしまっただけではないのか。高宮誠や康晴は、最初から彼女の真の姿に気づいていたということなのか。

視界の端で何かが動いた。一成はそちらを見た。洋装の喪服に着替えた雪穂が、ゆっくりと近づいてくるところだった。

黒い薔薇だ、と彼は思った。これほど華やかで、強烈な輝きを持った女性は見たことがなかった。黒い衣装を身に纏《まと》ったことで、雪穂の魅力が一層際立ったようだ。彼女は一成の視線に気づくと、ほんのわずかだが唇を緩めた。だがその目は潤んでいた。黒い花びらについた露だ。

雪穂は会場後方に設置された受付カウンターにゆっくりと近づいていった。そこでは浜本夏美と広田淳子が何かの打ち合わせをしていた。彼女もそれに加わり、二人の部下に細かい指示を与えた。その様子を一成はぼんやりと見つめていた。

やがて通夜の弔問客が訪れるようになった。殆どが中年女性だった。唐沢礼子は自宅で茶道と華道を教えていたから、その教え子だと思われた。彼女たちは祭壇に置かれている遺影の前に立つと、手を合わせながら、ほぼ例外なく涙を流した。

雪穂のことを知っているというある女性は、彼女の手を握ったまま、唐沢礼子の思い出話を延々と語った。語っては、その内容に自ら胸を熱くし、涙で声を詰まらせるということを繰り返していた。そんな少々厄介な弔問客に対しても、雪穂は適当にあしらったりせず、相手が納得するまで話を聞いてやっていた。傍から見ると、どちらが慰め役かわからない、という光景になっていた。

一成は、葬儀の進行について浜本夏美たちと打ち合わせをすると、もうすることがなくなってしまった。別室にちょっとした料理とアルコールが用意されていたが、そんなところに陣取っているわけにもいかなかった。

特に目的もなく会場の周りを歩き回っていると、階段の横にコーヒーの自動販売機があるのが見えた。さほど飲みたくもなかったが、彼はポケットに手を突っ込み、小銭入れを取り出した。

コーヒーを買っていると、女性の話し声が聞こえてきた。雪穂の部下たちの声だ。階段の扉の向こうにいるらしい。彼女たちもティータイムなのだろう。

「だけど、本当によかったと思うよ。まあ亡くなったのは気の毒だけど」浜本夏美がいった。

「そうだよね。意識はないとはいっても、まだまだ生きられるかもしれなかったわけでしょ？　そうなってたら、きつかったかもね」広田淳子が応じている。

「自由が丘の三号店があるもんね。オープンを遅らせるわけにはいかないし」

「もしお母さんが亡くなってなかったら、社長、どうするつもりだったのかな」

「さあねえ、オープンの日だけ顔を出して、また大阪に戻るつもりだったのかもしれない。じつをいうとあたしは、それを一番恐れてたの。お得意さんが来てくれた時に社長がいないんじゃ話にならないものね」

「際どいところだったんだ」

「まあね。それに、店のことだけでなく、早めにこういうことになってよかったと思うよ。だってさあ、意識が戻らなくても面倒は見続けなきゃならないわけでしょ？　それって、結構悲劇だもん」

「ああ、そうだよねえ」

「もう七十を過ぎてたわけじゃない。あたしなんか、安楽死とかはやっぱりまずいのかななんて考えちゃった」

「わっ、やばーい」

「ここだけの話よ」

「わかってるよ、もちろん」二人はくすくす笑っていた。

紙コップに入ったコーヒーを手に、一成はその場を離れた。会場に戻り、受付カウンターにコップを置いた。

浜本夏美の言葉が耳に残っている。安楽死。

まさか、と心の中で呟いた。ありえないと思った。そう思いながら、その不吉な可能性について、頭の中で検討を始めていた。

いくつかの話が思い出される。まず浜本夏美が大阪に呼ばれた直後に唐沢礼子が亡くなったということ。しかも夜二人で一緒にいる時に、病院から連絡があったということ。

雪穂にはアリバイがある、ともいえる。だが同時に、浜本夏美を呼んだのはアリバイ作りのためではないか、と疑うこともできる。自分は完璧なアリバイを作っておいて、その間に誰かが病院に忍び込み、唐沢礼子の生命を維持している装置類に何らかの細工をするというわけだ。

　ひねくれた推理ではある。邪推ともいえるものだ。しかしこの考えを捨てきれないのは、笹垣刑事から聞かされた名前が頭に残っているからだ。

　桐原亮司——。

　夜中、雪穂の部屋から声が聞こえてきたと浜本夏美はいっていた。泣いていたのだろうと彼女はいったが、本当にそうだったのか。『実行犯』と連絡をとっていたのではなかったのか。

　コーヒーカップを手に、一成は雪穂を見た。彼女は初老の夫婦の相手をしているところだった。老夫婦が何かいうたび、彼女は感じ入ったように頷いていた。

　午後十時を過ぎる頃には、弔問客の姿はすっかりなくなっていた。大方の知り合いは、明日の葬儀に来るつもりなのだろう。

　雪穂は二人の部下に、今夜はホテルに戻るよう指示した。

「社長はどうされるんですか」浜本夏美が訊いた。

「あたしは今夜はここで泊まる。だって通夜というのはそういうものだから」

　たしかに会場のすぐ脇に、喪主たちの泊まれる部屋もあるのだった。

「お一人で大丈夫ですか」

「大丈夫よ。どうも御苦労様」

　お疲れ様、といって雪穂の部下たちは帰っていった。

　二人きりになると、空気が濃度を増したような気がした。一成は腕時計を見た。では自分もそろそろ、と切りだそうとした。

　だがその前に雪穂がいった。「お茶でも飲みません？　まだ少しいいんでしょう？」

「ああ、まあ、悪くはないけど」

「じゃあ」といって彼女は先に歩きだした。

　部屋は和室だった。旅館の一室という感じがする。座卓の上にポットと湯飲みのセットが置いてあった。雪穂が茶を淹れてくれた。

「何だか不思議です。篠塚さんとこうしていると」

「不思議だな」

「合宿を思い出しますね。コンクール前の合宿」

「うん。そういえば、そうだ」

　少しでもいい成績を残そうと、大会直前になって合同合宿したのだった。

「あの頃よくみんなでいってたんですよ。永明大の人たちが夜中に襲ってきたらどうしようって。もちろん冗談ですけど」

一成は茶を啜り、笑った。

「たしかにそういう企みを口にしていた奴等はいたよ。実行に移したという話は聞かなかったけどね。でも」といって彼女を見た。「君を襲う計画は聞かなかったな。何しろ、あの時すでに君は高宮と付き合っていたから」

雪穂は微笑んでうつむいた。

「誠さんからあたしのこと、いろいろとお聞きになったんでしょうね」

「いや、それほどは……」

「いいんです。わかっています。やっぱり、あたしにもいろいろと問題があったのだと思います。だから誠さんも、ほかの人に気持ちが移ってしまったんだと思います」

「奴は、自分が一方的に悪かったといってたよ」

「そうでしょうか」

「あいつはそういってた。もちろん、二人のことは二人にしかわからないんだろうけどさ」一成は掌の中で湯飲み茶碗を弄んだ。

雪穂が吐息をふっとついた。「あたし、わからないんです」

一成は顔を上げた。「何が?」

「愛し方です」彼女はじっと彼の目を見つめてきた。「男の人をどう愛すればいいのか、よくわからないんです」

「そんなものに決まった方法なんかないよ。たぶん」一成は目をそらし、茶碗を口に運んだ。だが中身は殆ど入っていなかった。

しばらく二人とも黙り込んだ。空気がさらに重くなったようだ。一成は息苦しさを覚えた。

「帰るよ」彼は立ち上がった。

「お引き留めしてすみませんでした」と彼女はいった。

一成は靴を履いてから、改めて彼女のほうを振り返った。

「じゃあ、明日、また来るから」

「よろしくお願いします」

彼はドアノブに手をかけた。それを回そうとした。ところがその直前、背後に気配を感じた。

雪穂がすぐ後ろに立っていることは、振り向かなくともわかった。彼女の細い手が、彼の背中に触れた。

「怖いんです。本当は」と彼女はいった。「一人になるのが、とても怖いんです」

心が激しく揺さぶられているのを一成は自覚した。このまま彼女のほうを向いてしまいたいという衝動が、波のように押し寄せてくる。しかし警告灯が黄色から赤色に変わったことにも気づいていた。今、彼女の目を見れば、その魔力に負けるに違いない。

一成はドアを開けた。そして前を向いたままいった。

「おやすみ」

それが呪縛を解く呪文であったように、彼女の気配がふっと消えた。次には彼女の、先程までと変わらぬ冷静な声が聞こえた。「おやすみなさい」

一成は足を踏み出した。部屋を出ると、背後でドアの閉まる音がした。そこでようやく彼は振り返った。

がちゃり、と鍵のかかる音もした。

完全に閉じられたドアを一成は見つめた。そのドアを見て、彼は心で呟いた。

君は本当に『一人』なのか――。

一成は歩きだした。夜の廊下に靴音が響いた。

第十三章

1

バスを降りるとコートの裾がはためいた。昨日までは比較的暖かかったが、今日になって突然冷え込んだ。いや、それともやはり東京は大阪に比べて気温が低いということかな、と笹垣は思った。

もうすっかり慣れた道を歩き、目的のビルの前に辿り着いた。時刻は午後四時。ほぼ予定通りだ。新宿のデパートに寄っている分だけ遅くなったが、指定された土産を買っていかないとがっかりされるだろう。

ビルの階段を二階まで上がった。右の膝が少し痛む。この痛みの具合で季節を感じるようになったのは、何年前からだろう。

二階の一室の前で足を止めた。ドアに『今枝探偵事務所』と書いたプレートが貼られている。奇麗に拭かれており、知らない人間ならば、まだちゃんと業務を行っていると思うだろう。

笹垣はドアホンを鳴らした。室内で人の動く気配がある。ドアの向こうに立ち、ドアスコープで覗いているに違いない。

鍵が外され、ドアが開いた。菅原絵里がにっこり笑った。「お疲れさま。わりと遅かったね」

「これを買うのに手間取ったんや」笹垣はケーキの箱を差し出す。

「わあ、ありがとう。感激」絵里は喜んで箱を両手で受け取ると、即座に蓋を開けて中を確認した。「希望通りにチェリーパイを買ってきてくれたんだ」

「店を探すのに苦労したがな。けど、それと同じケーキを買《こ》うてる女の子がほかにもおったなあ。特別おいしそうにも思えんのやけど」

「今年はチェリーパイがブームになったからね。『ツイン・ピークス』の影響で」

「それがようわからん。ケーキがブームて、どういうことやねん。ちょっと前はティラミスとかいうもんが流行ったし、女の考えることは不可解や」

「おじさんはそんな理屈を考えなくていいの。よーし、早速食べちゃおうっと。おじさんも食べる？　コーヒーを入れたげるけど」

「わしはケーキはええ。コーヒーはもらおか」

オーケー、と元気よく返事して、絵里はキッチンへ行った。

笹垣はコートを脱ぎ、そばの椅子に腰掛けた。今枝直巳が探偵業務をしていた頃と、室内の様子は殆ど変わっていなかった。スチール製の書架もキャビネットもそのままだ。違っているのは、テレビが持ち込まれたことと、ところどころに少女趣味の小物が置いてあることぐらいか。いずれも絵里の所持品だ。

「ねえ、今度は何日ぐらいこっちにいるの？」絵里がコーヒーメーカーをセットしながら訊いてきた。

「まだ決めてへんけど、三、四日というところかな。あんまり家を開けられへんから」

「奥さんのことも心配だしね」

「あんなもん、別にどうでもええけどな」

「ひどいこというなあ。でも三、四日じゃ、大したことできないんじゃない」

「まあな。けど、しょうがない」

笹垣はセブンスターを取り出し、マッチで火をつけた。今枝の机の上にガラス製の灰皿があったので、マッチの燃えかすはそこに捨てた。スチール机の表面は奇麗に拭かれていた。今枝が帰ってくれば、すぐにでも仕事を始められそうだった。ただ、卓上カレンダーは昨年の八月のままだった。今枝が消えた頃だ。あれから一年三か月が経っている。

笹垣は、ジーンズを穿いた足でリズムを取りながら鼻歌を歌い、チェリーパイを切っている絵里の姿を眺めた。見かけ上はいつも陽気で楽天的だ。しかし彼女の心の中にある悲しみと不安を思うと、彼は胸が熱くなった。彼女が今枝の死を覚悟していないはずがなかった。

笹垣が菅原絵里と会ったのは昨年の今頃だった。今枝の周辺で何か変わったことはないかと思い、この事務所へ来てみたところ、見知らぬ若い女が住んでいた。それが絵里だった。

彼女は最初ひどく警戒していたが、笹垣が刑事だということや、今枝が行方不明になる直前に彼と会っていたことを知ると、徐々に心を開いてくれるようになった。

本人は明言しないが、絵里はどうやら今枝と恋愛関係にあったようだ。少なくとも彼女のほうはそういう対象として彼のことを見ていたらしい。それだけに彼女は彼女なりに、必死で今枝の行方を捜していた。自分のアパートを引き払い、この事務所に越してきたのも、ここが片づけられてしまうと、手がかりが全くなくなってしまうと思ったからだった。ここにいれば、今枝宛の郵便物をチェックすることもできる。時には彼を訪ねてくる人間に会うこともできる。幸い、彼女がここに住むことについて、大家に異存はなかったようである。住人が行方不明のままで放置されることを思えば、彼女の申し出は渡りに船のはずだった。

絵里と知り合って以来、笹垣は上京する際には必ずここに寄るようになった。東京の地理や最近の流行について教えてくれたりもするので、彼としてもありがたい存在だった。何より、彼女と話していると楽しかった。

絵里がマグカップ二つと小皿をトレイで運んできた。小皿には笹垣が買ってきたチェリーパイが載っていた。彼女はそのトレイを、今枝のスチール机の上に置いた。

「はい、どうぞ」青色のマグカップを笹垣のほうに差し出した。

「やあ、ありがとう」笹垣は受け取り、まず一口啜った。冷えた身体にありがたかった。

彼女は今枝の椅子に座り、「いただきまあす」といってチェリーパイにかじりついた。口を動かしながら笹垣に向かってオーケーサインを出した。

「その後はどうや、何かあったか？」笹垣はやや遠慮がちに訊いてみた。

明るかった絵里の顔に、ほんのわずかだが翳りが生じた。食べかけのチェリーパイを皿に戻し、コーヒーを一口飲む。

「特におじさんに報告できるようなことはないな。このところ彼宛の郵便も殆どないし、電話がかかってきても、単なる仕事の依頼みたいだし」

今枝の電話も、まだ生かしてある。もちろん絵里が電話料金を払っているのだ。電話帳に今枝探偵事務所として記載されているから、当然仕事の依頼もあるだろう。

「直接ここへ来る客は、もうおらんようになったか」

「そうだね。今年の初め頃までは、結構多かったんだけど……」

そういうと絵里は机の引き出しを開け、一冊のノートを取り出してきた。そこに彼女なりの記録がつけられていることを笹垣は知っている。

「この夏に一人、九月に入ってからもう一人来ただけだね。どっちも女の人。夏に来た人はリピーターだった」

「リピーター？」

「以前に今枝さんに仕事を頼んだことがあるという意味。カワカミっていう女性。今枝は入院中で、しばらく復帰の見込みがないっていったら、がっかりして帰っていった。後で調べてみると、二年ぐらい前に旦那の浮気調査を依頼してた。一応その時には、決定的な証拠は摑めなかったみたい。だから、再度お願いしたいっていうことじゃないのかな。おとなしくしてた旦那の浮気の虫が動きだしたんだね、きっと」絵里は楽しそうにいう。元々他人の秘密を探るような仕事が好きで、今枝の助手的なこともしていたということだった。

「九月に来たのはどういう人や。やっぱり、前に仕事を依頼したことがある人かな」

「ううん。その女の人は違った。知り合いがここへ仕事を依頼したことがあるかどうかを調べたいみたいだった」

「えっ？　どういうことや」

「つまりね」ノートから顔を上げ、絵里は笹垣を見た。「一年ほど前にアキヨシという名前の人が、何かの調査を頼みに来なかったかどうかを教えてほしい、というわけ」

「ふうん」アキヨシと聞き、どこかで聞いたことがあるような気がした。しかし思い出せなかった。「変な質問やな」

「それが、そう変でもないんだな」絵里はにやにやした。

「どういうことや」

「前に今枝さんから聞いたことなんだけどね、浮気をしている人間の中には、奥さんとか旦那がいつか探偵を雇って自分のことを調べるんじゃないかとビクビクしている人が、結構いるんだって。だからこの時に来た女性も、そのくちじゃないかと思うわけ。たぶん旦那が一年前に探偵を雇った形跡を見つけたんだよ。それで確かめに来たんだ、きっと」

「えらい自信があるんやな」

「こういうことには勘が働くんだ。それにね、すぐにはわからないから調べてこっちから連絡するといったら、自宅じゃなくて職場にしてくれっていうんだよ。変だと思わない？　つまり、旦那に電話に出られることを恐れてるわけだよ」

「なるほど。するとその女の人の名字も……ええと」

「アキヨシってことになるね。でもあたしにはクリハラって名乗ってた。たぶんそれは旧姓で、職場なんかではそっちを使ってるんだよ。働く女性には、そんなふうにする人が多いから」

　笹垣は若い娘の顔をしげしげと見つめ、首を振った。

「大したもんやな。絵里ちゃん、探偵もええけど刑事にもなれるで」

　絵里はまんざらでもないという顔で、えっへっへと笑った。

「じゃあもう一つ推理しようか。そのクリハラさんってのは帝都大病院の薬剤師さんらしいんだよね。だから浮気の相手は病院の医者。しかも相手も妻子持ちってのが、あたしの読みなんだ。今はやりのダブル不倫ってわけだね」

「何や、それ。そこまでいったら、推理を越えて空想やがな」笹垣は顔をしかめながら笑った。

2

今枝の事務所を出ると、笹垣は新宿のはずれにあるビジネスホテルに向かった。正面玄関をくぐった時には七時になっていた。

　全体的に薄暗い感じのする殺風景なホテルである。まともなロビーがなく、フロントといってもただ横に長い机が置いてあるだけだ。あまり客商売には向いていなさそうな中年男が一人、無愛想な顔で立っている。しかし数日間を東京で過ごそうと思えば、この程度の宿で我慢するほかなかった。本当はここでも、笹垣としては経済的に楽ではない。ただ流行りのカプセルホテルは苦手だった。二度ほど利用したことがあるが、老体には辛かった。少しも疲れがとれないのだ。粗末でもいいから、くつろげる個室が欲しかった。

　いつものようにチェックインを済ませると、無愛想なフロント係は、「笹垣様に伝言がございます」といって、キーと一緒に白い封筒を出してきた。

「伝言？」

「はい」とだけいうと、フロント係はほかの仕事にかかり始めた。

　笹垣は白い封筒を手に取り、中を開けてみた。メッセージ用の紙に、『部屋に着いたら308に電話ください』と書いてあった。

なんやこれは、と彼は首を傾げた。心当たりが全くなかった。あのフロント係は無愛想な上にぼんやりしていそうだから、ほかの人への伝言を間違えて寄越したのではないかと疑った。

笹垣の部屋は321号室だった。つまり伝言の主と同じ階だ。エレベータで自分の部屋に向かう途中、その308号室があった。彼は少しためらったが、ノックしてみた。

スリッパをひきずる音がして、ドアが開いた。中にいた人物の顔を見て、笹垣は愕然とした。全く予想外だった。

「今ご到着ですか。遅かったですね」そういって笑うのは、古賀久志《ひさし》だった。

「あんた……なんで、こんなところにおるんや」笹垣は少し吃って訊いた。

「まあいろいろとありましてね。おやじさんを待ってたんです。おやじさん、晩飯は？」

「いや、まだやけど」

「そしたら、これから食べに行きましょ。おやじさんの荷物はとりあえずここに置いといたらええでしょ」古賀は笹垣の荷物を自分の部屋に入れると、クローゼットを開け、背広の上着とコートを取り出した。

何か食べたいものはあるかと訊かれたので、洋食でなければ何でもいいと笹垣は答えた。すると古賀が連れていってくれたのは、ごく庶民的な小料理屋だった。奥に座敷があり、小さな四角いテーブルが四つ置いてある。その一つを挟んで向き合った。上京した際にはよく来る店だと古賀はいった。刺身と煮込みが旨いのだという。

まずは一杯、と古賀がビール瓶を向けてきた。笹垣はコップを持って、酌を受けた。反対に注いでやろうとしたが、古賀は辞退し、そのまま自分のコップにビールを注いだ。

わけもなく乾杯し、一口飲んでから笹垣は訊いた。

「で、どういうことなんや」

「警察庁で、ちょっとした集まりがありましてね、本来は部長が行くところなんですけど、どうしても都合が悪いとかで、自分が代わりに出席させられたんです。参りました」

「それだけ出世したということや。喜ばなあかん」笹垣は中トロに箸を伸ばす。なるほど旨かった。

古賀はかつて笹垣の後輩刑事だった。それが今は大阪府警の捜査一課長だ。昇任試験を次々と合格していく彼のことを、点取り虫などと陰口を叩く人間がいたことを笹垣は知っている。しかし彼の見るかぎり、古賀が実務で手を抜いたことなど一度もなかった。皆と同じように実務をこなし、なおかつ難関である昇任試験の勉強に励んだのだ。ふつうの人間にできることではない。

「しかしおかしいな」と笹垣はいった。「いそがしい警視殿が、なんでこんなところで油を売ってるんや。しかもあんな安っぽいホテルなんかに泊まって」

古賀は苦笑した。

「ほんまにそうです。おやじさんも、もうちょっとましなホテルにしたらどうですか」

「あほなこといわんといてくれ。遊びに来てるのやないで」

「おやじさん、問題はそこです」古賀は笹垣のコップにビールを注いだ。「遊びに来てるのやったら何も文句はいいません。この春まで牛みたいに働いたのやから、今は大いに遊んだらよろし。おやじさんには、それだけの権利がある。しかし、上京するおやじさんの目的を考えると、自分としても、のんびり笑《わろ》てばかりはいられません。おばさんも心配してはります」

「ふん、やっぱり克子があんたに頼んだんやな。しょうがない奴や。府警の捜査一課長を何やと思うとる」

「おばさんに頼まれて来たんと違います。いろいろと話を聞いてるうちに、おやじさんのことが心配になって来たというわけです」

「同じことや。克子に愚痴を聞かされたんやろ。それとも織江《おりえ》からか」

「ま、みんなが心配しているのは事実ですな」

「ふん。しょうむない」

古賀は今や笹垣にとって親戚でもあった。妻の克子の姪にあたる織江が、古賀の妻になっているのだ。見合いではなく恋愛だというが、二人がどのようにして知り合ったのか、笹垣は詳しく知らない。おそらく克子が糸を引いたのだろうが、最後まで自分には隠されていたということで、二十年近く経つ今になっても、彼は少し根に持っている。

二本のビールが空になった。古賀は日本酒を頼んだ。笹垣は煮込みに箸をつける。関東風の味付けだが、これはこれで旨いと思う。

運ばれてきた日本酒を笹垣の猪口に注ぎながら、古賀はぽつりといった。「例の事件のこと、まだ忘れられませんか」

「わしの傷や」

「しかしお宮入りしたのは、あの事件だけやないでしょう。そもそも、お宮入りという言い方が正しいかどうかもわかりません。あの交通事故で死んだ男が、やっぱり犯人やったのかもしれません。捜査本部でも、そういう意見は強かったはずです」

「寺崎は犯人やない」笹垣は猪口の酒をぐいと飲み干した。事件から約十九年が経っているが、関係者の名前は完璧に頭に入っている。

十九年前――質屋殺しの一件についてだ。

「寺崎の周辺をなんぼ探しても、桐原が持ってた百万円は見つからんかった。隠したんやろと主張する者もおったが、わしはそうは思わん。あの頃、寺崎は借金で苦しんどった。もし百万円があったら、どこかに流しとったはずや。それをしてへんということは、理由は一つしか考えられへん。そんな金はどこにもなかった。つまり桐原を殺してもおらんというこっちゃ」

「その意見には基本的に賛成です。あの時もそう思うたから、寺崎が死んだ後も、おやじさんと一緒になって歩き回りました。けどねえ、おやじさん、もう二十年です」

「時効は過ぎてる。それはわかってる。わかってるけど、あの事件だけは、かたをつけんと死んでも死にきれんのや」

空になった笹垣の猪口に古賀が酒を注ごうとした。笹垣はそれを制し、古賀の手から徳利を奪い取った。そしてまず古賀の猪口に酒を満たし、それから自分の分を注いだ。

「たしかにお宮入りしたのは、あの事件だけやない。ほかにもっと大きな事件や残酷な事件で、結局犯人の尻尾の毛にも手が届けへんかったということは多々ある。どの事件も悔しい。死ぬほど情けない。けど、特にあの質屋殺しに拘《こだわ》るのには理由がある。あの事件でわしらがしくじったばっかりに、結果的に、関係のない人間を何人も不幸にしたような気がするんや」

「どういうことです」

「あの時に摘み取っておくべき芽があったんや。それをほったらかしにしておいたから、芽はどんどん成長してしもた。成長して、花を咲かせてしまいよった。しかも悪い花を」笹垣は口元を歪め、酒を流し込んだ。

古賀がネクタイを緩め、シャツの第一ボタンを外した。

「唐沢雪穂のことですか」

笹垣は上着の内ポケットに手を入れた。折り畳んだ紙を取り出し、古賀の前に置いた。

「何ですか、これは」

「まあ、見てみろや」

古賀は紙を広げた。濃い眉の間に皺が刻まれた。

「『R&Y』大阪店オープン……これは……」

「唐沢雪穂の店や。大したもんやな。とうとう大阪に出すらしい。心斎橋や。しかも見てみい、今年のクリスマスイブにオープンと書いてある」

「これを悪い花やというんですか」古賀はパンフレット

を奇麗に畳み直し、笹垣の前に置いた。

「これは花の実というところかな」

「いつ頃でしたかね、おやじさんが初めて唐沢雪穂に疑いの目を向けたのは。いや、あの頃はまだ西本雪穂やったか」

「まだ西本の頃や。桐原洋介が殺された翌年、西本文代が死んだやろ。あれがきっかけやな。あの事件を境に、あの娘を見る目が変わった」

「あれは事故死ということで処理されたんでしたね。しかしおやじさんは最後まで、単なる事故死やないと主張してはりましたな」

「断じて事故死なんかと違う。報告書によると、被害者はふだん飲まん酒を飲み、風邪薬を通常の五倍以上も服用しとった。そんな事故死があるかい。残念ながら、うちの班の担当やなかったから、下手な口出しはでけへんかった」

「一応自殺説も出たはずです。しかしあれは結局……」

古賀は腕組みをした。記憶を探る顔をしている。

「雪穂の証言や。母親は風邪をひいてたとか、寒気がする時にはカップ酒を飲んでたとかいいよった。それが自殺説を打ち消すことになった」

「娘が嘘の証言をするとは思いませんからね、ふつう」

「けど、雪穂以外の誰も、文代が風邪をひいてたとはいうとらん。嘘の可能性もあったわけや」

「何のために嘘をつくんです？　雪穂としては、自殺でも事故でも大して事情は変わらんのと違いますか。過去一年以内に文代が生命保険にでも入ってたのなら、保険金が欲しかったということになるかもしれませんけど、そんな話はなかった。第一、当時はまだ小学生の雪穂がそこまでは考えへんでしょう」そこまでしゃべってから古賀は、はっと気づいたような顔をした。「まさか、文代を殺したのも雪穂や、とかいうんやないでしょうね」

古賀は冗談口調だったが、笹垣は笑わなかった。

「そこまではいわんけど、何らかの作為が入ってたかもしれん」

「作為て……」

「たとえば、母親が自殺する予兆は感じてたけど気づかんふりをしてた、とかや」

「雪穂は文代の死を望んでたというわけですか」

「文代が死んで間もなく、雪穂は唐沢礼子の養女になってる。もしかしたらもっと以前から、その話はそれとなくあったのかもしれん。文代は拒んでたけど、雪穂自身は養女に出たいと思ってたということは十分に考えられる」

「でも、だからというて、じつの母親を見捨てますか」

「あの娘はそういうことを平気でする人間なんや。それともう一つ、母親が自殺したことを隠す理由がある。もしかすると、あの娘にとってはこっちのほうが大きかったかもしれん。それはイメージや。母親が事故死したとなると世間の同情をひく。ところが自殺したとなると、何かあったんやないかと色眼鏡で見られる。将来を考えた場合、どっちを取ったらええかは明白やろ」

「おやじさんのいうこともわかりますけど……やっぱりちょっと受け入れにくい話やなあ」古賀は日本酒を二本、追加注文した。

「わしにしても、あの頃すぐにここまで考えが及んだわけやない。唐沢雪穂のことを追いかけてるうちに、徐々にこんなふうに考えがまとまってきたんや。おっ、これは旨いな。何やろ、この天麩羅は」小さなかき揚げを箸で挟み、眺めた。

「何やと思います？」古賀がにやにやした。

「わからんから訊いとるんやないか。何やろな。食べたことのない味や」

「それはね、納豆です」

「納豆？　あの腐った豆か」

「そうです」古賀は笑いながら猪口を口元に運んだ。

「納豆嫌いのおやじさんでも、これやったら食べられるやろと思いましてね」

「ふうーん、これがあのどろどろの納豆か」匂いをかぎ、もう一度眺めてから口に入れた。香ばしさが口に広がる。

「うん、旨いわ」

「何事も先入観を持ってたらあかんということですな」

「そういうことやな」笹垣は酒を口に運ぶ。背中がずいぶんと暖まっていた。「そうや、先入観や。それがあったばっかりに、わしらはえらい間違いをしでかした。あの雪穂という娘がただの子供やないと思い始めてから、あの質屋殺しについてもう一回見直してみたら、とんでもない見落としをしてたことに気づいた」

「何ですか」古賀が真剣な目をして訊いた。

その目を見返して、笹垣はいった。「まず、足跡や」

「足跡？」

「あの死体が見つかった現場の足跡や。床も埃だらけやったから足跡がたくさん残っとった。ところがその足跡に、わしらは殆ど関心を示さんかった。その理由を覚えてるか？」

「犯人のものらしき足跡が見つからなかったから、でしたね」古賀は答えた。

笹垣は頷いた。

「現場に残されてたのは、被害者の革靴の跡以外には、子供の運動靴の跡ばっかりやった。あそこは子供が遊び場に使うてたし、死体を発見したのも大江小学校の児童やから、子供の靴跡があるのは当然と考えられていた。

しかし、そこにこそ落とし穴があった」

「犯人も子供の運動靴を履いていた、ということですか」

「そのことを全く考えへんかったのは迂闊やったとは思わんか」

笹垣の言葉に、古賀は口元を歪めた。手酌で自分の猪口を満たし、一気に飲み干した。「あの殺しは子供には無理でしょう」

「子供やから可能という見方もできるで。被害者は油断しとったやろからな」

「しかし……」

「それと、もう一つ見逃したことがある」笹垣は箸を置き、人差し指を立てた。「アリバイのことや」

「何か抜けがありましたか」

「西本文代に目をつけた時、文代のアリバイが確認されたら、今度は共犯の男がおるんやないかというふうに発想した。それで寺崎の名前が出てきたわけやけど、その前に目を向けるべき相手がおった」

「あの時雪穂はたしか」古賀は顎を撫で、視線を上に向けた。「図書館に行っていたんでしたね」

笹垣は年下の警視の顔を見返した。「よう覚えてたな」

古賀は苦笑した。「おやじさんも自分のことを、実務のできん点取り屋やと思うてはりましたか」

「いや、そうやない。刑事の誰一人として、あの日の雪穂の行動については摑んでないと思てたからや。あんたのいうとおり、雪穂は図書館に行ってた。しかもよくよく調べてみたら、その図書館と現場のビルは目と鼻の先やった。雪穂にしてみたら、図書館からの帰り道の途中に、例のビルがある感じや」

「おやじさんのいいたいことはわかりますけど、何というても小学五年生でしょう。五年生というたら――」

「十一歳。十分に知恵を持っとる年頃やがな」笹垣はセブンスターの箱を出し、一本抜き取って口にくわえた。

マッチを探す。

古賀の手が素早く伸びてきた。ライターを持っている。

「そうですかねえ」といいながら、火をつけた。高級ライターは、炎を出す音も重く聞こえた。

笹垣は、どうも、といってその火に煙草の先を近づけた。白い煙を吐きながら、古賀の手元を見つめる。「ダンヒルか」

「いえ、これはカルチェです」

ふん、と鼻を鳴らし、笹垣は灰皿を引き寄せた。

「寺崎が事故で死んだ後、あいつの部屋を捜索したら、ダンヒルのライターが出てきたやろ。覚えてるか」

「殺された質屋の持ち物やないかといわれたこともありましたね。結局、はっきりしたことはわからんままでした」

「あれは被害者のライターやった、というのがわしの考えや。ただし寺崎は犯人やない。寺崎に罪をなすりつけようとした人物が、こっそりあいつの部屋に置いといたか、何かうまいことをいうて寺崎に渡したかのどっちかやと睨んでる」

「それも雪穂の仕業やったというわけですか」

「そう考えるほうが筋が通る。たまたま被害者と同じライターを寺崎が持ってた、というよりはな」

古賀はため息をついた。そのため息がやがて唸り声に変わった。

「雪穂に目をつけたおやじさんの柔軟さには敬意を表します。たしかにあの時に、子供やからというだけの理由で、あの娘について詳しいことを何も調べへんかったのは迂闊やったかもしれません。しかしおやじさん、それも一つの可能性に過ぎんのと違いますか。雪穂が犯人やという、たしかな決め手でもあるんですか」

「決め手は」笹垣は煙草を深く吸い込み、ゆっくりと吐き出した。煙が一瞬古賀の頭で塊を作り、すぐに拡散した。「決め手はない、としかいいようがないやろな」

「そしたら、最初からもういっぺん考え直したらどうですか。それにおやじさん、あの事件は残念ながら、もう時効なんです。これから仮におやじさんが真犯人を見つけたとしても、我々としては手を出せんのです」

「そんなことはわかってる」

「そしたら」

「まあ聞け」笹垣は煙草の火を灰皿の中でもみ消した。それから周囲を窺い、誰も聞き耳をたてていないことを確認した。「あんたは肝心なことを誤解してる。わしはあの質屋殺しだけを追ってるんやない。ついでにいうたら、唐沢雪穂だけを追いかけてるわけでもない」

「ほかに何か追いかけてるものがあるというんですか」

古賀の目に鋭い光が宿った。捜査一課長の顔になっている。

「追いかけてるで」笹垣はにやりと笑って見せた。「ハゼとエビの両方をな」

3

帝都大付属病院の診察開始時刻は午前九時である。栗原典子の出勤時刻は、その直前の八時五十分頃だった。診察が始まっても、実際に薬局に処方箋が回ってくるまでには、かなりのタイムラグがあるからだ。

処方箋が回ってくると、二人一組で調剤にあたる。一人が実際に薬を調剤し、もう一人が間違いがないかどうかを確認して袋に入れるのである。確認者は薬袋に印鑑を押す。

　そうした外来患者に対応した業務のほかに、入院病棟からの仕事も入る。注射薬の搬入や急な調剤などだ。

　この日、典子が同僚とそうした業務に追われている間、薬局の隅で、一人の男がずっと座り込んでいた。医学部の若い助教授だった。彼が睨み続けているのは、コンピュータの画面だ。

　帝都大学では二年ほど前から、他の研究機関との情報交換をコンピュータによって行おうという動きが活発になってきている。具体化したものの一つが、某製薬メーカー中央研究所とオンラインによって結ばれたことだ。それによってそのメーカーで扱う薬品については、即座に必要なデータを入手することが可能になった。

　基本的には誰でも利用が可能である。ただしＩＤとパスワードが与えられていることが条件となる。じつは典子も、その二つを持ってはいた。しかしこの得体の知れぬ機械が搬入されて以来、一度も触れたことがない。薬について知りたいことがある場合には、製薬メーカーに問い合わせるという昔ながらの方法をとっている。彼女以外の薬剤師たちも、そうしているようだった。

　現在コンピュータの前に座っている若い助教授が、某製薬メーカーと共同である研究を進めていることは周知の事実だった。こういう人間にとっては便利なシステムなのだろうと典子は考えていた。しかしコンピュータといえども完璧ではないらしい。つい先日も、どこかの技術者たちが来て、医師たちと何か議論していた。ハッカーに利用された疑いがある――そういう内容だった。もちろん典子には、何のことかさっぱりわからなかった。

　午後からは入院患者への服薬指導に回ったり、医師や看護婦と各患者への投薬について話し合ったりした。そしてまた調剤に戻る。いつもと同じような一日だった。いつもと同じように動き回っているうちに五時になった。帰る支度をしていると、同僚から呼び止められた。電話が入っているという。

　胸が騒いだ。あの人かもしれない。

「はい、お電話代わりました」受話器に向かっていってみた。声が少しかすれた。

「あ……栗原典子さん？」男の声だった。しかし典子が期待した声には全く似ていなかった。腺病質を連想させる細い声だ。どこかで聞いたことがあった。

　そうですけど、と答えてみる。

「覚えておられますか。僕、フジイです。フジイタモツです」

「フジイさん……」と口に出した瞬間に思い出した。藤井保。結婚情報サービス会社を通じて知り合った男性だった。唯一、三回デートした相手だ。ああ、と彼女は声を出していた。「お元気でした?」

「ええ、何とか。栗原さんもお元気そうですね」

「はあ……」

「じつは今、病院のすぐ近くにいるんです。さっき、中に入って、ちらっとあなたの姿も見たんですよ。前よりも少しお痩せになったみたいですね」

「そうですか……」一体何の用だろうと訝しんだ。

「あの、これから少しお会いできませんか。お茶でも」

男の言葉を聞き、典子はげんなりした。何をいいだすのかと思えば――。

「申し訳ないんですけど、今日は予定があるものですから」

「少しだけでいいんです。どうしてもお話ししておきたいことがあるんです。三十分だけでもだめですか」

典子は相手に聞こえるようにため息をついた。

「いい加減にしてください。ここへ電話をかけてこられるだけでも迷惑なんです。もう切りますから」

「待ってください。では僕の質問に答えてください。あなたはまだあの男性と同棲しているのですか」

「えっ……」

「もしあなたがまだ彼と一緒に住んでおられるなら、どうしてもお話ししておかなきゃならないことがあるんです」

典子は受話器を掌で覆った。声を落として訊く。「どういったことですか」

「だからそれは直に会ってお話しします」彼女が関心を持ったという手応えを感じたか、男はきっぱりといった。

典子は少し迷った。だが聞かないわけにはいかなかった。

「わかりました。どちらに行けばいいでしょう」

藤井が指定してきたのは、病院から歩いて数分のところにある喫茶店だった。荻窪駅のすぐ近くだ。

店に入っていくと、奥のテーブルで男が手を上げた。カマキリのように細いのは前と変わっていない。グレーのスーツを着ているが、上着はまるでハンガーにかけたように見える。

「お久しぶりです」典子は藤井の向かい側に座った。

「急に変な電話をしてすみません」

「どういう話でしょう」

「その前に何か飲み物を」

「あたしは結構です。お話を伺ったら、すぐに失礼しますから」

「でも、そんなに簡単に済む話じゃないんですよ」藤井はウェイトレスを呼び、ロイヤルミルクティーを、といった。それから典子を見て、にっこり笑った。「ロイヤルミルクティーがお好きでしたよね」

たしかにこの男とデートした時、彼女はよくそれを注文したのだった。そういうことを覚えられていること自体、何となく不愉快だった。

「お母様はお元気ですか」典子は訊いた。皮肉のつもりだった。

するとと藤井は途端に表情を曇らせ、かぶりを振った。

「半年前に亡くなりました」

「あっ、そうだったんですか……それは、あの、ご愁傷様です。ご病気ですか」

「いえ、事故です。喉を詰まらせましてね」

「あ、お餅か何か」

「いえ、綿です」

「わた？」

「ちょっと目を離した隙に、布団の綿を食べてしまったんです。どうしてそんなことをしたのか、全くわかりません。取り出してみたら、ソフトボールよりも大きな綿の塊が出てきたんです。信じられますか」

典子は首を振った。信じられなかった。

「悲しいやら、情けないやらで、しばらくは何も手につきませんでした。でもね。嘆きながらも、心のどこかではほっとしているんですよね。ああ、これでもう、お袋が徘徊することを心配しなくてもいいんだなあと思って」藤井は吐息をついた。

彼の気持ちは典子にも理解できた。職業柄、介護に疲れている家族たちの姿はいやというほど見てきている。でも、と彼女は思う。だからといってあたしに恨み言をいわれても困る。

ロイヤルミルクティーが運ばれてきた。彼女はそれを一口啜った。その様子を見て、藤井が目を細めた。「そんなふうにあなたが紅茶を飲むのを見るのは久しぶりだな」

典子は目を伏せた。何とも答えようがない。

「じつはね、母親が死んでほっとしたこと以外に、もう一つ不謹慎なことを考えてしまったんです」藤井は続けた。「それはね、今なら彼女も付き合ってくれるんじゃないかということでした。その彼女というのが誰のことかは、おわかりですよね」

「あれからずいぶん時間が経つのに……」

「あなたのことが忘れられなかったんですよ。それで、あなたのアパートに行ってみました。お袋が死んで一か月ほどしてからです。そこで、あなたがすでに別の男性と暮らしておられることを知りました。正直、ショックでした。でもそれ以外に、彼を見て驚いたことがあったんです」

典子は藤井の顔を見返した。「何でしょう」

「じつは、見たことのある人間だったのです」

「まさか……」

「本当なんです。名前は知りませんが、顔ははっきりと覚えています」

「どこでお会いになったんですか」

「あなたのすぐそばで、です」

「えっ？」

「たしか去年の四月頃です。白状しますと、その頃僕は時間を見つけては、あなたの顔を見るために病院に行ったり、アパートのそばまで行ったりしていたんです。たぶん気づいておられなかったと思いますが」

「全く知りませんでした」典子は首を振った。そんなことをされているとは夢にも思わなかった。気味悪さに鳥肌が立った。

「でもね」と藤井は彼女の不快感には気づかぬ様子で続けた。「あなたのことを観察しているのは僕だけじゃなかったんです。もう一人、あなたのことをじっと見ている男がいました。病院にもいたし、アパートのそばにもいました。僕はなんとなくよからぬものを感じて、あなたに教えてあげようかとさえ思いました。ところがそのうちに僕も仕事や母の世話で忙しくなり、自分の時間が全くとれなくなってしまったんです。あの男のことが気になってはいたのですが、結局そのままになってしまいました」


「その男性というのが……」

「ええ、あなたが今一緒に住んでいる人です」

「そんな馬鹿な」彼女は首を振った。頬が少しひきつるのを自覚した。「何かの間違いです」

「絶対に間違いなんかじゃありません。こう見えても、僕は人の顔を覚えるのは得意なんです。彼はあの時の男です」藤井は断言した。

典子はティーカップを手に取った。だが紅茶を飲む気にはなれなかった。様々な思いが嵐のように心の中で渦巻いていた。

「もちろん、だからといってあの男性が悪い人間だと決めつけているわけではないです。もしかしたら僕と同じで、あなたへの思いが募って、ああいうことをしていたのかもしれない。ただ、何というか、さっきもいいましたように、その時の雰囲気はあまりにも不穏でした。あなたが彼と一緒にいると思うと不安でどうしようもなくなります。とはいえ僕が口出しすべきことではないと思い、今日までずっと我慢してきました。だけどつい先日、偶然あなたを見かけてしまったんです。それ以来、またしてもあなたのことが頭から離れなくなってしまいました。それで今日思い切って、打ち明けることにしたんです」

藤井の話の後半を、典子は殆ど聞いてはいなかった。

彼の話の主旨は、現在同棲している相手と別れて、自分と付き合ってくれないかということらしいが、まともに対応する気にさえならなかった。馬鹿馬鹿しいからではない。そういう精神状態ではなかったのだ。

何といってその場を立ち去ったのか、典子は覚えていない。気がついた時には夜の街を歩いていた。

四月、といった。去年の四月と。

そんなはずはなかった。典子が秋吉と出会ったのは五月だった。しかもその出会いは、偶然、のはずだった。

違うのか。偶然ではないのか。

あの時のことを思い出した。腹痛に顔を歪めていた秋吉。彼はその直前までは、典子が帰ってくるのを待っていたのか。あれはすべて、典子に近づくための演技だったということだろうか。

だが何のために？

秋吉が何らかの目的のために典子に近づいたとする。なぜ彼女を選んだのか。彼女は自惚れ屋ではない。美貌によって選ばれたのでないことはたしかだと思った。

何かの条件を満たしていたからか。薬剤師？　ハイミス？　独り暮らし？　帝都大？

はっとした。結婚情報サービス会社のことを思い出した。あそこに登録する時、自分に関する膨大な量の情報を提供した。あの会社のデータを調べれば、希望の条件を満たす相手を探すことは難しくない。そして秋吉ならば、あそこのデータに近づけたかもしれないのだ。彼はメモリックスというコンピュータ会社に勤めていた。その会社が、あの結婚情報サービス会社のシステムも作ったのではないか。

いつの間にかアパートに着いていた。典子はややふらつきながら階段を上がり、部屋の前まで歩いた。鍵を外し、ドアを開ける。

あなたが彼と一緒にいると思うと不安でどうしようもなくなります、そういった藤井の声が耳に蘇った。

この事実を知ったら不安は消えるわね――真っ暗な部屋を見つめて彼女は呟いた。

4

頭の中で誰かが金鎚《かなづち》を叩いている。こーん、こーん、こーん、こーん。

そしてかすかに笑い声。それを聞いて瞼を開けた。花模様の壁に光の線が一本。遮光カーテンの隙間から、朝の日が漏れているのだ。

篠塚美佳《みか》は首を捻り、枕元の時計を見る。康晴がロンドンで買ってきてくれた、文字盤に動く人形の仕掛けが施された置き時計だ。セットした時刻になると、音楽に合わせて二人の少年と少女が踊り出すのだ。美佳は午前七時半にセットしていた。針は間もなくその時刻に達しようとしていた。あと一分も待てば、いつものように軽快なメロディが鳴りだすはずだった。しかし彼女は手を伸ばし、アラームを解除した。

美佳はベッドから降りて、遮光カーテンを開けた。大きな窓とレースのカーテンを通して、太陽の光が溢れ込んできた。薄暗かった彼女の部屋は、たちまち明るくなった。壁際に置いてあるドレッサーの鏡の中に、ネグリジェはしわだらけ、髪はぼさぼさの娘が、不機嫌の塊のような顔をして立っていた。

また、こーん、と音がした。その後で人の声。話は聞き取れない。しかしどんなやりとりかは想像がつく。どうせくだらないことだ。

美佳は窓際に寄り、まだ十分に青さの残る芝生の庭を見下ろした。思ったとおりだった。康晴と雪穂がゴルフの練習をしていた。というより、康晴が雪穂にゴルフを教えているのだった。

雪穂がクラブを持って構える。すると康晴が彼女の後ろに重なるように立ち、彼女の手の上からクラブを持つ。まるで二人羽織だ。康晴は雪穂に何か囁きながら、彼女の手と共にクラブを動かす。ゆっくりと上げ、ゆっくりと下ろす。康晴の唇は、今にも雪穂の首筋に触れそうだ。いや、きっと時にはわざと触れることもあるに違いない。

そういったことをひとしきりやった後、ようやく康晴は彼女から離れる。彼の見守る中で、雪穂は実際にボールを打ってみせる。こーん。うまくいく時もあるが、失敗することも多い。雪穂は照れ笑いを浮かべ、康晴は何かアドバイスをする。そしてまた最初と同じだ。おかしな二人羽織から始まる。それが約三十分続くのだ。

ここ何日間か、毎日のように見られる光景だった。雪穂がゴルフを始めたいといいだしたのか、康晴が誘ったのか、詳しいことは美佳も知らない。しかしどうやら二人は、夫婦で楽しめる共通の趣味を作ろうとしているようだった。

ママがゴルフを始めようとした時は、あんなに反対したくせに――。

美佳は窓から離れ、ドレッサーの前に立った。十五歳になったばかりの少女の身体がそこにある。まだ女らしい丸みの少ない、痩せた身体だ。手足だけがやけに細長く、肩の骨が尖っている。

そこに雪穂の身体が重なった。美佳は彼女の裸体を一度だけ見たことがある。彼女がいることに気づかず、バスルームのドアを開けてしまったのだ。雪穂は全く何も身に着けていない状態だった。バスタオルさえ持っていなかった。

美佳が目にしたのは、完璧な女の肉体だった。その輪郭は、まるでコンピュータで計算されつくしたような見事な曲線で成り立っていた。そのくせ轆轤《ろくろ》で作られた花瓶のようなシンプルさも兼ね備えている。豊かな胸は形が崩れておらず、ややピンクがかった白い肌の上に細かい水滴が浮いていた。無駄な肉が全くないというわけではない。だがわずかについた脂肪は、複雑な身体の曲線を滑らかに見せる役目を果たしていた。美佳は息をのんだ。ほんの数秒のことだったが、その造形は彼女の瞼に焼き付いた。

その時の雪穂の対応も見事なものだった。彼女は少しもうろたえず、爪の先ほどの不快感も示さなかった。

「あら、美佳さん。お風呂に入る？」雪穂は笑顔でこういったのだ。あわてて裸体を隠そうともしなかった。

取り乱したのは美佳のほうだ。何もいわずに逃げだした。部屋に駆け込み、ベッドにもぐりこんだ。いつまでも心臓が騒いでいた。

あの時の醜態を思い出し、美佳は顔を歪めた。鏡の中の彼女も同じ表情を作った。彼女はヘアブラシを手に取り、乱れた髪をとかした。髪がもつれてブラシが止まる。力任せにとかそうとすると、髪が何本か切れた。

その時ノックの音がした。「美佳さん、起きてますか。おはようございます」

返事をしないでいると、三度目のノックの後でドアが開いた。葛西《かさい》妙子《たえこ》がおそるおそるといった感じで顔を出した。

「なんだ、起きてたんですか」妙子は部屋に入ってくると、美佳が出たばかりのベッドを早速直し始めた。太目の体軀、大きな腰を包むエプロン、袖まくりしたセーター、頭の上に団子を載せたような髪形、いずれも一昔前の外国映画に出てくる家政婦そのものだと、彼女がこの家へ来て以来ずっと美佳は思っている。

「もっと寝ていたかったけど、目が覚めちゃったの。外がうるさくて」

「外？」妙子は不思議そうな顔をしてから、ああ、と頷いた。「このところ、旦那さまもすっかり早起きになられましたね」

「馬鹿みたい。こんなに朝早くから」

「お二人ともお忙しいですからね、朝でないとお時間がとれないんでしょうよ。いいことだと思いますよ、運動するのは」

「ママが生きてた時は、パパ、あんなことは絶対にしなかったのに」

「人間というのはね、年をとってくると変わるものなんですよ」

「だから若い女の人と結婚するわけ？　ママより十歳も

下の人と」

「美佳さん、おとうさまだってまだお若いんだから、一生お一人というわけにはいかないでしょう？　美佳さんはいつかお嫁に行ってしまうし、坊っちゃんもいずれは家を出ていかれるでしょうから」

「妙さんて支離滅裂ね。年をとると変わるといってみたり、まだお若いといってみたり」

美佳の台詞に、長年彼女をかわいがってきた妙子も少し気分を害したようだ。唇を閉じると、ドアに向かって歩きだした。

「朝御飯が出来てますから、早く下りてきてください。これからは遅刻しそうになっても、もう車で送っていったりはしないとおとうさまはおっしゃってますから」

ふん、と美佳は鼻を鳴らす。「それもきっとあいつの差し金なんだ」

妙子は何もいわず、出ていこうとした。それを、「ちょっと待って」といって美佳は呼び止めた。妙子はドアを閉める手を止めた。

「妙さん、あたしの味方だよね」美佳はいった。

すると妙子は戸惑ったような表情を見せてから、ふふっと笑った。

「私は誰の敵でもありませんよ」そして太った家政婦はドアを閉めた。

美佳が学校へ行く支度を終えて一階へ下りていくと、ほかの三人はすでにダイニングテーブルについて食事を始めていた。壁を背に康晴と雪穂が並んで座り、手前に美佳の弟の優大《まさひろ》がいる。優大は小学校の五年生だ。

「まだとても自信がないわ。せめてドライバーだけでもきちんと打てるようにならないと、皆さんに迷惑をかけちゃう」

「案ずるより産むが易しというじゃないか。それに君はせめてドライバーだけでもというが、あれが一番難しいんだぜ。きちんと打てればプロだよ。とにかく、まず一度ラウンドしてみよう。それが第一歩だ」

「そういわれても不安だなあ」雪穂は首を傾げてから、美佳のほうに目を向けた。「あ、おはよう」

美佳は返事をせず席についた。すると、おはよう、と今度は康晴がいった。非難する目をしている。仕方なく彼女は口の中で小さく、おはよう、と呟いた。

テーブルの上にはハムエッグとサラダとクロワッサンが、それぞれの皿に盛りつけられていた。

「美佳さん、ちょっと待ってくださいね。今、スープを持っていきますから」キッチンのほうから妙子の声がした。何かほかの用事をしているようだ。

雪穂がフォークを置いて立ち上がった。

「大丈夫よ、妙さん。あたしがやりますから」「いい。

スープなんていらない」そういうと美佳はクロワッサンを摑み、かじった。そして優大の前に置いてあるミルクの入ったグラスを手にすると、ごくりと一口飲んだ。

「あっ、おねえちゃんずるいぞ」

「いいじゃないの、ケチ」

美佳はフォークを持ち、ハムエッグを食べ始めた。すると目の前にスープが置かれた。雪穂が持ってきてくれたのだ。

「いらないっていったのに」うつむいたまま彼女はいった。

「せっかく持ってきてもらったのに、そういう言い方はないだろう」康晴がいった。

いいのよ、と雪穂が小声で夫をなだめる。気まずい沈黙が食卓に漂った。

少しもおいしくない、と美佳は思った。大好物だった妙子のハムエッグの味がわからない。おまけに食事が楽しくない。胃袋の上が少し痛くなった。

「ところで君、今夜は何か予定があるの？」康晴がコーヒーを飲みながら雪穂に訊いた。

「今夜？　別にないけれど」

「だったら、四人で食事に出かけないか。じつをいうと知り合いが四谷でイタリアンレストランを開業して、ぜひ一度来てくれといわれているんだ」

「へえ、イタリアンね。いいわね」

「美佳と優大もいいな。見たいテレビがあるなら、ちゃんと録画予約しておけよ」

「やった。じゃあ、あんまりお菓子を食べないようにしようっと」優大はうれしそうにいう。そんな弟をちらりと見てから、「あたし、行かない」と美佳はいった。

夫妻の視線が同時に彼女に注がれた。

「どうしてだ」と康晴が訊いてきた。「何か用でもあるのか。今日はピアノのレッスンもないし、家庭教師が来る日でもないだろう」

「行きたくないんだから仕方ないじゃない。別にいいでしょ、行かなくたって」

「なぜ行きたくないんだ」

「いいじゃない、何だって」

「何なんだ。いいたいことがあるなら、はっきりいいなさい」

「あなた」雪穂が横からいった。「今夜はやめましょう。よく考えたら、あたしも予定が全然ないわけじゃないし」

康晴は返す言葉をなくした様子で娘を睨みつけてきた。雪穂が美佳のことを庇っているのは明白だった。そのことが余計に美佳を苛立たせる。

フォークを乱暴に起き、彼女は立ち上がった。「あたし、もう出かけるから」

「美佳っ」

　康晴の声を無視し、美佳は鞄と上着を持って廊下に出た。玄関で靴を履いていると、雪穂と妙子が出てきた。

「車に気をつけてね。あまり急いじゃだめよ」

　雪穂は床に置いてあった上着を拾い上げ、美佳のほうに差し出した。美佳は無言でそれを奪い取る。袖を通していると雪穂が微笑みながらいった。「かわいいわね、その紺色のセーター」そして、ねえ、と妙子に同意を求める。

　妙子も、「そうですねえ」と笑って頷いた。

「最近の制服は、いろいろとお洒落ができるからいいわね。あたしたちの頃はワンパターンだったけど」

　わけのわからない怒りがこみあげてきた。美佳は上着を脱いだ。さらに雪穂たちが呆然とする中、ラルフ・ローレンのセーターも脱ぎ捨てた。

「ちょっと美佳さん、何をするんですか」妙子があわてていった。

「いいの。もうこれ、着たくなくなった」

「でも、寒いですよ」

「いいっていってるじゃない」

　騒ぎを聞いてか、康晴が出てきた。「今度は一体何をごねているんだ」

「何でもない。行ってきます」

「あっ、美佳さん、お嬢さん」

　妙子の声に重なるように、「ほっとけ」と康晴の怒鳴る声が聞こえた。その声を背に、美佳は門に向かって走った。玄関から門までの、花や木々に囲まれた長いアプローチが彼女は好きだった。季節の変化を感じるために、わざとゆっくり歩くことさえあった。しかし今はその長さが苦痛だった。


　一体何がそんなに嫌なのか、美佳は自分でもよくわからなかった。心の中のもう一人の彼女が冷めた口調で問いかけてくる。あんた、どうかしてるんじゃないの、と。それに対して彼女は答える。わかんないよ、わかんないけど、むかつくんだからしょうがないじゃない――。

　雪穂と初めて会ったのは、今年の春だった。康晴に連れられ、優大と二人で南青山のブティックに行った時のことだ。はっとするような美しい女性が挨拶してきた。それが雪穂だった。康晴は彼女に、子供たちに新しい服を買ってやりたいのだがといった。すると彼女は店の者に命じて、次々と奥から洋服を持ってこさせた。その時になって気づいたことだが、その店にはほかに客はいなかった。完全に貸し切り状態だったのである。

　美佳と優大はまるでファッションモデルにでもなった

かのように、鏡の前で次から次へと服を着替えさせられた。優大などは途中で、「僕、もう疲れちゃった」と半べそをかきだした。

　無論、年頃の美佳としては、厳選された最高級品を身に着けられて、楽しくないはずはなかった。ただ、ずっとあることが心に引っかかってはいた。それは、この女の人は何者なのだろう、ということだった。同時に彼女は感づいてもいた。たぶんお父さんと特別な関係にある人なんだろう、と。

　そして、もしかすると自分たちにとっても特別な存在になるのではないかと思ったのは、美佳のパーティドレスを選んでいる時だった。

「家族でパーティに呼ばれる時もあるでしょう？　そういう時でも、この服を着た美佳さんがいれば、きっとほかの家族を圧倒できるわ。親としても鼻が高いわよ」雪穂は康晴にこういったのだ。

　馴れ馴れしい口のききかたをしたことも気にはなった。だがそれ以上に美佳の神経を刺激したのは、この言い方の中に含まれていた二つのニュアンスだった。一つは、そのパーティには当然自分も出席しているはずだというものであり、もう一つは、美佳を自分たちの付属品として見ているというものだった。

　洋服を一通り見た後、どれを買うかという話になった。どれが欲しい、と康晴は尋ねてきた。美佳は迷った。欲しいものばかりで、絞るのが難しかった。

「パパが決めてよ。あたし、どれでもいいから」

　美佳がいうと、難しいなあ、といいながら、康晴は何着かを選んだ。その選び方を見て、パパらしいな、と美佳は思った。お嬢様風の服が多い。露出が少なく、スカートの丈も長い。それは死んだ美佳の母親の好みとも共通していた。彼女は少女趣味の残る女性で、美佳のことも人形のように着飾るのが好きだった。パパはやっぱりママの影響を受けているのだなと思うと、少し嬉しくなった。

　ところが最後に康晴は雪穂に訊いた。こんなところでどうかな、と。

　雪穂は腕組みをして選ばれた服を眺めていたが、「あたしは、美佳さんにはもう少し派手で溌剌とした感じの服がいいと思うけど」といった。

「そうかなあ。じゃあ、君ならどれを選ぶ？」

　あたしなら、といって雪穂は何着かの洋服を選び出した。大人っぽく、それでいてどこか遊び心のある服が多かった。少女趣味のものは一着もなかった。

「まだ中学生なんだぜ。ちょっと大人っぽすぎないか」

「あなたが思っている以上に大人よ」

「そうかなあ」康晴は頭を掻き、どうする、と美佳に訊いた。

あたしは任せる、と彼女は答えた。それを聞いて康晴は雪穂に頷きかけた。

「よし、じゃあ全部買おう。似合わなかったら、責任をとってくれよ」

「大丈夫」康晴にそういってから、雪穂は美佳に笑いかけた。「今日からはもう、お人形さんは卒業ね」

この時美佳は、心の中の何かが土足で踏み潰されたような気がした。彼女を着せ替え人形のようにして楽しんでいた、死んだ母親のことが侮辱されたように思えた。思い起こしてみれば、この時が雪穂に対して悪感情を持った最初の瞬間かもしれない。

この日以来美佳と優大は、しばしば康晴に連れられ、雪穂と一緒に食事をしたり、ドライブに出かけたりした。雪穂といる時、康晴はいつも異様にはしゃいでいた。美佳の母親が生きていた頃には、たまにレジャーに出かけてもむっつりしていることが多かったが、雪穂の前ではじつに多弁だった。そのくせ何をするにも雪穂の意見を求め、彼女のいいなりになっていた。そんな時美佳には自分の父親が、とんでもない木偶《でく》の坊に見えた。

七月に入ったある日、康晴からついに重大な報告を聞かされた。それは相談でもなく、打診でもなく、報告だった。唐沢雪穂さんと結婚するつもりだ、という話だった。

優大はぼんやりしていた。さほど嬉しそうでもなかったが、雪穂が新しい母親になるということにも抵抗がないようだった。彼にはまだ自分の考えというものがないのだ、と美佳は思った。それに前の母親が死んだ時、彼はまだ四歳だった。

美佳は、あたしはあまり嬉しくない、と正直にいった。自分にとっては七年前に亡くなった母親だけが、唯一人のママなんだ、とも。

「それはそれでいいんだ」と康晴はいった。「死んだママのことを忘れろといってるんじゃない。この家に、新しい人がやってくるだけだ。新しい家族が増えるだけのことだ」

美佳は黙っていた。うつむいて、あの人は家族じゃない、と心の中で叫んでいた。

しかし転がり始めた石を止めることはできなかった。何もかもが美佳の望まない方向に進みだした。康晴は新しい妻を迎えられるということで浮き浮きしていた。そんな父親を彼女は心の底から軽蔑した。彼をこんな凡人に落としたと思うと、余計に雪穂のことが許せなかった。

雪穂の何が気に入らないのかと問われると、美佳は困ってしまう。結局のところ、直感としかいいようがなかった。雪穂の美しさは認めるし、頭の良さにも敬服する。

あの若さで店をいくつも経営するのだから、才能にも恵まれているのだろう。だが雪穂と一緒にいると、美佳は次第に自分の身体が強張ってくるのを感じる。決して隙を見せてはならないと、心の中の何かが警告を発し続けるのだ。あの女性が発するオーラには、これまで美佳たちが生きていた世界には存在しない、異質な光が含まれているような気がする。そしてその異質な光は、決して美佳たちに幸福をもたらさないように思えるのだった。

　だがもしかするとこの思いは、美佳が独自に作り上げたものではないのかもしれなかった。ある人物の影響を受けている可能性が、間違いなく何パーセントかはある。

　その人物とは篠塚一成だった。

　康晴が雪穂との結婚を身内に表明して以来、一成は頻繁に訪れるようになった。彼は多くの親戚の中でただ一人、きっぱりと結婚には反対だといっていた。応接室で二人が話すのを、美佳は何度か盗み聞きしたことがある。

「康晴さんは彼女の本当の姿を知らないんだよ。少なくとも彼女は家庭におさまって、家族の幸せを第一に考えるというタイプじゃない。お願いだから、考え直してくれないか」一成は懸命の口調でいった。

　だが康晴は、もううんざりだという態度をとるだけで、従弟の話を真剣に聞こうとはしなかった。次第に康晴は一成のことを疎ましく思うようになったようだ。居留守を使って追い返したのを、美佳は何度か目撃していた。

　そしてそれから三か月後、康晴と雪穂は結婚した。さほど豪華な式でもなく、披露宴もおとなしいものだったが、新郎と新婦は幸せそうだった。出席者たちも楽しそうだった。

　ただ一人美佳だけが、暗い気持ちになっていた。何か取り返しのつかない事態に陥りつつあるように思えた。いや、一人だけではないかもしれない。篠塚一成も出席していたからだ。

　家に新しい母親のいる生活が始まった。外見上、篠塚家には大きな変化はないように思われる。しかし確実にいろいろなものが変わっていくのを美佳は感じていた。死んだ母親の思い出は消され、生活パターンも変容した。父親の人間性も変わった。

　亡くなった母親は生花が好きだった。玄関、廊下、部屋の隅に、いつもその季節に応じた花が飾られていた。今、それらの場所にあるのは、もっと豪華で美しい花だ。誰もが目を見張るほど見事なものだ。

　ただしそれは生花ではない。すべて精巧な造花だ。

　うちの家全体が造花になってしまうのではないか。美佳はそんなふうに思うことさえあった。

5

営団地下鉄東西線を浦安駅で降りると、葛西橋《かさいばし》通り沿いに徒歩で東京方向へ少し戻った。間もなく旧江戸川というところで左折する。細い道路沿いに、殆ど真四角といいたくなるような白いビルが建っていた。ＳＨ油脂という社名の入った門柱が立っている。守衛らしき者の姿が見えなかったので、笹垣はそのまま門をくぐった。

　トラックの並ぶ駐車場を横切り、建物に入った。すぐ右側に小さな受付があった。四十歳くらいの女性が何か書きものをしていた。彼女は顔を上げて笹垣を見ると、怪訝そうに眉を寄せた。

　笹垣は名刺を出し、篠塚一成さんに会いたいのだがといった。受付の女性の顔は、名刺を見ても和まなかった。肩書きのない名刺では、警戒を解く気になれないようだ。

「専務とは会う約束をされているわけですか」彼女が訊いてきた。

「専務？」

「ええ。篠塚一成は、うちの専務ですけど」

「ははあ……はい、ここへ来る前に電話しました」

「ちょっとお待ちください」

　女はそばの受話器を取り上げた。篠塚の部屋にかけているようだ。二言三言話した後、彼女は受話器を置きながら笹垣を見た。

「部屋に直接おいでくださいということです」

「ああ、そうですか。ええと、お部屋はどちらでしょう」

「三階です」そういうと彼女はまた書き物を始めた。見ると、年賀状の宛名書きをしているのだった。彼女のものと思われるアドレス帳を横で広げているところをみると、会社から出すものではなさそうだ。

「あのう、三階のどこですか」

　笹垣が訊くと、彼女は露骨にうんざりした顔を見せた。持っていたサインペンで、彼の後方を指した。

「この奥のエレベータに乗って、三階に行ってください。廊下を歩けば、ドアの上に専務室という札が出ています」

「ああ、どうも」笹垣は頭を下げたが、彼女はすでに自分の作業に入っていた。

　いわれたように三階に行くと、なぜ彼女があれほど面倒臭そうにいったのかがわかった。ロの字形の廊下が一本あり、それに面して部屋がずらりと並んでいるという簡単な配置だったからだ。笹垣はドアの上の札を見ながら廊下を歩いた。一つ目の角を曲がってすぐのところに、専務室と書かれたプレートが出ていた。笹垣はノックをした。

　どうぞ、という声が聞こえた。笹垣はドアを押し開いた。

　窓を背に、篠塚一成が立ち上がったところだった。茶色のダブルのスーツを着ていた。

「やあ、どうも。お久しぶりです」一成はにこやかに笑いかけてきた。

「御無沙汰しております。お元気でやっておられましたか」

「まあ、なんとか生きてますよ」

　部屋の中央に応接セットが置かれていた。一成は二人掛けのソファを笹垣に勧め、自分は一人用の肘掛け椅子に座った。

「いつ以来ですかね、お会いするのは」一成が訊いてきた。

「去年の九月です。篠塚薬品の来客室で」

「そうでしたね」一成は頷いた。「あれから一年以上経ちますか。早いものですね」

　その間笹垣は電話で彼と話はしていた。だが会うのは、あの時以来である。

「今回も一旦篠塚薬品のほうに連絡させていただいたんですけど、こちらに移られたとお聞きしました」

「ええ、まあ、この九月からですけど」一成は少し目を伏せた。何かをいいたそうな顔つきだった。

「専務さんとは驚きました。すごい出世やないですか。お若いのに大したもんですなあ」笹垣は語尾に感嘆符を付けていった。

　一成は顔を上げた。かすかに苦笑していた。「そう思われますか」

「思いますよ。違うんですか」

　一成は何もいわずに立ち上がり、仕事机の電話を取った。

「コーヒーを二つ持ってきてくれ。うん、至急だ」

　彼は受話器を置くと、そのままの姿勢でいった。

「前に電話でお話ししたと思いますが、従兄の康晴がとうとう結婚しました」

「十月十日、体育の日でしたな」笹垣は頷いた。「さぞかし派手なお式やったのでしょうなあ」

「いえ、地味なものでしたよ。教会で式を挙げた後、都内のレストランで身内だけの披露宴をしました。どちらも再婚だから、あまり目立つことはしたくなかったようです。それに従兄のほうには子供もいますしね」

「篠塚さんも出席されたんでしょう？」

「それはまあ、親戚ですからね。だけど」彼は再び椅子に腰掛けた。ため息を一つついて続けた。「あの二人としては、あまり招待はしたくなかったかもしれない」

「直前まで反対したとおっしゃってましたね」

　ええ、と一成は頷き、笹垣のほうを見つめてきた。真剣な思い、切実な思いが、その目には込められていた。

　笹垣は、この春頃まで、篠塚一成とかなり密接に連絡を取り合っていた。一成のほうは唐沢雪穂の本性を探る手がかりを求めていたし、笹垣は桐原亮司の気配を感じさせるものがないかどうかを知りたかったのだ。だがどちらも決定的な情報を得ることはできなかった。そのうちに篠塚康晴は唐沢雪穂と婚約してしまったのだ。

「せっかく笹垣さんとお知り合いになれたのに、彼女の本当の姿を暴くことは最後まで出来ませんでした。従兄の目を覚ますことも叶いませんでした」

「無理ないでしょうな。そんな調子で今まで、たくさんの男が騙されてきました」笹垣は続けた。「私もその一人です」

「十九年……でしたっけ」

「そう、十九年です」笹垣は煙草を取り出した。「吸ってもよろしいですか」

「ああ、どうぞ」クリスタルの灰皿を一成は笹垣の前に置いた。「それで笹垣さん、前から何度も電話でお願いしましたが、今日はすべてを話していただけるんでしょうね。その十九年の長い物語を」

「ええ、もちろん今日はそのために伺わせてもらったようなもんです」笹垣は煙草に火をつけた。その時、ノックの音がした。

「ちょうどよかった。コーヒーが届いたようだ」一成は腰を上げた。

　やたらに分厚いカップに入ったコーヒーを飲みながら、笹垣は話を始めた。あの建築途中で放置された廃ビルで死体が見つかったところからだ。容疑者が次々に変わり、結局最後に捜査陣が目をつけた寺崎忠夫の事故死により、捜査は事実上終結してしまった顚末《てんまつ》を、時には詳しく、時にはかいつまんで説明した。篠塚一成は最初こそコーヒーカップを手に持っていたが、途中でそれはテーブルに置き、腕組みをした姿勢で聞き入った。西本雪穂の名前が出てくるところでは、足を組み直し、深呼吸を一つした。

「……とまあ、ここまでが質屋殺し事件の概略です」笹垣はコーヒーを飲んだ。それはすっかりぬるくなっていた。

「そのまま迷宮入りしたわけですか」

「まあ、いきなりそこまでは行きませんけど、新しい証言なり情報なりはどんどん減っていくわけですから、迷宮入りも時間の問題という雰囲気はありました」

「でも笹垣さんは諦めなかった」

「いや、正直なところ、半分諦めてました」

コーヒーカップを置き、笹垣は話の続きを始めた。

笹垣がその記述に気づいたのは、寺崎忠夫が事故死してから一か月ほどが経った頃だった。寺崎が犯人だという物証を見つけることもできず、ほかに有力な容疑者を見つけることもできないという状態が続き、捜査本部内には一種の倦怠感が漂っていた。捜査本部がやがて解散されるという話もあった。オイルショックにより世間全体に殺伐とした空気が流れており、強盗、放火、誘拐といった凶悪事件が続いていた。たった一つの殺人事件に、いつまでも多くの人員を割いていられないというのが、大阪府警上層部の正直な気持ちであったろう。しかもその犯人は、すでに死んでいるのかもしれないのだ。

笹垣にしても、ここまでかもしれないな、という思いを抱き始めていた。彼はそれまでに迷宮入りを三度ほど経験していた。迷宮入りする事件には、独特の雰囲気がある。何もかもが混沌としていて、どこから手をつけていいかわからないという場合よりも、一見簡単に犯人が割れそうに思える時ほど、そういう結果に終わるおそれが多いのだ。そしてこの時の質屋殺しは、そうした不吉な雰囲気を持っていた。

だからこの時笹垣がそれまでの調書を最初から読み直していたのも、単なる気まぐれというのが正直なところだった。それほど打つ手がなくなっていたのだ。

殆ど斜め読みに近い形で、彼は膨大な数の調書に目を通していった。数がたくさんあるからといって、手がかりが多いわけではない。むしろ、焦点の定まらない捜査が続いたせいで、無意味な報告書が増えたともいえた。

頁をめくる笹垣の手が止まったのは、死体を発見した少年の話を記録した供述調書を見た時だった。少年の名前は菊池道広。年齢は九歳とある。少年はまず小学五年生の兄に教えた。その兄が死体を確認した後、母親に知らせたらしい。実際に警察へ通報したのは彼等の母親の房子であることから、その調書は菊池母子の話をまとめた形になっていた。

そこに書かれている死体発見の経緯については、笹垣もよく知っていることだった。ビルのダクト内を移動する、『タイムトンネルごっこ』と呼ばれる遊びをしている最中、道広だけが仲間とはぐれ、でたらめに動き回っているうちに、ある部屋に到達した。ところがそこには男の人が倒れていた。おかしいなと思って、よく見ると血を流している。死んでいるらしいということにも、その時に気づいた。誰かに知らせねばと思い、急いでそこから出ようとした。

問題は、この後の記述だった。次のようにあった。

『怖くなって急いで出ようとしましたが、がらくたとかブロックが邪魔で、ドアがなかなか開きませんでした。何とかドアを開けて外に出ると、友達を探しました。でも見つからないので、急いで家に帰りました。』

　これを読んだ時、変だな、と笹垣は思った。「がらくたとかブロックが邪魔で」という部分が引っかかったのである。

　彼は現場のドアを思い出した。あれは内開きだった。菊池少年が、「ドアがなかなか開きませんでした」と述べているのだから、ドアの開閉を妨げる位置に、「がらくたとかブロック」が置いてあったということになる。それは犯人が意図してやったことだろうか。死体の発見を遅らせるために、ドアの内側に物を置いたのか。

　だがそれはありえなかった。ドアを開けて外に出た後、ドアの内側に何かを置くなどということは不可能だ。では、この少年の供述はどう解釈すればいいのか。

　すぐにたしかめてみることにした。供述調書には取調官として、西布施警察署の小坂という警部補の名前が記されていた。

　小坂警部補は、当然その部分についてはっきりと覚えていた。ただし説明は明瞭なものではなかった。

「ああ、そのことね。その点については、ちょっと曖昧なんですわ」小坂警部補は顔をしかめていった。「本人があまりよく覚えてないんです。ドアを開けようとしたら、いろいろなものが足元にあって邪魔やったらしいんですが、ドアを全く開けられへんかったのか、それとも人が通れる程度には開けられたのかはわからんというんですな。まあ、気が動転しとったでしょうから、無理もない話ですけど」

　犯人が通ったわけだから、その程度にはドアは開けられたのだろう、と小坂警部補は付け加えた。

　笹垣はそれに関する鑑識の報告書にも目を通してみた。だが残念ながら、ドアと「がらくたとかブロック」の位置関係については、詳しいことはわからなかった。菊池少年がそれらを動かしたせいで、痕跡がわからなくなってしまったからである。

　結局笹垣は、これに関しての調査はやめてしまった。小坂警部補と同様に、そのドアを犯人がくぐったはずだ、と思い込んでいたからである。そして彼以外の捜査員たちも、誰一人この点に拘らなかった。

　この小さな疑問のことを笹垣が思い出すのは、ほぼ一年後のことだ。西本文代の死をきっかけに、雪穂に疑いの目を向け始めた頃だった。笹垣はこう考えたのだ。仮に問題のドアの内側に障害物が置いてあったとすると、どの程度までドアが開いたかによって、通れる人間が限定される。つまり容疑者を絞れる。無論この時彼の頭にあったのは、雪穂のことである。彼女ならば、相当狭い隙間でも通れるのではないかと考えていた。

　一年前のことをどの程度覚えているかは怪しいが、笹垣は一応菊池道広少年に会ってみることにした。少年は四年生になっていた。

　そして四年生になった少年から、笹垣は驚くべき告白をされることになった。

　菊池少年は一年前のことを忘れていないといった。あの頃よりも今のほうが、はっきりといろいろ説明できるとさえいった。そうかもしれないなと笹垣は思った。死体を見つけたことで混乱している九歳の少年に、発見の状況を詳しく述べろといっても酷に違いなかった。しかしこの一年間で、彼も成長している。

　ドアのことを覚えているかと笹垣は訊いた。少年はためらいながら頷いた。

　できるだけ詳しく、その時の状況を話してほしいと笹垣はいってみた。少年はしばらく黙り込んだ後、ゆっくりと口を開いた。

「ドア、全然開けへんかったと思う」

「えっ？」笹垣は聞き直した。「全然て……どういうこと？」

「僕、早よ誰かに知らせなあかんと思て、すぐにドアを開けようとしたんや。けどその時には、ドアはびくともせえへんかった。それで下を見たら、ブロックが置いてあった」

　菊池道広の言葉に、笹垣は衝撃を受けた。

「それ、ほんまか？」

　少年はこっくりと頷いた。

「なんですぐにそういわへんかったんや。今になって思い出したということか？」

「あの時も、最初はそういうてたんや。そやけどおまわりさんが僕の話を聞いて、それはおかしいんと違うかていうから、だんだん自信がなくなってきて、何が何だかわからんようになってしもたんや。けど、あの後ゆっくり考えたら、やっぱりドアは全然開けへんかったと思うねん」

　菊池少年の話を聞き、笹垣は歯ぎしりする思いだった。一年前、貴重な証言が存在したのだ。ところが取調官の思い込みによって、それがねじ曲げられていた。

　笹垣はすぐにこのことを上司に報告した。だが上司の反応は冷淡なものだった。子供の記憶など当てにならないというのである。一年も経ってから修正されたような証言を鵜呑みにするほうがどうかしている、とまでいった。

　この時の笹垣の上司は、事件発生時に班長だった中塚ではなかった。中塚は少し前に異動になっていた。代わりにやってきた上司は、極めて功名心の強い人物だった。

質屋殺しという地味な事件、しかも半分迷宮入りになったような事件を追うより、もっと派手な事件を解決して名を上げたいと考える男だった。

笹垣は質屋殺しについては一応継続捜査員として名を連ねていたが、あくまでも兼務だった。彼の上司は部下が大して実績になりそうもない事件を追っていることに難色を示していた。

仕方なく笹垣は、独自に捜査を行うことにした。彼には自分の進むべき方向が見えていた。

菊池少年の証言によれば、桐原洋介を殺した犯人はドアを開けて出ていくことは不可能だったはずである。しかも現場の窓はすべて内側から施錠されていた。建築途中で放置されたビルではあるが、ガラスは割れていないし、壁に穴も開いていなかった。となると考えられることは一つしかない。

犯人は菊池少年とは逆に、ダクトから脱出したということになる。

犯人が大人ならば、そんなことを思いつくはずがない。ダクトで遊んだことのある子供だからこそ、出てくるアイデアだと思われた。

こうして笹垣のターゲットは、完全に雪穂に絞られたのだ。

しかし彼の捜査は、思ったようには進まなかった。彼はまず、雪穂がダクトの中を這い回って遊ぶ、いわゆる『タイムトンネルごっこ』をしたことがあるという確証を得ようとした。ところが、ここで壁に当たってしまったのだ。雪穂と親しい子供たちに当たってみても、そんな遊びをしたことは一度もないという。また問題のビルでよく遊んだという子供たち何人かに訊いてみたが、女の子の姿を見たことがあるという者は一人もいなかった。その中の一人は、笹垣にこんなふうにいった。

「あんな汚いビルで、女が遊ぶわけないやろ。ネズミの死骸はあるし、変な虫がいっぱいおるねんで。おまけにダクトの中をいっぺん通ったら、服はどろどろや」

この意見には、笹垣としても首肯せざるをえなかった。また、何十回もダクトの中を這い回ったというある男子は、そもそも女子にあの遊びは無理ではないかという意見を述べた。彼によれば、ダクトの途中には急勾配や、時には何メートルもよじのぼらねばならないところもあり、余程体力と運動神経に自信がなければ、縦横無尽に動き回ることなどできないらしいのだ。

笹垣はその少年を現場に連れていき、死体が見つかった部屋からダクトを通って脱出できるかどうかを実験してみた。少年は約十五分かかって、ビルの玄関とは反対側にある排気ダクトから出てきた。

「めちゃくちゃしんどい」というのが少年の感想だった。

「途中にすごい登らなあかんところがある。腕の力がないと、たぶん上がられへんと思う。やっぱり女子には無理やで」

笹垣はこの少年の意見を無視する気にはなれなかった。もちろん小学生の女子の中には、体力的にも運動神経の面でも男子に劣らない者がいる。だが西本雪穂という少女のことを思い出すと、彼女がダクトの中を猿のように動き回ったとはとても思えなかった。笹垣が調べたかぎりでは、西本雪穂は特別優れた運動能力の持ち主というわけでもなさそうだった。

やはり十一歳の少女が人殺しの犯人というのは自分の妄想なのか、菊池少年の証言も子供の錯覚にすぎないのか——笹垣はそう思い直し始めていた。


「そのダクトがどういうものかは知りませんが、女の子がそういう遊びをするというのは、たしかに考えにくいですね。特に、それがあの唐沢雪穂ということになると」篠塚一成は考え込む顔つきでいった。雪穂のことを唐沢と旧姓で呼んだのは、単に癖が出ただけなのか、彼女が自分と同じ名字になったことを認めたくないからなのかは笹垣にはわからなかった。

「それですっかり行き詰まってしまいました」

「でも答えは見つかったんでしょう」

「これが答えやといいきっていいかどうかはわかりませんけどね」笹垣は二本目の煙草に火をつけた。「初心に返ってみたんです。いったん先入観を全部捨ててみました。すると、今まで全く見えてなかったものが見えてきました」

「というと？」

「簡単なことです」笹垣はいった。「女の子にはダクトを通るのは無理。つまりダクトを通って現場から脱出したのは男の子、ということです」

「男の子……」その言葉の意味を吟味するように少し黙ってから篠塚一成は訊いた。「桐原亮司がじつの父親を殺したと？」

「そう」笹垣は頷いた。「そういうことになります」

6

もちろん、すぐにそんな突飛な考えが浮かんだわけではなかった。ある些細なことがきっかけで、笹垣は桐原亮司という少年に改めて目を向けることになったのだ。

久しぶりに『きりはら』へ行った時のことだった。

笹垣は世間話を装って、松浦から生前の桐原洋介に関することをいろいろと聞き出そうとしていた。松浦は露骨にうんざりした態度を見せ、笹垣の質問に対しても、あまり熱心に答えようとはしなかった。一年以上、こうした訪問を受けていれば、愛想笑いを続けていられなくなるのも無理はない。

「刑事さん、もうここへ来ても何も出てきませんで」松浦は顔をしかめながらいった。

その時、カウンターの隅に一冊の本が置いてあるのが笹垣の目に留まった。彼はそれを手に取った。「これは？」と松浦に訊いた。

「ああそれはリョウちゃんの本ですわ」と彼は答えた。「さっき何かしている時に、ちょっとそこへ置いて、そのまま忘れたんでしょう」

「亮司君は、よう本を読むのかな」

「結構よく読んでますよ。その本は買《こ》うたみたいですけど、前は図書館にもよう行ってました」

「よう行ってた？　図書館に？」

はあ、と松浦は頷いた。それがどうしたんだ、という表情だった。

ふうん、と頷いて笹垣は本を元のところに置いた。胸騒ぎがし始めていた。

そこにあった本は『風と共に去りぬ』だった。笹垣たちが西本文代に会いに行った時、雪穂が読んでいた本だ。

共通点といえるほどのものかどうか、笹垣にもよくわからなかった。たまたま読書好きの小学生が二人いれば、同じ本を読んでいるということは大いにありうるだろう。それに雪穂と亮司は同時期に『風と共に去りぬ』を読んでいるわけではない。雪穂のほうが一年早く読んでいる。

しかし気になる偶然ではあった。笹垣はその図書館へ出向いてみた。桐原洋介の死体が見つかったビルから、北に二百メートルほど歩いたところに、小さな灰色の建物があった。それが図書館だった。

かつては文学少女だったろうと思わせる眼鏡をかけた図書館員に、笹垣は西本雪穂の写真を見せた。彼女は写真を見るなり、大きく頷いた。

「この女の子やったら、以前よく来ました。いつもたくさん借りていくから、よう覚えてます」

「一人で来るんですか」

「ええ、いつも一人でしたよ」そういってから図書館員は、小さく首を傾げた。「あっ、でも、時々友達と一緒におったこともありましたわ。男の子と」

「男の子？」

「はい、同級生みたいな感じでしたけど」

笹垣はあわてて一枚の写真を取り出した。それは桐原夫妻と亮司の写っているものだった。その亮司の顔を指して、彼は訊いた。「この子やないですか」

図書館員は眼鏡の奥の目を細めて写真を見た。

「ああ、そうですねえ、こういう感じの子でした。はっきりとは断言できませんけど」

「二人、いつも一緒にいたんですか」

「いつもではなかったと思います。時々、です。よく一緒に本を探してました。ああそれから、何か紙を切って遊んでたこともあります」

「紙を切って？」

「男の子のほうが、器用に何かの形に紙を切って、それを女の子に見せてました。切った紙を散らかさんといてねと注意した覚えがあります。でも、しつこいようですけど、この写真の子やったかどうかは断言はできませんよ。こういう感じの男の子やったというだけで」

自分の意見が何かの決定力を持つことを恐れたのか、図書館員の口調は慎重だった。だが笹垣は確信に近いものを得ていた。亮司の部屋で見た、見事な切り絵が瞼に浮かぶ。雪穂と亮司はここで会っていたのだ。事件が起きた時、二人には面識があった。

笹垣にとってそれは、世界がひっくり返るような話だった。事件に対する見方は一八〇度変わった。

ここで再び彼は、犯人がダクトから脱出したという推理にこだわることになる。

桐原亮司ならば、ダクトの中を動き回ることも可能だっただろう。事実、亮司の通う大江小学校で、三年と四年の時に彼と同じクラスだったという少年は、彼とよくダクトの中を動き回る遊びをしたといった。その少年によれば、亮司はビルの中をダクトがどのように走っているかを熟知していたらしい。

アリバイについてはどうか。桐原洋介の死亡推定時刻に、亮司は弥生子や松浦と共に自宅にいたことになっている。だが彼等が亮司を庇っている可能性は十分にあるのだ。それについて捜査陣が検討したことは一度もなかった。

しかし、である。

息子が父親を殺すということがあるだろうか。無論、犯罪の長い歴史の中には、そうした事件も数多く存在はする。だがそれほどの異常事態が起きるからには、それなりの背景、動機、そして条件が揃わねばならないはずだった。桐原父子の間に、その中のどれか一つでも存在しているかと問われれば、何ひとつないと笹垣としては答えざるをえなかった。彼が調べたかぎりでは、父と子の間に軋轢《あつれき》のようなものは見当たらなかったのである。それどころか、桐原洋介は一人息子を溺愛していたし、亮司は父親を慕っていたという証言が殆どだった。

やはり単なる想像なのかと、地道な聞き込みを続けながら笹垣は思った。闇の中に迷い込んでしまったという焦りが生んだ妄想に過ぎないのかと。

「人に話したところで、奇想天外な思いつきといわれるだけやということは自覚してました。それで亮司犯人説については、同僚の刑事にも上司にもいいませんでした。もし口にしてたら、頭がおかしなったと思われて、その時点で一線から退くことになってたかもしれませんな」

笹垣は苦笑混じりにいった。冗談半分、本気半分だった。

「それで、動機についてはどうなんですか。何か考えられるようなことはあったんですか」一成が訊いてきた。

笹垣はかぶりを振った。「その時点では見つかれへんかったと申し上げたほうがいいでしょうな。亮司が百万円欲しさに、まさか父親殺しまではせんでしょうから」

「その時点はなかった、ということは、今は何かあるということですね」

身を乗り出してきた一成を、まあまあ、と笹垣は手を出して制した。

「順番に話をさせてください。こんなような具合で、私の単独捜査も挫折してしもうたわけですけど、あの二人のことは、その後もずっと追いかけてはいたんです。というても、ずっと見張ってるというわけではありませんけどね。時々近所で聞き込みをして、どんなふうに育ってるかとか、どこの学校に行ってるかとかを、一応把握するようにはしておったんです。あの二人が、いつかどこかで、きっと接触すると思うたわけです」

「で、どうでした?」

一成の質問に対し、笹垣はわざと深いため息をついた。

「二人の接点を見つけることはできませんでした。上から見ても下から見ても、表から見ても裏から見ても、全くの赤の他人です。もしあのままの状態が続いていたら、さすがの私も諦めてたでしょうな」

「何かあったんですか」

「ありました。連中が中学三年の時にね」笹垣は煙草の箱に指を入れた。だが最後の一本を吸い終えたところだった。すると一成はテーブルの上にあったクリスタルケースの蓋を開けた。KENTがびっしりと入っていた。どうも、といって笹垣は一本取った。

「中学三年の時……というと、唐沢雪穂の同級生が襲われた事件と何か関係があるんですか」一成は、笹垣の煙草に火をつけながらいった。

笹垣は青年の顔を見返した。「あの事件のこと、御存じでしたか」

「今枝さんから聞いたんですよ」

中学時代にレイプ騒動があったことや、被害者を最初に見つけたのが雪穂だったことなどは今枝から教わったと一成はいった。さらに一成は、彼自身が学生時代に体験した同様の事件のことを話し、今枝は二つの出来事の共通項として雪穂のことを捉えていたらしいといった。

「さすがに本職の探偵さんですな。そこまで調べてはりましたか。私が今いおうとしたのも、そのレイプ事件のことです」

「やっぱり」

「ただし私は、今枝さんとはちょっと違う角度から見てますけどね。そのレイプ事件、結局犯人は捕まらんかったんですけど、一人容疑者はおったんです。ほかの中学の三年生でした。ところがアリバイが証明されて、その生徒の疑いが晴れたわけです。問題は、その容疑者とアリバイ証言をした人物です」笹垣は彼にとって高級な煙草の高級な煙を吐いて続けた。「容疑者の名前は菊池文彦。先程お話しした、死体を発見した少年の兄です。そしてアリバイ証言をしたのは桐原亮司でした」

えっ、と声を漏らし、一成はソファから身体を少し浮かせた。その反応に笹垣は満足した。

「奇々怪々な話ですよ、これは。偶然なんかで片づけられることやおません」

「どういうことなんです」

「じつは私がレイプ事件のことを聞いたのは、事件から一年以上経ってからなんです。菊池文彦君本人から聞きました」

「本人から……」

「例の死体発見絡みで、菊池兄弟とは顔見知りでしたからね。たまたま久しぶりに会うた時、そういえば一年前に変なことがあったというて、レイプ事件のこととか、その時に自分が疑われたことなんかを話してくれたんです」

笹垣が菊池文彦と出会ったのは、大江小学校のそばにある神社の前だった。彼はその時すでに高校生になっていた。学校でのことを少し話した後、彼が急に思い出したように、レイプ事件のことをいいだしたのだ。

「かいつまんでいうと、こういうことです。レイプ事件が起きた時、菊池君は映画を見てました。そのことが証明できずに困ってたわけですけど、桐原亮司が名乗り出てきたんです。映画館の向かいに小さな本屋があって、その日桐原はその店で、小学校時代の友達と一緒におったそうです。で、菊池君が映画館に入っていくのを偶然見かけたというわけです。警察は、桐原と一緒にいた友達にも確認をとりました。その結果、証言に嘘がないことがわかりました」

「それで無罪放免というわけですね」

「そうです。菊池君としては、ついてたと思ったそうです。ところがしばらくして、桐原から連絡がありました。自分に恩義を感じているんやったら、おかしなことをするなという内容でした」

「おかしなこと？」

「菊池君によれば、その頃彼は一枚の写真を友達から入手してました。そこには桐原の母親と質屋の店員が密会してる場面が写ってたらしいです。菊池君はその写真を桐原に見せたこともあるそうです」

「密会写真を……するとやはり二人はできていたわけですね」

「そうでしょうな。けど、とりあえずその話は横に置いときましょ」笹垣は頷き、煙草の灰を落とした。「桐原は菊池君に、その写真を自分に渡すことと、今後一切質屋殺しについては嗅ぎ回らんことを誓わせました」

「ギブアンドテイクというわけだ」

「そういうことです。ところがじっくりと出来事を振り返ってるうちに、そう単純な話ではなかったかもしれんという考えが菊池君の頭に浮かんできたんです。それで私に話す気にもなったみたいですな」

話しながら、菊池文彦のニキビ面を笹垣は思い出していた。

「単純でないというと」

「何もかも仕組まれたことやないか、というわけです」

笹垣の指の間では、煙草がすっかり短くなっていた。それでも彼は吸った。「そもそも菊池君が疑われたのは、現場に彼のキーホルダーが落ちてたからでした。しかし菊池君によると、そんなところに行った覚えはないし、そのキーホルダーにしてもそう簡単に落ちるようなものやなかったそうです」

「桐原亮司がキーホルダーをこっそり盗み、現場に落としておいたと？」

「菊池君はそう疑ってるみたいでした。真犯人は桐原本人やというわけです。映画館の前で友達と一緒に菊池君の姿を目撃した後、自分はすぐに現場に行って、目をつけてた女の子を襲う。その上で菊池君に疑いがかかるよう、証拠を残しておく」

「菊池君がその日映画館に行くということを、桐原は知っていたのですか」一成は当然の疑問を口にした。

「問題はそこです」笹垣は人差し指を立てた。「菊池君としては、そのことを桐原に話した覚えはないそうです」

「じゃあ、桐原がそういうトリックを仕掛けることは不可能じゃないですか」

「そういうことになりますな。菊池君の推理も、そこで行き詰まってるみたいでした」

けどやっぱりあいつが仕組んだことみたいな気がするねんけどな——悔しそうにそういった菊池文彦の表情を、笹垣は今でも鮮明に思い出すことができた。

「ただ私としても気になりましたからね、菊池君の話を聞いた後、そのレイプ事件について記録を調べてみたんです。そうしたらびっくりすることが出てきました」

「唐沢雪穂が絡んでたというわけだ」

「そういうことです」笹垣は深く頷いた。「被害者は藤村都子という女の子ですけど、発見者は唐沢雪穂やったんです。これは絶対に何かあると思いました。それでもう一度菊池君に会うて、詳しいことを確認してみたんです」

「詳しいことというと？」

「あの日、彼が映画に行った経緯についてです。そうしたら、面白いことがわかりました」

喉が渇いたので、笹垣は冷たくなったコーヒーを飲み干した。「当時菊池君のおかあさんは市場の菓子屋で働いてたそうですけど、そのおかあさんが客から映画の特別優待券をもらってきたらしいです。しかもその頃菊池君が見たがってた、『ロッキー』とかいう映画の券でした。ただし、有効期間はその日までやったんです。そうなったら、彼としてはその日に見に行くしかありませんわな」

ここまで聞いて、一成は笹垣の意図を悟ったようだ。

「その特別優待券をくれた客というのは？」

「名前はわかりません。けどおかあさんがこういってたのを菊池君は覚えてました。品のいい身なりをした、中学三年か高校生ぐらいの女の子やった――」

「唐沢雪穂……」

「――と考えることは突飛やないと思いますな。菊池君の口を封じるために、唐沢雪穂と桐原亮司がレイプ事件を仕組んだと考えたら、奇麗に辻褄が合います。そのために関係のない女の子を犠牲にしたというのは、冷酷としかいいようがありませんけど」

「いや、その藤村という女の子も、全く無関係とはいえないかもしれませんよ」

この言葉に、笹垣は相手の顔を見直した。「といいますと？」

「その女の子を選んだことにも、それなりの理由があったというわけです。これは今枝さんから聞いたことですが」

一成は、襲われた女子生徒が雪穂に対抗心を持っていたこと、雪穂の経歴について吹聴していたこと、ところが事件を境にすっかり雪穂に従順になったらしいことなどを話した。いずれも笹垣の知らないことだった。

「それは初耳でしたな。なるほど、あの事件は唐沢と桐原が同時に目的を果たす、一石二鳥の計画やったわけや」笹垣は唸り声を上げていた。それを止めてから篠塚を見た。

「こんなことは申し上げにくいんですけど、先程の篠塚さんのお話にあった学生時代の事件、ほんまに偶然起きた事件なんですかねえ」

一成は笹垣を見返した。「唐沢雪穂が意図したものだったと？」

「そうでないとはいいきれません」

「今枝さんも、そんな推理を述べておられました」

「そうですか、やっぱり」

「もしそうだとしたら、どうしてそんなことを……」

「そういうやり方が、相手の魂を奪う手っ取り早い方法やと信じてるからです」

「魂を奪う……」

「はい。で、あの二人がそう信じる根元に、たぶん質屋殺しの動機がある」

一成が目を見張った時、机の上の電話が鳴りだした。

7

篠塚一成は舌打ちをした。ちょっと失礼、といって彼は席を立った。

低い声でぼそぼそと何かをしゃべった後、彼はすぐに戻ってきた。「すみませんでした」

「お時間は大丈夫ですか」

「ええ、平気です。今の電話は会社の仕事ではなく、僕が個人的に調査している件でして」

「調査？」

「ええ」一成は頷いてから、ほんの少し逡巡の気配を見せたが、やがて口を開いた。「先程笹垣さんは僕に対して、出世しましたね、とおっしゃいましたよね」

はあ、と笹垣は答える。何かいけないことをいったのかと思った。

「じつはね、これは一種の左遷なんです」

「左遷？　まさか」笹垣は笑った。「篠塚一族の御曹司が」

だが一成は笑わなかった。

「笹垣さんはユニックス製薬という会社を御存じですね」

「知ってますけど」

「去年から今年にかけて、じつに奇妙なことが続いたんです。うちとユニックスとは、かなり多くの分野で競合しているんですが、いくつかの研究に関して、篠塚薬品の社内情報があっちに漏れている節があるのです」

「えっ、そんなことが」

「ユニックスからの内部告発で明らかになったことです。もっともユニックス自体は認めていませんがね」そういって一成は薄笑いを浮かべた。

「研究業務に携わっていると、いろいろ複雑なこともあるんですなあ。しかし、なぜ篠塚さんが？」

「そのユニックスからの内部告発によると、情報提供者は僕ということになっているらしいんですよ」

　一成の言葉に、笹垣は目を剝いた。「嘘でしょう？」

「嘘だろ、ですよ。全く」彼は頭をゆらゆらと振った。「何が何だか、さっぱりわけがわかりません。その内部告発者の正体についても、はっきりしたことはわかっていないんです。電話と郵便だけで接触してきましたからね。ただ、篠塚薬品の内部情報が持ち出されているのはたしかなようでした。告発者が送ってきた資料を見て、研究開発の連中は青くなっていました」

「しかし篠塚さんがそんなことをするはずがない」

「何者かに罠にはめられたということでしょう」

「お心当たりは？」

「ありません」一成は即座に否定した。

「そういうことでしたか。しかし、それが原因で左遷というのは、どうにも……」笹垣は首を捻った。

「役員たちも、まさかとは思ってくれているようでした。しかしこうした問題が起きると、会社としては何らかのアクションをとらねばなりませんからね。それに、罠にはめられるということは、それなりの原因が当人にあるからだという意見もありました」

　笹垣はいうべき言葉が思いつかず、ただ唸った。

「それからもう一つ」といって一成は指を一本立てた。「役員の中に一人、僕のことを遠くにやりたいと思っている人間がいました」

「それは……」

「従兄の康晴です」

「ああ……」そういうことか、と笹垣は合点がいった。

「自分の婚約者に対してあれこれいう邪魔者を追い出す、いいチャンスだと思ったようです。まあ僕には一応、この異動は一時的なもので、すぐに呼び戻すといってくれましたがね。一体いつのことになるやら」

「そうしますと、調査というのは」

　笹垣の問いに、一成は厳しい顔つきに戻った。

「ええ、内部情報がどのようにして漏れたのかを調べているわけです」

「何かわかりましたか」

「ある程度は」と一成はいった。「犯人はコンピュータに侵入したようです」

「コンピュータに？」

「篠塚薬品ではコンピュータ化が進んでいましてね、社内すべてがネットワークで繋がれているだけでなく、社外のいくつかの研究施設とも常時データのやりとりができるようになっているんです。どうやらそのネットに侵入された模様です。いわゆるハッカーというやつです」

　笹垣はどう答えていいかわからず黙り込んだ。苦手な分野の話だった。

一成はそんな元刑事の内心を悟ったようだ。口元に笑みを浮かべていった。

「難しく考えなくてもいいです。要するに、電話回線を通じて篠塚薬品のコンピュータに悪さをしたということです。これまでの調査で、どこから入ってきたかは、大体判明しました。帝都大学薬学部のコンピュータが中継点になっていました。つまり犯人は一旦帝都大のシステムに侵入し、改めてそこから篠塚薬品のコンピュータに入り込んだわけです。ただし、犯人がどこから帝都大のシステムに入ったかを突き止めるのは至難の業でしょうけどね」

「帝都大学……ですか」

どこかで聞いたような気がした。少し考えて、菅原絵里とのやりとりを思い出した。今枝を訪ねてきた女性客が、帝都大学付属病院の薬剤師だったという話だ。

「薬学部とおっしゃいましたね。すると付属病院の薬剤師なんかも、そのコンピュータを使うんでしょうか」

「ええ。使える体制にはなっているはずです。ただ篠塚薬品のコンピュータが社外の研究施設と繋がっているといっても、すべての情報をオープンにしているわけじゃありません。システムのあちこちに防壁が設けてあって、社外秘などは外部に漏れないようになっているはずなんです。ですから犯人は、コンピュータについて相当な知識を持っている人間ということになります。たぶんプロでしょう」

「コンピュータのプロ、ですか」

笹垣の頭の中で、何かが引っかかった。コンピュータのプロには、一人だけ心当たりがある。今枝の事務所にやってきたという帝都大付属病院の薬剤師、篠塚一成を罠にかけた謎のハッカー――単なる偶然か。

「どうかしましたか」一成が怪訝そうに訊いてきた。

「いや」笹垣は手を振った。「何でもありません」

「変な電話のせいで、話が途切れてしまいましたね」一成は座った状態で背筋を伸ばした。「よろしければ話の続きを」

「ええと、どこまで話しましたかな」

「動機のことです」と一成はいった。「それが彼等の考えの根元になっている、とか」

「そうでしたな」笹垣も姿勢を正した。

8

それはエアポケットのような時間だった。

土曜日の午後。美佳は部屋で音楽を聞きながら雑誌を読んでいた。いつもと変わらぬ時間だった。ベッドの横のサイドテーブルには、空になったティーカップと、クッキーが少し載った皿が置いてある。二十分ほど前に、妙子が持ってきてくれたものだ。

その時に彼女はいった。

「美佳さん、私これからちょっと出かけますけど、お留守番お願いしますね」

「鍵はかけていってくれるんでしょ」

「ええ、それはもちろん」

「だったらいいよ。誰が来ても出ていかないから」ベッドで寝そべって雑誌を読みながら、美佳は答えた。

妙子が出かけると、広い邸宅で美佳は一人きりになった。康晴はゴルフだし、雪穂は仕事だ。そして弟の優大は祖父の家へ遊びに行って、今夜は泊まってくるらしい。

別段珍しいことではなかった。実の母親が死んで以来、しょっちゅう一人ぼっちにされる。最初は寂しかったが、今では一人のほうが気楽だ。少なくとも、あの雪穂と二人きりにされるよりはずっといい。

ＣＤを入れ替えようと起き上がった時だった。廊下から電話の音が聞こえてきた。彼女は顔をしかめた。友達からなら楽しいが、たぶんそうではないだろう。この家には回線が三本ある。一本は康晴専用。一本は雪穂専用。そして残る一本が篠塚家全体のものだ。早く自分専用の電話が欲しいと康晴にねだっているが、なかなか聞き入れてもらえない。

美佳は部屋を出て、廊下の壁に引っかけてあるコードレス電話機の子機を取り上げた。「はい、篠塚ですけど」

「あ、もしもし。カッコウ運送ですけど、篠塚美佳さんはいらっしゃいますか」男の声がした。

あたしですけど、と彼女は答えた。

「あ、えーと、菱川朋子《ひしかわともこ》さんからのお荷物をこれからお届けしたいんですけど、いいですか」

これを聞いた時、おかしいな、と美佳は思った。宅配便を届ける時、こんなふうに事前に了解を得ることなどあっただろうか。だがそういう特別なシステムの配達方法なのかと思い、彼女はそれ以上深くは考えなかった。それよりも菱川朋子という名前を聞いて興味が湧いた。朋子は中学二年の時の同級生だった。今年の春に、父親の仕事の都合で名古屋に引っ越していた。

いいですよ、と彼女は答えた。では今すぐ伺います、と電話の相手はいった。

電話を切ってから数分して、チャイムの音がした。リビングルームで待っていた美佳は、インターホンの受話器を上げた。テレビカメラには、運送屋の制服を着た男性が映っていた。みかん箱ぐらいの大きさの箱を両手で抱えている。

「はい」

「どうも、カッコウ運送です」

「どうぞ」美佳は解錠ボタンを押した。これで門の横の通用口のロックが外れるのだ。

　印鑑を手に、玄関ホールに出ていった。間もなく、二度目のチャイムが鳴った。美佳はドアを開けた。段ボール箱を持った男がすぐ外に立っていた。

「どこに置きましょう。結構重いんですけど」と男はいった。

「じゃあここに置いてください」美佳は玄関ホールの床を指した。

　男が入ってきて、そこに段ボール箱を置いた。男は眼鏡をかけ、帽子を深くかぶっていた。「印鑑をお願いします」

　はい、と答えて彼女は印鑑を構えた。男が伝票を出してくる。「これにお願いします」

「どこに押せばいいんですか」彼女は男のほうに近づいた。

「ここです」男も彼女に近づいてきた。

　美佳は印鑑を押そうとした。

　その時突然、目の前から伝票が消えた。

　あっと声を出しそうになった時、その口が何かで塞がれた。布のようなものだ。驚きのあまり、彼女は息を吸い込んだ。その瞬間、意識が遠くなった。


時間の感覚がおかしくなっていた。ひどい耳鳴りがする。だがそれも意識がある時だけだ。意識は感度の悪いラジオのように、頻繁に途切れた。身体は全く動かない。手足が自分のものでなくなっていた。

　夢か現実かわからない中で、激痛だけは自覚していた。それが自分の身体の中心にあることに、すぐには気づかなかった。あまりに痛みがひどく、全身が痺れるような感じだったのだ。

　男がすぐ目の前にいる。顔はよくわからない。息がかかっている。熱い息だ。

　彼女は犯されていた——。

　それはじつは美佳自身の認識でもあった。自分の身体が凌辱《りょうじょく》されていることを理解しながら、まるで遠くからそれを見ているような気持ちになっていた。そしてそんな自分を、さらにもう一段階上の意識が観察していて、あたしはどうしてこんなにぼんやりしているんだろう、などと考えている。

　無論その一方で、これまでに体験したことのない巨大な恐怖が彼女を包み込んでいた。底に何があるのかわからない深い穴に落ちていく恐怖だった。この地獄がいつまで続くのかという恐怖だった。

　嵐がいつ去ったのか、彼女にはよくわからなかった。

その時には意識を失っていたのかもしれない。

　まず視力がゆっくりと正常になっていった。ずらりと並んだ鉢植えが見えた。サボテンの鉢植えだ。雪穂が大阪の実家から持ってきたものだという。

　次に聴覚が戻ってきた。どこかで車の音がする。風の音も聞こえる。

　不意にここが屋外であることを認識した。庭にいる。美佳は芝生の上で寝かされていた。ネットが見える。康晴がゴルフの練習をする時に使うものだ。

　美佳は上体を起こした。全身が痛かった。切り傷の痛みがあり、打ち身の痛みがあった。そしてそのどちらでもない、内臓をえぐられた後のような鈍く重い痛みが、身体の中心にあった。

　空気の冷たさを意識した。それで自分が殆ど裸に近い状態であることに気づいた。身に着けているものはあったが、それはもはやボロ布に過ぎなかった。このシャツ、お気に入りだったのにと、またしても別の意識が冷めた感想を抱いた。

　スカートは穿いていたが、下着が脱がされていることは見なくてもわかった。美佳はぼんやりと遠くを見た。空が赤みを帯びかけていた。

「美佳さんっ」突然声がした。

　美佳は声のしたほうに首を回した。雪穂が駆け寄ってくるところだった。その光景もまた現実感のない思いで彼女は眺めていた。

9

　コンビニエンスストアの袋が指に食い込んだ。ミネラルウォーターのペットボトルと米袋が重いのだ。それらを持った状態で、玄関のドアを苦労して開けた。

　ただいま、といいたくなる。しかし声は出さなかった。その声を聞いてくれる人間が奥にはもういないことを知っている。

　栗原典子は買ってきたものをとりあえず冷蔵庫の前に置くと、奥の洋室のドアを開けた。部屋の中は暗く、空気は冷えきっていた。薄い闇の中に、白いパソコン機器が浮かび上がる。以前はいつもディスプレイが光を放ち、本体からはファンの音が漏れていた。今はそのどちらもない。

　典子はキッチンに戻り、買ってきたものを整理した。生もの、冷凍ものは冷蔵庫へ。乾物は隣の棚へ。冷蔵庫を閉める前に、三五〇cc入りの缶ビールを一つ取り出した。

　和室に行くと、テレビをつけ、電気ストーブのスイッチもオンにする。部屋が暖まるのを待つ間、隅に丸めて置いてあった毛布を膝にかけた。テレビの中ではお笑いタレントたちがゲームに挑戦していた。最も成績の悪いタレントが罰としてバンジージャンプをやらされるという趣向になっている。低俗な番組だ、と思う。以前の彼女なら決して見なかっただろう。今は、このばかばかしさがありがたかった。深刻な気持ちにさせられるものなど、こんなに薄暗く寒い部屋で、一人ぼっちで見たくはなかった。

　缶ビールのプルトップを開け、ごくりと飲んだ。冷えた液体が喉から胃袋へと流れていく。全身に鳥肌が立ち、震えが走った。しかしそれが快感でもある。だから冬になっても冷蔵庫の中にビールを欠かさないでいる。昨年の冬と同じだ。彼は寒い時ほどビールを飲みたがった。神経が研ぎすまされるのだといっていた。

　典子は膝を抱えた。夕食をとらなければ、と思う。何も特別な調理をする必要はないのだ。先程コンビニエンスストアで買ってきたものを電子レンジで温めるだけでいい。だがたったそれだけのことがひどく面倒だった。気力が湧いてこない。それに何より、食欲が全くなかった。

　テレビのボリュームを上げた。部屋に音がないと、寒さが増すような気がした。電気ストーブに少し近づく。

　原因はわかっている。自分は寂しいのだ。静かな部屋でじっとしていると、孤独感につぶされそうになる。

　前はこうではなかった。一人のほうが気楽だし、快適だった。そう思ったからこそ、結婚情報サービス会社との契約も解除した。

　しかし秋吉雄一との生活が、そんな典子の思いを一変させた。愛する人間と一緒にいる喜びを、彼女は知ってしまった。いったん与えられたものを奪われるということは、元々それがなかった頃に戻ることではない。

　典子はビールを飲み続けた。彼のことを思い出すまいとした。しかし頭の中に浮かぶのは、パソコンに向かっている彼の後ろ姿ばかりだった。当然のことだ。この一年間、彼のことだけを考え、彼のことだけを見てきたのだ。

　缶ビールはたちまち空になった。彼女はそれを両手で潰すと、テーブルの上に置いた。そこには同じように潰された缶がすでに二つ載っていた。昨日の分と一昨日の分だ。このところ、部屋の掃除もろくにしていない。

　とりあえずコンビニの弁当でも食べよう——そう思って重い腰を上げた時、玄関のチャイムが鳴った。

　ドアを開けると、くたびれたコートを着た初老の男性が立っていた。体格がよく、目つきが鋭い。典子は直感的に男の職業を察知していた。いやな予感がした。

「栗原典子さんですね」男は尋ねてきた。関西弁のアクセントだった。

「そうですけど、あなたは？」

「ササガキというものです。大阪から来ました」男は名刺を出してきた。笹垣潤三と印刷されていた。しかし肩書きはない。それを補うように彼は付け足した。「この春まで刑事をしておりました」

やはりそうか、と典子は直感が正しかったことを確認した。

「じつはお伺いしたいことがあるんです。ちょっとよろしいですか」

「今すぐですか」

「ええ。すぐそこに喫茶店がありますよねえ。あそこでも」

どうしようかなと典子は思った。知らない男を部屋に上げることには抵抗がある。しかし今から外に出るのは億劫だった。

「何についての話でしょうか」と彼女は訊いてみた。

「それはまあいろいろと。特に、今枝探偵事務所に行かれたことについて」

あっ、と彼女は思わず声を漏らしていた。

「行きはったでしょ。新宿の今枝さんのところへ。そのことについて、まずちょっとお訊きしたいんです」自称元刑事は愛想笑いをした。

不安な思いが彼女の胸に広がった。この男は何を訊きに来たのだろう。だが一方で、何かを期待する気持ちもある。彼について何か手がかりが得られるのではないか。

数秒間迷ってから、彼女はドアを大きく開けた。「どうぞ、お入りになってください」

「よろしいんですか」

「ええ、散らかってますけど」

では遠慮なく、といって男は入ってきた。年老いた男の匂いがした。

典子が今枝探偵事務所に行ったのは九月のことだった。その約二週間前に、秋吉雄一は彼女の部屋から姿を消していた。前触れらしきものは何もなく、突然いなくなったのだ。何かの事故に遭ったわけでないことはすぐにわかった。ドアの郵便受けに、この部屋の鍵を入れた封筒が入っていたからだ。彼の荷物は殆どそのままだったが、元々大した数ではないし、貴重品もなかった。

秋吉がここに住んでいたことを示す唯一のものはパソコンだった。しかし典子はそれを扱うことができなかった。悩んだ末彼女は、パソコンに詳しい友達を家に招き、不審に思われるのを承知で、彼のパソコンの中に何が入っているのか調べてもらうことにした。フリーライターをしている友人は、パソコン本体だけでなく、放置してあったフロッピーディスクなども調べていたが、「だめだよ、典子。何も残ってないよ」と結論づけた。彼女によれば、システムそのものが真っ白な状態だし、フロッピーもすべて空っぽだということだった。

　典子は何とか秋吉の居場所を突き止める方法がないものかと考えた。思い出したのは、いつか彼が持っていた空のファイルだった。あれには今枝探偵事務所と記されていた。

　電話帳で調べると、その事務所はすぐに見つかった。何かわかるかもしれない、そう思うとじっとしていられなかった。典子は翌日には新宿へ出かけていた。

　だが残念ながら彼女は、かけらほどの情報も手に入れることはできなかった。秋吉という人物に関する記録は、依頼人としても調査対象としても残っていないというのが、若い女性事務員からの返答だった。

　これでもう彼を探す道はなくなった――典子はそう思っていた。それだけに、笹垣が探偵事務所からのルートで会いに来たというのは、意外なことだった。

　笹垣の質問は、彼女が今枝探偵事務所へ行ったことに関する事実確認から始まった。典子は少し迷ったが、事務所へ行くに至った経過を、かいつまんで話した。同居していた男が突然いなくなったという話には、笹垣も少し驚いたようだ。

「今枝探偵事務所の空のファイルを持っていたというのが奇妙ですな。それで、全く何の手がかりもなしなんですか。その男性の知人友人とか、家族には連絡したんですか」

　彼女はかぶりを振った。

「連絡しようにも、連絡先がわかりません。あの人については、あたし何も知らなかったんです」

「妙な話ですなあ」笹垣は当惑しているようだ。

「あのう、笹垣さんは一体何をお調べになっているんですか」

　典子が訊くと、彼は少し逡巡する様子を見せた後でいった。

「じつは、これもまた変な話なんですけど、今枝さん自身が行方不明なんです」

「えっ」

「それでいろいろと紆余曲折があって、私が行方を調べることになってしもうたわけですが、全く手がかりがありません。そんなわけで、藁《わら》にもすがる気持ちでこうして栗原さんのところへ来たというわけです。どうもすみません」笹垣は白髪混じりの頭を下げた。

「そうだったんですか。あの、今枝さんはいつ頃から行方不明に？」

「去年の夏です。八月です」

「八月……」

　典子はその頃のことを思い出し、はっと息をのんだ。秋吉が青酸カリを持って、どこかへ出かけていったのがその頃だ。そして帰ってきた時に持っていたファイルに、今枝探偵事務所の名が書かれていたのだ。

「どうかされましたか」元刑事が目敏《めざと》く気づいて尋ねてきた。

「あ、いえ、何でも」典子はあわてて手を振った。

「ところで」笹垣がポケットから一枚の写真を取り出してきた。「この男性に見覚えはありませんか」

　写真を受け取り、そこに写っている男の顔を見た途端、彼女は声をあげそうになった。幾分若い感じだが、秋吉雄一に間違いなかった。

「どうですか」と笹垣は訊いてきた。

　典子は心臓が跳ねるのを抑えるのに苦労した。頭の中で様々な考えが飛び交った。本当のことをいったほうがいいのか。だが元刑事が写真を持ち歩いているという事実が気になった。秋吉は何かの容疑者ということか。今枝殺しの？　まさか。

「いいえ、知らない人です」彼女はそう答えながら写真を返した。指先が震える。頬が赤くなっているのが自分でもわかった。

　笹垣はそんな典子の顔をじっと見つめてきた。刑事の視線になっていた。彼女は思わず目をそらした。

「そうですか。それは残念」笹垣は柔らかい口調でそういって、写真をしまった。「さてと、ではこのへんで失礼します」腰を上げてから、ふと思い出したようにいった。「一応、その人の持ち物を見せていただけますか。何かの参考になるかもしれませんので」

「えっ、持ち物をですか」

「はい。いけませんか」

「いえ、構いませんけど」

　典子は笹垣を洋室に案内した。彼はすぐにパソコンに近づいた。

「ははあ、秋吉さんはパソコンをお使いになれたんですか」

「ええ。小説を書くのに使っていたようです」

「ほう。小説をね」笹垣はパソコンやその周りを、じろじろと眺め回した。「ええと、秋吉さんが写っている写真はありませんか」

「あ……写真はないんです」

「小さいものでもええんですよ。顔さえわかれば」

「それが、あの、本当に一枚もないんです。撮らなかったんです」

　嘘ではなかった。典子は何度か二人で撮ろうと思ったことがあるが、そのたびに秋吉が拒絶したのだ。だから彼がいなくなった今は、思い出すことでしか彼の姿を蘇らせることができない。

笹垣は頷いていたが、明らかに何かを疑っている目だった。どんな考えがその頭の中で巡らされているのかと思うと、ひどく不安になった。

「じゃあ何か、秋吉さんが手書きされたものはないですか。メモとか日記とか」

「そういうものはなかったと思います。あったとしても、ここには残っていません」

「そうですか」笹垣はもう一度部屋を見回してから、典子を見てにっこり笑った。「わかりました。どうもすみませんでした」

お役に立てなくて、と彼女はいった。

笹垣が玄関で靴を履いている間、典子の中では迷いが渦巻いていた。この人は秋吉について何かを知っている。それを訊いてみたい。しかしあの写真の人物が秋吉であることを話すと、秋吉にとって取り返しのつかない結果になるような気もした。もう会えないと覚悟していても、彼は彼女にとってこの世で最も大切な人間だった。

靴を履き終えた笹垣が、彼女のほうを向いた。「お疲れのところすみませんでした」

いえ、と典子はいった。喉が詰まったような感じになった。

その直後だった。最後の見直しをするように室内を見回していた笹垣の目が、ある一点で止まった。「おや、それは？」

彼が指しているのは冷蔵庫の横だった。小さな棚があり、その上に電話やメモなどが乱雑に載っている。

「それはアルバムやないんですか」と彼は訊いた。

ああ、と典子はいい、彼が目をつけたものに手を伸ばした。写真屋で貰った、簡単な写真入れだ。

「大したものじゃありません」と典子はいった。「去年、大阪に行った時のものです」

「大阪に？」笹垣の目が光ったようだ。「見せてもらえますか」

「いいですけど、人は写ってませんよ」彼女は写真入れを彼に渡した。

秋吉に連れられて大阪に行った時、典子が一人で撮影したものだ。いかがわしいビルや、ただの民家などが写っているだけで、見て楽しいというものでもない。ほんの悪戯心から撮っただけのものだ。これらの写真を秋吉に見せたこともない。

ところが笹垣の様子がおかしくなった。写真を見る目が大きく剝かれた。口が半開きのままで固まっている。

「あの……それが何か？」彼女は訊いた。

笹垣はすぐには答えず、しばらく写真を睨んでいた。やがて開いていたページを彼女のほうに向けた。

「この質屋の前に行きはったわけですな。なんで、この質屋の写真を撮ったんですか」

「それは……別に、大した意味はありません」

「このビルも気になりますな。どこが気に入って、写真を撮ろうという気になったんですか」

「それが、どうかしたんですか」声が震えた。

笹垣は胸ポケットに手を入れ、先程の写真を出した。秋吉の顔写真だ。

「ええことを教えてあげましょ。ここに写っている質屋の看板には『きりはら』とありますわな。この男の名字が、きりはら、です。きりはらりょうじ、が本名です」

10

手足の先が氷のように冷たかった。ベッドに入って、いくら待っていても、少しも暖かくなってくれなかった。美佳は枕に頭を埋め、猫のように身体を縮こまらせた。

奥の歯が、かちかちと鳴っている。全身の震えは止まらなかった。

目を閉じて、眠ろうとする。しかし眠りに入りかけると同時に、顔のない男にのし掛かられる夢を見る。恐怖のあまり目を覚ます。身体中から冷や汗が出て、胸が潰れそうになるほど心臓が暴れる。その繰り返しだ。

もう何時間同じことをしているのだろう。やすらぎを得られる時は来るのだろうか。

今日の出来事が、現実に起こったことだとは信じたくなかった。昨日や一昨日と同じように、何も変わらぬ一日だったと思いたかった。しかしあれは夢ではない。下腹部に残る鈍い痛みがその証だ。

「あたしに任せて。美佳さんは何も考えなくていいから」雪穂の声が耳に蘇る。

あの時彼女がどこから現れたのか、美佳はよく覚えていない。彼女に対してどんなふうに事情を話したのかもさだかではない。たぶんあの時は何も話せなかったはずだ。しかし雪穂は何が起きたのかを瞬時に察知したらしかった。気がつくと美佳は服を着せられ、雪穂のＢＭＷに乗せられていた。雪穂は車を運転しながら、どこかへ電話をかけていた。彼女の口調が速くなっていることと、美佳自身の思考能力が鈍っていることから、その話の内容を理解することは美佳にはできなかった。ただ、「絶対に極秘で」と雪穂が繰り返していたことはおぼろげに覚えている。

連れて行かれたところは病院だった。だが正面玄関からではなく、裏口のようなところから中に入った。なぜ表から入らないのだろうというような疑問は、その時は湧かなかった。美佳の魂は彼女の身体にはなかったのだ。

検査が行われたのか、何らかの治療らしきことが行われたのか、美佳自身にはよくわからない。彼女はただ身体を横たえ、じっと目をつぶっていただけだ。

一時間後には病院を後にしていた。

「身体のことは、これでもう何も心配しなくていいからね」車を運転しながら雪穂は優しくいった。何と答えたのか、美佳は覚えていない。おそらく黙ったままだったのだろう。

雪穂は警察への通報については、一言も触れなかった。それどころか、詳しい事情を美佳から聞き出そうとさえしなかった。それらのことは彼女にとって些細なことででもあるかのようだった。それが美佳としてはありがたかった。とても話などできる状態ではなかったし、何が起きたのかを見知らぬ人間に知られるのは怖かった。

家に帰ると、康晴の車が車庫に戻っていた。それを見た途端、心が押し潰されそうになった。パパにこのことを何と話したらいいだろう――。

すると雪穂が、この程度の嘘は何でもないという顔でいった。「おとうさんには、ちょっと風邪気味だから、病院に連れていってきたと話しておくわね。夕食も、妙さんにお願いして、お部屋に運んでもらいましょう」

この時美佳は、すべてが二人だけの秘密になるのだと知った。自分がこの世で一番嫌いな女性との、二人だけの秘密に――。

康晴を前にした雪穂の演技は見事だった。彼女は美佳に話したとおりの説明を夫にした。康晴は少し心配そうな顔をしたが、「大丈夫。病院でお薬をもらってきたから」という妻の台詞に安心したようだった。そして美佳の明らかにいつもと違う様子についても、格別疑問を抱いたふうでもなかった。むしろ、美佳が日頃嫌っている雪穂に連れられて病院に行ったという事実に満足しているようだった。

その後は美佳はずっと部屋にいた。雪穂に指示されたらしく、夕食は妙子が運んできてくれた。妙子がテーブルに料理を並べている間、美佳はベッドの中で眠っているふりをした。

食欲などまるでなかった。妙子が出ていった後、美佳はスープとグラタンを少しずつ胃に入れてみたが、今にも吐き戻しそうになり、食べるのをやめた。その後はずっとベッドの中で丸くなっている。

夜が深まるにつれ、恐怖は徐々に増大した。部屋の明かりはすべて消していた。暗闇の中に一人でいるのは怖いが、明かりの中に自分の姿を晒しているのはもっと不安だった。誰かが自分のことを見ているような気がするのだ。海の小魚のように、岩陰でひっそりと生きていたかった。

一体今は何時なのだろう。夜明けまで、どれほどの苦痛を味わわねばならないのだろう。そしてこんな夜がこれからいつまで続くのだろう――不安に押しつぶされそうになり、彼女は親指を嚙んだ。

その時だった。かちゃり、とドアのノブの回る音がした。

ぎくりとし、美佳はベッドの中から入り口を見た。ドアが静かに開くのが、闇の中でもわかった。誰かが入ってくる。銀色のガウンがかすかに見える。「誰？」と美佳は訊いた。声がかすれた。

「やっぱり起きてたのね」雪穂の声が聞こえた。

美佳は目をそらした。忌まわしい秘密を共有する相手に、どういう態度をとっていいかわからなかった。

雪穂が近づいてくる気配があった。美佳は横目で見た。雪穂はベッドの足元に立っていた。

「出ていって」と美佳はいった。「ほうっておいて」

雪穂は何も答えなかった。黙ったままガウンの紐をほどき始めた。するりとガウンを脱ぎ捨てると、白い裸体がぼんやりと浮かび上がった。

美佳が声を出す間もなく、雪穂はベッドの中にもぐりこんできた。美佳は逃げようとした。しかし強引に押さえ込まれた。思ったよりも、ずっと強い力だ。

ベッドの上で美佳は大の字にされた。その上にのしかかってくる。豊かな乳房が二つ、美佳の胸の上で揺れた。

「やめて」

「こんなふうにされたの？」雪穂は訊いてきた。「こんなふうに押さえ込まれたの？」

美佳は顔をそむけた。するとその頰を摑まれ、ぐいと戻された。

「目をそらさないで。こっちを見なさい。あたしの顔を見て」

美佳はおそるおそる雪穂を見た。ややつり上がり気味の大きな目が、美佳を見下ろしていた。息がかかりそうなほど、顔が近くにある。

「眠ろうとすると、襲われた時のことが蘇るんでしょう？」雪穂はいった。「目を閉じるのが怖くて、眠って夢を見るのも怖い。そうでしょう？」

うん、と美佳は小さく返事した。雪穂は頷いた。

「今のあたしの顔を覚えておきなさい。男に襲われた時のことを思い出しそうになったら、あたしのことを思い出すのよ。あたしにこんなふうにされたことを」雪穂は美佳の身体に跨り、彼女の両肩を押さえ込んだ。美佳は全く動けなくなった。「それとも、あたしの顔を思い出すくらいなら、襲った男のことを思い出したほうがまし？」

美佳は首を横に振った。それを見て、雪穂はかすかに微笑んだ。

「いい子ね。大丈夫。すぐに立ち直れる。あたしが守ってあげるから」雪穂は両手で美佳の頬を包み込んだ。そして肌の感触を楽しむように、掌を動かした。「あたしもね、あなたと同じ経験があるの。ううん、もっとひどい経験」

美佳は驚いて声を出そうとした。その唇に、雪穂が人差し指を当てた。

「今の美佳さんよりも、もっと若い頃よ。まだ本当に子供。でも子供だからといって、悪魔に襲われないとはかぎらないのよね。しかも悪魔は一匹じゃなかった」

うそ、と美佳は呟いた。だが声にならなかった。

「今のあなたは、あの時のあたし」雪穂は美佳に覆い被さってきた。両腕で美佳の頭を抱きかかえてきた。「かわいそうに」

その瞬間、美佳の中で何かが弾けた。これまで断ち切られていた何かの神経が繋がるような感覚があった。その神経を通じて、悲しみの感情が洪水のように美佳の心に流れ込んできた。

美佳は雪穂に抱かれたまま、わあわあと声をあげて泣きだした。

11

笹垣が篠塚一成と共に、篠塚康晴の邸宅を訪れることにしたのは、十二月半ばの日曜日のことだった。この用件のため笹垣は、先月に続いて上京してきたのだ。

「会ってもらえますかね」車の中で笹垣はいった。

「まさか追い返されるようなことはないでしょう」

「留守やなかったらええんですけどね」

「その点は大丈夫です。スパイから情報を得てあります」

「スパイ？」

「家政婦さんですよ」

午後二時過ぎ、一成の運転するベンツが篠塚邸に到着した。門のすぐ脇に、来客用のカースペースがある。一成はそこに車を止めた。

「外から見ただけでは、どれぐらいの広さかわからんぐらいのお屋敷ですな」門から屋敷を見上げて笹垣はいった。門や高い塀の向こうには木しか見えなかった。

門の脇についているインターホンのボタンを一成が押した。すぐに返事があった。

「お久しぶりです、一成さん」中年の女の声だ。どうやらカメラで見ているらしい。

「こんにちは、タエコさん。康晴さんはいるかな」

「ええ、いらっしゃいます。ちょっとそのままお待ちください」

いったんインターホンが切れた。一、二分して、またマイクから声が聞こえた。

「お庭のほうに回ってくださいとのことです」

「わかりました」

一成が答えると同時に、門の横の通用口の扉から、かちりと金属音がした。解錠されたようだ。

一成の後について、笹垣は敷地内に足を踏み入れた。石を敷いた長いアプローチが屋敷に向かって延びていた。外国映画みたいやなと笹垣は思った。

玄関のほうから、二人の女性が歩いてくるところだった。一成に紹介されるまでもなく、それが雪穂と篠塚康晴の娘であることを笹垣は察知した。娘の名が美佳ということも、すでに知っている。

「どうしますか」一成が小声で尋ねてきた。

「私のことは適当にごまかしてください」笹垣も彼の耳元でいった。

二人はゆっくりとアプローチを歩いた。雪穂が微笑みながら会釈してきた。そしてちょうどアプローチの半ばあたりで、全員が足を止めた。

「こんにちは、お邪魔します」一成が口火を切った。

「お久しぶりですね。お元気でした？」雪穂が尋ねる。

「まあ何とか。あなたもお元気そうだ」

「おかげさまで」

「大阪の店、いよいよオープンですね。どうですか、準備のほうは」

「計算通りに行かないことが多くて困っています。身体がいくつあっても足りないくらいで。今日もこれからそのことで打ち合わせを」

「そうですか。大変ですね」一成は隣の少女のほうを向いた。「美佳ちゃんも元気だった？」

少女は笑って頷いた。どこか影が薄いような印象を笹垣は受けた。雪穂のことを受け入れていないらしいと一成から聞いていたが、見たかぎりではそんな雰囲気はなく、少し意外だった。

「ついでに美佳のクリスマス用の服を探してあげようと思って」雪穂がいった。

「なるほど。それはいい」

「一成さん、こちらの方は？」雪穂の目が笹垣のほうに向けられた。

「ああ、この人はうちの社に出入りしている業者の人です」淀みなく一成はいった。

はじめまして、と笹垣は頭を下げた。顔を上げると、雪穂と目が合った。

十九年ぶりの対峙だった。もちろん笹垣は大人になった彼女を何度も見ているが、こんなふうに向き合ったことはない。あの大阪の古いアパートで初めて会った時のことを彼は思い出した。あの時の少女が目の前にいる。あの時と同じ目をして。

覚えてますかい、西本雪穂さん――笹垣は心の中で呼びかけた。私はあんたのことを、十九年間追いかけてきたんですよ。夢に見るほどにね。だけどまさかあんたは覚えてはいないでしょうねえ。こんな老いぼれのことなんか。うまく騙した馬鹿な人間の一人に過ぎないんでしょうからねえ。

雪穂がにっこりしていった。「大阪の方かしら?」

不意をつかれたような気分だった。アクセントでわかったらしい。「ええ、はい」と少しうろたえながら答えた。

「そう、やっぱり。今度心斎橋にお店を出すんです。ぜひ一度、お立ち寄りください」

彼女はバッグの中からハガキを一枚出してきた。オープンの案内状だった。

「はあ、そしたら、親戚の者にでも声をかけてみます」笹垣はいった。

「懐かしい」雪穂はそういってじっと彼の顔を見つめてきた。「思い出します。昔のことを」その表情に笑みはなかった。遠い何かを見つめる目だった。

その唇がふっとほころんだ。

「主人なら庭にいます。昨日のゴルフの成績が気に入らなかったらしくて、猛練習中なんですよ」一成にいった。

「じゃあ、邪魔しない程度にお時間をいただきましょう」

「いいえ、どうぞごゆっくり」雪穂は美佳に頷きかけ、歩きだした。彼女たちのために、笹垣と一成は道を開けた。

雪穂の後ろ姿を見送りながら、あの女は自分のことを覚えているのかもしれない、と笹垣は思った。

雪穂がいったように、康晴は南側の庭でゴルフボールを打っていた。一成が近づいていくとクラブを置いて笑顔で応対した。その顔からは、従弟を子会社に追い出した非情さは感じられなかった。

だが一成が笹垣を紹介すると、康晴の顔に警戒の色が宿った。

「大阪の元刑事さん?　ははあ」笹垣の顔をしげしげと眺めた。

「どうしても康晴さんの耳に入れておきたい話があってね」

一成がいうと、康晴はすっかり笑みの消えた顔で、

「じゃあ家の中で話を聞こうか」と室内を指した。

「いや、ここでいいよ。今日は比較的暖かいし、話をしたらすぐに帰るつもりだから」

「こんなところでか」康晴は二人の顔を交互に見てから頷いた。「まあいいだろう。タエさんに何か温かい飲み物でも持ってきてもらおう」

庭には白いテーブルと椅子が四脚置いてあった。天気の良い日には、家族で英国風のティータイムを楽しむのかもしれない。家政婦が持ってきてくれたミルクティーを飲みながら、笹垣は幸福そうな家族の姿を思い浮かべた。

しかしこの場は和やかなティータイムとはいかなかった。一成の話が始まるなり、康晴の顔がみるみる険しくなっていったからだ。

一成の話とは――。

雪穂に関するエピソードだった。笹垣と一成が話し合い、整理した、彼女の本性を暗示させる様々な出来事だった。当然桐原亮司という名前も、何度か登場することになった。

だが予想通り、話の途中で康晴は激昂した。テーブルを叩き、立ち上がった。

「くだらん、何をいいだすかと思えば」

「康晴さん、とにかく最後まで聞いてくれ」

「聞かなくてもわかる。そんな戯れ言に付き合っている暇はない。そんなくだらんことをしている暇があったら、おまえのところの会社を立て直す方法でも考えろ」

「そのことについても情報があるんだ」一成も腰を上げ、康晴の背中にいった。「僕を陥れた犯人がわかった」

康晴は振り返った。口元を歪めた。「まさかそれも雪穂の仕業だとでもいうんじゃないだろうな」

「篠塚薬品のネットワークにハッカーが侵入したことは聞いているだろう？　そのハッカーは帝都大学付属病院のコンピュータを経由していた。そこの薬剤師がつい最近まで同棲していた男が、今までに何度も名前の出ている桐原亮司だった」

一成の言葉に、康晴の目がかっと見開かれた。咄嗟《とっさ》に言葉が出ないのか、口を半開きにしたまま動かない。

「ほんまのことなんです」笹垣が横からいった。「その薬剤師が認めました。桐原亮司に間違いありません」

康晴が何かいったようだ。関係ない――笹垣の耳にはそんなふうに聞こえた。

笹垣はコートのポケットから一枚の写真を取り出した。

「これをちょっと見ていただけますか」

「何だ、これは。どこの写真だ」

「先程一成さんから説明していただいた、二十年ほど前に殺人事件のあったビルです。つまり大阪です。その薬剤師が桐原亮司と大阪に行った時に撮影したそうです」

「それがどうかしたのか」

「大阪に行った時の日付を聞きました。去年の九月十八日から二十日までの三日間です。これがどういう日やったか、当然覚えておられるでしょうな」

　康晴が思い出すまでに、少し時間を要した。だが彼はたしかに思い出した。あっと小さく漏れた声が、それを示していた。

「そうです」と笹垣はいった。「九月十九日は、唐沢礼子さんが亡くなった日です。なぜ急に呼吸が止まったのかは、病院でも不思議がってたそうですな」

「馬鹿なことをっ」康晴は写真を投げ捨てた。「一成、この頭のおかしい爺さんを連れて、さっさと帰ってくれ。今後、こういうことをまたいいだしたら、二度とうちの社には戻れないと思えよ。いっておくが、もうおまえのところの親父さんも、うちの社の役員じゃないんだからな」

　さらに彼は足元に転がっていたゴルフボールを拾い上げると、思い切りネットに向かって投げつけた。そのボールはネットを支える鉄柱に当たり、大きく弾んだ。そしてテラスに並べてある鉢植えにぶつかった。ぐしゃりと何かの潰れる音がした。しかし彼はそちらには見向きもせず、テラスから家に上がり、ガラス戸をぴしゃりと閉めた。

　一成がため息をついた。笹垣を見て、苦笑する。「半ば予想通りでしたね」

「唐沢雪穂にとことん惚れてはるんでしょう。あれがあの女の武器です」

「従兄も今は頭に血が上っていますが、冷静になれば、我々の話を吟味する気になるはずです。それを待つしかありません」

「まあ、そういう時が来たらええですけどな」

　二人が帰りかけた時、家政婦が駆け付けてきた。

「どうかされましたか。何かすごい音がしましたけど」

「康晴さんの投げたゴルフボールが、どこかに当たったみたいだよ」

「えっ、それでお怪我は？」

「怪我をしたのは鉢植えだよ。人間は無傷だ」

　家政婦は、あらあら、といいながら並べてある鉢植えの様子を見た。

「大変、奥様のサボテンが」

「彼女の？　サボテン？」

「大阪から持ってこられたものなんですよ。あーあ、完全に鉢が割れちゃってる」

　一成が家政婦のところまで見に行った。

「彼女、サボテンを育てるのが趣味なのかい」

「いえ、亡くなったおかあさんの御趣味だったそうですよ」

「ああ、そういえばそんなことをいってたな。おかあさんの葬式の時に聞いた」

　再び一成が離れかけた時、「あらっ」と家政婦がいった。

「どうした？」と一成が訊く。

　家政婦は割れた鉢植えの中から何か摘みだした。「こんなものが入ってたんです」

　一成は彼女の手の中を見た。「ガラスだな。サングラスのレンズじゃないのか」

「そうみたいですね。元々の土の中に混じってたんでしょ」家政婦は首を捻りながらも、それを鉢植えの破片の上に置いた。

「どうしました」笹垣も少し気になり、彼等に近づいた。

「いや、大したことじゃありません。鉢植えの土の中に、ガラスの破片が入っていたんですよ」一成は割れた鉢植えを指差していった。

　笹垣はそのほうを見た。平たいガラスの破片が目に留まった。たしかにサングラスのレンズらしい。半分ほどのところで割れている。彼はそれを慎重に拾い上げた。

　一瞬後、全身の血が騒ぎだしていた。いくつかの記憶が蘇り、めまぐるしく交錯した。間もなくそれは一つの道筋となった。

「サボテンは大阪から持ってきたとおっしゃいましたな」彼は抑えた声で訊いた。

「そうです。彼女のおかあさんの家にあったものです」

「鉢植えは庭に置いてあったんですか」

「そうです。庭に並べてありました。笹垣さん、それが何か？」一成も、元刑事のただならぬ様子に気づいたようだ。

「いや、まだわかりませんけどな」笹垣は摘んだガラス片を日に透かした。

　それは薄い緑色をしていた。

12

『R&Y』大阪一号店オープンの準備は、午後十一時近くまでかかった。浜本夏美は、最後のチェックを入念に行う篠塚雪穂の後について店内を歩いた。店舗の広さに関しても、品数の豊富さにしても、東京の本店をはるかに凌いでいる。宣伝活動も、もはやこれ以上はないといえるほど十全に行った。あとは結果を待つだけである。

「九十九パーセントまではこぎつけたわけね」すべてのチェックを終えた後で雪穂がいった。

「九十九パーセント？　まだ完璧じゃありませんか」夏

美は訊いた。

「いいのよ、一パーセントの不足があることで、明日への目標ができるから」雪穂はそういってにっこりした。「さあ、後は身体を休めるだけよ。今夜はお互い、アルコールはほどほどにね」

「祝杯は明日ですね」

「そういうこと」

　赤いジャガーに二人で乗り込んだ時には、十一時半になっていた。夏美がハンドルを握り、雪穂は助手席で深呼吸を一つした。

「がんばりましょうね。大丈夫、あなたならきっとうまくやれる」

「そうでしょうか。だといいんですけど」夏美は少し弱気になっている。この大阪店の経営は、実質的に夏美に任されているのだ。

「自信を持ちなさい。自分がナンバーワンだと思うこと。いいわね」雪穂は夏美の肩を揺すった。

　はい、と答えてから、夏美は雪穂を見た。

「だけど正直いって怖いです。社長みたいにやれるかどうか、とても不安です。社長は怖いと思ったことありませんか」

　すると雪穂は大きな目を真っ直ぐに向けてきた。

「ねえ、夏美ちゃん。一日のうちには太陽の出ている時と、沈んでいる時があるわよね。それと同じように、人生にも昼と夜がある。もちろん実際の太陽みたいに、定期的に日没と日の出が訪れるわけじゃない。人によっては、太陽がいっぱいの中を生き続けられる人がいる。ずっと真っ暗な深夜を生きていかなきゃならない人もいる。で、人は何を怖がるかというと、それまで出ていた太陽が沈んでしまうこと。自分が浴びている光が消えることを、すごく恐れてしまうわけ。今の夏美ちゃんがまさにそうよね」

　いわれていることは何となくわかった。夏美は頷いた。

「あたしはね」と雪穂は続けた。「太陽の下を生きたことなんかないの」

「まさか」夏美は笑った。「社長こそ、太陽がいっぱいじゃないですか」

　だが雪穂は首を振った。その目には真摯な思いが込められていたので、夏美も笑いを消した。

「あたしの上には太陽なんかなかった。いつも夜。でも暗くはなかった。太陽に代わるものがあったから。太陽ほど明るくはないけれど、あたしには十分だった。あたしはその光によって、夜を昼と思って生きてくることができたの。わかるわね。あたしには最初から太陽なんかなかった。だから失う恐怖もないの」

「その太陽に代わるものって何ですか」

「さあ、何かしらね。夏美ちゃんも、いつかわかる時が来るかもしれない」そういうと雪穂は前を向いて座り直した。「さっ、帰りましょ」

それ以上訊くことはできず、夏美はエンジンをかけた。

雪穂の宿泊場所は、淀屋橋にあるホテルスカイ大阪だった。夏美はすでにこちらに部屋を借りている。北天満《きたてんま》のマンションだ。

「大阪の夜は、本当はこれからが本番なのよね」車から外を眺めながら雪穂がいった。

「そうですね。大阪は遊ぶところには困りませんから。あたしも、昔はよう遊びました」

夏美がいうと、隣で雪穂がふっと笑う気配があった。

「やっぱりこっちにいると、大阪弁に戻ってしまうみたいね」

「あっ、すみません。つい……」

「いいのよ。ここは大阪なんだから。あたしもこっちに来た時ぐらいは、大阪弁を使おうかな」

「それ、すごくいいと思います」

「そう?」雪穂は微笑んだ。

やがてホテルに到着した。エントランスの前で、雪穂を降ろした。

「じゃあ社長、明日はよろしく」

「うん、今夜のうちに急用があったら携帯電話にかけてね」

「はい、わかっています」

「夏美ちゃん」雪穂は右手を出してきた。「勝負はこれからやで」

はい、と答えて、その手を握った。

13

時計の針が十二時を回り、今日はもうここまでかと思った時、木製の古いドアが軋み音をたてながら開いた。濃い灰色のコートを羽織った初老の男が、のっそりと入ってきた。

客を見て、桐原弥生子は愛想笑いしかけていた顔を元に戻した。小さく吐息をつく。

「なんや、笹垣さんかいな。福の神かと思たのに」

「何いうてるねん。福の神やないか」

笹垣はマフラーとコートを勝手に壁にかけた。詰めれば十人が座れるL字形カウンター席の、ほぼ真ん中に腰をのせた。コートの下にはくたびれた茶色の背広を着ていた。刑事を引退した後も、この人物のスタイルは変わらない。

弥生子はグラスを彼の前に置き、ビール瓶の栓を抜いて酌をした。彼はここではビールしか飲まないことを知っている。

笹垣は旨そうに一口飲み、弥生子が出した粗末なつまみに手を伸ばした。

「景気はどうや。そろそろ忘年会シーズンやろ」

「見ての通り。うちは何年も前からバブルが弾けてますねん。というより、バブルが膨らんだこともおません」

弥生子は自分もグラスを出し、手酌でビールを注いだ。笹垣に、いただきます、ともいわないで、一気に半分ほど飲んだ。

「相変わらず、ええ飲みっぷりやな」笹垣が手を伸ばしてきてビール瓶を摑んだ。そのまま彼女のグラスに注ぎ足す。

どうも、と弥生子は頭を下げた。「これだけが楽しみ」

「弥生さん、ここに店を出して何年になる？」

「ええと、何年やろ」彼女は指を折った。「十四年……かな。ああ、そうや。来年の二月で十四年や」

「結構長いこと続いてるやないか。やっぱりこの仕事が一番合《お》うてたんと違うか」

はははは、と彼女は笑った。

「かもしれませんわ。その前の喫茶店は、三年で潰してしもたからね」

「質屋の仕事は全く手伝わずやろ？」

「ああ、あれは一番嫌いな仕事。あたしの性に全然合えへんかった」

それでも十三年近く、質屋の女房をしていた。あれが自分の人生にとって最大の間違いだったと彼女は思っている。桐原と結婚などせず、キタ新地のバーで働き続けていたら、今頃はどんなに大きな店を切り回していただろう。

夫の洋介が殺された後、しばらくは松浦が店のことをしてくれた。だがやがて親族会議が開かれ、店は洋介の従弟がみることになった。もともと桐原家は代々質屋を営んでおり、親戚の何軒かは『きりはら』の看板をあげて商売をしていた。洋介が死んだからといって、弥生子が好きにしていいというものではなかったのだ。

間もなく松浦は店を辞めた。新たに経営者となった従弟によれば、松浦は店の金をかなり使い込んでいた形跡があるというが、数字の話は弥生子にはわからなかった。正直なところ、彼女にとってはどうでもいいことだった。

弥生子は家と店を従弟に譲り、その金で上本町《うえほんまち》に喫茶店を開くことにした。この時彼女にとって計算外だったことは、『きりはら』の土地は洋介のものではなく、洋介の実兄の名義になっていたことだった。つまり土地は借り物だったということになる。そのことを弥生子は、この時まで知らなかったのだ。

喫茶店経営は開店当初こそ順調だったが、半年ほど経つ頃から客が減り始め、やがて行き詰まるようになった。原因はよくわからなかった。新しいメニューを作ってみたり、店の内装を変えたりもしたが、特効薬にはならなかった。やむなく人件費を削ろうとするとサービス低下に繋がり、ますます客足が遠のくという有り様だった。

　結局、店は三年足らずで閉めた。その頃、ホステス時代の友人から、天王寺に小さな店があるからやってみないかと声をかけられた。権利金はなし、居抜きで借りられるという好条件だった。彼女はすぐに飛びついた。それが現在のこの店である。以来十四年間、弥生子の生活を支えてきた。この店がなかったらと思うと、彼女は今も鳥肌が立つ。もっとも、この店を開いた直後にインベーダーゲームのブームが訪れて、コーヒーではなくゲーム目当ての客が喫茶店に押し掛けるようになった時には、奥歯をきりきりと鳴らすほど悔しがったのだが。

「息子はどうや。相変わらず、連絡なしか」笹垣が訊いてきた。

　弥生子は口元を緩め、首を振った。「もう諦めてます」

「今は何歳になってるんかな。ちょうど三十か」

「さあ、どうでしたやろ。忘れてしまいましたわ」

　この笹垣という男は、弥生子が店を開いて四年目あたりから、ごくたまに訪れるようになった。元は洋介が殺された事件を担当していた刑事だが、その話をすることは殆どない。しかしいつも決まって口にするのは亮司のことだった。

　亮司は中学を卒業するまで、『きりはら』の家で生活していた。弥生子としては喫茶店経営で頭がいっぱいの時だったから、息子の面倒を見なくていいのは助かった。

　弥生子がこの店を始めたのと相前後して、亮司は『きりはら』を出てきた。しかし仲むつまじい母子生活が始まったわけではなかった。彼女は夜中まで酔客の相手をせねばならず、その後はただひたすら眠るだけだ。起きるのはいつも昼過ぎで、それから簡単な食事を済ませ、風呂に入って化粧をした後、店の準備にとりかかる。息子のために朝食を作ってやったことなど一度もないし、夕食も店屋物が殆どだ。そもそも母子が顔を合わせること自体、一日に一時間あるかどうかというところだった。

　やがて亮司の外泊が増えた。どこに泊まったのかと尋ねても、曖昧な答えしか返ってこない。しかし学校や警察から注意を受けることもなかったので、弥生子はあまり気にしなかった。何よりも彼女は毎日の暮らしに疲れていた。

　高校の卒業式の朝、亮司はいつものように出かける支度をした。珍しく目を覚ましていた弥生子は、布団の中から彼を見送ることにした。

　いつもは黙って出ていく彼が、その日にかぎって部屋の入り口から振り返った。そして弥生子に向かっていった。「じゃあ、俺、行くからな」

「うん、行ってらっしゃい」寝ぼけた頭で彼女は答えた。

結局これが母子の最後の会話となった。弥生子が化粧台の上のメモに気づくのは、それから数時間後だ。そのメモには、『もう帰らない』とだけ書いてあった。その宣言通り、彼は帰ってこなかった。

もちろん捜す方法はあったのだろう。しかし弥生子は積極的に彼を見つけ出そうとはしなかった。寂しいと思う反面、こうなるのは無理ないかもしれないという気持ちもあった。彼女は自分がただの一度も母親らしいことをしてやらなかったことを自覚していた。また亮司が自分のことを母親だと認めていないことも知っていた。

元々自分には母性というものが欠如していたのではないかと弥生子は思っている。亮司を産んだのも、子供が欲しかったからではなく、堕胎する理由がなかったからにほかならない。洋介と結婚したのも、これで働かなくても生活できると思ったからだ。ところが妻や母という立場は、当初予想したよりも窮屈で退屈なものだった。彼女は妻や母親ではなく、いつまでも女でありたかった。

亮司が出ていって三か月ほどした頃、一人の男と深い仲になった。輸入雑貨を扱う男だった。彼は弥生子の寂しい心を癒してくれた。また女でありたいという彼女の思いを叶えてくれた。

男とは約二年間、一緒に暮らした。別れることになったのは、男が本来の家に帰らねばならなくなったからだ。彼は結婚しており、堺市に家を持っていた。

その後も何人かの男と付き合い、そして別れた。今は一人だ。気楽ではあるが、どうしようもなく寂しくなることもある。そんな夜には、亮司のことを思い出した。だが会いたいなどという気持ちを抱くことを、彼女は自分に禁じていた。そんな資格などないことはわかっていた。

笹垣がセブンスターをくわえた。弥生子は使い捨てライターを素早く手にし、煙草の先で点けた。

「なあ、あれから何年になると思う？　おたくの御主人が殺されてからや」煙草を吸いながら笹垣は訊いた。

「二十年ほど……かな」

「正確にいうと十九年や。えらい前のことになってしもうたなあ」

「そうですね。笹垣さんは引退したし、こっちはもうおばあさんや」

「これだけ時間が経ったんやから、どうや、そろそろ話せることもあるんと違うか」

「どういう意味です」

「あの頃はしゃべられへんかったけど、今やったらしゃ

「あんたと松浦、できとったやろ？」笹垣はグラスのビールを飲み干した。弥生子が注ごうとするのを制して、自分で注いだ。「もう隠さんでもええやろ。昔の話や。今さら、誰かに何かいわれるわけでもない」

「昔の話を今さら聞いて、どうするんですか」

「どうもせえへん。ただ納得したいだけや。事件が起きた頃、お宅の店に訪ねていった客が、入り口には鍵がかかってたというてた。それについて松浦は金庫室に入ってたというし、あんたは息子とテレビを見てたというた。けど、それは本当やない。ほんまは、あんたと松浦は奥の部屋で布団に入ってた。違うか？」

「さあ、どうですやろ」

「やっぱり図星か」笹垣はにやにやしながらビールを飲んだ。

弥生子はせわしなく煙草を吸い続けた。漂う煙を見ながら、ふと思いを馳せた。

松浦勇のことをそれほど好きだったわけではない。ただ毎日が退屈だった。このままでは女でなくなってしまうのではないかと焦ってもいた。だから松浦に迫られた時、あっさりと受け入れた。彼にしても、彼女のそういう本音を見抜いていたから、誘いをかけてきたのだろう。

「息子は二階か？」笹垣が訊いてきた。

「えっ？」


べれるということもあるやろというてるんや」

弥生子は薄く笑い、自前の煙草を取り出した。火をつけ、染みの出た天井に向かって、灰色の煙を細く吐く。

「けったいなことをいわはるわ。あたし、何も隠してません」

「そうか？　わしには、いろいろと腑に落ちんことがあるんやけどなあ」

「まだあの事件にこだわってはるの？　気ぃ長いなあ」

指先に煙草を挟んだまま、弥生子は後ろの棚に軽くもたれた。どこからか有線の音楽が聞こえてくる。

「事件の日、あんたは店員の松浦と息子の亮司君と三人で家におったていうたわな。あれはほんまの話か」

「ほんまですよ」弥生子は灰皿を手に持ち、その中に煙草の灰を落とした。「それについては笹垣さんらも、しつこいほど調べはったやないですか」

「調べた。けど、具体的に証明できたのは松浦のアリバイだけや」

「あたしがあの人を殺したていわはるんですか」弥生子は鼻から煙を吐いていた。

「いや、あんたも一緒におったやろ。わしが疑《うたご》うてるのは、三人が一緒やったという話や。実際には、あんたと松浦と二人きりやった。違うか？」

「笹垣さん、何がいいたいんですか」

「亮司君や。あんたと松浦は一階の奥の間におった。その時あの子は二階におったんやろ？　で、あんたらはあの子が急に入ってこんように、階段の戸に掛け金錠をかけておいたというわけや」

「掛け金錠？」口に出していってから、弥生子は大きく頷いた。「そうや。そういうたら、階段の戸にそんな錠がついてた。さすがは刑事さんや。よう覚えてはるわ」

「どうやねん。あの時、亮司君は二階におったんやろ。けど、あんたと松浦の関係をごまかすために、あの子も一緒におったことにした。そういうことやろ？」

「そう思いたいんやったら、それでかまいませんよ。あたしは何ともよういいません」弥生子は短くなった煙草を灰皿の中でもみ消した。「ビール、もう一本あけましょか？」

「ああ、もらおか」

新しく開けたビールを、笹垣はピーナッツをつまみながら飲んだ。弥生子も付き合った。しばらく二人は無言だった。

再びあの時のことを弥生子は思い出していた。笹垣のいうとおりだった。事件が起きた頃、彼女は松浦と情事にふけっていた。亮司は二階だ。階段の戸には錠をかけてあった。

だが、警察からアリバイを訊かれた場合には、亮司も一緒にいたことにしようと提案したのは松浦だった。そのほうが妙に勘ぐられなくて済むというのだった。相談の結果、弥生子と亮司はその時間テレビを見ていたことにした。少年向けのSFドラマだ。番組の内容は、当時亮司が購読していた少年雑誌に、かなり詳しく紹介してあった。それを弥生子と亮司は読んで覚えた。

「ミヤザキ、どうなるやろな」笹垣がぽつりといった。

「ミヤザキ？」

「宮崎勤や」

「ああ」弥生子は長い髪をかきあげた。抜け毛が手についた感触があったので見ると、白髪が中指にからみついていた。笹垣に気づかれぬよう足元に落とした。「死刑でしょ、あんなもん」

「何日か前の新聞に、公判のことが載っとったな。事件の三か月前に慕ってた爺さんが死んで、心の支えを失った、とかいうとるらしい」

「しょうむない。そんなことで人殺しをされたらかなわんわ」弥生子は新しい煙草に火をつけた。

八八年から八九年にかけて埼玉と東京の幼女四人が次々と殺害された、いわゆる「連続幼女誘拐殺人事件」の裁判が行われていることは、弥生子もニュースなどで知っている。精神鑑定の結果を巡って弁護側が反論しているらしいが、幼い女の子を狙ったということについては、彼女はさほど異常性は感じなかった。そういう歪んだ本能を持つ男が決して少なくないということを彼女は知っていた。

「あの話、もうちょっと早よ聞いてたらな」笹垣が呟いた。

「あの話？」

「おたくの旦那の趣味の話や」

「ああ……」弥生子は笑おうとした。しかし奇妙な具合に頬がひきつった。

その話題を出したくて、宮崎勤のことを口にしたのだなと合点がいった。

「あんな話、何かの足しになるんですか」と彼女は訊いた。

「足しになるどころやない。事件直後に聞いてたら、捜査の内容は一八〇度変わっとった」

「へえ、そうなんですか」弥生子は煙を吐く。「そういわれても……」

「まあ、あの時はしゃべれんわな」

「そうです」

「そら、そうやなあ」笹垣は広くなった額に手を当てた。「おかげで十九年や」

どういう意味かと訊きたいのを弥生子はこらえた。おそらく笹垣は何かを胸に秘めているのだろう。しかし今さらそれを知りたくはなかった。

またしばらく沈黙が続いた。二本目のビールを三分の一ほど残したところで笹垣は立ち上がった。「ほな、帰るわ」

「寒い中、どうもありがとうございました。また、気が向いたら来てください」

「そうやな。また来さしてもらうわ」笹垣は勘定を済ませると、コートを羽織り、茶色のマフラーを首に巻いた。「ちょっと早いけど、よいお年を」

「よいお年を」弥生子は愛想笑いをした。

笹垣は古いドアの把手に手をかけた。だがそれを引く前に振り返った。

「ほんまに二階におったんかな」

「はっ？」

「亮司君や。ほんまに、ずっと二階におったんやろか」

「何をいわはるの」

「いや、何でもない。邪魔したな」笹垣はドアを開けて出ていった。

弥生子はしばらくドアを見つめた後、そばの椅子に腰を下ろした。鳥肌が立っている。外から入りこんだ冷たい空気のせいだけではなかった。

リョウちゃん、またお出かけみたいやな――松浦の声が蘇った。彼は弥生子の上にいた。こめかみに汗が浮いていた。

瓦を踏む音を聞いて、松浦はそういったのだ。亮司が窓から外に出て、屋根づたいにどこかへ行くことは、弥生子も前から知っていた。だがそのことで亮司に何かいったことはない。出ていってくれたほうが、情事に没頭しやすい。

あの日もそうだった。彼が戻ってきた時も、瓦の音がかすかにした。

しかし――。

それが何だというのだ。亮司が何をしたというのだ――。

14

入り口ではサンタクロースがカードを配っていた。店内には、クラシック風にアレンジされたクリスマスソングが流れ続けている。年末とクリスマス、そして開店セールという要素が複合的に作用し、ふつうに歩くのも困難なほどの混雑ぶりだった。見たところ、客は殆どが若い女性だった。まるで花に群がる虫のようだと笹垣は思った。

篠塚雪穂が経営する『R&Y』大阪一号店は、本日華々しくオープンした。東京にある店とは違い、ここはビル全体が一店舗となっている。洋服だけでなく、アクセサリーやバッグ、靴のフロアもある。笹垣にはよくわからないが、高級ブランド品ばかりだという。世間ではバブルが弾けたといわれているのに、その雰囲気に逆行するような商法だった。

一階から二階に上がるエスカレータのすぐ横に喫茶スペースがあり、ひと休みできるようになっている。笹垣は一時間ほど前から、端のテーブル席に腰を落ち着け、一階のフロアを見下ろしていた。夜になっても客足は一向に衰える様子がない。この喫茶店に入るのにも、ずいぶんと並んだのだ。今も入り口に長い列が出来ている。店員から疎ましがられるのを恐れ、笹垣は二杯目のコーヒーを頼んでいた。

彼とテーブルを挟む形で、一組の若いカップルが座っていた。傍目には、若夫婦とどちらかの父親というふうに見えるだろう。そのカップルの男のほうが、小声で話しかけてきた。

「やっぱり現れませんね」

うん、と小さく笹垣は頷いた。その目は依然として階下に注がれている。

若い男女はどちらも大阪府警本部の警察官だった。特に男のほうは、捜査一課の刑事だった。

笹垣は時計を見た。閉店時刻が近づいている。

「まだ、わからん」相手に聞かせるためではなく、自分に向かって彼は呟いた。

　彼等が待ち受けているのは、いうまでもなく桐原亮司だった。発見すれば、即座に捕捉することになっている。逮捕はまだできないが、とにかく身柄を拘束しなければならない。刑事を引退している笹垣は、彼のことをよく知っているということで、協力者としてここにいる。無論、捜査一課長である古賀が、そのように取り計らってくれたのだ。

　桐原の容疑は殺人である。

　例のサボテンの鉢植えから出てきたガラス片を見た瞬間、笹垣の頭に閃くものがあった。それは松浦勇の失踪時の服装についてだった。何人かの人間が、「彼はよく、緑色のレンズが入ったレーバンのサングラスをかけていた」と供述していたのだ。

　笹垣は古賀に頼み、ガラス片を調べてもらった。彼の直感は正しかった。それはレーバンのレンズに間違いなく、わずかに付いていた指紋は、松浦の部屋から採取した彼の指紋と、非常に似通っていたのだ。その一致率は九十パーセント以上という高いものだった。

　なぜあの鉢植えに松浦のサングラスの破片が入っていたのか。推測できることは、サボテンの元々の持ち主である唐沢礼子が鉢植えに土を入れる時、その中に混じってしまったということである。ではその土をどこから持ってきたのか。専用の土を購入したのでなければ、自宅の庭の土を入れたと考えるのが最も妥当であろう。

　とはいえ唐沢家の庭を掘り返すとなると捜索令状が必要になる。これだけの根拠で、それを敢行するかどうかは判断の難しいところだった。しかし結局、古賀捜査一課長は決断した。現在唐沢家に居住者がいないということが、その背景にあったことはたしかである。だが笹垣は、年老いた元刑事の執念を信頼してくれたのだろうと解釈していた。

　捜索は昨日、実施された。唐沢家の庭の、最も塀寄りのところに、地面が露出した場所があった。捜索のベテランたちは、殆ど迷わずにそこから掘り始めた。

　着手から約二時間後、一体の白骨死体が見つかった。着衣はない。死後、七、八年は経過していると見られた。

　現在大阪府警では、科学捜査研究所の力を借りて、死体の身元を明らかにしようとしている。その方法はいくらでもある。少なくとも、松浦勇かどうかを確かめるのは難しくないはずだった。

　そして笹垣は、死体が松浦であることを確信していた。白骨死体の右手小指に、プラチナの指輪がはまっていたという話を聞いたからだった。その指輪をはめた松浦の手が動いていた様子を、彼は昨日のことのように思い出すことができた。

さらに死体の右手は、もう一つ別の証拠を摑んでいた。白骨化した指に、数本の人毛がからみついていたのだ。格闘した際、相手の髪の毛を摑んだものと想像できた。

問題はそれが桐原亮司のものと断定できるかどうか、だった。通常の場合ならば、毛の色調、光沢、硬さ、太さ、髄指数、メラニン色素顆粒の分布状態、血液型などの要素から、個人識別に近いことも可能である。しかし今回見つかった毛髪は、何年も前に落ちたものであり、どの程度の判定ができるかは不明であった。ところがそれについて古賀は一つの覚悟を決めていた。

「いざとなれば科警研に依頼しましょう」というのだった。

古賀が考えているのはDNA鑑定のことらしかった。遺伝子の本体であるDNAの配列の違いで個人を識別する方法で、ここ一、二年、いくつかの事件で使われている。警察庁では、今後四年間で全国の都道府県警察に導入する予定だというが、現在は科警研で一手に引き受けている形だ。

時代は変わった、と思わざるをえない。質屋殺しから十九年。その年月が何もかもを変貌させた。捜査手段までも。

だが問題は、桐原亮司を見つけ出すことだった。どんなに証拠が揃っても、逮捕できないのでは意味がない。

そこで笹垣が進言したのが、篠塚雪穂の身辺を見張ることだった。エビはハゼのそばにいる——彼は今もそう信じている。

「雪穂の店がオープンする日、桐原は絶対に現れる。奴等にとって大阪に店を開くということには特別の意味がある。それに東京に店を持ってる雪穂は、そうしょっちゅう大阪には来られへん。狙いはオープン初日や」笹垣は古賀に主張した。

この元刑事の意見に古賀は同調してくれた。今日は開店時から、複数の捜査員が交代で、時折場所を変えながら、この店を見張り続けている。笹垣も朝から同行していた。約一時間前までは、向かいの喫茶店にいたのだ。しかし一向に桐原の現れる気配がないので、こうして乗り込んできた。

「桐原は、今も秋吉雄一の名前を使っているんでしょうか」男の刑事が小声で訊いてきた。

「さあ、それはわかりません。もうそろそろ別の名前を騙《かた》ってるかもしれませんな」

答えてから笹垣は、全く別のことを考えていた。それは秋吉雄一という偽名についてだった。

どこかで聞いたことのある名前だと、ずっと思っていた。その理由が、つい先日わかったのだ。

あの少年——菊池文彦から聞いていた名前だった。

菊池文彦はレイプ事件で容疑を受けたが、桐原亮司の証言によって助かった。しかしそもそもなぜ彼に容疑がかかったのか。

現場に落ちていたキーホルダーが菊池文彦のものだと警察に告げ口した者がいたからだった。菊池によれば、その「裏切り者」の名前が秋吉雄一だった。

桐原がなぜそんな名前を偽名として選んだのか。その理由は本人に訊くしかないが、笹垣としては想像していることがある。

たぶん桐原は、自分の生き様が、すべてのものを裏切ることで成り立っていることを自覚していたのだ。そんな幾分自虐的な思いを込めて、秋吉雄一と名乗ったのではないだろうか。

もっとも、今となってはどうでもいいことだった。

桐原が菊池を罠にはめた理由については、笹垣はほぼ解明した自信があった。菊池が持っていたという写真は、桐原にとっては極めて都合の悪いものだったのだ。そこには桐原弥生子と松浦勇の逢い引きの様子が写っていたという。菊池がもしそんなものを警察関係者に見せればどうなるか。それによって捜査がやり直される可能性が出てくる。桐原が恐れたのは、事件当日のアリバイが崩れることだった。弥生子と松浦が情交中だったとなれば、桐原は一人だったということになる。客観的に考えれば、警察が当時小学生だった彼を疑うことはありそうもなかったが、彼としてはそのことは隠しておきたかったのだ。

昨夜、桐原弥生子と会って、笹垣は自分の推理に確信を持った。あの日、桐原亮司は一人で二階にいたのだ。しかしずっと居続けていたわけではない。あの住宅が密集した地域では、泥棒が二階から侵入するのがたやすいように、二階から外に出ることもまた簡単だった。彼は屋根づたいにどこかへ行き、また屋根づたいに戻ったのだ。

その間、彼は何をしていたか——。

店内に、閉店時刻が近づいたことを知らせるアナウンスが流れ始めた。それが合図のように、人の流れが急に向きを変え始めた。

「だめですかねえ」男の刑事がいった。婦人警官も浮かない顔で周りを見回している。

もし桐原亮司を発見できない場合には、今日中に篠塚雪穂から事情聴取するという手筈になっているようだった。しかし笹垣は反対だった。雪穂が何か有益なことをしゃべるとはとても思えなかった。誰もが欺かれるほどの純粋な驚きの表情を作り、「母の家の庭から白骨死体ですって？　とても信じられません。嘘でしょう？」とでもいうに決まっていた。そして彼女にそういわれれば、警察としては手の出しようがない。松浦が殺されたと思われる七年前の正月、唐沢礼子が雪穂たちの家に招かれていたことは、高宮誠の証言で判明している。しかし桐原と雪穂が通じていたという証拠は何もないのだ。

「笹垣さん、あれを……」婦人警官が目立たぬように指差した。

そのほうを見て笹垣は目を見張った。雪穂が店内をゆっくりと歩いていた。真っ白なスーツを身に着け、一級品といっていい微笑を浮かべていた。その美しさというよりも輝きに、周りの客も店員も一瞬目を奪われているようだった。通り過ぎた後で振り返っている者がいる。彼女を見て、ひそひそと言葉を交わしている者がいる。そして憧れの眼差しを向けている者もいた。

「女王ですね」若い刑事が呟いた。

だが笹垣は女王のような雪穂に、全く別の姿を重ね合わせていた。あの古いアパートで会った時の彼女だ。何ものも寄せつけず、心を開こうとしなかったあの少女だ。

あの話をもっと早くに聞いていたら――昨夜、弥生子にいったのと同じ台詞を彼は心の中で繰り返した。

その話を弥生子から聞いたのは五年ほど前だった。彼女はかなり酔っていた。もちろん、だからこそ打ち明けてくれたのだろう。

「今やからいいますけどね、主人はあっちのほうはまるでだめやったんですよ。いえ、前はそんなこともなかったんですけど、だんだんとね。そのかわりに何というか、おかしな趣味に走りだしたんです。幼女趣味っていうんですか。小さい女の子に興味を持ちましてね。その手の変な写真なんかも、その筋の人からたくさん買《こ》うてましたわ。その写真？　そら、あの人が死んだ後、すぐに処分しました。当たり前やないですか」

彼女の話は、この後さらに笹垣を驚愕させた。

「ある時松浦から、変なことを聞きましてん。旦那さんはどうやら、女の子を買《こ》うてるらしいで、ていうんです。女の子を買うてどういうことやと訊いたら、金を出して、年端のいかん子に相手をさせるんやと教えてくれましたわ。そんな店あるんかとびっくりしましたけど、奥さんは水商売上がりのくせに何も知らんねんな、今は親が娘をそうやって食い物にする時代やでていうて笑《わろ》てました」

この話を聞いた時、笹垣の頭の中で嵐が吹き荒れた。すべての思考がいったん混乱した。しかしその後は、それまで絶望的に見えなかったものが、霧が晴れるように見えてきた。

そして弥生子の話には続きがあった。

「そのうちに主人は、妙なことを始めたんです。よその子を養女にするにはどういう手続きが必要かとか、そういうことを、知り合いの弁護士さんに問い合わせてましたわ。あたしがそのことで問い詰めたら、えらい怒って、おまえには関係ないていうんです。その挙げ句、あたしとは別れるとかいい出しましてん。あの頃のあの人は、頭がちょっとおかしかったんやないかと思います」

これで決定的だと笹垣は思った。

桐原洋介が西本母子が住むアパートに通っていたのは、西本文代が目当てではなかった。彼の狙いは娘のほうにあったのだ。おそらく彼は何度か、娘の身体を買ったに違いない。あの古いアパートの一室は、そういう醜悪な商売の場として使われていたのだ。

そこで笹垣は当然一つの疑問を抱いた。

果たして客は桐原洋介だけだったのか、ということだ。たとえば交通事故死した寺崎忠夫はどうだったか。彼のことを捜査陣は西本文代の愛人だと決めつけていた。しかし寺崎が桐原洋介と同じ性癖の持ち主ではなかったといいきることはできないのである。

残念ながらそれについては、今では明らかにできなかった。他に客がいたとしても、もはや突き止めることは不可能だろう。

はっきりしているのは桐原洋介についてだけだ。

桐原洋介の百万円は、やはり西本文代に対する取引の金だった。しかしそれは彼女に愛人になれという話ではなく、彼女の娘を養女にしたいという話だった。何度か娘を買ううちに、彼は何としてでも自分一人のものにしたくなったに違いない。

洋介が帰った後、文代は一人で公園のブランコに揺られていたという。彼女の胸中では、どんな思いが揺れていたのか。

そして洋介は文代との話を終え、図書館へ行った。自分が心を奪われている美少女を迎えに行くためだった。

それからどんな経過があったのかを、笹垣ははっきりと頭に描くことができる。桐原洋介は少女を連れ、あのビルの中に入った。少女は抵抗しただろうか。あまりしなかったのではないかというのが、笹垣の推理だ。洋介は彼女にこういったに違いないからだ。百万円をおまえのおかあさんにやったからな――。

どのようなことがあの埃だらけの部屋で行われたのかは想像するのもおぞましい。だがその光景を見ている者がいたとしたら。

その時にたまたま亮司がダクトの中で遊んでいたとは思えない。家の二階から抜け出した彼は、図書館に向かった。おそらく彼はしばしばそのようにして雪穂と会っていたのだろう。そして彼は自慢の切り絵を見せてやった。あの図書館だけが、二人にとって心の休まる場所だったのだ。

しかしあの日亮司は、図書館のそばで奇妙な光景を見た。父親が雪穂と歩いている。彼は二人を尾行した。二人はあのビルに入っていった。

中で何をしているのだろう。少年はいいようのない不安を感じた。覗く方法はただ一つだ。彼は迷わずダクトに侵入した。

このようにして彼はたぶん最悪のシーンを目にしたのだ。

その瞬間少年にとって父親は、醜い獣以外の何者でもなかっただろう。悲しみと憎悪が、彼の肉体を支配したに違いない。笹垣は死体が受けた傷を今も思い出すことができる。あの傷は、少年の心の傷でもあったのだ。

父親を殺害した後、亮司は雪穂を逃がした。ドアの内側にブロックを置いたのは、少しでも事件が発覚するのを遅らせようという子供の知恵だろう。その後で彼は再びダクトにもぐった。彼がどんな思いでダクトの中を這い回ったかを考えると、笹垣も胸が痛くなる。

その後二人の間にどういう取り決めがなされたかはわからない。おそらく取り決めらしいものはなかっただろうと笹垣は想像している。彼等は自分たちの魂を守ろうとしているだけなのだ。その結果、雪穂は本当の姿を誰にも見せず、亮司は今も暗いダクトの中を徘徊している。

亮司が松浦を殺害した直接の動機は、アリバイの秘密を知る人間だからだろう。松浦は何らかのきっかけで、亮司が父親殺しを犯した可能性に気づいたのかもしれない。そのことを仄めかし、例の偽ゲームソフトに加担するよう命じたことは大いに考えられる。

だが笹垣は動機はもう一つあったと思っている。桐原洋介の幼女趣味が、弥生子の浮気に起因していないとはいいきれないからである。亮司はあの二階の密室で、何度となく母と松浦の痴態を聞かされたに違いない。あの男のおかげで俺の両親は狂った――そう受け止めたとしても不思議ではない。

「笹垣さん、行きましょう」

刑事に声をかけられ我に返った。見渡すと、喫茶店の客はほかにはいない。

現れなかったか――。

虚しさが胸に広がった。今日ここで桐原を見つけられなければ、もう二度と捕まえられないような気がした。しかしいつまでもここに居座っているわけにはいかない。

「行きましょか」仕方なく重い腰を上げた。

喫茶店を出て、笹垣は二人の男女と共にエスカレータに乗った。客はぞろぞろと帰り始めている。店員たちは開店初日のセールが大成功に終わったことに満足そうだ。店頭でカードを配っていたサンタクロースが上りのエスカレータに乗っていた。彼もまた心地よく疲れているように見えた。

　エスカレータを降りた後、笹垣はそっと店内を見回した。雪穂の姿はなかった。今頃は今日の売り上げの計算を始めているのかもしれない。

「お疲れ様でした」店を出る前に男の刑事が囁いた。

　どうも、と笹垣は小さく会釈する。後は彼等に任せるしかない。若い彼等に。

　他の客たちと共に笹垣は店を出た。カップルに化けた刑事たちは、すっと彼から離れ、別の場所で見張りを続けている刑事に近づいていった。これから雪穂のところへ行き、事情聴取をするつもりかもしれない。

　笹垣はコートの前を合わせ、歩きだした。すぐ前を母子連れと思える二人が歩いていた。彼女たちもまた同じ店から出てきたようだ。

「いいものもらったねえ。帰ったらお父さんに見せたげてね」母親が話しかけている。

　うん、と頷いているのは三、四歳の少女だ。その手に何か持っている。ひらひらしたものだ。

　その瞬間、笹垣は目を剝いた。少女が持っているのは赤い紙だった。それはトナカイの形に見事に切り抜かれていた。

「これ……これ、どうしたっ」

　彼は後ろから少女の腕を摑んでいた。母親らしき女は怯えを露にし、自分の娘を守ろうとした。

「な……何ですか」

　少女は今にも泣きだしそうだ。通りかかる人々がじろじろと見た。

「あっ、すみません。あの、これ……どうしたんですか」女の子の持っている紙を指して笹垣は訊いた。

「どうしたって……もらったんですけど」

「どこで？」

「あの店で、です」

「誰からもらったんですか」

　サンタさん、と女の子が答えた。

　笹垣は踵を返した。寒さで膝が痛むのをこらえ、全力で走った。

　店の入り口はもう閉じられかけていた。その前にはまだ刑事たちの姿があった。彼等は笹垣の形相を見て、顔色を変えた。

「どうしました」と中の一人が訊いた。

「サンタクロースや」笹垣は叫んだ。「あれがあいつや」

　刑事たちは事情を察知した。すでに閉じられているガラス扉を強引に開け、中に入った。引き留める店員を無視し、停止しているエスカレータを駆け上がっていく。

　笹垣も彼等に続こうとした。しかし次の瞬間、別の考えが浮かんだ。彼は建物の脇にある細い路地に入った。

あほや、わしはあほや、何年あいつを追いかけてきた？　あいつはいつも、人には見えへんところから、雪穂を見守っとったやないか――。

建物の裏に回ると、鉄製の手すりがついた階段があった。その上には扉がある。彼は階段を上がり、扉を開けた。

目の前に男が立っていた。黒い服を着た男だった。相手もまた、突然正面に人間が現れたことで驚いているようだった。

奇妙な時間だった。笹垣は、すぐ前にいる人物が桐原亮司であることを認識していた。にもかかわらず身体は動かず、声も出なかった。そのくせ頭の片隅で、こいつもわしが誰か思い出しよった、と冷静に判断している。

しかしその時間はたぶん一秒もなかったのだろう。相手の男はくるりと向きを変え、反対側に走りだした。

「待てっ」笹垣は後を追った。

廊下を抜けると売場に出た。刑事たちの姿が見えた。バッグを並べた棚を縫うように桐原は逃げる。そいつや、と笹垣は叫んだ。

刑事たちが一斉に追った。ここは二階だ。桐原は、今は動いていないエスカレータに向かっている。捕まえられる、と笹垣は確信した。

だが桐原はエスカレータには乗らなかった。その手前で足を止めると、ためらうことなく一階に向かって飛び降りた。

店員たちの悲鳴が聞こえた。何かが壊れる、ものすごい音が続いた。刑事たちは止まっているエスカレータを駆け下りていった。

数秒遅れて、笹垣もエスカレータに達した。心臓が苦しい。痛む胸を押さえながら、彼はゆっくりと下りていった。

巨大なクリスマスツリーが倒れていた。そのすぐ横に桐原亮司の姿があった。大の字になったまま動かない。

刑事が近寄り、彼を起こそうとした。だがその手を刑事は止めた。そのまま笹垣のほうを振り返った。

「どうした？」笹垣は訊いた。しかし答えは返ってこなかった。

笹垣は桐原に近づいた。仰向けにさせようとした。その時、再び悲鳴が上がった。

桐原の胸には何かが刺さっていた。血に染まって判別しにくかったが、それが何であるか笹垣にはすぐにわかった。彼が宝物のように大切にした鋏、彼の人生を変えた鋏だ。

病院を、と誰かがいい、誰かが走る足音がした。しかしそれももう無駄であることを笹垣は悟った。彼は死体を見慣れていた。

気配を感じ、笹垣は顔を上げた。すぐそばに雪穂が立っていた。雪のように白い顔をして見下ろしていた。

「この男は……誰ですか」笹垣は彼女の目を見て訊いた。

雪穂の顔は人形のように表情がなかった。その顔のままで彼女は答えた。

「全然知らない人です。アルバイトの採用は店長に任せておりますから」

その台詞が終わらぬうちに、傍らから若い女が現れた。青ざめていた。店長のハマモトです、と彼女はか細い声でいった。

刑事たちが行動を起こし始めた。ある者は現場保存の段取りをし、またある者は店長の女から事情聴取をしようとした。そしてある者は笹垣の肩に手を置き、彼を死体から遠ざけようとした。

笹垣はふらふらと刑事たちの輪から離れた。見ると、雪穂がエスカレータを上がっていくところだった。その後ろ姿は白い影に見えた。

彼女は一度も振り返らなかった。

本作品は「小説すばる」一九九七年一月号より一九九九年一月号まで
隔月に掲載された作品に、大幅加筆訂正を加えたものです。

東野圭吾　（ひがしの・けいご）

一九五八年大阪生まれ。大阪府立大学電気工学科卒。エンジニアとして勤務しながら、一九八五年「放課後」で第三十一回江戸川乱歩賞受賞。一九九九年「秘密」で第五十二回推理作家協会賞受賞。著書に「同級生」「パラレルワールド・ラブストーリー」「天空の蜂」「名探偵の掟」等がある。

白《びゃく》夜《や》行《こう》

著者　東《ひがし》野《の》圭《けい》吾《ご》

一九九九年八月一〇日　第一刷発行
一九九九年九月二五日　第五刷発行

発行者　小島民雄

発行所　株式会社集英社

東京都千代田区一ツ橋二-五-一〇　〒一〇一-八〇五〇

電話　〇三-三二三〇-六一〇〇（編集部）
〇三-三二三〇-六三九三（販売部）
〇三-三二三〇-六〇八〇（制作部）

印刷所　凸版印刷株式会社

製本所　加藤製本株式会社

定価はカバーに表示してあります。

 ISBN4-08-774400-0 C0093